Sportduikersgids Nederlandse Antillen en Aruba

REEDS VERSCHENEN

DOMINICUS ADVENTURE

SPORTDUIKERSGIDS
NEDERLANDSE ANTILLEN EN ARUBA

Marcel Bayer, Guido Derksen, John Neuschwander

Eerste druk 2002

© MMII Uitgeverij J.H. Gottmer/H.J.W. Becht BV, Postbus 317, 2000 AH Haarlem
E-mail: travel@gottmer.nl
Internet: www.dominicus.info
Uitgeverij J.H. Gottmer/H.J.W. Becht BV is onderdeel van de Gottmer Uitgevers
Groep BV

ISBN 90 257 3300 X /NUR 515

Tekst: Marcel Bayer, Guido Derksen en John Neuschwander
Cartografie: G-O graphics, Wijk bij Duurstede
Grafische vormgeving: Jan de Boer, Amsterdam
Omslagfoto's: John Neuschwander en Michael Kooren
Foto's: Alle bovenwaterfoto's: Michael Kooren, behalve pp. 22, 38, 39, 42, 45, 111, 118, 128,
138, 158, 183, 206, 225, 228 John Neuschwander; 127 Jack Vijgen; 132 André Nahr; 197 ar-
chief *Amigoe*
Alle onderwaterfoto's: John Neuschwander, behalve p. 286 Dive Safaris St. Maarten;
109, 146, 209 prof.dr. Hans Hass; 115 Patrick Mak; 72, 113, 120, 166 (onder), 224 archief
TSW; 159 Guido Selling
Tekeningen pp. 60, 61: Ewald Lieske
Redactionele begeleiding: Bureau InterPunct, Maastricht
Zetwerk: Jos Bruystens, Maastricht
Lithografie: Scan Studio's, Heemstede
Druk: VOB, Hardenberg
Afwerking: Alblas, Zandvoort

Alle Gottmer-reisgidsen worden voortdurend geactualiseerd door een team van ge-
specialiseerde redacteuren en adviseurs.
Natuurlijk kan het ondanks deze zorg voorkomen dat u op reis merkt dat er veranderingen hebben plaatsgevonden die onze redactie niet tijdig bereikt hebben. Wij zouden het op prijs stellen indien u ons informatie over gewijzigde omstandigheden wilt
toesturen: daarmee helpt u ons de volgende herdrukken verder te verbeteren.

INHOUD

KAARTEN, PLATTEGRONDEN EN KADERS

INLEIDING

Duiken in de wateren van de Nederlandse Antillen en Aruba is een feest, niet alleen vanwege de uitbundige flora en fauna onder water, de helderheid van het water en het aangename klimaat, maar vooral ook vanwege de voorzieningen op de meeste eilanden. Veel landgenoten doen hier hun eerste ervaring op met duiken in de tropen. In dit gebied staat ook de wieg van het sportduiken in de tropen. Dat was de verdienste van avonturiers als Captain 'Don' Stewart op Bonaire, die eind jaren vijftig, begin jaren zestig als een van de eersten met zelfgemaakte apparatuur en eenvoudige bootjes duikexcursies gingen verkopen. Met name vanuit de Verenigde Staten kreeg de duiksport impulsen in het hele Caribische gebied. Sinds de jaren tachtig ontdekken ook steeds meer Europeanen de attractie van de eilanden en de onderwatersport. Een reisje naar de Antillen is nog altijd prijzig, maar niet meer onbereikbaar voor mensen met een gemiddeld inkomen. De hoge vlucht die het toerisme en het duiktoerisme in het bijzonder hebben genomen, kent natuurlijk z'n keerzijde. Te volle boten, te veel duikcentra, minder persoonlijke aandacht voor de klant, te hoge prijzen voor het aanbod, criminaliteit en vooral schade aan de natuur door te veel en ondeskundig duiken. Niet voor niets slaan duikcentra die borg willen staan voor kwaliteit en veiligheid de handen ineen en luiden natuurbeschermers en milieuactivisten de noodklok. Op alle eilanden is er inmiddels een onderwatersportorganisatie en zijn er strenge regels om de natuur te beschermen en de veiligheid van de duikers te waarborgen.

Deze *Sportduikersgids Nederlandse Antillen en Aruba* gaat in op de duiklocaties op Bonaire, Curaçao, Aruba, Saba, Sint-Eustatius en Sint-Maarten. Bonaire is nog altijd de topper van de Antillen. Het koraallandschap en visleven zijn uitbundig en kleurrijk, het water is er doorgaans zeer helder. De mooiste duikstekken zijn bovendien makkelijk te bereiken, zowel vanaf de kust als met de boot. Dat geeft je als duiker een ongekende vrijheid. Dan zijn er nog de ideale klimatologische omstandigheden: altijd een aangename temperatuur door de passaat en weinig regen. Bonaire behoort zeker tot de tien beste duikgebieden in de wereld. En het eilandsbestuur is er alles aan gelegen dat zo te houden. Er is groei in het toerisme, maar geen bovenmatige, zodat de zaak niet uit de hand loopt. Bonaire ademt nog altijd een weldadige rust. Curaçao is op een aantal plaatsen zeker vergelijkbaar met Bonaire. De talrijke baaien bieden gemakkelijk toegang tot de meeste duiklocaties. Alleen de afstanden zijn groter. Aruba heeft een minder groot rif maar zet de laatste jaren sterk in op wrakduiken. De duikcentra en de toeristenorganisaties investeren veel om deze eilanden in de nabije toekomst echte duikbestemmingen te laten worden. Ook hier zijn de voorzieningen uitstekend. Aruba is vooral een eiland om het duiken af te wisselen met luieren op het strand of andere sportactiviteiten op het land. Saba is heel anders. Dit vulkanische eiland met bizarre koraalformaties onder water ligt niet op de route van de meeste duiksportliefhebbers. Dat maakt het eiland juist zo bijzonder voor duikers. Statia – officieel Sint-Eustatius – is nog minder bekend. Toch liggen hier onverwachte geheimen onder water in de vorm van een fraai koraallandschap van ruggen en valleien, met daarnaast nogal wat wrakken. Ooit was dit eiland de 'Golden Rock' en de sporen van die tijd (de 18de eeuw) zijn onder water nog zichtbaar. Sint Maarten is uitstekend te combineren met Saba en/of Sint Eustatius. Er zijn veel minder duikmogelijkheden dan op de andere eilanden, maar één steekt er huizenhoog bovenuit: de 'haaienduik'. Een duikplaats à la de beroemde haaienduikplaatsen op de Bahama's.

De ontdekkingstocht hoeft onder water niet op te houden. Elk van de zes eilanden heeft z'n karakteristieke landschap en interessante cultuur boven water. Dat is ook de opzet van de serie *Dominicus Adventure*: de gidsen gaan niet alleen over de betreffende sportactiviteit, maar bieden tevens achtergrondinformatie over het land en de mensen, en bevatten veel tips voor een verkenning boven water.

Utrecht, Heeze, januari 2002
Marcel Bayer, Guido Derksen, John Neuschwander

1 — DE ZONNIGE KANT VAN HET KONINKRIJK

Zes kleine eilanden in de Caribische Zee met een fantastisch klimaat, een vriendelijke bevolking en legio mogelijkheden voor een geslaagde vakantie: ziedaar de Nederlandse Antillen en Aruba. Dat Aruba, Curaçao, Bonaire, Sint-Maarten, Saba en Sint-Eustatius in één adem genoemd worden, heeft alles te maken met de koloniale expansiedrift van Nederland in voorgaande eeuwen. Nadat Columbus Amerika had ontdekt en de Spanjaarden grote delen van het continent hadden ingelijfd, lieten ook andere Europese mogendheden hun begerige blik op de Nieuwe Wereld vallen. Vanaf de 16de eeuw is er eeuwenlang gestreden en onderhandeld over allerlei delen van het continent, waarbij de oorspronkelijke bewoners overigens al snel niet meer meetelden. In de loop van de 19de eeuw werd het wat rustiger aan het westelijke front en stond de status van de meeste gebieden vast. Toen de rook van de voorbije eeuwen was opgetrokken, bleek Nederland in het bezit van de kolonie Suriname en van zes eilanden in de Caribische Zee. Suriname is inmiddels onafhankelijk, zodat alleen de Nederlandse Antillen en Aruba tegenwoordig nog als autonome gebieden tot het Koninkrijk der Nederlanden behoren. Aruba, Curaçao en Bonaire worden gezamenlijk de Benedenwindse Eilanden of ook wel de ABC-eilanden genoemd. Sint-Maarten, Saba en Sint-Eustatius zijn de Bovenwindse Eilanden.

VISSERS EN KANNIBALEN

Toen Columbus in de Nieuwe Wereld aankwam, bleken grote delen van het continent al bewoond te zijn. Columbus noemde de bewoners van de nieuwe gebieden 'indianen', omdat hij meende een nieuwe route naar Indië ontdekt te hebben. Deze jagers-verzamelaars hadden eeuwen eerder al voet gezet op de Caribische eilanden. Vanuit het tegenwoordige Florida, Midden-Amerika en Venezuela voeren ze destijds naar de eilanden, waar ze bij voorkeur in grotten leefden. Zo'n 7000 jaar geleden werd Trinidad bewoond, 4500 jaar geleden landden indianen op de Benedenwindse Eilanden en 3000 jaar geleden zetten ze op de Bovenwindse Eilanden voet aan wal.

Hoog op de verlanglijst van de toerist: strand, zee en palmen

GOLF
VAN
MEXICO

VERENIGDE
STATEN
○ Miami

BAHAMAS

○ Nassau

Havana ●

CUBA

HA

Port-au-Princ

JAMAICA

GROTE

Kingston

HONDURAS

CARIBISCHE

NICARAGUA

PROVIDENCIA (Col.)

SAN ANDRÉS (Col.)

COSTA
RICA

0   300 km

COLOMBIA

Overzichtskaart

Arawaks

Omstreeks 200 v.Chr. zakte een aantal verwante indianenvolkeren de Orinoco in het Amazonegebied af en vestigden zich in het oosten van Venezuela. Ze noemden zich naar hun gemeenschappelijke taal Arawaks of Arawakken. Deze Arawak-indianen staken over naar Trini-

ATLANTISCHE OCEAAN

BOVENWINDSE EILANDEN

DOMINICAANSE
REPUBLIEK

Santo Domingo

San Juan

Puerto Rico
(V.S.)

VIRGIN EILANDEN
(Br.)

(V.S.)

NEDERLANDSE
ANTILLEN

ST. MAARTEN

SABA

ST. EUSTATIUS

ANGUILLA (Br.)

ST. BARTHÉLEMY (Fr.)

BARBUDA

NEVIS
ST. KITTS
ST. KITTS

ANTIGUA
ANTIGUA

MONTSERRAT (Br.)

GUADELOUPE (Fr.)

DOMINICA

MARTINIQUE (Fr.)

ST. LUCIA

ST. VINCENT

BARBADOS

GRENADA

NTILLEN

ZEE

ANTILLEN

BENEDENWINDSE EILANDEN

NEDERLANDSE

KLEINE

ANTILLEN

ARUBA

CURAÇAO

BONAIRE

Klein Curaçao

ISLA DE MARGARITA

TOBAGO

TRINIDAD
EN
TOBAGO

TRINIDAD

VENEZUELA

Caracas

dad en verder naar andere Caribische ei-
landen van de eilandenboog tussen
Zuid-Amerika en Florida, inclusief Sint-
Eustatius, tot aan Puerto Rico.
Een tweede migratiegolf van Arawak-

volkeren vanaf het Zuid-Amerikaanse
vasteland volgde in 350–500 n.Chr. Ook
nu werd Sint-Eustatius aangedaan. Onder de Arawaks op de eilanden ontstonden langzamerhand eigen cultuurken-

merken, die werden meegenomen toen tussen 800 en 1000 n.Chr. ook Sint-Maarten en Saba indiaanse bewoners kregen. De Benedenwindse Eilanden werden omstreeks 600 n.Chr. door Arawak-stammen uit de Venezolaanse kuststreken tegenover de eilanden betreden. Er leefden al groepjes primitievere Caiquetio-indianen op de eilanden, die in een eerder stadium waren overgestoken. Naast jagen, vissen en het verzamelen van schelpdieren verbouwden de Arawaks ook maniok en maïs. Ze woonden niet meer zoals hun voorgangers in grotten, maar in dorpen. De grotten werden alleen nog voor mystieke en religieuze doeleinden gebruikt, zoals blijkt uit de nog aanwezige rotstekeningen. De Arawaks waren voorzover bekend vriendelijke en vredelievende mensen, in tegenstelling tot de indianen die vlak voor de komst van de Europeanen de Caribische archipel binnendrongen.

Cariben

Ongeveer honderd jaar vóór Columbus' eerste ontdekkingsreis landden de Caribindianen of Cariben vanuit het Amazonegebied op de Kleine Antillen en rukten op tot aan Puerto Rico en de Maagdeneilanden. De Benedenwindse Eilanden lieten ze daarbij links liggen. Aan dit volk ontlenen de Caribische Zee en de Caribische eilanden hun naam.

De Cariben boezemden de Arawaks en later de Europeanen vrees in vanwege hun oorlogszuchtigheid en hun rituele kannibalisme. Ze hadden de gewoonte de lichamen van hun slachtoffers te roosteren en op te eten, in de verwachting dat ze daarmee de moed en de kracht van de overwonnenen over konden nemen.

COLUMBUS NAAR INDIË

In 1492 klopte de in Genua geboren Christoffel Columbus (Christoforo Colombo, Cristóbal Colón) aan bij het Spaanse hof, met het verzoek een expeditie te financieren om een kortere, westelijke doorvaart naar Indië en China te vinden. De Spaanse vorstin Isabella van Castilië financierde zijn ontdekkingsreis, en Columbus kon met een klein smaldeel op weg. Op 11 oktober 1492 ontdekte hij als eerste Europeaan – diverse theorieën dat Grieken, Noormannen of andere Europeanen er al eerder zijn geweest even buiten beschouwing gelaten – de Nieuwe Wereld, hoewel hij tot zijn dood is blijven geloven dat hij Indië heeft bereikt.

In 1493, 1498 en 1502 ondernam Columbus nog drie reizen naar de West en voegde nieuwe gebieden aan de Spaanse bezittingen toe. Op zijn tweede reis moet Columbus ook Sint-Eustatius en Saba gezien hebben, want de cartograaf van de expeditie heeft ze op zijn beroemde wereldkaart, de *Mappa Mundi* uit 1500, aangegeven. Columbus doopte een van de andere eilanden die hij waarnam Sint-Maarten, maar of dit het huidige Sint-Maarten was, is niet geheel duidelijk. Volgens de *Mappa Mundi* ligt het meer voor de hand dat Columbus' Sint-Maarten het eiland Nevis was en dat Sint-Maarten pas later door de Spanjaarden is ingelijfd.

Isla de los Gigantes

Het door Columbus ontdekte werelddeel werd overigens niet naar hemzelf genoemd, maar naar de Florentijnse zeevaarder Amerigo Vespucci, die pas in 1499 voor het eerst naar het continent aan de overzijde van de Atlantische Oceaan voer. Hij deed dat in een eskader onder leiding van Alonso de Ojeda, die ook de tweede reis van Columbus had meegemaakt. In september 1499 ontdekte deze expeditie Bonaire en Curaçao. Op het laatste eiland hadden ze een vijandi-

De vegetatie op de Benedenwindse Eilanden bestaat hoofdzakelijk uit doornige struiken en cactussen.

ge ontmoeting met enkele indianen die nogal groot van stuk waren. Curaçao en later ook de andere Benedenwindse Eilanden werden daarom 'Isla de los Gigantes' (Eiland der Reuzen) genoemd. Op Curaçao bestonden ten tijde van Ojeda's ontdekking ongeveer vijftien indiaanse nederzettingen.

Of Alonso de Ojeda op zijn reis ook Aruba heeft ontdekt, is op basis van de oude scheepsjournalen uiterst onzeker. Waarschijnlijker is dat dit eiland enkele jaren later zonder al te veel ophef aan de Spaanse bezittingen is toegevoegd. Vanwege hun geringe economische betekenis verklaarde de Spaanse onderkoning op Hispaniola de Benedenwindse Eilanden in 1513 overigens tot 'Islas inútiles' (Waardeloze eilanden).

DE WIC VAART UIT

In het verre Europa brak in 1568 de Tachtigjarige Oorlog uit tussen Spanje en de zeven Verenigde Provinciën. Door de oorlog met Spanje waren de Hollanders gedwongen hun zout, belangrijk voor het conserveren van vlees en vis, overzee te

zoeken. In het Caribisch gebied bleek het ruim voorradig, vooral in een zoutpan op een Venezolaans schiereiland, waar het met honderden scheepsladingen per jaar voor de neus van de Spanjaarden werd weggevoerd. De Hollanders hielden zich en passant ook bezig met smokkel en piraterij in het Caribisch gebied – denk aan Piet Heyns verovering van de Spaanse zilvervloot.

In de loop van de Tachtigjarige Oorlog verlegde de zoutwinning zich naar andere delen van het Caribisch gebied en breidde de Hollandse activiteiten zich uit. In 1621 werd de West-Indische Compagnie (WIC) opgericht, die uit vijf kamers bestond en als doel had handel te drijven en bezittingen te verwerven. In 1631 nam Jan Claesz. van Campen het onbewoonde Sint-Maarten voor de WIC in, vanwege de aanwezigheid van zoutpannen op het eiland en de behoefte aan een goede haven voor de handel in de omgeving. De Hollandse aanwezigheid duurde niet lang. In 1633 heroverden de Spanjaarden Sint-Maarten.

Het landhuis Zeelandia bij Willemstad

Johannes van Walbeeck

De toenemende belangen van de Hollanders in hun kolonie Nieuw-Holland (Brazilië) en aan de Wilde Kust (tegenwoordig Suriname en de Guyana's) vereisten echter toch een steunpunt in de Caribische Zee. In 1634 rustte de WIC een vlooteskader uit met 180 matrozen en 225 soldaten, onder leiding van Johannes van Walbeeck. Doel was Curaçao voor de Hollanders te veroveren. Op 29 juli 1634 voer het eskader de Sint-Annabaai binnen, een maand later was de verovering van het eiland een feit. Bij de ingang van de Sint-Annabaai werd op De Punt (Punda) een klein fort gebouwd, dat later werd uitgebreid en vergroot tot Fort Amsterdam. Vanuit Curaçao werden in 1635 het eilandje Klein Curaçao en in 1636 Bonaire en Aruba aan het Nederlandse gebied toegevoegd.

Nieuw-Zeeland

Eveneens in 1636 verleende de Zeeuwse WIC-Kamer de vooraanstaande koopman Jan Snoeck het octrooi tot het stichten van een nederzetting in het Bovenwindse gebied. Twee schepen onder commando van Pieter de Corselles kwamen uiteindelijk bij Sint-Eustatius uit, dat onder de naam Nieuw-Zeeland werd ingelijfd en waar terstond een vesting werd gebouwd (Fort Oranje). Enkele jaren later werd vanaf dit eiland ook het naburige Saba gekoloniseerd.

Sint-Maarten werd pas in 1648 bij de vrede van Munster door de Spanjaarden ontruimd. Omdat de Hollanders op grond van hun bezetting in 1631 en de Fransen op grond van een eerdere, eveneens kortstondige bezetting aanspraak maakten op het eiland, werd het in tweeën verdeeld. Nederland kreeg het zuidelijke deel, met daarop de belangrijkste zoutpan.

De drie Bovenwindse Eilanden zijn na de Nederlandse inlijving beslist niet permanent Nederlands gebied gebleven. Sint-Eustatius, Saba en Sint-Maarten wisselden respectievelijk 22, 12 en 16 keer van vlag. Pas na de vrede van Londen in 1816 bleef de Hollandse driekleur definitief boven de eilanden wapperen.

Slavenhutjes op Bonaire

SLAVENHANDEL

In de eerste jaren na de inname van de Benedenwindse Eilanden stonden de economische activiteiten er in dienst van de oorlogvoering tegen de Spanjaarden. Curaçao was marinebasis en moest door landbouw in de eigen behoeften voorzien. De zoutpannen van Bonaire leverden zout en Aruba fungeerde als stoeterij (paardenfokkerij). Na de beëindiging van de Tachtigjarige Oorlog ging de betekenis van Curaçao als marinebasis verloren en groeide de handel in Afrikaanse slaven uit tot de belangrijkste economische activiteit van het eiland, zeker nadat de Nederlanders in 1654 door de Portugezen uit Brazilië waren verdreven. Ook de handel in allerlei andere waren groeide, zodat Curaçao zich tot een belangrijk handelscentrum ontwikkelde. De landbouw op de Benedenwindse Eilanden bleef van beperkte economische betekenis.

In de eerste helft van de 17de eeuw voerde de WIC een bloeiende driehoekshandel: schepen voeren naar Afrika met ruilwaren als textiel en ijzer, staken vervolgens met slaven naar Brazilië over en gingen vandaar met plantageproducten naar Nederland. Halverwege de eeuw was de slavenhandel zo belangrijk geworden, dat de WIC die als 'de ziel van de Compagnie' aanmerkte.

Na het verlies van Hollandse steunpunten in Afrika en van de bezittingen in Brazilië ontwikkelde Curaçao zich in de loop van de 17de eeuw als een van de belangrijkste centra voor de slavenhandel in het Caribisch gebied. De eeuw erna nam het belang van de slavenhandel af, mede als gevolg van de toenemende Engelse concurrentie op dit terrein. In 1788 liep het laatste slavenschip Curaçao binnen; Sint-Eustatius verdiende nog een aantal jaren aan de mensenhandel.

Tula

Van de op Curaçao aangevoerde slaven werd het overgrote deel doorgevoerd naar elders. Slechts een klein deel bleef op het eiland zelf achter, om er op een van de plantages of in de stad te werken. Niet alle slaven legden zich echter lijdzaam bij hun ondergeschikte positie neer. Naarmate de slavernij langer voort-

Graven kolonisten op Curaçao ontdekt

Bij een bouwproject in 1998 op Curaçao zijn de skeletten ontdekt van de eerste generatie Nederlandse kolonisten. Het betreft een protestantse begraafplaats uit de tweede helft van de 17de eeuw. De begraafplaats was bijna voorgoed verloren gegaan, want de graafmachines waren tot op 20 cm genaderd toen iemand een van de skeletten zag liggen.

duurde, nam het verzet tegen de blanke overheersing toe. In de 18de eeuw waren er op Curaçao diverse rellen en ongeregeldheden. In 1795 vond op het eiland onder leiding van de slaaf Tula de grote slavenopstand plaats. Hoewel deze opstand na een maand werd neergeslagen, was Tula voor veel zwarte slaven een held geworden en was de kiem voor een zwart zelfbewustzijn gezaaid. Nog altijd is Tula op de Antillen symbool en volksheld tegelijk, met name op Curaçao.

In 1814 verbood Nederland de slavenhandel, zeven jaar na de Verenigde Staten en Engeland. Bijna een halve eeuw later, in 1863, volgde pas de algehele afschaffing van de slavernij.

GOUD, FOSFAAT EN OLIE

Na de afschaffing van de slavernij en de weerslag die dit had op de plantage-activiteiten op de Antillen, moesten verschillende andere bronnen van inkomsten worden aangeboord. Vanaf 1836 werd de aloë op de Benedenwindse Eilanden aangeplant. Uit het sap van de plant werd een hars verkregen die de basis vormde voor farmaceutische en cosmetische producten. Op Aruba werd in 1824 goud gevonden; tot de Eerste Wereldoorlog heeft de goudwinning een substantiële bijdrage geleverd aan de eilandeconomie. Op het eiland werd in de loop van de 19de eeuw ook fosfaat gevonden, evenals op Curaçao en het eilandje Klein Curaçao.

Meer mogelijkheden dienden zich aan in de loop van de jaren twintig van de 20ste eeuw, na de vondst zo'n tien jaar eerder van enorme olievelden in en rond het Meer van Maracaibo in het noorden van Venezuela. De vondst leidde tot een periode van grote economische bloei op de Nederlandse Antillen en Aruba. Voor de verwerking van de ruwe olie lieten de exploiterende oliemaatschappijen namelijk hun keus vallen op de Benedenwindse Eilanden.

De Koninklijke Nederlandse Petroleum Maatschappij (de latere Shell) vestigde een complete olieraffinaderij op Curaçao. Ook Aruba werd geschikt bevonden door de olie-industrie. De Amerikaanse Lago Oil and Transportation Company startte in 1924 met de ontwikkeling van de haven bij San Nicolas, op het zuidelijke deel van het eiland. Vanaf dat jaar kon er ruwe olie overgeladen worden in de uitgediepte haven. Ruim vier jaar later kon de zelfstandige olieraffinaderij van Lago geopend worden. Shell-dochter Compañia Mexicana de Petróleo El Aguila opende in hetzelfde jaar bij Druif een eigen raffinaderij, die onder de Arend Petroleum Maatschappij als Eagle-raffinaderij door het leven ging. De Lago-raffinaderij werd in de jaren veertig de grootste olieraffinaderij ter wereld; in 1945 werd het miljoenste vat olie geraffineerd, in 1952 was de productie verdubbeld.

De olie-industrie zorgde er in korte tijd voor dat er op de Antillen een geheel andere samenleving ontstond en dat de welvaart er explosief steeg, met name op Curaçao en Aruba. Het effect van de olie-industrie op de samenleving was op allerlei terreinen gigantisch. De totale bevolking van de Antillen groeide door olie-immigratie tussen 1920 en 1930 met 23.000 personen en in de jaren dertig zelfs met 30.000 personen. In de Tweede Wereldoorlog waren de raffinaderijen van levensbelang voor de geallieerden. Al in 1941 was 80 procent van hun totale voorraad vliegtuigbenzine van de Nederlandse Antillen afkomstig. Vanaf 1942 maakten Duitse onderzeeërs de wateren rond de eilanden onveilig.

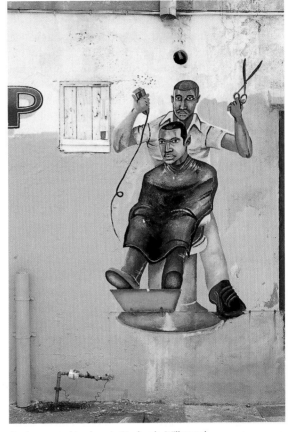

Een kapper maakt reclame in Otrobanda, Willemstad.

Verschillende olietankers werden met torpedo's tot zinken gebracht, maar aanvallen op de raffinaderijen zelf mislukten.

AUTONOMIE EN STATUS APARTE

Al tijdens de Tweede Wereldoorlog gingen op de Antillen stemmen op voor meer autonomie. In 1942 had koningin Wilhelmina de overzeese koloniën vanuit Londen een 'Koninkrijk-nieuwe-stijl' in het vooruitzicht gesteld, waarin ieder gebiedsdeel zou 'steunen op eigen kracht, doch met de wil elkander bij te staan'. Ze doelde op een koninkrijksverband waarin de verschillende delen verantwoordelijk zouden zijn voor de eigen interne aangelegenheden en waarin de buiten-wereld gezamenlijk tegemoet zou worden getreden.

Na de oorlog volgden diverse overlegrondes, en op 15 december 1954 was het zo ver. Op die dag werd het nieuwe Statuut voor het Koninkrijk der Nederlanden bekrachtigd, waarin de Nederlandse Antillen (en Suriname) de status van autonoom gebiedsdeel kregen. De eilanden kregen de zeggenschap over hun interne aangelegenheden, terwijl het moederland verantwoordelijk bleef voor de buitenlandse betrekkingen en defensie.

In de jaren zestig ging het met de economie bergafwaarts, door toenemende concurrentie in de olie-industrie. Er gingen ook veel arbeidsplaatsen verloren door automatisering van de raffinaderijen. Er ontstond een politiek en maatschappelijk klimaat dat gekenmerkt werd door onvrede en arbeidsonrust. In 1969 was een arbeidsconflict de directe aanleiding voor het ontstaan van ernstige ongeregeldheden in de Curaçaose hoofdstad Willemstad. Op 30 mei van dat jaar liep een demonstratie volledig uit de hand. Winkels en huizen werden geplunderd en in brand gestoken en er vielen twee doden en talloze gewonden bij confrontaties tussen betogers en de politie.

De verhouding met Nederland nam na de gebeurtenissen van mei 1969 een wending. Voor het eerst gingen in het moederland stemmen op om de Nederlandse Antillen (én Suriname) onafhankelijkheid te verlenen. In de politiek vond dit standpunt wel gehoor, want men kon zo van de lastige en kostbare gebiedsdelen af komen. De gebeurtenissen hadden verder grote gevolgen voor de economie. Curaçao werd niet meer zo stabiel bevonden en investeerders en toeristen (met name Amerikaanse) keerden het eiland voorlopig de rug toe. Aruba en Sint-Maarten profiteerden hiervan, wat de hang naar autonomie los van Curaçao op deze eilanden deed toenemen.

Op Aruba kreeg het streven naar zelfbeschikking in 1971 een belangrijke impuls met de oprichting van de Movimiento Electoral di Pueblo (MEP) van Bético Croes. Veel Arubanen vonden ook dat hun eiland te veel door het grotere buureiland Curaçao werd gedomineerd. Na diverse onderhandelingsronden tussen de Nederlandse regering, de regering van de Nederlandse Antillen en de verschillende eilandsbesturen kreeg Aruba op 1 januari 1986 de gewenste Status Aparte. Afgesproken werd dat het eiland tien jaar later de totale onafhankelijkheid zou krijgen. Henny Eman werd de eerste premier van het Koninkrijksland Aruba. Bético Croes zelf heeft niet van zijn succes kunnen genieten. Op 31 december 1985, letterlijk aan de vooravond van de Status Aparte, raakte hij ernstig gewond bij een auto-ongeluk. Na elf maanden in coma te hebben gelegen, overleed hij op 26 november 1986 in Nederland.

De totale onafhankelijkheid heeft Aruba in 1996 overigens niet gekregen. Het eiland heeft zich in de jaren ervoor bedacht en geconcludeerd dat het financieel aantrekkelijker was voorlopig (of definitief?) deel te blijven uitmaken van het Koninkrijk der Nederlanden.

LIGGING, GROOTTE EN LANDSCHAP

De Nederlandse Antillen en Aruba maken deel uit van de Kleine Antillen, de eilanden die de oostelijke begrenzing van de Caribische Zee vormen. De zes eilanden liggen in twee groepjes van drie bij elkaar, als de Benedenwindse en de Bovenwindse Eilanden. De naamgeving stamt nog uit de tijd van de zeilvaart en heeft te maken met de ligging ten opzichte van de constant waaiende noordoostpassaat. De beide eilandengroepen liggen ongeveer 900 km uit elkaar.

Benedenwindse Eilanden

Van de Benedenwindse Eilanden ligt Aruba het westelijkst. Curaçao ligt in het midden en Bonaire aan de oostkant. Een zee-engte van ongeveer 30 (Aruba) tot 80 (Bonaire) km breed scheidt ze van het Venezolaanse vasteland. De onderlinge afstand tussen Aruba en Curaçao is iets meer dan 100 km, tussen Curaçao en Bonaire ongeveer 80 km. Strikt gesproken bestaat de Benedenwindse Eilandengroep uit vijf eilanden, want op enige afstand ten zuidoosten van Curaçao ligt Klein Curaçao en tegenover de Bonairiaanse hoofdstad Kralendijk ligt Klein

Bonaire. Omdat deze twee eilanden onbewoond en erg klein zijn, worden ze in de praktijk tot het grondgebied van Curaçao en Bonaire gerekend en niet als afzonderlijke Antillen gezien.

De Benedenwindse Eilanden zijn aanzienlijk groter dan de Bovenwindse. Curaçao is met 444 km² verreweg het grootste. Hierna volgen Bonaire (288 km²) en Aruba (193 km²).

De Benedenwindse Eilanden hebben een geaccidenteerd landschap met vlakke delen en een rotsige bodem. De hoogste punten op de drie eilanden zijn de Jamanota op Aruba (189 m), de Christoffelberg op Curaçao (375 m) en de Brandaris op Bonaire (240 m).

Bovenwindse Eilanden

De Bovenwindse Eilanden Sint-Maarten, Saba en Sint-Eustatius liggen ten opzichte van elkaar in een hoek. Saba ligt op 52 km ten zuiden van Sint-Maarten en op 35 km ten noordwesten van Sint-Eustatius. Sint-Eustatius en Sint-Maarten liggen op ongeveer 70 km van elkaar. In de nabijheid van de drie eilanden liggen de Caribische eilanden Anguilla, Saint Barthélemy, Saint Kitts, Nevis, Barbuda, Montserrat, Antigua, Guadeloupe en de Amerikaanse en Britse Maagdeneilanden. In grootte ontlopen de drie Bovenwindse Eilanden elkaar niet zo veel. Sint-Maarten is 34 km² groot, Sint-Eustatius 21 km² en Saba 13 km².

De Bovenwindse Eilanden zijn van vulkanische oorsprong en bestaan dus uit vulkanisch stollingsgesteente. Ze zijn geologisch gezien veel jonger dan de Benedenwindse Eilanden. Het landschap bestaat uit wat hogere, vrij steile bergen en heuvels met in de dalen enkele vlakkere delen. Hoogste toppen zijn Sentry Hill op Sint-Maarten (392 m; op het Franse deel van het eiland is de Pic Paradis met 424 m de hoogste berg), Mount Scenery

op Saba (870 m) en The Quill op Sint-Eustatius (600 m).

KLIMAAT

De Nederlandse Antillen en Aruba kennen een tropisch klimaat met een overheersende noordoostpassaat, die vrijwel het hele jaar door onafgebroken over de eilanden waait. Op de Benedenwindse Eilanden is de passaatwind iets sterker. De gemiddelde windsnelheid is hier bijna 7 m per sec. Op de Bovenwindse Eilanden is het gemiddelde ongeveer 5,5 m per sec. Van april tot juni waait het iets harder, in oktober en november iets minder hard.

De Bovenwindse Eilanden liggen in de Atlantische orkaanzone, wat betekent dat ze getroffen kunnen worden door de orkanen die met enige regelmaat over het gebied trekken. Vooral de laatste jaren is het raak. Sinds halverwege de jaren negentig zijn verschillende verwoestende stormen (zoals Luís en Lenny) over de eilanden getrokken.

Temperatuur

De Nederlandse Antillen en Aruba hebben een zeer constant klimaat. De gemiddelde jaartemperatuur ligt tussen 27 en 28 °C. De laagste temperatuur die ooit op de Antillen op zeeniveau werd gemeten, was 19 °C. Dit 'dieptepunt' werd in 1925 opgetekend. Het verschil tussen de gemiddelde zomer- en wintertemperatuur is slechts 2,5 tot 3 °C, het verschil tussen de dag- en nachttemperatuur is 5 à 5,5 °C.

Verschil tussen de seizoenen is er wat betreft temperatuur nauwelijks. Gemiddeld iets warmer zijn de maanden augustus, september en oktober, iets minder warm zijn januari en februari. Lokale verschillen in temperatuur zijn er wel. Deze worden veroorzaakt door de grootte en vorm van de eilanden, hoogtever-

De dividiviboom is onder invloed van de passaat met de wind meegegroeid.

schillen (bergland) en neerslag. Overdag in het lage binnenland loopt het kwik bij volle zon gemakkelijk op tot boven de 35 °C. Aan de kust en op het water is er altijd de verkoelende werking van de passaatwind, waardoor het minder warm aanvoelt. 's Avonds, als de 'koperen ploert' achter de horizon is verdwenen, is het aangenaamste tijdstip. Dan komen de eilanden echt tot leven, spelen de kinderen op straat en gaan de mensen wandelen. Op Saba kan het hoger op de bergwanden en in Windwardside soms afkoelen tot 15 à 16 °C en dus fris zijn.

Zon en regen

Het tropische klimaat betekent dat er zeer veel zon schijnt op de Nederlandse Antillen en Aruba – gemiddeld acht uur per dag.
De gemiddelde hoeveelheid neerslag per jaar is laag. Op de Benedenwindse Eilanden bedraagt deze 560 mm. In de periode van oktober tot december valt de meeste regen. De afwijkende klimatologische omstandigheden op de Beneden-

winden worden veroorzaakt door de koude onderstroom in de Caribische Zee, die hier naar boven komt. Dit 'opwelwater' is zo'n 12 °C. De lucht boven het water koelt hierdoor af en stijgt minder snel. Daardoor regent het minder, wat goed te zien is aan de karakteristieke vegetatie op de ABC-eilanden: cactussen, vetplanten, doornige struiken en lage bomen.
Op de Bovenwindse Eilanden is het jaargemiddelde aan neerslag hoger. Hier komt per jaar 1060 mm water uit de hemel, vooral in de periode van augustus tot november en ook wel in mei en juni.

Orkaangeweld

Het Caribisch gebied wordt zo nu en dan aangedaan door een tropische storm of orkaan. Ze komen uit zuidoostelijke richting vanaf de Atlantische Oceaan, doorkruisen het Caribisch gebied en verdwijnen in de richting van Midden- en Noord-Amerika. Het seizoen van de orkanen, *hurricane season*, loopt van juli tot november, met meestal de zwaarste

Orkaan Luís zwaarste sinds 1819

De orkaan Luís was de meest verwoestende die Sint-Maarten ooit heeft getroffen. In 1819 woedde op het Bovenwindse eiland een orkaan met kennelijk een soortgelijke kracht. De schade moet enorm zijn geweest. Van de 450 huizen op het eiland waren er na het voorbijtrekken van de storm nog maar 76 over. Ruim 80 mensen vonden de dood. Sinds 1956 zijn er echter orkaanwaarschuwingen op de eilanden. Dat heeft ervoor gezorgd dat Luís naar verhouding weinig mensenlevens heeft geëist. De materiële schade was daarentegen gigantisch.

Op 5 september 1995 sloeg Luís toe. Complete woonwijken werden weggeblazen, de elektriciteits- en watervoorziening begaven het, supermarkten en winkels liepen grote schade op, evenals de hotels en het vliegveld, de haven lag vol met gezonken boten, pieren waren weggespoeld. De economie van Sint-Maarten was in het hart getroffen, een paar maanden voor het begin van het toeristenseizoen. De chaos was compleet, vooral ook omdat de infrastructuur al gebrekkig was. Deze had geen pas gehouden met de snelle economische ontwikkeling die in de jaren tachtig en negentig duizenden legale, maar vooral illegale nieuwe bewoners had aangetrokken. Dagenlang hielden de files aan op het handjevol wegen dat er was. Bovendien moesten gewapende politie en uit Curaçao overgekomen mariniers plunderingen van winkels en woningen voorkomen.

De hulpverlening kwam snel op gang, maar het duurde maanden voordat het leven weer normaal werd, iedereen weer een echt dak boven z'n hoofd had en de toeristenindustrie weer opkrabbelde. Wie nu op Sint-Maarten rijdt, ergert zich vanouds aan de drukte op de weg, de rommelige bebouwing tegen de heuvels, aan het zwerfvuil en de schreeuwende lichtreclames van de casino's. Van de stormschade van Luís is niets meer te zien. Schade die je nu ziet, is van de orkaan Lenny, die in 1999 toch ook behoorlijk verwoestend toesloeg.

orkanen in september of oktober. Over het algemeen hebben de Bovenwindse Eilanden een veel grotere kans getroffen te worden door een orkaan dan de Benedenwinden. Ze liggen namelijk op de route die tropische stormen en orkanen afleggen, terwijl de Benedenwinden er ver vanaf liggen. Wanneer een orkaan op zee overtrekt, is er op een schip of eiland een vaste reeks van verschijnselen zichtbaar. De dag vóór de storm is het rustig weer. De luchtdruk is iets boven normaal. In de verte zijn hoge wolkenformaties te zien. Lange strepen van sluierbewolking trekken een spoor naar één punt aan de horizon.

Als de dag van de storm aanbreekt, gaat de luchtdruk ineens sterk dalen. De wind zet aan en neemt toe tot stormkracht. Grijze wolken naderen. Een orkaan hoeft niet altijd gepaard te gaan met veel neerslag. Wel is de lucht op het hoogtepunt van de orkaan zwartgrijs gekleurd. De storm stuwt het zeewater op tot ongekende hoogten. De golven beuken op de kades en de kustlijn wordt overspoeld. De krachten zijn fenomenaal: bomen worden ontworteld, forse zeilboten en motorjachten als speelgoed op het land geslingerd en daken van huizen weggeblazen. Dit geweld kan uren doorgaan. Dan klaart het ineens op. De zon schijnt weer en de lucht is stralend blauw. De barometer staat op een ongekend laag punt. Dit is het oog van de orkaan en het verraderlijkste tijdstip van de storm. Mensen hebben de neiging uit hun schuilplaatsen te komen teneinde de schade op te nemen. Levensgevaarlijk, want van het ene op het andere moment (gemiddeld na een halfuur adempauze) slaat de orkaan weer op volle kracht toe. De windsnelheid kan oplopen tot 280 km per uur. Pas na enkele uren neemt het stormgeweld af.

Over het ontstaan van orkanen is inmiddels veel bekend. Ze ontstaan ten westen van Afrika tussen 10 en 20 graden noorderbreedte, midden op de oceaan. Orkanen zijn, net als tyfoons in de Chinese Zee en de Stille Oceaan, warmteverschijnselen. Ze beginnen als depressie. Door sterke verwarming stijgt er veel lucht, waardoor de luchtdruk boven het zeeoppervlak daalt. Hierdoor zuigt de depressie de omringende lucht in een steeds sneller tempo aan. Een essentiële voorwaarde voor het ontstaan van een depressie is dat er een draaiende beweging rondom de laagste luchtdruk ontstaat. De depressies gaan eerst als buientrossen richting Zuid-Amerika en buigen vervolgens af in noordwestelijke richting naar de Cariben. Geleidelijk groeien ze uit tot tropische depressies. Het warme water van de oceaan is de motor van de orkaan. Hierdoor komen warmte en vocht vrij. In de zone van de passaatwinden krijgt de storm een beslissend zetje. Door de corioliskracht kan de stijging van de lucht zeer lang doorgaan. Er ontstaan wolken van 12 km hoogte. Stijgende, zeer vochtige en warme lucht draait steeds sneller spiraalsgewijs naar het centrum van de buientros. Als de windsnelheid nog meer toeneemt, wordt de tropische depressie een tropische storm. Dit kan de voorbode zijn van de uiteindelijke orkaan. In een orkaan kan de windsnelheid toenemen tot 250–300 km per uur.

De orkanen zijn goed te traceren. Al vanaf het moment dat er een tropische storm ontstaat, blijven de meteorologen via de satelliet de ontwikkeling en de koers volgen. Ze krijgen een van tevoren afgesproken naam (het ene jaar jongens-, het andere jaar meisjesnamen en in de volgorde van het alfabet). Omdat de orkanen een min of meer vaste route volgen, is de bevolking op de diverse eilanden in het Caribische gebied al dagen van tevoren op de hoogte van de mogelijke komst van de orkaan. In de supermarkten op boodschappentassen, in het telefoonboek, op school op het werk, overal zijn kaartjes te vinden waarop je de route van de tropische storm of orkaan kunt tekenen. De *hurricane awareness*, het orkaanbewustzijn, is erg groot onder de bevolking van met name de Bovenwindse Eilanden. Men weet precies wat men moet doen als de orkaan daadwerkelijk op het eiland afkoerst. Er zijn speciale schuilplaatsen, men neemt voorzorgen rond en in het huis, slaat de nodige voorraden voedsel en drinken in. Vliegtuigen worden weggevlogen, boten gaan zo mogelijk naar volle zee, en toeristen worden in veiligheid gebracht.

Het is altijd opmerkelijk hoe weinig dodelijke slachtoffers er vallen. De schade kan echter bijzonder hoog zijn. Dat bleek

De bevolking van de Antillen is uit allerlei windstreken hier naar toe getrokken.

bijvoorbeeld bij Luís in 1995 toen onder meer Sint-Maarten zwaar werd getroffen. In 1998 en 1999 was het weer raak op de Bovenwinden, met respectievelijk Georges en Lenny. De schade was minder dan bij Luís, maar Lenny trof de duikcentra op Saba hard. Dit keer hadden zelfs de Benedenwindse Eilanden grote schade door harde wind en hoge golven. Koningin Beatrix was er tijdens haar bezoek aan de Nederlandse Antillen zelf getuige van. Op Bonaire verwoestte de storm pieren en restaurants aan het water. Het koraal liep op veel plekken schade op, evenals het kapsel van de majesteit.

BEVOLKING EN CULTUUR

Als grootste eiland heeft Curaçao de meeste inwoners: circa 160.000. Hoewel Bonaire het op één na grootste eiland is, wonen er slechts 14.000 mensen – een stuk minder dan op het kleinere Aruba, dat zo'n 95.000 bewoners heeft.
Sint-Maarten is met 38.000 inwoners dicht bevolkt. Saba telt slechts 1600 inwoners, Sint-Eustatius heeft er 2700.

Doordat nagenoeg de gehele bevolking van de Antillen uit allerlei windstreken hiernaar toe is getrokken of gehaald, is er een unieke mengcultuur ontstaan. In deze cultuur zijn Europese, West-Afrikaanse, Latijns-Amerikaanse, Noord-Amerikaanse en specifiek Caribische invloeden terug te vinden. Op de Benedenwindse Eilanden is de cultuur iets meer door de eerste drie cultuurgebieden beïnvloed, op de Bovenwindse Eilanden is tegenwoordig wat meer invloed van de laatste twee cultuurgebieden. Tussen de eilanden onderling zijn er ook weer accentverschillen. Aruba, Curaçao en Bonaire hebben door hun ligging en de relatief grote Nederlandse invloed geheel eigen culturele kenmerken, waarvan vooral de taal een goed voorbeeld is. De cultuurverschillen tussen Aruba en de twee andere Benedenwindse Eilanden zijn groter dan die tussen Curaçao en Bonaire. De volkscultuur van Sint-Maarten sluit door de recente immigratiestromen meer aan bij de Caribisch-creoolse cultuur van andere Caribische eilanden in de regio, terwijl Saba en Sint-Eustatius

Missverkiezingen en snèks

Antillianen hechten veel belang aan uiterlijkheden. Mooie kleren, sieraden en grote auto's vinden gretig aftrek op de vier grote eilanden en er worden veel missverkiezingen, zang- en bodybuildingwedstrijden en dansfeesten gehouden. Hoe klein het huis ook is, er moet als het even kan een grote Amerikaanse slee of dure Japanner op het erf staan. Zelfs de wrakken geven nog een zekere status en worden daarom niet snel opgeruimd.

Typerend voor de Benedenwindse volkscultuur zijn verder de *snèks*, de talrijke snackbars die bij huizen, in houten keten of in rijdende voertuigen gevestigd zijn. Regelmatig zie je er groepjes mensen schijnbaar doelloos rondhangen. De snackstallen zijn er namelijk niet zozeer om de honger te stillen als wel om de sociale contacten te onderhouden. Het is heel gebruikelijk om even naar een van deze gelegenheden te rijden en er samen met vrienden en kennissen wat te babbelen, de laatste roddels uit te wisselen en eventueel een biertje te drinken of een *pastechi* te eten.

Na afloop van feesten staat bij de feestlocatie ook vaak een *truki pan* (broodtruck) met min of meer dezelfde functie. Verschil is dat je bij deze voertuigen allerlei soorten brood en broodjes kunt krijgen.

door hun omvang en geschiedenis weer eigen cultuurkenmerken hebben.

Los van de cultuurverschillen tussen de eilanden is de bevolking van de Nederlandse Antillen en Aruba zeer internationaal georiënteerd. Velen spreken twee of meer talen (Papiamento, Engels, Nederlands, Spaans) en op de Benedenwindse Eilanden wordt veel naar de Venezolaanse televisie gekeken. Het maken van buitenlandse reizen is vrij gewoon. De Antillianen gaan naar het buitenland om inkopen te doen (een trip naar Miami, Caracas of Puerto Rico) of voor medische zorg, studie of familiebezoek. Van de Benedenwindse Eilanden is Aruba sterker op Noord-Amerika, Venezuela en Colombia gericht. Curaçao en Bonaire zijn meer op Nederland georiënteerd.

Muziek en dans

Muziek en dans nemen een prominente plaats in het leven van de Antillianen in.

De muziek- en dansvormen op de Antillen hebben hun wortels in Afrika, Europa, het Caribisch gebied en Latijns-Amerika. Grofweg kan gesteld worden dat op Curaçao en Bonaire van oudsher meer Afrikaanse en Europese invloeden te ontdekken zijn, als gevolg van de Nederlandse kolonisatie en de slavernij. Voor Aruba geldt dit iets minder, want hier woonden nauwelijks slaven. De Arubaanse muziek en dans zijn meer door Latijns-Amerika beïnvloed, hoewel de traditionele Antilliaanse muziek- en dansvormen ook op Aruba worden beoefend.

Typische traditionele salondansen op de Antillen zijn de Antilliaanse wals, de quadrille en de mazurka. Ze zijn van Europese oorsprong; de eerste is met de Engelsen meegekomen, de tweede met de Fransen, de derde is uit Polen afkomstig. Aan de Antilliaanse versies zijn eigen ritmische kenmerken toegevoegd. De *dan-*

za is uit de Europese salondansen en uit Caribi-
sche dansen voortgeko-
men, als eerste op Puerto
Rico. Het is een verfijnde
salondans die in een
strakke vierkwartsmaat
wordt uitgevoerd. Een va-
riant op de wals en de mazurka is de *balie di sinta*,
een groeps- en vrucht-
baarheidsdans waarbij de
dansers op de maten van
de muziek linten om een
paal wikkelen.
De West-Afrikaanse sla-
ven op de Benedenwindse
Eilanden brachten de
tambú mee. De naam van
deze zang- en dansvorm is
afkomstig van een tradi-
tionele trommel, die met
de hand bespeeld wordt.
Na hun werk was het zin-
gen en dansen van de
tambú een van de weinige
verzetjes die de slaven
kenden. Bij de snelle en
pittige dans worden voor-
al de heupen gebruikt. De slaven konden
er hun agressie tegenover de machtheb-
bers mee kwijt en raakten er soms zelfs
van in trance. Tegenwoordig wordt de
dans vooral bij de jaarwisseling en bij de
simadan (oogstfeesten) gedanst. Tijdens
de jaarwisseling kan het kwade van het
afgelopen jaar eruit gedanst worden met
de tambú. In de geïmproviseerde teksten
van de liederen nemen de zangers de gebeurtenissen van het jaar door of bezin-
gen voorvallen die eilandbewoners hebben meegemaakt.
De *tumba* is voortgekomen uit de tambú
en de danza en is in feite een vrijere, los-
sere vorm van de laatste. Teksten van
tumba-liederen gingen vroeger over de

Muziek en dans nemen een belangrijke plaats in het leven op de Antillen in.

onderdrukking en de ontevredenheid
onder de slaven, tegenwoordig zijn ze wat
luchtiger. De tumba is voor de Benedenwindse Eilanden bij uitstek ook carna-
valsmuziek.
Als de oogst werd binnengehaald, zon-
gen en dansten de slaven destijds ook
oogstliederen en -dansen, de *seú* op Curaçao en de *simadan* op Bonaire. Ritmisch hebben ze dezelfde opbouw als de
tambú en de tumba. Naast deze oogstliederen zijn er nog enkele niet zoveel meer
voorkomende traditionele werkliederen.
Bijna verdwenen is de *musik di zumbi*,
geheimzinnige Afrikaanse geestenmu-
ziek met een mystiek karakter. Deze muziek was door de koloniale overheersers

Calypso, de sociale barometer

Op de Bovenwindse Eilanden, en dan vooral op Sint-Maarten, is de salsa populair. Jamaicaanse reggae is hier ook veel te horen. Populairder nog is de calypso, een muzieksoort die vóór de Tweede Wereldoorlog onder de zwarte bevolking van Trinidad ontstond. In de calypso werden provocerende teksten gezongen waarin de koloniale overheersing bekritiseerd werd. De autoriteiten zagen de vertolkers van de calypso, de *calypsonians*, destijds als een gevaar voor de sociale stabiliteit. Na de dekolonisatie bleef de calypso door de geëngageerde teksten een sociale barometer. De muziekvorm verspreidde zich over het Caribisch gebied en wordt tegenwoordig gezien als een soort orale volksliteratuur. De muziek kan het beste omschreven worden als een snelle, vrolijke reggaevorm. Vooral vóór en tijdens carnaval worden op veel Caribische eilanden calypsowedstrijden gehouden, waarbij de calypsonians zich in humoristische fantasiekostuums steken. Ook op Sint-Maarten worden dan calypsokoningen, calypsokoninginnen en beste calypsobands gekozen. De calypsonians tooien zich meestal met fraaie bijnamen met verheven voorvoegsels als Lord, Prince, King (of Queen) en Mighty. De bekendste calypsonian aller tijden was Mighty Sparrow, die ook internationaal veel bekendheid verwierf. Andere bekende calypsonians zijn onder meer Mighty Chalkdust (een voormalige onderwijzer), Lord Shorty, Lord Executor en, recent, David Rudder.

verboden en werd dus in het geheim door de slaven gemaakt.

Tot de moderne dans- en muzieksoorten die op de Benedenwindse Eilanden populair zijn, behoren de *merengue* en de *salsa*. De eerste komt oorspronkelijk uit de Dominicaanse Republiek; het is een vrij simpele dansvorm in vierkwartsmaat, waarbij de heupen gebruikt worden en het bovenlichaam onbewogen blijft. De salsa (letterlijk: sausje) is een verzamelnaam voor een familie muziek- en danssoorten van eilanden uit het Caribisch gebied. Op Cuba worden bijvoorbeeld talrijke verschillende salsasoorten onderscheiden. Bekende salsa-vormen zijn de *son montuno* (een langzame, rustige salsa), de *charranga* (een salsa met strijkinstumenten), de *rumba*, de romantische *bolero* en de *descarga*, de wildste van allemaal. *Discarga* betekent dan ook

letterlijk 'ontlading'. Salsamuziek wordt met veel instrumenten gespeeld: allerlei blaasinstrumenten, snaarinstrumenten en vooral veel percussie-instrumenten. Modern is ook de *steelbandmuziek*, ontstaan op Trinidad en daarna over de regio verspreid. De muziek wordt gespeeld op doorgezaagde en in een kom geslagen oliedrums. Steelbands treden vooral met carnaval op; er kan lekker vrij op bewogen worden.

TAAL

De moedertaal op de drie Benedenwindse Eilanden is het Papiamento, een taal die alleen op de drie eilanden en onder Antillianen in Nederland gesproken wordt. Het Papiamento (Papiamentu, Papiaments) ontstond oorspronkelijk onder de slaven die vanuit West-Afrika naar de eilanden werden getransporteerd. Ze grepen in de vreemde omgeving terug op hun Afrikaanse achtergrond en cultuur en ontwikkelden een eigen taal waarin ze de meester konden beledigen en bekritiseren zonder dat hij er erg in had. Langzamerhand werden er steeds meer woorden uit de talen van de andere bevolkingsgroepen in opgenomen en werd het Papiamento de lingua franca tussen de bevolkingsgroepen. Er komen woorden uit verschillende Afrikaanse talen, uit het Portugees, Nederlands, Spaans en Engels en uit de Arawak-talen in voor. Later groeide het Papiamento verder uit tot de moedertaal van zo'n 90 procent van de bevolking op de Benedenwindse Eilanden. Van de overige 10 procent heeft zo'n 7 procent Nederlands en 3 procent Engels als moedertaal. In veel huishoudens wordt echter meer dan één taal gesproken, om de kinderen bijvoorbeeld te laten wennen aan het Nederlands dat nog steeds de officiële (bestuurs)taal van de Antillen is. Op Aruba wordt weer meer Engels en Spaans gesproken dan op de andere Benedenwindse Eilanden. Het Papiamento verschilt per eiland licht. Op Aruba zijn er wat meer Spaanse woorden in opgenomen, op de andere twee eilanden wat meer Nederlandse. Volgens de Benedenwinders is er ook enig verschil in de uitspraak: de Arubanen zingen het Papiamento, de Curaçaoënaars spreken het, de Bonairianen huilen het, zo zegt men.

Op de Bovenwindse Eilanden is het Engels de moedertaal van de bewoners. Het Papiamento wordt door minder dan 5 procent van de bevolking gesproken; dit zijn voornamelijk Benedenwindse Antillianen, die al dan niet tijdelijk op een van de drie Bovenwindse Eilanden wonen.

2 LANDSCHAP EN NATUUR VAN DE ANTILLEN

Voor een beschrijving van de natuurlijke gegevenheden op de Bovenwindse en Benedenwindse Eilanden moeten we beginnen met de ontstaansgeschiedenis van het Caribisch gebied. De juiste naam in de oceanografie is Antilliaans-Caribische Zee. Samen met de Golf van Mexico vormt deze de Centraal-Amerikaanse Zee. De geologische ouderdom van het Caribische bekken is niet bekend. Men neemt aan dat het samen met de Golf van Mexico tijdens het Paleozoïcum (570 tot 245 miljoen jaar geleden) verbonden is geweest met het Middellandse-Zeebekken. Daarna zou het Caribische bekken geleidelijk naar het westen zijn geschoven toen de Atlantische Oceaan werd gevormd.

De bodem van de Caribische Zee bestaat uit een kilometer dik sedimentpakket dat zich in de loop der tijd heeft afgezet en deels is verschoven tijdens de vorming van plooien en troggen in het bekken. Door de activiteit in de aardkorst zijn er vijf kleinere bekkens ontstaan, het Yucatán-, Cayman-, Colombia-, Venezuela- en Grenada-bekken. Deze depressies in de zeebodem zijn van elkaar gescheiden door plooien, ruggen, hoogtes of door diepe troggen.

Het Yucatán-bekken is het meest westelijke deel van de Caribische Zee en bereikt een diepte van 4352 m. Aan de noordkant wordt deze komvorm begrensd door het Yucatán-kanaal, dat de scheiding vormt tussen Mexico en Cuba. Aan de zuidkant ligt de Cayman-rug, waarvan de Cayman Eilanden boven water liggen.

Achter deze langgerekte verheffing in de aardkorst, die loopt van Cuba tot voor de kust bij Belize, duikt de bodem naar de duizelingwekkende diepte van 7686 m. Dit is de Cayman-trog, onderdeel van het Cayman-bekken, en het diepste deel van de Caribische Zee. De diepe kloof in de bodem loopt tussen de eilanden Cuba en Hispaniola (Haïti en de Dominicaanse Republiek) naar het Hispaniola-bekken en de Atlantische Oceaan.

De begrenzing hiervan aan de zuidkant is de Nicaragua-hoogte. Deze verheffing in de zeebodem, tot zo'n 1400 m onder de zeespiegel, loopt van Midden-Amerika via Jamaica naar Hispaniola.

De onderwaterwereld rond de Nederlandse Antillen en Aruba behoort tot de mooiste ter wereld.

Dan volgt het Colombia-bekken met het diepste punt op 4263 m. Via de Aruba-kloof staat deze depressie in de bodem in verbinding met het Venezuela-bekken. De Beata-rug (2120 m) sluit deze twee bekkens net niet van elkaar af.

Het Venezuela-bekken, de grootste depressie in de Caribische Zee, wordt aan de noord- en oostkant begrensd door Hispaniola, Puerto Rico en de Aves-rug. Hierachter ligt het laatste bekken, het Grenada-Bekken. Dit is van de Atlantische Oceaan gescheiden door de keten van Oost-Caribische Eilanden, waar de Bovenwinden deel van uitmaken.

Warm en koud water

Door de werking van de passaatwinden is de overheersende stroomrichting van het oppervlaktewater in de Caribische Zee van oost naar west. De Noord-Equatoriale Stroom brengt water vanuit het noordelijke deel van de Atlantische Oceaan langs de westkust van Afrika naar de Cariben. Uit het zuiden komt de Zuid-Equatoriale Stroom. Beiden voeren opgewarmd water (20–25 °C) aan. Vooral het water van de zuidelijke stroming komt tussen de Oost-Caribische Eilanden door de Caribische Zee in.

Bij het Yucatán-bekken hoopt het water zich op en perst zich door het Yucatán-kanaal in de richting van de Golf van Mexico. Het hogere gemiddelde waterpeil in de Golf zorgt er op zijn beurt voor dat het water door de Straat van Florida (tussen Cuba en de Verenigde Staten) wordt geperst. Deze stroom vormt samen met het water van de Noord-Equatoriale Stroom, dat langs de Grote Antillen noordwaarts stroomt, de drijvende kracht achter de Golfstroom.

De keten van eilanden die de Caribische Zee begrenst, houdt echt koud oceaanwater tegen. Slechts op een paar plaatsen, diep onder water, komt vers oceaanwater (15 °C) de Caribische Zee binnen. Dit gebeurt bijvoorbeeld bij twee drempels: in de Windward Passage, tussen Cuba en Hispaniola, en in de Anegada Passage, tussen de Amerikaanse Maagdeneilanden en de Oost-Caribische Eilanden. Deze diepe waterstroom is rijk aan zuurstof en voorziet de diverse bekkens van verse brandstof voor zeeleven. Boven deze relatief koude waterstroom en onder de warme oppervlaktestroom zijn er nog twee stromen te onderscheiden, verschillend in temperatuur en samenstelling.

Langs de zeebodem stroomt ook water terug in oostelijke richting. Dit water heeft zich vermengd met koud oceaanwater en koelt af tot zo'n 12 °C. Voor de kust van Venezuela, bij de Benedenwindse Eilanden (Aruba, Bonaire, Curaçao), komt dit water aan de oppervlakte. Ook dit zorgt voor een grote rijkdom aan zeeleven ter plekke en heeft grote invloed op het klimaat op deze eilanden.

Lava en kalksteen

De Caribische regio is altijd een gebied geweest met grote vulkanische activiteit. Het maakt deel uit van een breuklijnzone rond de Caribische Plaat. Door de frictie met de omringende platen, zoals de Noord-Amerikaanse, de Zuid-Amerikaanse en de Nazca-plaat ontstaan vulkanische erupties en aardbevingen. Enorme krachten stuwden op enkele plekken de aardkorst omhoog. Zo zijn de bergruggen op Cuba, de Dominicaanse Republiek en Puerto Rico ontstaan. Op deze eilanden gaat het echter meestal om een oude vulkanische activiteit, honderden miljoenen jaren geleden. De gebergten zijn door weer en wind geërodeerd en dicht begroeid geraakt.

De eilanden in het oostelijk deel van het Caribische gebied, zoals Saba en Sint-Eustatius, zijn veel jonger en hier vindt nog volop vulkanische activiteit plaats. Sommige zijn niet meer actief, andere spuwen bij tijd en wijle hun verstikkende as, lava en puin over de omgeving.

In veel gevallen zijn deze eilanden niet meer dan een of meer vulkaanmantels die uit zee oprijzen. De steile vulkanische rotsen van bijvoorbeeld Saba en The Quill op Sint-Eustatius heersen dreigend over de eilanden. Gestold lava loopt soms door tot onder de kustlijn en heeft daar gezorgd voor een afwisselend landschap van ruggen, begroeid met koraal, en zandige valleien.

Het vulkanisme leidt tot bijzondere natuurfenomenen onder water, zoals de bizarre pinakels bij Saba, het grijze zand op de bodem en de luchtbelletjes die van onder het gestolde, maar poreuze lavasteen opborrelen. Het is net alsof je in een bad vol champagne duikt.

De vulkaan Hooiberg is wel de meest markante berg op Aruba.

Andere eilanden in het oostelijk deel van de Cariben hebben wel vulkanisch materiaal diep in de grond, maar steken nu boven de zee uit dankzij de riffen en de kalkafzettingen in het zeewater. Men spreekt in dit verband van een binnen- en een buitenring. De binnenring bestaat uit de eilanden rond vulkanen, de eilanden in de buitenring zijn vlak en bestaan hoofdzakelijk uit kalksteen. Deze buitenste ring loopt vanaf de Bahama's via de Turks and Caicos en Anguilla naar Barbados en Trinidad. Sint-Maarten maakt deel uit van deze schil. Er zijn weinig hoge bergen, maar wel is er sprake van een grillig landschap met veel verheffingen.

De Nederlandse Benedenwindse Antillen (Bonaire en Curaçao) en Aruba zijn geologisch veel ouder dan de Bovenwinden (Sint-Maarten, Sint-Eustatius en Saba). Ze zijn voornamelijk ontstaan door vulkanische activiteit onder water. Stromen kokend hete lava stolden in het zeewater en er vormden zich pakketten vulkanische as. Door verwering zijn met name de laatste gesteenten afgesleten. Aruba en Curaçao zijn ontstaan op lagen gestold lava, waar zich later kalksteen op afzette en koraal omheen vormde. Het zijn, net als veel andere eilanden in de Cariben, bergen die uit zee oprijzen, met dien verstande dat de vulkaanmantels in de loop der tijden zijn afgesleten en onder water zijn verdwenen. Bonaire daarentegen is ontstaan op dikke lagen vulkanische as, hier en daar doorsneden door gestolde lavastromen. De bodem loopt hier buiten de kust geleidelijker af en de muur is lang niet zo dramatisch als bij de twee zustereilanden.

De ondergrond van kalksteen op de Benedenwindse Eilanden, op Sint-Maarten en ook rondom de vulkaanmantels op Saba en Sint-Eustatius zorgt ervoor dat er geen rivieren voorkomen. Het regenwater zakt vrijwel meteen weg in het poreuze gesteente, om vervolgens via ondergrondse riviertjes afgevoerd te worden. Dat proces is al honderdduizenden jaren aan de gang.

De werking van erosie door regen- en zeewater is op Bonaire schitterend te zien langs de kustweg. De diepe inkepingen in de rotswanden geven aan hoe hoog de zeespiegel stond. In het Pleistoceen is die gedaald en vervolgens weer gestegen. Zo is er bovengronds een systeem van doorgangen en grotten ontstaan. Ze spelen een belangrijke rol in de geschiedenis van de eilanden. De eerste bewoners maakten er gebruik van om beschutting te vinden in tijden van zwaar weer. Ze beschilderden de wanden en de plafonds; op Bonaire en Curaçao bijvoorbeeld zijn daar nog fragmenten van te zien in onder meer de grotten bij Onima en Spelonk (Bonaire) en Hato (Curaçao).

Ook de ondergrondse riviertjes, grotten en doorgangen worden nu herontdekt ten behoeve van het *adventure*-toerisme. Niet iedereen is daar echter blij mee.

GROENE BERGEN, DROGE *KUNUKU*

De klimatologische omstandigheden en de geografische ligging zorgen op de Antillen en Aruba voor een uiteenlopende vegetatie en dierenwereld. De Bovenwindse Eilanden krijgen veel meer neerslag en zijn veel groener dan de Benedenwinden. Maar op de eilanden afzonderlijk is er een onderscheid te maken in twee soorten gebieden met ieder een geheel eigen vegetatie: het heuvel- of bergland, en de kustzone met mangroven en lagunes. Vooral het landschap in dit laatste gebied is door het optreden van de mens in de loop van de tijd ingrijpend veranderd.

Op Saba en op de flanken van The Quill op Sint-Eustatius vertoef je in een tropische vegetatie. Zo gauw je de vakantiedrukte achter je hebt gelaten, krijg je een weldadig 'bad' in deze groene zee. Geluiden van buiten dringen niet meer door. Je hoort alleen het fluiten van de vogels, het sjirpen van de krekels en het ritselen van hagedisjes. Af en toe slaagt de wind erin door het takken-en-bladerdak heen te breken en de struiken en planten zacht te beroeren. Voor bloemen- en plantenliefhebbers is dit een paradijs. Tientallen soorten orchideeën en bromelia's, evenals lobelia's en begonia's geven kleur aan deze groene wereld. Vooral Mount Scenery op Saba – de hoogste berg in het Koninkrijk – is de variëteit aan varens groot. Naarmate je hoger klimt, kom je bijzondere mossen tegen. De begroeiing kan dan ineens wijken voor een betoverend uitzicht op een vallei, een waterval of de kust.

In deze hoger gelegen gebieden is de oorspronkelijke vegetatie nog goeddeels intact. Daarom zijn de bosgebieden op de eilanden meestal tot beschermd natuurgebied verklaard. Voor bezoekers zijn wandelroutes uitgezet.

Cactussen en dividivi

De vegetatie op de Benedenwindse Eilanden bestaat hoofdzakelijk uit doornige struiken en cactussen. Over de cactussen is wel het een en ander te vertellen. Ze zijn op alledrie de eilanden in diverse soorten en maten te vinden. De bekende langwerpige zuilcactussen kadushi (*Cereus repandus*) en datu (*Lemaireocereus griseus*) torenen hoog boven de andere vegetatie uit. In de *kunuku*, zoals de lokale bevolking het 'binnenland' noemt, worden ze gebruikt als een natuurlijke afrastering rond de grond en het huis. Het groene vlees wordt gedroogd en als bindmiddel in de kadushi-soep verwerkt. Een andere opvallende soort is de

Bolcactus

bolcactus (*Melocactus* sp.), hier heel toepasselijk *milon di seru* (bergmeloen) genoemd. Een andere bijnaam is 'schoonmoederszetel' – of dat toepasselijk is, moet je zelf maar beoordelen. De bolcactus groeit op uiterst dorre plaatsen, maar door meterslange wortels komt hij toch aan voldoende water. Het aantal is sterk verminderd door export, maar die is inmiddels streng verboden.

Zowel de struiken als de bomen zijn onder invloed van de passaat met de wind meegegroeid. Een straffe wind, die altijd waait, zorgt aan de windzijde voor sterke verdamping en uitdroging. Zo lijkt het alsof de bomen aan de ene kant dood zijn, en aan de andere kant verder groeien. De bekendste boom is de dividivi, plaatselijk *watapana* genoemd. De oostkant van de eilanden is het minst groen. Er kan hier nauwelijks vegetatie tot ontwikkeling komen. Een uitzondering vormt de *indju*-boom, onder meer bij Boka Kokolishi op Bonaire. Deze heeft helemaal geen stam en groeit als een tapijt over de bodem. Aan de noordwestkant van zowel Bonaire (het Nationaal Park Washington-Slagbaai) als Curaçao (Christoffelpark) is de begroeiing van struiken en cactussen juist heel divers. Er zijn grote stukken *mondi*, laag kreupelbos en cactus, dat in de droge tijd dood lijkt, maar in de regentijd een metamorfose ondergaat. Zo'n metamorfose ondergaat ook de *ki-*

brahacha (*Tabebuia chrysantha*), een struik met kleine groene blaadjes, die zes dagen na een flinke bui felgele bloemetjes krijgt.

Veranderend landschap

De begroeiing van de kustgebieden is vrijwel nergens meer zoals deze was voordat de eerste mensen voet aan wal zetten. De Arawaks namen van het vasteland van Zuid-Amerika cassave, maïs en tabak mee. Ze plantten deze rond hun nederzettingen en kapten de bestaande vegetatie.

Veel ingrijpender waren natuurlijk de economische activiteiten die de Hollandse kolonisten, plantagehouders en kooplieden ontplooiden. Waardevolle boomsoorten zoals mahonie, ceder, campêche (blauwhout), pokhout en de raspboom zijn gekapt voor de lucratieve houtproductie en het onttrekken van verfstoffen. Later is ook nog eens veel bos verdwenen om plantages aan te leggen.

Vanwege het gunstige klimaat en de vruchtbare bodem haalden de kolonisten al in een vroeg stadium allerlei bloemen en planten naar de eilanden. Daaronder waren veel fruitbomen met vruchten die nu een vaste plek hebben in de kleurrijke en smaakvolle gerechten.

De Hollanders hebben in de koloniale tijd geprobeerd de aloëplant commercieel te exploiteren. Het sap van deze plant is te gebruiken als grondstof voor medicijnen, zonnebrandolie en huidcrèmes. De teelt van de aloë heeft op Bonaire nooit zo'n hoge vlucht genomen als op Aruba, dat begin 20ste eeuw zelfs de grootste producent ter wereld was. Met de komst van de synthetische grondstoffen raakte de aloëteelt in verval. Maar nu is er een ommekeer door de toenemende vraag naar natuurlijke grondstoffen.

De kolonisatoren introduceerden behalve bomen, planten en gewassen voor commerciële doeleinden tevens sierplanten. Bij de villa's, op het plein, langs de boulevard vormen elegante palmbomen, uitbundige flamboyants en bougainvilles voor een tropisch decor. Met name de laatste zijn veel aangeplant om de nodige schaduwrijke plekjes te creëren. Een inheemse boomsoort die met veel respect wordt behandeld, is de wolboom, de *ceiba*. Voor de Arawaks was deze boom al heilig.

In de Antilliaanse tuin staan doorgaans palmen, vruchtbomen, varens en bloeiende struiken, zoals hortensia's. Een aparte vermelding verdienen de sierplanten die door de immigranten in de loop van de tijd zijn meegenomen. Zo zie je de bougainville (Nyctaginaceae) vaak bij villa's. De schutbladen rond de bloemen zijn paars, rood, roze of oranje en zorgen voor kleur op het eiland.

DE DIEREN OP HET LAND

Op de eilanden komen nauwelijks grote zoogdieren voor, met uitzondering natuurlijk van het vee, zoals paarden, geiten en ezels, die de kolonisten hiernaar toe brachten als lastdieren. Vooral die ezels en geiten horen inmiddels bij het landschap van de Benedenwindse Eilanden. De een koestert ze, voor de ander zijn ze een constante bron van ergernis. Eén ding is zeker, ze hebben een onmiskenbare invloed op de vegetatie.

Reptielen en amfibieën

Amfibieën en reptielen zijn er in het warme klimaat wel. Op de rotsachtige en overwegend droge Benedenwindse Eilanden komen hagedissen en leguanen veelvuldig voor. Overal aan de kust en in het binnenland bij waterpoelen kom je ze tegen. Hagedissen vertonen zich de hele dag. Leguanen zoeken overdag de schaduw op of ze zitten in hun hol. In de ochtend en namiddag komen ze te voor-

Verfstoffen uit hout

Langs de kustwegen van zowel Bonaire als Curaçao staan veel verfhoutbomen (*Haematoxylon brasiletto*). Het brazielhout, ook wel Pernambucohout, verfhout of raspboomhout genoemd, is een soort roodhout dat zich door een groot gehalte aan verfstof onderscheidt.
Op de eilanden worden ze *kampèshi* of *brasia* genoemd, een plantensoort uit de familie der Caesalpiniaceae. Het is een gedoornde, loofverliezende boom met een stam die meestal zeer grillig van vorm is met diepe overlangse groeven. De boom bloeit vooral tussen februari en april na enige regen. De bloemen worden vaak verward met die van de kibrahacha, die slechts een paar dagen per jaar bloeit. Brazielbloemen zijn echter kleiner en donkerder en ze bloeien ook veel langer achtereen.
Roodhout werd in vroeger tijden gebruikt voor het bereiden van rode lakverven en ook in de kunst-schrijnwerkerijen. Het hout werd daarvoor geraspt, waardoor de sappen vrijkwamen waarmee kleurstoffen werden gemaakt. Vandaar de naam rasphout.
Het Rasphuis was vroeger de naam voor een tuchthuis in Amsterdam, waarin bedelaars en landlopers (alleen mannen) het voor de stad winstgevende, maar voor de gevangenen zware karwei van het raspen van het brazielhout moesten verrichten. Het toezicht op de gevangenen werd uitgeoefend door de rasphuisvader. Het Rasphuis was een product van de maatregelen die de vroede vaderen op het eind van de 16de eeuw (1595) meenden te moeten nemen tegen de steeds toenemende bedelarij en misdadigheid. Het Rasphuis was gelegen aan de Heiligeweg 19 op de terreinen van het voormalige clarissenklooster. Het was vooral een inrichting waar men bedelaars weer tot normale burgers trachtte te maken. De instelling was beroemd in het buitenland. In 1603 werd aan het Rasphuis een soort 'strenge' school verbonden, waarheen ouders of voogden hun kinderen of pupillen die zij niet meer de baas konden, mochten zenden. Omstreeks 1825 werd het Rasphuis ingericht tot Huis van Arrest. In 1892, toen het Huis van Bewaring aan het Kleine-Gartmanplantsoen werd ingericht, werd het Rasphuis overbodig. Het werd afgebroken en in 1896 vervangen door het Zwembad Heiligeweg. Dit voormalige zwembad bereikte men door het fraaie, rijk uitgevoerde poortje van het voormalige Rasphuis. Dit poortje, vermoedelijk daterend van omstreeks 1603 en toegeschreven aan Hendrick de Keyser, bevat een mooi reliëf, voorstellende een wagen met rasphout, getrokken door wilde dieren, die door een voerman worden getuchtigd. De beeldengroep werd er in de tweede helft van de 17de eeuw op gezet. In 1991 werd het zwembad aan de Heiligeweg een theater, waar het gezelschap Trust optrad. Vandaag de dag is het poortje het gedegradeerd tot zij-ingang van het winkelcentrum De Kalvertoren.

Bij Boca Onima op Bonaire zijn de blaublaus handtam.

guanen 10 tot 15 jaar oud worden, als ze tenminste niet op het menu verschijnen van de lokale bevolking of de toerist. Onder gunstige omstandigheden worden de dieren zelfs 20 jaar, waarbij ze een lengte kunnen bereiken van 1,5 tot zelfs 2 m en een gewicht van 40 kilo.

De **groene leguaan** (*Iguana iguana*) heeft het zwaar te verduren gehad, omdat deze reptielensoort zowel voor de mens als de kleine zoogdieren als een lekkernij gold (of nog steeds geldt). Dagelijks eten leguanen een groot aantal bladeren, jonge scheuten, bloemen en zacht fruit. Ze drinken door de regen op te drinken die door planten en bloemen wordt opgevangen.

Op de Bovenwinden komt een aparte soort voor, de **Antilliaanse leguaan** (*Iguana delicatissima*). Bij de jonge mannetjes is de huid bijna zwart, bij vrouwtjes kan de kleur variëren van fel groen tot grijs. Als hij volwassen is, krijgt deze leguaan zwarte en grijze strepen. Ze werden veel gegeten, maar dat is inmiddels streng verboden.

Hagedissen zijn er in overvloed op de Antillen en Aruba. Zo is op de Benedenwindse Eilanden de **blausana** of **blaublau** (*Cnemidophorus lemniscatus*) een graag geziene gast in de tuin of op de rotsen. Maar elk van de drie eilanden heeft z'n eigen ondersoort. De lichtblauwe tot turquoise staart is kenmerkend. Wanneer een vijand nadert, probeert een ha-

schijn. Ze vallen nauwelijks op omdat hun kleur lichter of donkerder wordt afhankelijk van het licht.

Leguanen leven van fruit, van bladeren en bloemen. Ze zijn een stuk groter en logger dan hagedissen. Soms kunnen ze met staart bijna 1 m lang worden. Vooral in Washington-Slagbaai op Bonaire zie je soms reusachtige exemplaren, meestal onder bomen (bijvoorbeeld bij Playa Bengé).

Leguanen zijn koudbloedig en moeten zich opwarmen in de zon voordat ze zich goed kunnen bewegen en op zoek kunnen gaan naar voedsel en dit kunnen verteren. De dagen van een leguaan zijn gevuld met perioden van eten en lange perioden met rust. In de natuur kunnen le-

gedis deze te waarschuwen door te sissen, zichzelf groter te maken, te bijten, te schrapen en met de staart te slaan. De **kako** (*Anolis lineatus*) van Aruba en Curaçao zet z'n keelwaaier uit en z'n rugkam omhoog als hij opgewonden raakt bij het zien van een wijfje of een tegenstander. Op de Bovenwindse Eilanden komen de **grondhagedis** (*Ameiva erythrocephala*) en de **anolis** (*Anolis bimaculatus, Anolis wattsi*) het meest voor. De grondhagedis heeft lichtgele lijnen over het lichaam en een rood kopje. De anolis heeft een opvallende keelzak onder de kin; bij de eerstgenoemde soort is die felgroen, bij de tweede geel tot oranje.

Net als veel reptielen overwinteren en ontwaken hagedissen bij warme temperaturen. Een opvallende eigenschap van hagedissen is de mogelijkheid van kleur te veranderen. De kleur van de huid kan donkerder of lichter worden onder invloed van licht, temperatuur of emoties.

Op Curaçao vind je in de regentijd kikkers.

Sommige stekelige schubben van een hagedis maken het voor een vijand moeilijk hem op te eten. Wanneer een hagedis eenmaal gevangen is door een roofdier, laat het dier zijn staart los. De gehele staart kronkelt gewoon over de grond. Veel hagedissen kunnen op zo'n manier hun staart achterlaten waarbij een niewe staart later weer aangroeit, maar dan korter dan voorheen.
De meeste hagedissen zijn geen kieskeurige eters: insecten en soms planten staan op hun menu. Een aantal hagedissen

heeft een tong waarmee ze kevers kunnen vangen. Andere nemen gewoon iets in de bek en wachten net zo lang totdat de prooi niet meer tegenspartelt, en eten die dan op.

Echt grote slangen zijn er niet te vinden, hoewel er de laatste jaren steeds vaker berichten in de krant staan dat 'huisslangen' kwijt zijn. Op Aruba is de laatste jaren zelfs sprake van een boaplaag. Misschien hebben de Antillen inmiddels al wel hun eigen populatie boa's en cobra's in de vrije natuur.
Op de drogere eilanden is de **ratelslang** het meest gevreesd. De **colebra** of **cascabel** (*Crotolatus durissus unicolor*) is giftig, maar de beet is nooit fataal.
Kikkers en **padden** zijn er volop te vinden in de vochtige gebieden op Sint-Maarten, Saba en Statia, maar ook op Curaçao tijdens de regentijd.

Vogels

De waterrijke gebieden op de Antillen en Aruba trekken tal van vogelsoorten aan.

De zeeschildpad beschermd

Al vrij snel hadden de Europese zeevaarders in de koloniale tijd in de gaten dat in de ondiepe wateren bij de Caribische eilanden een delicatesse rondzwom: de zeeschildpad. De eieren en het vlees waren meteen een lekkernij en de schildpadvangst werd een economische activiteit van enig belang. Dat heeft ertoe geleid dat sommige soorten sterk zijn uitgedund. In de Caribische regio worden vier van de vijf voorkomende soorten in hun voortbestaan bedreigd. Zeeschildpadden leven in het water voor de kust. De carnivoren eten ongewervelden, sponzen, schelpdieren en krabben, maar er zijn ook enkele soorten herbivoor. Ze paren in het water en leggen hun eieren op rustige plekken aan de kust; een zandstrand heeft de voorkeur. Daar leggen ze 80–150 eieren, die ze vervolgens toedekken met het warme zand. Tijdens dit werk zijn de schildpadden een makkelijke prooi voor vissers en jagers, die het hebben gemunt op het vlees en het pantser. Zo gauw de kleine schildpadden zijn geboren, maken ze gezamenlijk een weg naar boven door het zand en rennen naar de zee. Ook zij zijn zeer kwetsbaar.

Zo gauw de kleine schildpadden zijn geboren rennen ze naar de zee. De **karetschildpad** (*Eretmochelys imbricata*; Engels: *hawksbill turtle*) is sterk uitgedund in aantal en is daarom in het hele Caribische gebied wettelijk beschermd. Deze relatief kleine soort (90 cm) heeft overlappende pantserplaten op de rug en twee paar kleine kopplaten tussen de ogen. De naam is ontleend aan de papegaaiensnavel.

De **soepschildpad** (*Chelonia mydas*; Engels: *green turtle*) heeft eveneens zwaar te lijden gehad van de massale vangst voor de consumptie. Deze schildpad heeft een ovaal pantser, bruin of olijfgroen, met een paar lange platen op de kop tussen de oren en vier paar ribbenplaten. De soepschildpad kan 1,8 m lang worden. De derde bedreigde schildpadsoort is de **onechte karetschildpad** (*Caretta caretta*; Engels: *loggerhead turtle*). Deze kenmerkt zich door vier smalle rugwervelplaten; de vijfde is trapeziumvormig. Het pantser is grijsbruin, het onderlichaam is crèmekleurig.

Verreweg het meest in z'n bestaan bedreigd is de **Caribische bastaardschildpad** (*Lepidochelys kempi*; Engels: *Kemp's ridley turtle*). Hij is de kleinste onder de zeeschildpadden. In het Caribische gebied en de Golf van Mexico zouden nog slechts een paar duizend exemplaren voorkomen.

De **lederschildpad** (*Dermochelys coriacea*; Engels: *leatherback sea turtle*) is

Veel zijn hier tijdelijk, om uit te rusten op de trek tussen de Verenigde Staten en Zuid-Amerika, om te broeden en te voeden, andere verblijven hier permanent. Onder de vogels die min of meer op alle eilanden te zien zijn, vallen in de eerste plaats de zeevogels op. Fregatvogels, meeuwen en sterns hangen altijd in de lucht voor de visrijke kust.

Sterns hebben puntiger vleugels en zijn slanker dan de meeuwen. De **koningsstern** (*Sterna maxima*) is de grootste in

Schildpadden voeren bij Animal Encounters op Curaçao

de grootste soort in de Caribische regio. Hij kan 900 kilo zwaar en 2,3 m lang worden. Het lederachtige pantser is staalgrijs met witte of blauwe vlekken. De lederschildpad is vooral te vinden in diep water (tot 1000 m) voor de kust van Mexico, Panama, Guyana en Suriname.

Op de meeste eilanden is de vangst aan banden gelegd. De handel in en verkoop van schildpadden is streng verboden, al wordt er voor de lokale markt nog wel eens een oogje dichtgeknepen. Natuurbeschermingsorganisaties zetten zich met hulp van veel vrijwilligers in om de schildpadden met name in het broedseizoen te beschermen. Dag en nacht wordt er op de stranden gesurveilleerd en zo gauw er een nest is ontdekt, krijgt dit een markering.
Ook bezoekers moeten meewerken, bijvoorbeeld door standaardformulieren in te vullen als ze schildpadden zien (te verkrijgen bij hotels en duikshops).
❶ SEA TURTLE CLUB BONAIRE, tel.: (5997)8399, fax: (5997)8118. In Nederland tel.: 020-6684782, fax: 020-6795002, e-mail: tvaneyck@bio-vu.nl

z'n soort. Deze vogel is overwegend wit met een zwarte kuif en oranje snavel. Vaak wacht hij op een rots of steiger tot er zich een prooi aandient. Dan duikt hij eropaf.
De **visdief** (*Sterna hirundo*), plaatselijk *meeuchi* genoemd, heeft een vuurrode snavel met een zwarte punt. Hij komt vooral bij de Benedenwinden voor, broedt op dijkjes in zoutpannen en op eilandjes in binnenbaaien.
De **bruine boebie** (*Sula leucogaster*), ook

De bruine pelikaan is een vaste bewoner van het kustgebied.

jan-van-gent genoemd, is een middelgrote bruine zeevogel. De grote snavel is het opvallendst. Hij cirkelt in de lucht en duikt dan plotseling op zijn prooi. De vogels broeden niet op de eilanden, maar hebben vaste plekken waar ze de nacht doorbrengen

Verder zijn er de langeafstandvliegers die zich op de meeste eilanden hebben gevestigd, zoals reigers, pelikanen, lijsters en vliegenvangers.

De **bruine pelikaan** (*Pelecanus occidentalis*) is een vaste bewoner van het kustgebied. Hij jaagt vlak onder de kust. Het is een fascinerend schouwspel om hem van een flinke hoogte recht naar beneden in zee te zien duiken. Hij vist met z'n ondersnavel, die hij vol water laat lopen.

Van de reigersoorten valt de **Amerikaanse kleine zilverreiger** (*Egretta thula*) het meest op. Hij is spierwit en heeft een gele vlek tussen de snavel en de ogen. Ook de poten zijn gelig. Hij houdt zich vooral op bij lagunes en binnenbaaien. Op de eilanden laat de **witbuikreiger** of *bubi tres koló* (*Egretta tricolor*) zich juist niet vaak zien. Je kunt hem betrappen bij zout-

meertjes en mangroves, waar hij op visjes jaagt. De vleugels zijn blauwgrijs, de buik wit.

Onder de trekvogels die jaarlijks neerstrijken in waterrijke kuststreken, is de **Amerikaanse blauwe reiger** (*Ardea herodias*) opvallend door z'n omvang. Met een potentiële vleugelwijdte van ruim 1,5 m is hij de grootste onder de reigers. Hij heeft een blauwgrijze kleur, een witte kop en een gele snavel. Hij komt in de wintermaanden uit Noord-Amerika om hier te overwinteren en heeft een voorkeur voor zoetwatermeertjes.

De **dikbekplevier** (*Charadrius wilsonia*) en de **kleine strandloper** (*Calidris minutilla*) zijn eveneens wintergasten uit Noord-Amerika en zijn op het strand, bij zoutpannen en modderachtige plekken te vinden. Ze leven namelijk van schelpdiertjes en kreeftachtigen.

Bij de endemische vogelsoorten springt de **Caribische flamingo** (*Phoenicopterus ruber*) eruit. Hij komt al eeuwenlang voor in dit gebied. Alleen was er vroeger een dertigtal broedplaatsen en nu nog slechts een handvol. Bonaire is de voornaamste. Het Pekelmeer bij de zoutpannen is al sinds de koloniale tijd een Mekka voor deze sierlijke vogels. Er is een overvloed aan pekelorganismen waar ze zich mee voeden en er is relatieve rust. De Caribische flamingo is mooi rozerood, veel meer gekleurd dus dan de Europese en de Afrikaanse versie.

De kleurrijkste vogels zijn de papegaaien, de parkieten en kolibries. Wie 's morgens op het terras of op het balkon ontbijt of van de koele ochtendbries geniet, heeft grote kans op een ontmoeting met de vrolijk fluitende troepiaal of een paar suikerdiefjes. De vrolijke en felgekleurde suikerdiefjes zijn het brutaalst. Zo gauw je de hielen licht, struinen ze de

De warawara, de grootste roofvogel van de Antillen

tafel af naar kruimels. Je kunt deze vogels ook zelf lokken door een schaaltje suiker voor ze neer te zetten.

Elk eiland heeft z'n favoriet. De Benedenwinden hebben de **groene kolibrie** (*Chlorostilbon mellisugus*) en de **rode kolibrie** (*Chrysolampys mosquitus*), een vogeltje met een lange snavel om nectar uit de bloemen te zuigen. Een hele populaire vogel op deze eilanden is het **suikerdiefje** (*Coereba flaveola*), zo genoemd omdat hij brutaal op de ontbijttafel de suikerpot leeghaalt. Hij heeft een geel buikje en een zwarte rug.

Er zijn papegaaiensoorten die van nature op de Caribische eilanden voorkomen,

zoals de **geelvleugelamazone** (*Amazona barbadensis*). Deze is grotendeels groen met een geel kopje en een gele met rood gemengde vleugelboeg. De staart is vrij kort. Opvallend is de snelle trillende vleugelslag. Tegen het einde van de middag zitten ze vaak op de top van een zuilcactus. Ze voeden zich met stukjes fruit. In de droge periode trekken ze naar de tuinen van de bewoonde wereld, omdat daar altijd wel wat fruit te vinden is.

Als de droogte lang duurt en de papegaaien hun scherpte en gewoonlijke schuwheid verliezen, zijn ze erg kwetsbaar. De populatie is in de jaren zeventig en tachtig sterk teruggelopen, mede door langdurige droogte en illegale vangst. De vogels zijn tegenwoordig bij wet beschermd.

Een andere kleine vogel die zich regelmatig laat zien, is de **parkiet** (*Aratinga pertinax xanthogenius*). Het diertje heeft een geel kopje, en een lichtgroene met gele borst. Hij leeft van de zaadjes van de dividivi en de indju en van fruit.

Ook de **troepiaal** (*Icterus icterus*) is zo'n vogel die veelvuldig voorkomt in alle uithoeken van de regio. Hij heeft een zwarte kop en een feloranje borst. De troepiaal is vooral bekend vanwege z'n melodieuze gefluit. De **gele troepiaal** (*Icterus nigrogularis*) is een familielid. Deze vogel is overwegend geel met een zwarte vlek van de snavel tot de borst. Een vogel die de troepiaal qua zingen naar de kroon steekt, is de **spotlijster** (*Mimus gilvus*), op de Benedenwinden bekend als de *chuchubi*. Deze vrolijke zanger is grijs op z'n rug en vleugels en wit op z'n buik.

TIP Over de vogels op de Nederlandse Antillen en Aruba is een handig boekje verschenen: *Nos paranan, Onze vogels*, geschreven door dr. Bart A. de Boer en op de eilanden bij de boekhandel te koop. Met kleurenfoto's en in drie talen (ook nog Engels).

Natuurbehoud

Het begon ooit met het beschermen van de langoest, een kreeft zonder scharen, maar pas op het allerlaatste moment. In de jaren zestig werd de langoest op de Bovenwinden serieus met de ondergang bedreigd, vanwege de export naar de Amerikaanse eilanden in de buurt (Bahama's, Puerto Rico). De Antilliaanse overheid stelde samen met het Caribisch Marien-Biologisch Instituut (CARMABI), opgericht in 1956, een vergunningenstelsel in voor het vangen van langoest. Een paar jaar later gebeurde hetzelfde op Bo-

naire en Aruba, waar naast de langoest ook de schildpadden werden bedreigd. Op Bonaire kwam er een verbod om kleine langoesten te vangen; schildpadden mochten helemaal niet meer worden gevangen en gegeten.

Langzaam groeide het besef dat de Nederlandse Antillen en Aruba gezegend waren met een zeer waardevolle flora en fauna. Vogels, reptielen en planten die op de eilanden endemisch waren, een kostbaar rif voor de kust; als niet werd ingegrepen, liepen die natuurschatten groot gevaar. In 1963 werd de Stichting Nationale Parken Nederlandse Antillen (STINAPA) opgericht. Ze konden meteen aan de bak tijdens de Flamingo-oorlog (1963–1966). Door de moderniseringsplannen van de zoutproductie werd de unieke broedplaats van flamingo's op Bonaire bedreigd. Met internationale steun van grote natuurbeschermingsorganisaties kon de ramp worden voorkomen.

Eind jaren zestig werden de eerste stukken grond aangekocht voor het maken van beschermde natuurgebieden. Nationaal Park Washington-Slagbaai kreeg vorm op Bonaire, net als het Christoffelpark op Curaçao. Zo heeft de natuurbescherming op de Antillen en Aruba al heel wat wapenfeiten op haar conto.

Ook onder water is inmiddels veel tot stand gebracht. Speervissen is al heel lang geleden uitgebannen, alle eilanden hebben beschermde zones en onderwaterparken, waar strenge regels gelden.

De toename van het toerisme de laatste vijftien jaar vormt zowel een nieuwe bedreiging als een kans voor de natuur. STINAPA en de diverse plaatselijke organisaties zien in dat er een actief handhavingsbeleid nodig is, maar dat het toerisme ook kan helpen om de nodige fondsen voor meer onderzoek en onderhoud te doen.

Door de natuurbescherming hebben be-

Flamingo's als handelsmerk

Bonaire en de flamingo zijn onverbrekelijk met elkaar verbonden. Dit eiland is een van de weinige broedplaatsen van roze flamingo's ter wereld. Vooral de ligging bij Venezuela is daarbij doorslaggevend, want het kustgebied van dit Zuid-Amerikaanse land is een nog veel groter broed- en voedingsgebied voor deze sierlijke vogel.

Niet alle flamingo's zijn roze, maar in dit gebied wel. De roze kleur is afkomstig van de kleurstoffen in het voedsel – vooral de kleine schaaldieren – die de vogel oppikt in het zoute en brakke water op Bonaire. De flamingo's hebben hun vaste plekken op het eiland. Tussen de zoutpannen is hun  voornaamste verblijfplaats. Dat gebied is beschermd. Verder kom je altijd wel flamingo's tegen bij het Gotomeer en soms in de *saliñas* van het Nationaal Park Washington-Slagbaai of elders op het eiland (aan de weg naar Cay bijvoorbeeld). Flamingo's staan altijd te vissen, met hun kop in het water. Door een kleine opening tussen tong en gehemelte zuigen ze water naar binnen en filteren de schaaldieren en micro-organismen eruit.

Flamingo's broeden in kolonies in de buurt van water. In een hoopje modder ligt het ei, dat beurtelings door het vrouwtje en mannetje wordt bebroed. De broedtijd duurt gemiddeld 28 dagen. Gedurende een week blijven de jonge flamingo's in het nest. Daarna blijven de jonkies nog een maand bij elkaar, terwijl de ouders voor voedsel zorgen. Met 30 dagen kunnen ze zelf voedsel zoeken en na twee maanden gaan ze vliegen.

Flamingo's kunnen in het wild meer dan 20 jaar oud worden en in gevangenschap zelfs 40 jaar. Ze leven in grote kolonies tot wel 1 miljoen exemplaren! Door de toegenomen bedreigingen in de buurt van de broedgebieden worden deze kolonies echter steeds kleiner. Op Bonaire zijn de flamingo's, ondanks het toenemend vliegverkeer en het toerisme, in aantal toegenomen. Dankzij een gericht beschermingsbeleid met strenge natuurvoorschriften, en de stijging van het zeewaterpeil waardoor er meer kleine vissen de baaien van Bonaire in gevoerd worden, zijn er in 2001 ruim 1000 flamingo's meer geteld dan in de jaren ervoor. Anno 2001 is Bonaire nu voor ruim 3100 flamingo's een ideaal thuis.

zoekers tegenwoordig beter de gelegenheid kennis te maken met de veelzijdige vegetatie en de dierenwereld. Er zijn bezoekerscentra waar je informatie krijgt over de flora en fauna in het betreffende gebied en je kunt er een routebeschrijving en eventueel een gids krijgen voor een natuurwandeling.

HET KUSTGEBIED IN KAART GEBRACHT

Aan de grillige kustlijn van de Antilliaanse eilanden is het fascinerende spel van de natuurelementen af te lezen. Of je nou op Saba of Bonaire bent, als je langs de kust wandelt, kun je je moeiteloos voorstellen hoe de natuurkrachten hun vormende werk hebben gedaan. Op Saba rijst de vulkaanmantel steil vanuit zee omhoog. Aan de voet liggen brokstukken en kleiner puin dat door verwering is afgebroken en naar beneden gerold. Het landschap onder en boven de waterspiegel is identiek. Kenmerkend voor de duiklocaties rond Saba zijn de brokstukken waarop zich koraal heeft gevormd.

Aan de kust en op het water is er altijd verkoelende werking van de passaatwind.

Zo'n zelfde constatering kun je bijvoorbeeld op Bonaire doen. In het vlakke zuidelijke deel van het eiland vind je allerlei mariene vormen van sediment tussen de begroeiing: schelpen, stukjes afgebroken en door weer en wind gepolijst koraal. De bepalende factor is de zee, die op de geologische tijdbalk nu eens hoger en dan weer lager stond.

Laten we eens proberen om de karakteristieke onderdelen van het kustgebied in beeld te krijgen.

Strand of mangrove

Soms loopt een fraai strand glooiend af naar het rif. Voor badgasten, snorkelaars en beginnende duikers is dit een ideale situatie. Soms beginnen de eerste koraalformaties op enkele meters van het strand. In de halve meter water is dan een compleet onderwateraquarium ontstaan met kleurrijk koraal en een boeiend visleven.

Op andere plaatsen, zoals bij Lac Bay aan de zuidoostkant van Bonaire, langs de binnenbaaien op Curaçao (zoals bij het Spaanse Water) en op Sint-Maarten bestaat de kust uit mangroven, struiken en bomen in het overgangsgebied van zoet naar zout water. Op het eerste gezicht niet zo aantrekkelijk om te bekijken, maar als je weet dat hier de kraamkamer is voor micro-organismen, vissen, schaal- en schelpdieren en reptielen, wordt dat anders. De mangroven bieden bescherming aan zowel de kuststrook als de ecosystemen in het water voor de kust. De begroeiing werkt enerzijds als een natuurlijk filter tegen sediment dat door riviertjes of meertjes wordt aangevoerd. Anderzijds is het een buffer tegen de stroming en golfslag van het zeewater. Vanwege de voedselrijkdom van zowel de mangrovevegetatie als de lagune voor de kust zul je hier altijd veel vogels aantreffen. Aan het eind van de middag strijken er watervogels neer. Minder prettig zijn dan de muggen, die zich in het relatief stille water heerlijk thuisvoelen.

De lagune

Tussen het vasteland en de rifkorst ligt doorgaans een ondiepe lagune. Het rustige water achter de kustlijn is een ideale, beschutte plek voor schepen. Maar ook voor de natuur. In deze zone kan zeegras groeien en kom je de eerste koraalformaties tegen. Het gaat om geïsoleerde eilandjes van koraal op een zandige ondergrond. Is de kust rotsachtig, dan heeft zich vrij dicht onder de kust al een aaneengesloten koraalgebied gevormd. Daar waar meer sediment uit een rivier of moerasgebied wordt afgezet, is een groter deel van de lagune begroeid met zeegras. Dat is bijvoorbeeld het geval bij Lac Bay in Bonaire. Vanwege de zandige ondergrond en het sediment is het water troebel. Je kunt dus niet echt veel zien, tenzij het water rustig is en de zwevende deeltjes de kans krijgen te bezinken. Het bed zeegras is als een weidegebied voor schaaldieren, grasetende vissen en zeeschildpadden. Onder

(in de bodem) op en boven het gras wemelt het van micro-organismen waarmee de zeedieren zich voeden. De meest voorkomende soorten zeegras zijn schildpadgras (*Thalassia testudinum*) en zeekoegras (*Syringodium filiforme*) oftewel *manatee seagrass*.

De rifkorst

Heel herkenbaar voor de kust ligt de rifkorst, officieel franje- of strandrif genoemd. Het loopt evenwijdig aan de kust. Soms komt een deel van het rif bij eb boven water uit. Anders verraadt de branding voor de kust de langgerekte koraalformaties wel. De diepte is 1 à 3 m. Het rif is de natuurlijke golfbreker en dus een onrustige plek. Dat is te zien aan de begroeiing. Slechts enkele soorten koraal vormen zich hier, meestal is het een woud van eland- of hertshoornkoraal dat het beeld bepaalt.

Vanaf de rifkorst in de richting van de drop-off loopt de bodem geleidelijk af. Het koraal en het visleven zijn in deze zone tussen 3 en 20 m diepte veel gevarieerder en kleurrijker. Massieve ruggen van koraal wisselen af met zandstroken, zodat er ravijnen en nauwe doorgangen zijn ontstaan. Dit is een spectaculaire omgeving om te duiken. Langs de wanden, soms meters hoog, groeien waaierkoraal en andere soorten vertakt koraal en steken sponzen plotseling uit de muur. Je hebt het gevoel door een labyrint van koraal te zwemmen. In de holen en spelonken houden zich schaal- en schelpdieren, murenen en schuwe vissen op. Soms betrap je ineens een school tarpons of een tandbaars die dacht zich rustig te kunnen terugtrekken. Elders zijn de zandbanen breder en hebben zich grote koraaleilanden gevormd. Het zand is het domein van roggen, platvissen en buisalen. Op de koraaleilanden is de kleurenpracht van het zachte koraal, de sponzen en de kleinere rifvissen fenomenaal. Hier rondzwemmen lijkt op het verblijven in een tuin; vandaar de benaming koraaltuin.

Rifkorsten worden onderbroken door scheuren in het kalksteenplateau, waardoor het te diep wordt voor koraalvorming. Dit zijn altijd natuurlijke ingangen voor schepen. Ook is het mogelijk dat rivieren de koraalvorming tegengaan.

De drop-off

De zandbanen en koraalruggen eindigen op de drop-off, een enorm steile muur die afdaalt in de diepte. Hier begint de oneindige en mysterieuze wereld van de diepzee. Forse scheuren in de koraalwand leiden naar geheimzinnige grotten, natuurlijke tunnels en schoorstenen. Op de koraalbergen schieten pilaren van koraal omhoog. Op de muur groeien waaierkoraal, vreemdsoortige sponzen en draadvormig koraal. Dit is de plek waar je grotere vissen kunt tegenkomen.

KORAALVORMING

Koraal kan zich alleen vormen in ondiep water op rotsen en plateaus. Het is opgebouwd uit poliepen, uiterst kleine ongewervelde diertjes (meestal niet meer dan een paar millimeter in doorsnede), die in kolonies bij elkaar leven op de stoffelijke resten, de kalkachtige skeletten, van hun voorouders. De poliep heeft een vast omhulsel, een skelet dat wordt gevormd door calciumcarbonaat – kalk – uit het water. Het skelet dient als bescherming voor de kwetsbare organen, zoals de tentakels waarmee ze kleine diertjes vangen. Dat gebeurt hoofdzakelijk in het donker, als het grootste gevaar van de rifvissen is verdwenen.

Het proces van koraalbouw gaat duizenden, miljoenen jaren door. Soms zetten kolonies poliepen zich vast op kolonies van een andere soort. Er ontstaan dan grillige vormen en fraaie kleurschakeringen. De kleuren in het koraal worden gevormd door microscopisch kleine algencellen, de *zooxanthellae*, in de poliep. Door middel van het proces van fotosynthese (de vorming van koolhydraten uit koolzuur en water door planten onder de invloed van licht) voorzien deze cellen de koraalpoliep van de benodigde bouwstenen, zoals zuurstof. De algencellen leven van het afbraakmateriaal dat de poliepen op hun beurt voortbrengen. Zo leven de twee elementaire organismen van het koraal onafscheidelijk in nauwe symbiose met elkaar op plaatsen waar voldoende zonlicht komt en de golfslag en stroming niet te sterk zijn. Het mooiste koraal in het Caribisch gebied is dan ook te vinden aan de beschermde lijzijde van de eilanden.

De diverse soorten koralen, hun poliepen en algencellen, vormen met tal van organismen – gewerveld en ongewerveld – het rif. Koraalriffen, een samenstel van koraalformaties op de grens van een kustplateau en de diepzee, behoren tot de ecosystemen met de grootste diversiteit ter wereld.

In de westelijke, Atlantische regio komen zo'n vijftig soorten rifbouwende koralen voor. Iedere vorm heeft z'n eigen karakteristieke vorm, omvang en kleur. Toch is er een aantal basisvormen te onderscheiden. In de eerste plaats zijn er harde en zachte koraalsoorten. De harde – kalkachtige – steenkoralen zijn de rifbouwers. De zachte koraalsoorten, de gorgonen, hebben ook wel een skelet, maar zijn heel buigzaam.

Hard koraal

De rifbouwers zijn onder te verdelen naar hun vorm.

Pilaar- of takkoraal heeft een cilinder- of spiraalvorm. Pilaren (*Dendrogyra cylindrus*; Engels: *pillar coral*) kunnen zo'n

Een grondeltje op sterkoraal

3 m hoog zijn. Je vindt ze vlak voor of achter de rifkorst. De bekendste soorten takkoraal zijn **elandshoornkoraal** (*Acropora palmata*; Engels: *elkhorn coral*) en **hertshoornkoraal** (*Acropora cervicornis*; Engels: *staghorn coral*). Ze groeien in het ondiepe water tussen de kustlijn en de rifkorst.

Massief koraal kan in verscheidene gedaanten voorkomen. Het is belangrijk in de opbouw van de rifkorst. Er is **kinderhoofdjeskoraal** (*Montastrea annularis*) en het broertje daarvan, het **grof sterkoraal** (*Montastrea cavernosa*). De vormen zijn grillig door de talrijke uitstulpingen, vergroeiingen, knobbels en lagen over elkaar. Net als in de wetenschappelijke naam, wordt ook in de Engelse benaming voor deze twee soorten koraal – *mountainous star coral* en *cavernous star coral* – verwezen naar de stervorm van de poliepen; deze is goed aan de buitenkant te zien.

Hersenkoraal (Engels: *brain coral*) is een van de meest karakteristieke koraalsoorten in het Caribisch gebied. Het heeft een opvallend ronde vorm. De structuur is in de vorm van golvende richels en banen, zoals bij hersens ook het geval is. Indrukwekkend is het **reuzenhersenkoraal** (*Colpophyllia natans*; Engels: *giant brain coral*). Verder komt het geslacht *Diploria* veel voor, met drie vertegenwoordigers: **doolhofhersenkoraal** of **gegroefd hersenkoraal** (*Diploria labyrinthiformis*; Engels: *grooved brain coral*), **hersenkoraal** (*Diploria strigosa*; Engels: *smooth brain coral*) en **knobbelig hersenkoraal** (*Diploria clivosa*; Engels: *knobby brain coral*).

Bladkoraal is dun en breekbaar en komt meestal in ondiep water voor. Het vormt dan de bovenkant van de rifkorst, of gedijt in de koraaltuin boven de rifdrempel. Er zijn een paar soorten die groeien in de valleien en aan de bovenkant van de wand. De *Agaricia*-soorten (Engels: *leaf coral* en *ribbon coral*) komen in ondiep water voor species. **Doolhofkoraal** (*Meandrina meandrites*) is de diepere versie van dit soort koraal. De platen dienen als collectoren van zonlicht en kunnen vrij breed worden. Soms heb je grote formaties van dergelijk plaatkoraal, waarbij ze als pannenkoeken over elkaar heen liggen. **Zwamkoraal** is heel kleurrijk. Het skelet van dit *fungus coral* wordt hier gecamoufleerd door wat dikkere en vleesachtige poliepen. De *Mycetophyllia*-soorten, zoals *Mycetophyllia ferox*, *Mycetophyllia aliciae* en *Mycetophyllia lamarckiana*, vormen zich op wat grotere diepte, in de valleien, kloven en bij de muur. Het lijkt alsof een schilder met z'n palet hier en daar klodders verf heeft neergelegd. Ook heeft het wel iets weg van pizza-dressing.

Vuurkoraal – bladvormig vuurkoraal (*Millepora complanata*) en vertakt vuurkoraal (*Millepora alcicornis*) – is berucht onder duikers. Op de punten van de takken of aan de rand van de verticale platen zitten fletse – soms zelfs witte – randen die bij aanraking een brandende pijn veroorzaken.

Zacht koraal

Gorgonen hebben de flexibiliteit van planten, maar hebben wel degelijk een skelet. Er zijn zo'n vijftig verschillende soorten in kaart gebracht. Het onderscheid is soms moeilijk aan te geven, omdat er zoveel manieren van vertakkingen in de koraalstructuur mogelijk zijn. Er zijn wel een paar hoofdgroepen te onderscheiden. Er zijn prachtige bossen wuivende **zeeveren** (*Pseudopterogorgia*; Engels: *feather plumes*) en **zweepkoraal** (*Pseudoplexaura*; Engels: *sea whips*) in zachte pasteltinten (meestal groen, bruin, beige, violet, oker en geel). Ze strekken zich uit naar het daglicht en komen voor

in een uiteenlopende omgeving. De zeeveren hebben een langgerekt skelet met kleinere zijtakken. Sommige kunnen een lengte krijgen van 2 m. De zeeroeden bestaan uit een groot aantal afzonderlijke takken, die aan de onderkant bij elkaar gebonden zijn. Tot deze groep van koralen behoort ook het **waaierkoraal**. De **Venuswaaier** (*Gorgonia flabellum*) en de '**gewone**' zeewaaier (*Gorgonia ventalina*; Engels: *common sea fan*) komen het meest voor in deze wateren. Gracieus bewegen ze mee in de stroming. De uiterst fijne vertakkingen en bijna kantachtige structuur zijn een wonder van de natuur. **Zwart koraal** (*Antipathes caribbeana*; Engels: *black coral*) is de kostbaarste koraalsoort. De Antipatharia zijn te vinden op grotere diepte en kunnen groeien in de vorm van bosjes en als lange linten. Het groeiproces verloopt zeer langzaam. Zwart koraal is zeer gewild bij sieradenmakers, maar de Caribische regeringen hebben het verzamelen ervan verboden.

DE BEWONERS VAN HET RIF

De riffen rond de Antillen en Aruba vormen een uiterst divers ecosysteem, waarin tal van vissoorten, schaal- en ongewervelde dieren gedijen. Juist die rijkdom aan leven, zeer kleurrijk en uitbundig, en dicht onder de kust, maakt deze regio voor duikers zo interessant. Om in kaart te brengen wat voor leven er onder water te zien is, hanteren we hier de biologische indeling volgens de voedselketen: het plankton en de algen, de ongewervelde dieren en de gewervelde dieren, de roofdieren.

Plankton

Zonder micro-organismen is er geen leven. De koraalriffen zouden niet kunnen bestaan zonder de microscopisch kleine dieren en planten. Ze ontwikkelen zich

Een project op Curaçao om zwart koraal te kweken op een autoband

afhankelijk van het zonlicht, de waterbe-
weging, de temperatuur, het zoutgehalte
en de sedimenten. Vanwege de voortdu-
rende aanvoer van vers water vanaf de
oceaan is het gehalte aan micro-organismen bijzonder hoog bij de eilanden.
Door fotosynthese ontwikkelt zich
nieuw leven, dat op zijn beurt het voedsel is waar andere 'hogere' dieren op af-
komen. Plankton is zo'n beetje alles wat
drijft in het water en wat meestal met het
blote oog nauwelijks is te zien.

Planten en algen
De planten bij het rif zijn onder te verdelen in algen en zeegrassen. Algen zetten
zich vast op het koraal of de bodem. Ze
komen ook drijvend voor.
Zeewieren zetten zich vast op het rif en
hebben óf een rode óf een groene óf een
bruine kleur. Iedere diepte heeft haar bijbehorende pigment dat zichzelf acti-
veert. **Groene algen** (rood absorberend)

vormen zich in ondiep water. **Bruine algen** (geel en groen absorberend) zetten
zich af bij de rifmuur (drop-off) en de
zone daar net boven. **Rode algen** (blauw
absorberend) komen op grotere diepte
voor.
Zeegrassen groeien in de lagunes achter
de rifkorst. Ze groeien snel en zijn een
voorname voedingsbodem voor andere
zeedieren (zie ook bij de bespreking van
de lagune op p. 47).

De ongewervelden
Verreweg de meeste dieren onder water
zijn ongewervelden. De diversiteit is verbazingwekkend en ze hebben allemaal
hun plaats in de ecosystemen op de riffen, de kustplateaus en in de diepzee. De
een voedt zich met de ander.
Op het rif en in het kustgebied van de
Caribische Zee komen de volgende zes
groepen veel voor.

Holtedieren

Het phylum Cnidaria omvat veel van de rifbouwers. Poliepen, anemonen, gorgonen en plankton maken allemaal deel uit van de holtedieren. Ze hebben een zacht, hol lichaam, dat gevoed wordt door hetgeen hun tentakels uit het water halen.

De **gorgonen** en **waaierkoralen** kwamen bij de bespreking van de koraalsoorten al aan de orde. De bijzondere structuur en de vorm van de waaiers en veren – met strengen als van een blad en minuscule vertakkingen – zijn een bezienswaardigheid op zichzelf. Met hun fijnmazig netwerk zeven ze als het ware het plankton uit het water. Je vindt ze daarom vooral op plekken waar enige stroming staat: boven op het rifplateau en op de wanden van een drop-off.

Zeeanemonen zijn een andere karakteristieke verschijning op het rif. Meestal zitten deze holtedieren op het koraal, soms hebben ze zich vastgezet op de zeebodem. Met de tentakels nemen ze voedsel op en brengen dit naar de 'mond'. De kleurenschakering is opmerkelijk; er zijn gele, roze, paarse, crèmekleurige, groene en zelfs blauwe anemonen. De verschillende soorten onderscheiden zich niet alleen door de kleur, maar ook door de vorm van de tentakels. De grote Caribische anemoon (*Condylactis gigantea*) komt het meest voor in deze regio en heeft een vrij grote diameter (35 cm), dikke tentakels en is paars, groen of geel. Tussen de tentakels leven poetsgarnaaltjes en grondels, die altijd zenuwachtig heen en weer zwemmen als hun habitat wordt bekeken door duikers. De kleine zeedieren leven in een wonderlijke symbiose met de anemonen. Zo zijn ze niet gevoelig voor de giftige en verlammende stof die de anemonen uitstoten om natuurlijke vijanden op afstand te houden.

Sponzen

Nergens anders in de wereldzeeën komen zoveel sponzen in uiteenlopende vormen en kleuren voor als in de Caribische Zee. Een bekende verschijning op de koraalhoofden boven de drop-off is de **gele buisspons** (*Aplysina fistularis*), langwerpig en meestal geelviolet of oranje. Meer naar de open zee toe kom je groepjes **paarse buissponzen** (*Aplysina archeri*) tegen, met een iets grotere diameter en een brede opening. Op de koraalformaties boven de muur en achter de drempel is de donkerbruine of violette **reuzentonspons** (*Xestospongia muta*) te vinden. De diameter kan ruim 1 m bedragen.

In de ravijnen en op de muur groeit de felrode **opeenvolgende-openingen-touwspons** (*Aplysina cauliformis*). Ze zoeken de schaduwrijke plekken op, maar lichten schitterend op als de duiker z'n lamp erop richt.

Door de grote verscheidenheid aan sponzen, qua kleur, vorm en grootte, heeft men lange tijd aangenomen dat ze tot de planten behoorden. Op een gegeven moment bleek dat het een oeroude diergroep is, in 600 miljoen jaar geëvolueerd tot wat ze nu is.

Sponzen bestaan uit cellen opgebouwd uit het calcium van poliepen en plankton. De spons is van binnen hol. Het zeewater wordt via zweephaartjes in de poriën gezogen en daar gefilterd. De bouwstoffen blijven achter, het water loopt er weer uit. Het zijn verbazingwekkend efficiënte zeefmachines die tientallen tot honderden liters zeewater per dag kunnen verwerken.

Vanwege de grote behoefte aan voedsel groeien sponzen het best in water met lichte stroming. Ze kunnen op lichte plekken en in de schaduw van koraalformaties voorkomen.

Door de holle structuur is de spons een

natuurlijke omgeving voor kleine vissen en schaaldieren.

Wormen

Wie wat dichter bij het koraal komt, ontdekt de wonderlijke wereld van de wormen. Zo is daar de **waaierkokerworm** (*Sabellastarte magnifica*), die in kalkachtige buisjes op het koraal of de rotsen leeft, soms van 10 cm lengte. Via de veertjes nemen ze zuurstof en voedseldeeltjes op en zetten kooldioxide af. Een uiterst lichtgevoelig 'oogje' registreert de minste verandering in lichtval, en zo gauw er gevaar dreigt, trekt hij zijn veren in.

De **kerstboomworm** (*Spirobranchus giganteus*) leeft eveneens in een kalkachtig buisje, dat tussen het koraal, de rotsen of in de zandige bodem is gevormd. De veren hebben een spiraalvorm, zodat ze op een parapluutje lijken.

Tot dezelfde groep behoort ook de **vuurworm** (*Hermodice carunculata*), die met z'n lichaam wel zichtbaar is en zich bij gevaar verweert met witte, giftige borsteltjes. Bij aanraking zorgen ze voor een irritante, stekende pijn op de huid.

Zeesterren en zee-egels

Echinodermata of stekelhuidigen is de verzamelnaam voor zeedieren als zeesterren, zee-egels en zeekomkommers. De dieren bestaan doorgaans uit een kalkachtig lichaam met op z'n minst vijf 'poten' of stekels. Ze zijn met name 's nachts actief. Overdag trekken ze zich terug tussen het koraal, de rots of in de zandbodem.

De oranjerode **kussenzeester** (*Oreaster reticulatus*) is de bekendste onder de echinodermata. De zeester beweegt zich, net als de meeste andere familieleden, voort door een vernuftig 'hydraulisch' systeem. Door water in te nemen en te verplaatsen naar een ander deel van het lichaam beweegt het dier zich door middel van 'looppootjes' langs de bodem. Het leeft vooral op de zandbodem en tussen het zeegras, waar het zich voedt met kleine schaaldieren, weekdieren en wormen.

De diadeemzee-egel kan gemeen steken.

Het **medusahoofd** (*Astrophyton muricatum*) kan maar liefst 1 m in doorsnee worden. Overdag is het dier opgerold. In het donker ontrolt hij zijn armen om voedsel uit het water op te kunnen vangen. Met al z'n fijne vertakkingen is het een fantastisch kunstwerk van de natuur. Minder groots komt de **spons-brokkelster** (*Ophiothrix suensonii*) over. Deze telg uit de familie der zeesterren is razendsnel en loopt als een spin met de harige pootjes over de sponzen.

Zeekomkommers zijn vreemdsoortige verschijningen onder water. Ze hebben de vorm van een komkommer en verschillen van de overige echinodermata door hun onderlinge vertakking. Er is geen centraal lichaamsdeel met tentakels, maar een langwerpig lichaam. De voeding bestaat hoofdzakelijk uit kleine diertjes in het sediment op de zeebodem. De **tijgerstaart-zeekomkommer** (*Holothuria thomasi*) kan 2 m lang zijn. De huid is bruin. Aan de onderkant zitten buisjes, waarmee het dier zich voortbeweegt. Vanwege de kwetsbaarheid zit deze zeekomkommer het liefst in grotten, holen en spleten.

Zee-egels zijn de schrik van iedere zwemmer en snorkelaar. Met hun lichtsensoren 'zien' ze naderend onheil en verweren zich met hun stekels. Met name de zwarte **Caribische diadeemzee-egel** (*Diadema antillarum*) is berucht vanwege de pijn door een steek. Vijanden van de zee-egel proberen het dier om te rollen, zodat de onbeschermde onderkant boven komt te liggen.

Weekdieren

Weekdieren komen overal voor: op het rif, op het zand en in het bed van zeegras. Zeeslakken, schelpen en inktvissen zijn de bekendste. De meeste dieren gebruiken een zelfgemaakt pantser van calciumcarbonaat als bescherming. Maar er zijn er ook die zonder schelp leven en voor hun verdediging gebruik maken van gifstoffen. De weekdieren grazen hun omgeving 's nachts af.

Onder de zeeslakken valt de **flamingotong** (*Cyphoma gibbosum*) op vanwege de fraaie tekening op de mantel van het levende dier: oranje vlekken met een bruin randje eromheen, op een lichtgele ondergrond. Ze zitten vaak tussen de 'takken' van koraal of op gorgonen.

De **grote kroonslak** of **conch** (*Strombus gigas*) is een van de lekkernijen voor de eilandbevolking. Ze verplaatsen zich langzaam over de zandige bodem en in zeegrasbedden. De grote roze en witte schelpen zijn gewilde souvenirs, maar het is verboden ze te verzamelen en ze in Nederland in te voeren! In Bonaire vormen de bergen lege schelpen bij Cay een onmiskenbaar onderdeel van het landschap.

Tot de tweekleppigen behoren onder meer mossels, oesters en karuschelpen. Het oppervlak van veel op het rif levende soorten is bedekt met koraal, wier en andere aangroeisels, zodat ze moeilijk van hun omgeving zijn te onderscheiden.

De **krulsla-naaktslak** (*Tridachia crispata*) leeft zonder bescherming van een pantser en is meestal te vinden in ondieper water op algen en koralen. Z'n rug bestaat uit golvende witgroene 'slablaadjes'. De naaktslak verdedigt zich tegen vissen door een sterk gif uit te scheiden.

Grote pijlinktvissen komen voor de Antilliaanse kusten niet vaak voor. De gewone **pijlinktvis** (*Sepioteuthis sepioidea*) kan opduiken in het open water. Daar verblijft hij het liefst omdat er veel voedsel zit. De inktvis is een geducht zwemmer, met een sterk ontwikkeld zenuw-

De grote spinkrab is een echte nachtelijke rover.

stelsel en goede 'ogen'. Hij is een meester in de camouflagekunst. Al naargelang de omgeving verandert de inktvis van kleur: groen, wit, blauw of bruin.

In de Caribische Zee is de **Caribische rif-octopus** (*Octopus briareus*) het meest waargenomen lid van de inktvisfamilie. Overdag verstopt hij zich op en tussen het koraal en neemt een bruingrijze kleur aan. 's Nachts ligt dit roofdier op de loer. Zo gauw een vis of schaaldier te dichtbij komt, grijpt de inktvis de prooi met z'n tentakels en brengt deze naar de bek in het centrale lichaam.

Schaaldieren

Krab, langoest en garnalen zijn vaste on-derdelen van de Antilliaanse keuken. Deze schaaldieren zijn daarom commer-cieel nog interessanter dan de weekdie-ren. Het gevaar van overbevissing is le-vensgroot, en op sommige eilanden zijn daarom vangstbeperkingen afgekon-digd.

De bescherming van de schaaldieren be-staat uit een hard pantser op de rug, waaronder ze de vitale organen kunnen terugtrekken. Sommige soorten gebrui-ken nog een extra bescherming van een schelp, zoals de **heremietkreeften**, die lege schelpen als hun huis meeslepen; als hun schelp te klein wordt, zoeken ze een nieuwe behuizing. De **rode koraalkrab** (*Carpilius corallinus*) is vaste bewoner van het rif. De schaal is dieprood met witte vlekjes. De klauwen zijn wat don-kerder.

Langoesten houden zich overdag schuil in de spleten en grotten van het rif. Soms verraden ze zich door hun lange voel-sprieten. 's Avonds zijn ze actief. Dan struinen ze, lopend over de bodem, hun omgeving af. Ze leven van wormen, weekdieren en visjes.

's Avonds zijn ook de vissers actief. Met tientallen tegelijk worden de langoesten uit hun holen gesleurd om de volgende dag op het menu in een van de betere res-taurants te staan.

Langoesten zijn wonderlijke zwemmers. Door lange halen met hun staart kunnen ze achteruit zwemmen.

De **Caribische langoest** (*Panulirus argus*) is een delicatesse. Het dier is makkelijk herkenbaar aan het oranje pantser. De **gestippelde langoest** (*Panulirus guttatus*) heeft daarentegen gekleurde vlekjes op een donkere schaal.

Garnalen zijn er in talloze soorten en maten. Kenmerkend zijn de lange voelsprieten. De tekening op hun rug en poten is fascinerend. De garnalen spelen een nuttige rol in de onderwaterwereld als schoonmakers. Ze leven van de parasieten en bacteriën bij de vissen, de sponzen, de anemonen en het koraal. Een van de bijzondere soorten is de **harlekijnanemoongarnaal** (*Periclimenes yucatanicus*). Deze garnaal vreet de micro-organismen van de tentakels van de anemoon. Het is opmerkelijk dat hij ongevoelig is voor de gifstoffen die de anemoon gebruikt tegen andere opdringerige zeedieren. Ook grote vissen als barracuda's hebben een verbazingwekkend pact met de poetsgarnalen: die mogen hun scherpe tanden schoonmaken, zonder enig gevaar zelf in de bek te verdwijnen.

De gewervelden

Eerst de vissen die van planten en plankton leven, de herbivoren. Papegaaivissen, doktersvissen, juffertjes, trekkervissen en lipvissen maken ongeveer tien procent uit van alle vissoorten in de Caribische Zee. Sommige van deze soorten hebben zich ontwikkeld tot eters van ongewervelden, zoals de koningintrekkervis, de Spaanse en zwijnslipvis.

Keizersvissen, koraalvlinders, kogel- en koffervissen eten ongewervelden en tandbaarzen, snappers, makrelen, barracuda's, roggen en haaien zijn roofvissen.

Papegaaivissen

De briljante kleuren en vorm van de bek hebben de papegaaivis (familie Scaridae) zijn naam gegeven. In de boven- en onderkaak zitten scherpe snijvlakken die de tanden bij deze vissoort hebben vervangen. De papegaaivis is altijd aanwezig bij het rif. Het is een van de grotere rifvissen (25–80 cm) en niet gebonden aan een vaste plek. De papegaaivis eet de hele dag door en struint een groot oppervlak onder water af. Wie onder water is en even de adem inhoudt, kan ze horen knagen aan het koraal. Om de algen en andere begroeiing van het koraal te halen, verorbert een volwassen papegaaivis per jaar honderden kilo's koraalsteen. Die wordt vermalen, verteerd en vervolgens weer uitgepoept. De vis laat dan een spoor van wit zand achter. Welke zonaanbidder zou wel eens hebben stilgestaan bij het feit dat het fijne hagelwitte zandstrand niets anders is dan een opeenhoping van wat papegaaivissen honderdduizenden jaren aan uitwerpselen hebben geproduceerd? De papegaaivis is een typisch dagdier. 's Nachts trekt hij zich terug in holen of spleten in het rif, vaak omgeven door een slijmvormige cocon om de kleuren en geuren af te dekken. Daarmee voorkomt hij dat roofvissen (zoals de murene) hem verrassen in z'n slaap.

Tijdens zijn leven verandert de papegaaivis verschillende keren van tekening en zelfs van geslacht. De meeste worden geboren als vrouwtje en hebben minder tekening dan wanneer ze gaan broeden en later tot mannetje transformeren. In deze fase zorgt de hormoonhuishouding voor de schitterende kleuren die deze vissoort kenmerken.

De papegaaivis 'roeit' als het ware door het water met zijn borstvinnen, die net achter de kieuwen zitten.

De **koninginpapegaaivis** (*Scarus vetula*) hoort bij het decor van het Caribische rif. Hij is groen en blauw, met roze randen bij de schubben. Het beste herkenningsteken zijn de blauwe strepen rond de bek en de ogen. De **hemelsblauwe papegaaivis** (*Scarus coeruleus*) is eveneens een be-

Een bont gekleurde juweelbaars

kende verschijning; zoals de naam al aangeeft, is hij voornamelijk blauw. De lichaamslijn is wat langwerpiger. **De signaalpapegaaivis** (*Sparisoma viride*) is vooral groen, met op de kop en bij de staart gele banden en vlekken.

Juffers en sergeant-majoors

In tegenstelling tot de papegaaivis zijn het juffertje en de sergeant-majoor (familie Pomacentridae) gebonden aan een klein deel van het koraalrif. Een groot deel van hun leven kunnen ze knabbelend en knagend doorbrengen op hetzelfde stukje rif, waar ze een eigen 'algentuintje' aanleggen. Deze rifbaarzen zijn klein; geen een soort is langer dan 15 cm. Maar ongeacht hun postuur verdedigen ze hun territorium brutaal en agressief tegen papegaaivissen en andere koraalknagers. Ook duikers kunnen rekenen op een 'warme' ontvangst. Ze kunnen aan je duikbril of vingers bijten, of zwemmen dreigend voor je heen en weer. Vanwege hun gebondenheid aan het rif leven deze vissen vrij solitair. Dat maakt wel weer dat ze overal voorkomen. De **ju-**weelvis (*Microspatodon chrysurus*) is goed te herkennen aan de blauwe vlekken op het donkere lichaam, en aan de gele staart.

De **sergeant-majoor** (*Abdudefduf saxatilis*) is altijd aanwezig op het Caribische rif. Kenmerkend zijn de verticale zwarte strepen en een gele gloed op het zilverachtige lichaam.

Doktersvissen

Deze ovaalvormige vis, met een gemiddelde lengte van 25 cm, ontleent zijn naam aan de scalpelachtige stekel aan weerskanten van de staartvin. In ruste is de stekel nauwelijks te zien, maar zo gauw er gevaar dreigt, veert die naar buiten en wordt dit vlijmscherpe orgaan een magnifiek verdedigingswapen. Daarbij is deze vis zeer snel en wendbaar.

Doktersvissen (familie Acanthuridae) leven zowel solitair als in scholen. De **blauwe doktersvis** (*Acanthurus coeruleus*) komt het meest voor. Het lichaam is blauw met golvende horizontale lijnen. Bij gevaar verandert hij van kleur. De **gestreepte doktersvis** (*Acanthurus chirur-*

gus) zit meer boven de zandige bodem, en heeft verticale bruine strepen op het lichaam. De **Bahia-doktersvis** (*Acanthurus bahianus*) kan blauw en donkerbruin zijn. De tekening rond de ogen lijkt op weglopende blauwe mascara.

Lipvissen

De lipvis (familie Labridae) is verwant aan de papegaaivissen, al zijn ze over het algemeen wat kleiner (25–30 cm). De lipvissen onderscheiden zich door hun langwerpiger lichaam en hun spitse snuit. De kleurschakering van de diverse soorten is bijna net zo fraai en verandert gedurende het leven net als bij de papegaaivis. De jonge dieren zijn overwegend vrouwtjes en zijn grijs, bruinig of wit. Eenmaal geslachtsrijp als mannetje krijgt de lipvis fraaie kleuren; groen, blauw, oranje en geel. Ook de voortbeweging met de borstvinnen lijkt heel erg op die van de papegaaivis. Lipvissen zijn planktoneters. Sommige soorten houden zich voornamelijk op boven het koraal, andere soorten zwemmen liever in open water in scholen.

De **creoollipvis** (*Clepticus parrae*) bijvoorbeeld laat zich het meest zien in een grote groep. Met zijn donkerblauwe en paarse lichaam is hij op enige afstand moeilijk te onderscheiden in de volle zee. De staartvin is puntig en heeft een gele rand. Ook op de buik kan een gele vlek voorkomen. De **blauwkoplipvis** (*Thalassoma bifasciatum*) heeft een blauwe kop en een groenblauw achterlichaam. Ter hoogte van de kieuwen lopen twee brede

verticale banden met wit daartussen. Deze lipvissoort is wat dichter op het rif te vinden. De **puddinglipvis** (*Halichoeres radiatus*) is eveneens groenblauw, heeft een iets hoger voorhoofd, en een camouflageachtige tekening van blauw en groen op de kop. De staartvin heeft een gele rand.

Andere familieleden van de lipvissen, zoals de zwijnslipvissen, zijn geen vegetariërs maar leven van ongewervelden. De zwijnslipvis kan vrij fors worden, zelfs 80 cm. De **everlipvis** (*Lachnolaimus maximus*) is de grootste. Heel opmerkelijk zijn de lange sprieten aan de voorkant van de rugvin. Hij heeft een bruine band over de kop en de staartvin. Verder is het lichaam witgeel, wat hoogstwaarschijn-

De creoollipvis komt in grote scholen voor.

lijk te maken heeft met z'n habitat: de zandige zeebodem. Daar woelt hij het zand om op zoek naar schaaldieren, weekdieren en andere ongewervelden. De **Spaanse zwijnslipvis** (*Bodianus rufus*) is op de rug paarsblauw en aan de onderkant geel. Deze vis zoekt vlak boven het koraal of de zandbodem naar schaaldieren en is ook tuk op zee-egels.

Vijlvissen
Een bijzondere vis qua vorm en tekening is de vijlvis (familie Cantherhinae). De vijlvis leeft van sponzen en koraal, en kan snel van tint veranderen. Dat gebeurt heel sterk bij de **witgestippelde vijlvis** (*Cantherhines macrocerus*). Hij kan veranderen van oranje naar lichtbruin en wit. De oranje vlekken blijven, net als de zwarte staartvin. Ondanks de verandering van de schutkleur houdt ook de **oranje vijlvis** (*Aluterus schoepfi*) z'n lichtoranje stippen. De staartvin is kleiner dan bij de schrift vijlvis. De **letter-vijlvis** (*Aluterus scriptus*; Engels: *scrawled filefish*) zie je het meest. Hij heeft een uitgerekt lichaam met een enorme staartvin. Heel kenmerkend zijn de lichtblauwe vegen en zwarte stippen over het lichaam. Deze vegetariër zwemt het liefst alleen, vlak onder de waterspiegel boven en buiten het rif. Op de witte huid lopen lichtblauwe onderbroken streepjes. Bij de kop heeft deze vis zwarte stippen. De stekel boven de kop en de lange staartvin zijn opmerkelijk.

Trekkervissen
Algemeen kenmerk voor de trekkervissen (familie Balistidae) zijn de stekels achter de kop en voor de rugvin. Deze gaan rechtop staan als er gevaar dreigt. De vorm van het lichaam varieert: rond, ovaal, sigaarvormig. De kleurtekening is meestal bont.
Het mooist van kleur is de **koningintrekkervis** (*Balistes vetula*): groenblauw op de rug, aflopend naar paars en geel bij de bek en de borst. De vinnen lopen uit in elegante punten en rond de ogen zijn fraaie geelzwarte lijnen getrokken. Ook deze vis heeft een voorkeur voor zee-

egels. Hij kan 50 cm lang worden. De **Atlantische trekkervis** (*Balistes capriscus*) leeft van planten. Het lichaam heeft een ronde vorm en is witgrijs met lichtblauwe strepen.
Nauw verwant met voorgaande vis is de **zwarte trekkervis** (*Melichthys niger*). Hij heeft een donkerblauw lichaam met horizontale zwarte strepen en twee witte lijnen als markering bij de rug en borstvin. Rond de bek is het geel, met lichtblauwe strepen en zwarte stippen. Deze trekkervis leeft in kleine groepen aan de buitenkant van het rif.

Koraalvlinders
Een fraai voorbeeld van camouflagetactiek laat de koraalvlinder (familie Chaetodontidae) zien. Om de roofvissen op een dwaalspoor te brengen, heeft de kop nagenoeg dezelfde tekening als de rest van het lichaam. Zo loopt er altijd een zwarte verticale band over de ogen. Veel soorten hebben zelfs een namaakoog (*ocella*) achter op het lichaam. Een roofvis doet namelijk altijd een aanval op de ogen van zijn prooi. Bij de koraalvlinder komt hij echter bedrogen uit, want het namaakoog zit op een plaats waar de vis het minst kwetsbaar is.
De koraalvlinder is de gehele dag actief nabij riffen en zandige bodems. Ze leven van schaal- en weekdiertjes, wormen en poliepen. De vooruitgestoken bek dient om de prooi van de sponzen of tussen het koraal vandaan te knabbelen. Deze vissen zijn vrij plat en zodoende uiterst behendig in het manoeuvreren tussen koraalformaties en rotsen.
Koraalvlinders trekken meestal in paren op, maar er zijn er ook die het liefst in de beschermende omgeving van een kleine school blijven. Dat laatste geldt vooral als ze in open water of op grotere diepte zitten.
De **gestreepte koraalvlinder** (*Chaetodon*

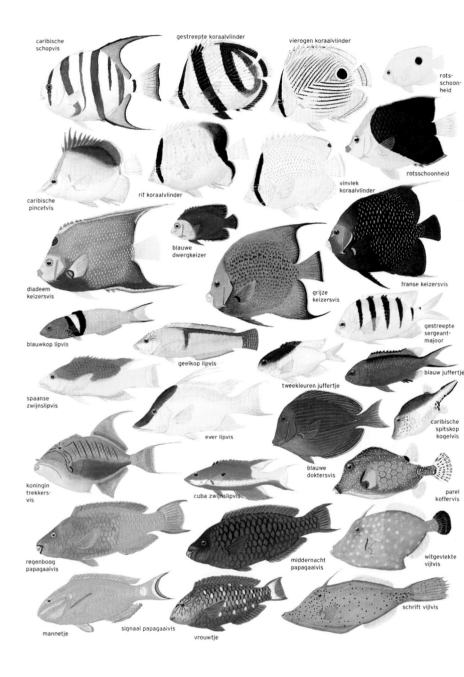

caribische schopvis
gestreepte koraalvlinder
vierogen koraalvlinder
rots-schoon-heid
rotsschoonheid
rif koraalvlinder
vinvlek koraalvlinder
caribische pincetvis
blauwe dwergkeizer
diadeem keizersvis
grijze keizersvis
franse keizersvis
blauwkop lipvis
gestreepte sergeant-majoor
geelkop lipvis
blauw juffertje
tweekleuren juffertje
spaanse zwijnslipvis
caribische spitskop kogelvis
ever lipvis
blauwe doktersvis
koningin trekkers-vis
cuba zwijnslipvis
parei koffervis
regenboog papagaaivis
middernacht papagaaivis
witgevlekte vijlvis
mannetje
signaal papagaaivis
vrouwtje
schrift vijlvis

Tekeningen: Ewald Lieske

amerikaanse pijlstaartrog

ribische rifhaai

nassau rifbaars

digo
verg-
ars

jodenvis

alpino vlaggen-
baars

tijger rifbaars

koningsvlaggenbaars

uinband
vergbaars

bloedrode juweelbaars

creool lipvis

caribische juweelbaars

tabak zaagbaars

grootoog
horsmakreel

rode
grootoogbaars

arlekijn zaagbaars

blauwrug makreel

langstekel
huzaarvis

kardinaal
soldatenvis

oogstreep
kardinaalbaars

bijlbuikvis

geelstaart snapper

estippelde riddervis

schoolmeester snapper

zwijnsgrommer

oudstreep grommer

mahonie snapper

ijsstreep grommer

zwartrug grommer

franse grommer

gele zeebardeel

caribische verpleegsterhaai

groene murene

De diadeem-keizersvis is een van de mooiste vissen uit het Caribisch gebied.

striatus) komt veel voor. Hij heeft een bijna vierkant lichaam, witachtig met brede zwarte strepen diagonaal daaroverheen. Boven de bek zijn er gele en lichtblauwe streepjes. De **vierogige koraalvlinder** (*Chaetodon capistratus*) is het bekendst vanwege de extra nepogen achter op het lichaam. Het witte centrale deel van het lichaam is omgeven door een lichtgele gloed aan de rand. De **rifkoraalvlinder** (*Chaetodon sedentarius*) is eveneens gelig van kleur, maar heeft een brede zwarte baan over de kop en het oog. Deze vis houdt zich het liefst op bij koraal in dieper water.

Keizersvissen

In de ogen van veel duikers is de elegante keizersvis de meest tot de verbeelding sprekende vaste bewoner van de Caribische kustwateren. Een ontmoeting met deze sierlijk zwemmende vis blijft lang in de herinnering. De combinatie van vormgeving en kleurenspel is heel bijzonder. De keizersvis (familie Pomacanthidae) is vrij plat en heeft wel iets weg van de koraalvlinder. Maar de vinnen zijn meer ontwikkeld en de vis heeft veel kleur.

Keizersvissen zwemmen het liefst in paren boven en langs het koraal. Ze hebben geen enkele schroom om een duiker te naderen en zijn nieuwsgierig wat de indringer komt doen. Hun gezichtsvermogen is bijzonder goed ontwikkeld. Net als de koraalvlinder haalt de keizersvis zijn voedsel – poliepen, algen, weekdiertjes, schaaldiertjes – uit de kleinste openingen in het koraal, op de sponzen en de gorgonen.

De **Franse keizersvis** (*Pomacanthus paru*) is de schoonheidskoning van het Caribische rif. Het lichaam heeft een zwarte basis met gele randjes op de schubben. Zo ontstaat er een lichtgevend effect. De rug- en borstvin lopen uit in een pluim. Deze schoonheid kan 30 cm in lengte worden. Iets langer (50 cm) nog wordt de **grijze keizersvis** (*Pomacanthus arcuatus*), die iets minder van kleur is, maar net zo fraai qua lijnenspel.

De **gekroonde engelvis** of diadeemkeizersvis (*Holacanthus ciliaris*) heeft de mooiste kleuren. De basiskleur is blauw,

Een potje handballen?

Nog niet zo lang geleden werd door bijna elke duikgids wel eens een egelvis gevangen die zich natuurlijk terstond opblies. Een beetje knijpen, een beetje masseren en hopla, daar had je plotseling een grote stekelige bal in je handen. En dan een potje 'handballen'. De vis, die nauwelijks in staat is om te zwemmen en te manoeuvreren, zweeft van de ene duiker naar de andere. Hartstikke leuk. De flitsers van de fotografen belichten het hele schouwspel.

Een duiker met een opgeblazen egelvis, in de jaren tachtig nog een mooi foto-onderwerp. Nu weten we gelukkig beter.

Inmiddels weten we dat de egelvis aanzienlijk minder gecharmeerd is van dit spel. Zijn hartritme swingt de pan uit en hij zit tot zijn nek vol met stresshormonen en soms, omdat hij nog eens uit het water wordt getild, hapt hij lucht in zijn maag die hij nauwelijks kwijt raakt. Doodmoe – letterlijk – ligt de zieltogende vis na het balspelletje te creperen op het rif. Hij heeft het nog maar nauwelijks overleefd. Maar als hij de volgende keer door andere duikers opgepakt wordt en dezelfde behandeling krijgt, is het gedaan met de arme ziel.

---

met geelgerande schubben, gele vinnen en ook nog groene vegen over het lichaam. Boven het oog heeft deze vis een donkerblauw 'kroontje'. De keizersvis is een echte rifbewoner en komt niet veel in open water.

De **hertogsvis** (*Holacanthus tricolor*) mag er ook wezen. In het Caribische gebied is deze vis beter bekend als *rock beauty*, en niet voor niets. De kop en de vinnen zijn fel geel en omlijsten het donkerblauwe centrale deel van het lichaam. Deze vis is iets vlakker aan de boven- en onderkant. Het is een echte rifvis, hij leeft solitair en komt niet verder dan z'n eigen leefomgeving.

Koffervissen

Afwijkend wat betreft vorm zijn de koffervissen (familie Ostraciidae). Ze zijn driehoekig met een brede buik en smalle rug. De vinnen hebben de vorm van een waaier. De verdediging tegen de roofvissen bestaat uit taaie beenplaten. De koffervissen leven van schaal- en weekdieren in het zand en op het koraal. Ze kunnen met hun snuit het zand omwoelen en de spleten in het koraal afspeuren. De **parel-koffervis** (*Lactrophrys triqueter*) is grijs met witte stippen. De vinnen zijn lichtgeel. Het is een eenzame jager. De **Atlantische koffervis** (*Lactophrys quadricornis*) heeft blauwe en gele strepen over het lichaam. Dat heeft te maken met de grasachtige omgeving waar deze vis zich meer thuisvoelt.

Kogel- en egelvissen

Kogelvissen en egelvissen hebben een speciale manier om zich te verdedigen tegen natuurlijke vijanden. De kogelvis (familie Tetraodontidae) neemt een grote hoeveelheid water in en blaast zich daarmee op tot een ronde bal en kan zo nodig ook nog gif afscheiden. De egelvis (familie Diodontidae) blaast zich op en zet scherpe naalden uit, zodat elke aanvaller wel op andere gedachten moet komen.
De **Caribische kamkogelvis** (*Canthigaster rostrata*) heeft een lichtgele huid met lichtblauwe stippen en strepen. Net als de koffervis heeft deze kogelvis vinnen in de vorm van waaiers. Hij houdt zich het liefst op tussen het koraal, waar hij zoekt naar week- en schaaldiertjes. De **gestippelde egelvis** (*Diodon hystrix*) heeft een kop die doet denken aan een uil met uitpuilende ogen.

Barbeel

Om je als kleinere vis overdag ver van het rif te vertonen, is de goden verzoeken. Barbelen (familie Mullidae) eten schaal- en weekdieren in de zandbodem en hebben daarvoor onder de bek voelsprieten. Ze wagen zich niet ver van de koraalhoofden en zwemmen meestal in een kleine school om het gevaar zo veel mogelijk af te wenden. De **gele zeebarbeel** (*Mulloidichthys martinicus*) heeft een lange horizontale gele streep over het lichaam en een gele staartvin. Een ander familielid in de Caribische Zee is de **gevlekte zeebarbeel** (*Pseudopeneus maculatus*) met drie grijze vlekken boven de kieuwen.

Soldatenvis

Zowel soldatenvissen als eekhoornvissen (allebei familie Holocentridae) zijn nachtvissen. Hun bek is groter dan bij de vissen die overdag op schaal-,weekdieren en inktvissen jagen. Ze hebben 's nachts meer kans om hun voedsel te vinden. De rode kleur maakt hen in het donker nagenoeg onzichtbaar, terwijl de groot uitgevallen en uiterst lichtgevoelige ogen nodig zijn voor het nachtelijke speurwerk. Overdag schuilen deze vissen tussen het koraal.
De **Caribische soldatenvis** (*Myripristis jacobus*) heet in het Engels bigeye. Het lichaam komt gedrongen over. Behalve de grote ogen is de zwarte verticale streep over de kop kenmerkend. De **Caribische eekhoornvis** (*Holocentrus rufus*) is iets langwerpiger dan de soldatenvis en heeft een opvallende kamvormige rugvin.

Riddervis

Uiterst artistiek zijn de riddervissen (familie Equetidae, Engels: *drums*). Vooral de met een wijde boog lopende eerste rugvin valt op. De **gevlekte riddervis** (*Equetus punctatus*) heeft een heel flamboyant uiterlijk: met wit gevlekte achterste rug- en staartvin, brede zwarte banen over het lichaam en de eerste rugvin. De **gebande riddervis** (*Equetus lanceolatus*) heeft rankere vormen; een lange zwarte streep van staartvin tot de eerste rugvin en nog een achter het oog. De eerste rugvin is nog langer dan bij de gevlekte riddervis. Riddervissen jagen op schaaldiertjes en koraalalgen.

Grommers

Overdag is een grommer (familie Haemulidae) boven het rif te vinden, meestal in een grote school. 's Nachts gaat hij alleen op jacht naar schaaldiertjes en andere prooi. Met wijd opengesperde bek stofzuigert hij die op. Er zijn zo'n tien soorten grommers. De **blauwgestreepte grommer** (*Haemulon sciurus*) komt veel in dit gebied voor. Op het felgele lichaam lopen lichtblauwe horizontale strepen. De rug- en staartvinnen zijn zwart.

Een heel forse uitvoering van deze soort is de **Surinaamse grommer** (*Anisotremus*

Gevlekte riddervis

surinamensis; Engels: *black margate*). Deze kan 60 cm lang worden, is zilvergrijs met zwarte vlekken bij de vinnen. De **zwijnsgrommer** (*Anisotremus virginicus*) heeft een hogere rug, afwisselend zilverkleurige en gele strepen en twee verticale donkere strepen over de kop.

Snappers

Snappers (familie Lutjanidae) zijn nabije familieleden van de grommers. Ook deze vissen zijn overdag vrijwel uitsluitend in scholen te zien. De **geelstaartsnapper** (*Ocyurus chrysurus*) is een jager: een mooie stroomlijn, spitse snuit en scherpe tanden. Behalve week- en schaaldieren eet deze snapper kleine vissoorten. Het is een van de vaste bewoners van het rif overdag. Kenmerkend is de horizontale gele streep, de gele staartvin en de gele strepen op de rug. De **grijze snapper** (*Lutjanus griseus*) houdt zich op bij het open rif of bij mangroven. Hij is rood- of grijsbruin gestippeld. Boven het rif kun je ook de **schoolmeester** (*Lutjanus apodus*) tegenkomen; een bruine rug, lichtgele borst en verticale witte strepen over het lichaam.

Makreel

Zilverachtige makrelen, *jacks* in het Engels, zijn de meest waargenomen roofvissen in de Caribische wateren. Als makrelen (familie Carangidae) overdag in scholen zwemmen, zijn ze met name te vinden boven de drop-off. Het zonlicht glinstert dan op zijn zilveren huid. De sikkelvormige staartvin is karakteristiek. Met deze staart kan de makreel een hoge snelheid bereiken en toch redelijk stabiel blijven. De **grootoogmakreel** (*Caranx latus*) heeft een vrij hoog lichaam voor een jager, en een gele staart. Deze vis kan 60 à 70 cm lang worden en heeft een voorkeur voor meer open water. De **blauwrugmakreel** (*Caranx ruber*), met de donkerblauwe streep over de rug en de onderkant van de staartvin, is vaak te zien bij de drop-off en volgt andere, grotere, roofvissen om mee te profiteren van de vangst.

Baarzen

De grootste groep onder de vissen in het Caribische gebied is die van de baarzen, de groupers. Het is een van de grotere vissen, ook al zijn er aanzienlijke verschillen tussen de jodenvis (ruim 1,5 tot 2 m) en de juweelbaars (35 à 40 cm). Het onderscheid zit 'm vooral in de schutkleuren. De tandbaars (familie Serranidae) is een jager die de kleur en tekening overneemt van de favoriete omgeving: het rif, de zee-

Een trompetvis verschuilt zich tussen de gorgonen.

bodem of de rotsen. Deze vis prefereert de eenzaamheid, is vrij schuw en wacht z'n kans af voor hij toeslaat. De **Nassautandbaars** (*Ephinephelus striatus*) heeft verticale bruinwitte strepen en twee kleine borstvinnen. Hij is vooral te vinden tussen koraalbergen. Een ander familielid dat zich veel laat zien in de Caribische Zee, is de **tijgertandbaars** (*Mycteroperca tigris*), met bruinwitte verticale banden, en de **Caribische juweelbaars** (*Cephalopholis fulva*), die afwijkt van de rest door z'n rood-oranje kleur met blauwe stippen. Een heel apart fenomeen blijft de **jodenvis** (*Epinephelus itajara*), de grootste baarssoort, die een lengte kan bereiken van ruim 2 m. Deze reusachtige vis, met brede snuit en platte kop, heeft een voorkeur voor donkere grotten en wrakken. In het Caribisch gebied komt hij sporadisch voor. De overdreven aandacht van de mens heeft z'n tol geëist.

Schorpioenvis

Een van de vervaarlijkste rovers op het rif is de schorpioenvis (familie Scorpaenidae). Deze vis kan zich met z'n bruine kleur en ruwe huid praktisch onzichtbaar maken tussen de rotsen. Zelfs de ogen zijn gecamoufleerd. Op de rug zitten scherpe en giftige pinnen. Voor duikers is de aanraking hiervan zeer pijnlijk. De **bandenschorpioenvis** (*Scorpaena plumieri*) heeft drie bruine verticale banden over de staartvin.

Hengelaarsvis

Als er prijs wordt uitgeloofd voor de meest excentrieke Caribische vis, zal de hengelaarsvis (familie Antennariidae) hoge ogen gooien. De vis is bijzonder lelijk. Lelijker nog dan de schorpioenvis, al lijkt hij wel op deze roofvis. De hengelaarsvis verstopt zich tussen de rotsen, koraalformaties of op de zandige bodem en houdt zich muisstil. Net boven z'n bek zit een stekel met een pluimachtig uiteinde. Hiermee hengelt hij naar z'n prooi. Is deze dichtbij genoeg, dan hapt hij razendsnel toe. In de Caribische Zee komt de **oogjeshengelaarsvis** (*Antennarius ocellatus*) het meest voor.

Zandduiker

De hagedisvis of **zandduiker** (*Synodus intermedius*) graaft zich gedeeltelijk in de zeebodem in. De schutkleur werkt dan perfect. Alleen door z'n houding, als het ware leunend op z'n borstvinnen, verraadt de zandduiker zich.

Pauwbot

Ook de **pauwbot** (*Bothus lunatus*) ligt op de zandbodem in afwachting van de prooi. Deze vis is helemaal plat, zandkleurig en met blauwe ringen. De twee ogen zijn aan dezelfde kant van het lichaam geplaatst, terwijl de bek suggereert alsof hij ook verticaal kan zwemmen.

Fluitvis en trompetvis

Een opmerkelijke verschijning in de wateren van dit gebied zijn ook de uiterst ranke fluitvis en de trompetvis. Fluitvissen houden zich op boven zandige bodem of bij zeegrasbedden. De **blauwgevlekte fluitvis** (*Fistularia tabacaria*) heeft een groenige kleur en blauwe stippen. De staart loopt uit in een vreemdsoortige blauwe sliert. Trompetvissen hebben voorkeur voor het rif. De **gevlekte trompetvis** (*Aulostomus maculatus*) is bruinig met een blokachtige tekening. Over z'n lichaam zijn slordig zwarte stippen 'aangebracht'.

Barracuda

Als de haai de koning van het rif is, is de **grote barracuda** (*Sphyraena barracuda*) de generaal. Meestal is hij niet groter dan 60 cm. Met z'n zilverachtige kleur, de aërodynamische lichaamslijn en de opvallend grote bek met scherpe tanden blijft het een prachtig dier. Sierlijk laat hij zich door het water glijden of hij hangt geduldig te wachten tussen de rifformaties.

Tarpon

Een kolossale zilverachtige vis is de **Atlantische tarpon** (*Megalops atlanticus*). Hij kan zo'n 2 m lang worden en zwemt vaak in scholen. Samen met zijn soortgenoten hangt hij vaak boven de rifrand.

Roggen

De afwijkende vorm en de wijze van zwemmen maken de roggen tot een van de bijzondere diersoorten van het rif. Roggen (familie Dasyatidae) liggen op de zeebodem, afgedekt door een laagje zand ter camouflage, of scheren boven het rif. Ze leven van week- en schaaldieren en van kleine vissen, die ze opzuigen met de bek aan de onderkant van het lichaam. De **Amerikaanse pijlstaartrog** (*Dasyatis americana*) heeft de vorm van een ruit, is donkergrijs aan de bovenkant en wit aan

Duiker met roggen bij Animal Encounters op Curaçao

de onderkant. De rugwervels lopen door tot op de staart. Deze pijlstaartrog, zo genoemd vanwege een scherpe punt aan het eind van de staart, kan 2 m breed worden. De **Jamaica-pijlstaartrog** (*Urolophus jamaicensis*) heeft een rondere vorm en witte stippels aan de bovenzijde van het lichaam. Deze rog is kleiner (maximaal 70 cm breed) dan de Amerikaanse.

Een ander familielid is de **gevlekte adelaarsrog** (*Aetobates narinari*). De adelaarsrog duikt regelmatig op bij de drop-off, heeft donkerblauwe vleugels en witte stippen. Ook de zeer lange staart is opvallend.

Murenen

Een ontmoeting met een murene (familie Muraenidae) is, net als bij een rog, haai, of barracuda, altijd een hoogtepunt van de duik. Overdag gebruiken murenen de holen en spleten in het rif als schuilplaats. Zo gauw er onraad is, steken ze hun kop naar buiten in de overtuiging

Walvisachtigen

Spelende dolfijnen zijn voor iedere duiker een onvergetelijk spektakel. Ze hebben doorgaans vaste routes die ze afleggen. Bij Bonaire, in de baai rond Klein Bonaire en bij Pink Beach is de laatste jaren vaak een school gesignaleerd. Vooral het synchroon zwemmen van een school dolfijnen is een wonderlijk mooi schouwspel. De meeste kans om ze boven water te zien, is als de jongen niet te klein zijn, want dan duiken de vrouwtjes met hun jonkies naar de diepte zodra er een boot nadert.

Walvisachtigen (*Cetacea*) zijn zeezoogdieren. Er zijn twee grote groepen: de tandwalvissen (*Odontoceti*) waartoe de dolfijnen, de potvissen en de bruinvissen behoren, en de baardwalvissen (*Mysticeti*), zoals de echte walvissen, de grijze walvissen en de vinvissen. In het Caribische gebied komen die voor bij Klein Curaçao, Dominica en de Turks en Caicos Eilanden.

Potvis
De potvis (*Physeter macrocephalus*) kan 22 m lang worden. Het is de grootste der tandwalvissen en hij heeft een vrij grote kop (1/4 tot 1/3 van de totale lichaamslengte). Er kan twee ton spermaceti in zitten, een witte, wasachtige, vloeibare stof die gebruikt wordt in zalven, crèmes en vroeger in kaarsen. De vierkante snuit steekt ver boven de onderkaak uit. In die onderkaak zitten de tanden (40 tot 60 stuks). De potvis, die leeft van kleine vissen en koppotigen, vooral pijlinktvissen, heeft slechts één spuitgat aan de voorkant van de kop. Op z'n rug zit een bult en de staartvinnen zijn breed en driehoekig.

Bultrug
Een bultrug (*Megaptera novaeangliae*) wordt maximaal 19 m lang en kan een gewicht van 48 ton krijgen. Hij heeft een zwart lichaam met kin-, keel- en borstvinnen. Jonge bultruggen hebben witte vinnen. De kop heeft een vrij spitse vorm. Rond de bek zitten knobbels met tastharen, waarmee obstakels worden gesignaleerd. De bultrug heeft baarden met een gemiddelde lengte van 70 cm waarmee het zeewater wordt gezeefd en de krillkreeftjes achterblijven. De bultrug heeft een dubbel spuitgat. De staart bestaat uit vrij lange horizontale vinnen.

zo de 'vijand' weg te jagen. 's Nachts jagen ze op dieren in de zandbodem en op kleine vissen. De **gevlekte murene** (*Gymnothorax moringa*) heeft witte en bruine spikkels over het gehele lichaam. Dat maakt hem moeilijk zichtbaar tegen de rotsachtige rifachtergrond. Een **kettingmurene** (*Echidna catenata*) is getekend als een tijger – met verticale gele strepen – en heeft een kortere kop dan de andere soorten. De **geeloogmurene** (*Gymnothorax vicinus*) heeft gele ogen en een paarse bek. De tekening is minder uitgesproken. Kenmerkend is de doorlopende zwartgerande rugvin. Afwijkend van kleur is de **groene murene** (*Gymnothorax funebris*). Deze vis is heel agressief als hij wordt lastiggevallen.

Tuimelaar

De tuimelaar (*Tursiops truncatus*) is de bekendste dolfijn, doordat hij dicht onder de kust en in volle zee voorkomt. Hij heeft een grijsbeige kleur en is wat lichter op de buik. De beweeglijkheid is opmerkelijk. Hij draait om z'n as met een speels gemak. Verder is het fluitende geluid karakteris-tiek dat door het uitblazen van de lucht via de adem-halingsopening ontstaat. De tuime-laars leven in vrij grote groepen. De tuimelaar kan maximaal 3,90 m lang worden. De robuuste snuit is zowel handig bij het vangen van vis als ter verdediging tegen bijvoorbeeld de aanval van een haai.

Een zeldzame ontmoeting: duikster met een tuimelaar

Gewone dolfijn

De gewone dolfijn (*Delphinus delphis*) kan 4 m lang worden. Hij is donkergrijs en kan een witte buik hebben. De rugvin zit midden op de rug. Net als de tui-melaar en andere familieleden is het een uitstekende jager. Hij leeft van klei-ne vis, inktvis, garnalen en krab. Met z'n snuit kan hij overal bij. De dolfijn jaagt individueel en komt daarna terug in de groep. De gewone dolfijn is ab-soluut niet schuw en komt soms naast de boot zwemmen of komt spelen met duikers.

Haaien

In de wateren van de Antillen en Aruba duiken de **Caribische verpleegsterhaai** (*Gynglymostoma cirratum*) en de **Caribi-sche rifhaai** (*Carcharhinus perezii*) het meest op. De verpleegsterhaai is zand-kleurig en heeft twee rugvinnen vlak bij elkaar. Aan de bek hangen baarddraden. Deze haai zwemt boven zandige bodems en houdt zich graag op bij wrakken.
De rifhaai hangt altijd net boven de rif-drempel en is erg schuw. Zo gauw duikers zich laten zien, zwemt hij weg naar de diepte.

3 ARUBA: HET WRAKKENEILAND

WATERSPORTEILAND

Aruba is hét watersporteiland bij uitstek. Van de ABC-eilanden is Aruba qua duiken weliswaar een ondergeschoven kindje, maar het 'One Happy Island' heeft veel te bieden. Eindeloze witte zandstranden, veel interessante wrakken en bovendien mooie koraalriffen. Duikers en snorkelaars kunnen hier hun hart ophalen aan de prachtige riffen en tropische vissen. Door de lange zandstranden liggen de koraalriffen verder weg van de kust dan bij Curaçao en Bonaire. Bovendien liggen er voor een groot deel van de zuidkust kleine lagune-eilandjes (zoals het De Palm-eiland en Sonesta-eiland) waarop hotelresorts zijn gebouwd en die dus niet voor iedereen toegankelijk zijn (vaak alleen voor de hotelgasten of tegen een entreeprijs). Vanaf deze eilandjes kun je wel gemakkelijk duiken omdat zij direct aan het rif grenzen.

Aruba krijgt in duikerskringen niet de aandacht die het verdient. Veel duikers laten het zonnige Caribische eiland te vaak links liggen om bij de zustereilanden onder water te gaan. Toch weten die duikers niet wat ze missen: de mooiste wrakken liggen in de wateren rond Aruba. Meer dan elf stuks zijn hier te vinden, enkele stammen nog uit de Tweede Wereldoorlog, andere zijn speciaal voor duikers afgezonken. Zo is er een groep duikschoolhouders die regelmatig het eiland afstruint op zoek naar 'nieuwe' wrakken. In beslag genomen en onttakelde vliegtuigjes die voor drugssmokkel werden gebruikt, worden van het vliegveld opgehaald en op een gunstige plaats afgezonken als attractie voor duikers.

Goede duikscholen en duikshops

Voor diegenen die de duiksport niet machtig zijn, is er de mogelijkheid een duikcursus te volgen naar moderne maatstaven van onder andere PADI, SSI, NAUI en IDD. Je hoeft geen ervaren duiker te zijn om hier aan je trekken te komen. Wel moet je weten dat de minimumleeftijd om op Aruba te leren duiken twaalf jaar is. Heb je nog nooit gedoken, dan zijn er introductiecursussen (inclusief uitrusting); ben je een duiker met een Open-Water-brevet, dan kun je hier je vaardigheden verder uitbouwen bij de diverse internationale duikcentra. Alle duikscholen en -

Het wrak van de *Antilla* is het grootste van het Caribisch gebied.

De *Antilla* in betere tijden

centra gaan prat op hun goed geïnformeerde gidsen die precies op de hoogte zijn van de geschiedenis achter elke duikstek en die je bovendien kunnen informeren over de flora en fauna ter plaatse. Er zijn negen duikoperators op het eiland actief en elke duikschool verhuurt uitrusting volgens eigen tarief.

Snorkeltours

Diverse organisaties bieden snorkeltours aan voor diegenen die op een relaxte manier kennis willen maken met dit onderdeel van de duiksport. Tijdens deze begeleide snorkeltours maak je kennis met de onderwaterflora en -fauna van Aruba. Bij de duikshops zijn geplastificeerde kaarten te koop met de diverse vissen en koralen die je tegen kunt komen. Ook worden er snorkeltours aangeboden naar het wrak van de *Antilla,* dat gedeeltelijk boven water uitsteekt en prachtig met koraal is begroeid. Maar vergeet niet om je in te smeren met een watervaste sunblocker en een T-shirt aan te trekken, want de zon brandt er ongenadig op je rug.

Duiksport

Tot voor kort waren de geheimen en de verscheidenheid van de duiklocaties rond Aruba alleen bekend bij een kleine groep zeer ervaren duikers en enkele

slimme lokale duikers. Nu zijn de rustige en spectaculaire duiklocaties voor iedereen toegankelijk. Er zijn veel duiklocaties met een zicht tot 40 m en een prettige watertemperatuur tot boven de 25 °C. Je zult versteld staan van de talloze soorten koraal en koraalformaties die je hier kan bewonderen op de ondiepe riffen (8 m) en ook op de steile drop-offs, die afdalen tot meer dan 40 m. Enorme beker-, mand- en vaassponzen, wuivende gorgonen en waaierkoralen, zeeanemonen, hertshoornkoralen en geweikoralen vormen een kleurrijke en fascinerende achtergrond voor de enorme verscheidenheid aan vis, inktvis, zeepaardjes, langoesten, roggen, koraalkrabben, murenen en schoolvormende vis.

Aruba heeft twee zeer verschillende kusten, de zuidwestkust en de noordkust. De zuidwestkust leent zich uitstekend voor duiken en snorkelen. De witte zandstranden lopen geleidelijk de zee in. Aan deze kant van het eiland tref je een rustige en kalme zee aan door de aflandige passaatwinden. De noordkust daarentegen staat bloot aan woeste golven die door oceaan en wind worden opgestuwd. Hier is duiken, op een paar windstille dagen per jaar na, zo goed als onmogelijk.

Wrakduiken

Aruba is vooral het eiland om naar toe te gaan al je graag wilt wrakduiken. Het grootste en beroemdste wrak van het Caribisch gebied, de 135 m lange *Antilla*, ligt daar samen met een aantal kleinere scheeps- en vliegtuigwrakken.

De *Antilla*, een groot Duits vrachtschip dat tijdens het uitbreken van de Tweede Wereldoorlog voor de noordwestkust van

Aruba Perrier Reef Care-project

Een aantal jaren geleden werd onder leiding van Castro Perez, de manager Ecotoerisme van de Aruba Tourist Authority (ATA), het Aruba Perrier Reef Care-project in het leven geroepen. De gehele bevolking van Aruba werd opgeroepen aan dit project mee te doen. Honderden duikers hebben de koraalriffen schoongemaakt. Inmiddels is het besef geboren dat de natuur- en cultuurschatten het waard zijn te beschermen. Kinderen worden op school voorgelicht, toeristen worden erop gewezen geen vuil op de stranden achter te laten, folders en informatieboekjes zijn gedrukt en verspreid en een groep ecologen houdt de koraalriffen constant nauwlettend in de gaten. Aruba is trots op zijn onderwaterwereld. En dat willen ze ook zo houden, zodat je ervan kunt blijven genieten.

Aruba lag, was een bevoorradingsschip voor de Duitse duikboten. Toen de Duitsers Nederland binnenvielen op 10 mei 1940, kwam de politie aan boord om de kapitein tot overgave te dwingen. De kapitein vroeg een dag bedenktijd en in die nacht draaide hij de boordkranen open en liet de *Antilla* zinken. De kapitein en zijn bemanning kwamen op Bonaire in het gevangenenkamp terecht (dat stond op de plaats waar nu het Flamingo Beach Hotel ligt en waar ook Hans Hass en zijn twee gezellen werden geïnterneerd).

Vandaag de dag ligt de *Antilla* op zijn bakboordzijde op de bodem, vlak voor de kust. Een klein deel steekt nog boven water uit en een groep pelikanen houdt de wacht. Het is Aruba's beroemdste wrak, want het ligt op snorkeldiepte en menig bezoeker heeft er rondgekeken. De diepte is ongeveer 10 m, dus je kunt hier een lange en relaxte wrakduik maken. Het wrak is fraai begroeid in de afgelopen vijftig jaar, alleen het middenschip is in elkaar gevallen. De boeg, het achterschip, de verblijven en de ruimen zijn vrij toegankelijk. Grote scholen vis zwemmen rondom en in het wrak.

Een ander wrak dat vlakbij ligt, is dat van de Nederlandse Lago-tanker *Pedernales*, eveneens uit de Tweede Wereldoorlog. Dit schip werd door een Duitse duikboot op 16 februari 1942 bij de Lago-raffinaderij getorpedeerd en bleef wonderwel drijven. Het zonk later in het ondiepe water voor Palm Beach, waar het voor het grootste deel werd gelicht. Het voor- en achterschip werden weer aan elkaar gelast en naar Amerika gevaren, waar het weer in de vaart werd gebracht. Het getorpedeerde deel van het schip bleef achter en naast een hele hoop schroot ligt er nu nog een segment waar duizenden snappers hun schuilplaats hebben. Ook hier is het slechts 8 m diep en zwem je door een zee van vis.

Op 31 augustus 1989 lieten sportduikers voor het Sonesta Beach een oud DC 3-vliegtuig zinken als duikobject en kunstmatig rif. Jarenlang lag het in ondiep water, maar de orkaan Lenny heeft het naar 30 m diepte verplaatst. De romp en de vleugels zijn afgebroken en liggen nu naast het vliegtuig, dat nog altijd de moeite waard is om een duik op te maken.

De *Jane Sea* is een groot vrachtschip dat recht op zijn kiel staat in ruim 35 m water. Het werd in 1988 afgezonken als kunstmatig rif en is vandaag de dag prachtig begroeid met koralen en sponzen. Maar ook het rif rondom de *Jane Sea* is meer dan de moeite waard. Het is een bijna maagdelijk rif, waar je maar weinig schade van duikers ziet. Juist omdat Aruba niet in duikerskringen bekend is, is hier nog een prachtig mooi rif te vinden. Tijdens een driftduik vanaf de *Jane Sea* in de richting van Oranjestad kom je onderweg nog het wrak van een gezonken ponton tegen. Die lag afgemeerd in Oranjestad en er was een restaurant op gevestigd, maar in het begin van de jaren negentig is het losgeslagen en gezonken.

Een beroemd wrak dat op de noordoostkust van Aruba ligt is dat van het stoomschip *California*. Verhalen deden de ronde dat dit het schip was dat de noodsignalen van de *Titanic* had genegeerd, maar dat klopt niet; de enige overeenkomst is de naam. Deze *California* is een houten brik, terwijl de *Californian* een stalen Leylandline schip was en tijdens de Eerste Wereldoorlog op 9 november 1915 door een Duitse onderzeeër werd getorpedeerd. De duiklocatie is echter moeilijk bereikbaar, dat kan alleen bij rustig weer. De vuurtoren op de punt van het eiland is naar het wrak vernoemd.

Coral spawning

Duiken naar het Puerto Chiquito-rif (duiklocatie 18), plaatselijk beter bekend als Bao Baranca, worden georganiseerd in september en oktober om het natuurlijk opbloeien van het koraalrif (het 'kuitschieten' of in het Engels 'coral spawning' 📖 p. 159) te bekijken. Deze gebeurtenis kan al een jaar van tevoren op de minuut precies worden uitgerekend en is afhankelijk van het getij en de maanstand. Het vrouwelijke koraal begint plotseling massaal oranje eitjes uit te stoten en de mannelijke koralen draadvormige spermaslierten. Het water wordt troebel door de miljarden eitjes die naar het wateroppervlak drijven. Alle vissen doen zich ruim te goed aan dit onverwachte 'zeebanket'. Grote roofvissen jagen weer op de kleinere vissen. En zelfs manta's en walvishaaien worden in deze tijd waargenomen om zich te goed te doen aan de dekens van eitjes die in het ondiepe water en aan het wateroppervlak drijven. Het is een nacht van het leven, iets wat je zeker niet mag missen.

Duiksafari's

Behalve met de boot is een aantal duiklocaties op Aruba ook te bereiken met de auto. Nieuw is de duiksafari. Je huurt daarvoor een jeep bij een autoverhuurbedrijf en duikflessen bij een erkende duikschool en je gaat vervolgens zelf op ontdekkingsreis langs de kust van Aruba.

Geen snorkelen en geen duiken, maar snuba

Snuba is snorkelen en duiken tegelijkertijd. De naam komt van de Amerikaanse woorden voor duiken en snorkelen: scuba en snorkeling. Je hebt geen brevet nodig om aan deze vorm van onderwatertoerisme deel te nemen. Een privé-gidsinstructeur gaat met jou en drie anderen mee naar 6 m diepte. Als je van snorkelen houdt, dan vind je snuba het einde. Er zijn snuba-tochten langs koraalriffen of naar het wrak van de *Antilla*.

Oppassen voor jetski's

Aan de zuidwestkust van Aruba is de zee spiegelglad. Dus niets weerhoudt de bevolking en de toeristen ervan over het water te scheuren met de jetski. Om te water- en jetskiën zijn speciale gebieden aangewezen, maar niet iedereen houdt zich daaraan en stoere jongens barstensvol hormonen willen nog wel eens de grote bink uithangen en dwars door de duikgebieden scheuren. Dus houd die jetski's goed in de gaten.

Onder water – boven water

Bij Palm Beach hebben lokale duikers een wrak in het ondiepe water afgezonken voor snorkelduikers. Een topattractie, totdat de orkaan Lennie zijn kop opstak en zijn furie over het eiland liet razen. Na deze orkaan lag het wrak plotseling weer boven water: op het rif, waar het nu te bewonderen is door iedereen zonder duikbril!

DUIKLOCATIES

Rond Aruba zijn 29 officiële duiklocaties te vinden. Natuurlijk zullen lokale duikers nog veel meer duikplekken kennen of de duiklocaties een andere naam geven. Het duiken in Aruba is nog niet zo van 'hogerhand' georganiseerd als op de zustereilanden Bonaire en Curaçao, maar de Aruba Tourist Authority doet er alles aan om aan het duiken ook hier speciale aandacht te schenken.

Achter de namen van de duiklocaties staat extra informatie over de toegang en de moeilijkheidsgraad.

Toegang

B = bootduik; K = kantduik;
BK = boot- of S = ook geschikt
      kantduik;   voor snorkelen

Moeilijkheidsgraad

B = beginners; G = gevorderden;
E = ervaren; AL = voor alle duik-
                        niveaus

Bijzonderheden

W = wrak; N = nachtduik

Arashi-vliegtuig (1)

bootduik, kantduik, wrakduik

het zicht bedraagt gemiddeld 30 m

alleen bij een gladde zee beduikbaar, vaak sterke stroming

vlak rif met een diepte van 7–16 m

duiklocatie voor alle niveaus, goede snorkelplaats bij het strand van Arashi Beach echter alleen voor ervaren snorkelaars (vanwege de stroming)

close-up- en groothoekfotografie bij het Beechcraft-vliegtuigwrak

Arashi Beach heeft een mooi rif voor 'beginners'. Veel hersenkoraal, grote sterkoralen, waaierkoralen en gorgonen omringd door papegaaivissen en keizersvissen. Een gezonken Lockheed Lodestar en een tweemotorige Beechcraft

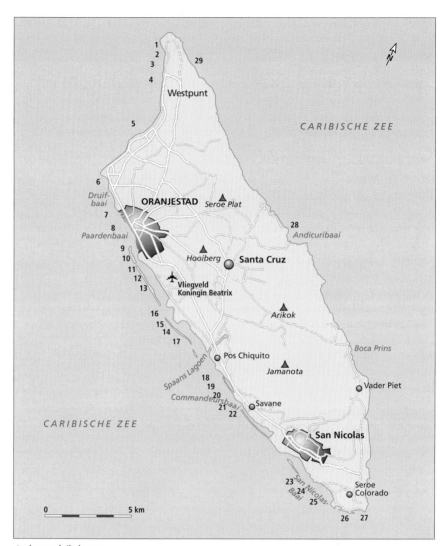

Aruba met duikplaatsen

Duiklocaties Aruba

1. Arashi-vliegtuig BK, AL
2. Wrak van de *Antilla* B, S, AL, W, N
3. Malmok-rif en het wrak van de Debbie II B, S, AL, W
4. Blue Reef B, AL
5. Wrak van de *Pedernales* B, S, AL, W, N
6. Havenrif & loodsbootwrak B, AL
7. Sonesta-vliegtuigwrak BK, AL, W
8. Sponsrif B, AL
9. Kantil-rif BK, AL, N
10. Plonco-rif B, AL
11. Barcadera-rif B, AL
12. Skalahein B, AL
13. Wrak van de *Jane Sea* B, AL, W
14. Mike's rif B, AL
15. The Fingers B, AL
16. De Palm Helling BK, AL
17. Mangel Halto-rif BK, AL
18. Puerto Chiquito-rif/Snapper City BK, AL, N
19. Isla di Oro-rif B, AL
20. Commandeursrif B, AL
21. Lago-rif B, AL
22. Indian Head B, AL
23. Het kruis B, AL
24. Baby Beach-rif BK, S, AL
25. Santana di Cacho-rif BK, AL
26. Cabez-rif K, E, N
27. Shark Caves BK, E
28. Natural Bridge BK, E
29. Wrak van de *California* B, E, W

liggen respectievelijk op 16 en 7 m diepte. De kleinste van de twee, de Lockheed Lodestar, is volledig uiteengevallen en er rest niets meer dan aluminium schroot op de bodem.

Van de Beechcraft zijn de propellers weliswaar afgevallen, maar het is nog steeds een leuk wrak. In het passagiersdeel bevinden zich vaak grote scholen vissen, in de cockpit zit regelmatig een grote groene murene.

In de omgeving van de beide wrakken is veel hersen- en sterkoraal te vinden evenals waaierkoralen en veel kleurige koraalvissen.

Wrak van de *Antilla* (2)

bootduik, nachtduik, wrakduik

het zicht bedraagt gemiddeld 20 m

weinig stroming, gemakkelijke duiklocatie

vlak rif met een diepte van 20 m

duiklocatie voor alle niveaus, goede snorkelplaats

close-up- en groothoekfotografie bij het wrak

Het wrak van de *Antilla* is plaatselijk bekend als het 'spookschip'. Dit destijds

Het markante achterschip van de *Antilla* ligt schuin over bakboord op de zandbodem.

gloednieuwe Duitse vrachtschip werd door de bemanning in 1940, toen de Duitse troepen Nederland binnenvielen, tot zinken gebracht. Met een lengte van ongeveer 135 m is dit het grootste wrak in het Caribisch gebied.

Door de grote compartimenten in dit schip kunnen duikers gemakkelijk en zonder gevaar in het wrak komen. Het wrak is begroeid met grote bekersponzen en koraalformaties. Eromheen zijn langoesten en grote scholen vis te bewonderen. Het is een uitzonderlijk goede stek voor nacht-duiken. Het stuurwiel en een van de urinoirs van de *Antilla* zijn te zien in 'Charlie's Bar' in San Nicolas. Het urinoir hangt aan de binnenzijde boven de deur van het da-mestoilet. Op uitnodiging van Charlie is de kapitein van de *Antilla* in de jaren tachtig op Aruba op bezoek geweest en heeft 'zijn' schip, dat nu een van de toeristische topattracties is, bewonderd.

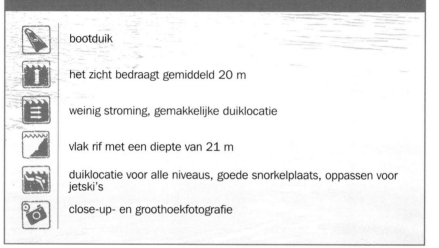

Malmok-rif en het wrak van de *Debbie II* (3)

bootduik

het zicht bedraagt gemiddeld 20 m

weinig stroming, gemakkelijke duiklocatie

vlak rif met een diepte van 21 m

duiklocatie voor alle niveaus, goede snorkelplaats, oppassen voor jetski's

close-up- en groothoekfotografie

Op dit vlakke rif kun je zwerven over paden van hertshoornkoraal en hersenkoraal. Het rif staat bekend om zijn enorme langoesten. Pijlstaartroggen die kun middagdutje doen, vormen een gewild doelwit voor onderwaterfotografen. Grote rode, oranje en groene vaatsponzen zijn hier in overvloed. In 1992 is de *Debbie II*, een tankschip van 40 m lengte, hier afgezonken en vormt sindsdien een extra attractie voor duikers. Dit wrak, dat recht op zijn kiel op het zand staat, is het verzamelpunt voor scholen vissen en barracuda's.

Duiklocaties in de omgeving
Blue Reef en Malmok gaan naadloos in elkaar over.
Blue Reef (4) is een vlak rif waar vaak een sterke stroming heerst, die echter voor veel voedsel voor de grote scholen vissen zorgt. Hier vind je veel murenen en sponzen, naast waaier- en hersenkoralen.

Wrak van de *Pedernales* (5)

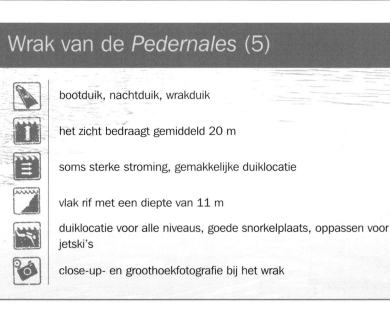

bootduik, nachtduik, wrakduik

het zicht bedraagt gemiddeld 20 m

soms sterke stroming, gemakkelijke duiklocatie

vlak rif met een diepte van 11 m

duiklocatie voor alle niveaus, goede snorkelplaats, oppassen voor jetski's

close-up- en groothoekfotografie bij het wrak

Een duikster zwemt door een school vissen heen in het wrak van de *Pedernales*.

De overblijfselen van een deel van het wrak van de *Pedernales* zijn een paradijs voor de beginnende en de ervaren duiker. Hier liggen her en der stukken van het wrak tussen de koraalformaties. Je kunt er complete hutten van het schip vinden, maar ook wastafels en toiletten. Je ziet er ook bij het tankschip behorende pijpleidingen liggen. Het schip werd tijdens de Tweede Wereldoorlog door een Duitse onderzeeboot met een torpedo tot zinken gebracht. Het Amerikaanse leger heeft het wrak daarna in drie delen gesneden. Het middenstuk dat door de torpedo ernstig beschadigd was, is achtergebleven, de boeg en het achterschip zijn geborgen, aan elkaar gelast en vervolgens naar de Verenigde Staten gesleept waar het weer in de vaart werd gebracht. Het schip, dat toen een stuk korter was, maakte deel uit van de invasievloot in Normandië. Het gebied rond het wrak geniet bekendheid vanwege de grote zeebaarzen en de grote aantallen geelgestreepte snappers.

Havenrif en loodsbootwrak (6)

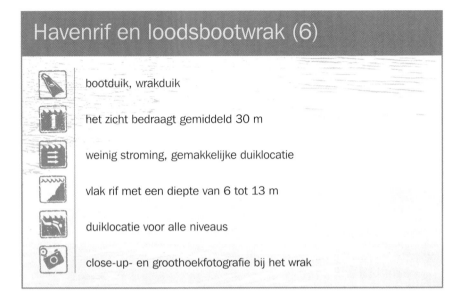

bootduik, wrakduik

het zicht bedraagt gemiddeld 30 m

weinig stroming, gemakkelijke duiklocatie

vlak rif met een diepte van 6 tot 13 m

duiklocatie voor alle niveaus

close-up- en groothoekfotografie bij het wrak

Een geleidelijke afdaling langs prachtige hellingen met een overvloed aan gorgonen en andere zachte koralen, brengt de duiker bij het wrak van een oude loodsboot. Beginners en ervaren duikers zullen bij deze duiklocatie versteld staan van de enorme formaties hersenkoraal die omringd zijn door zwarte en blauwe sponzen. Op deze plaats worden vaak grote groene murenen, pijlstaartroggen en adelaarsroggen gezien.

Murene

Sonesta-vliegtuigwrak (7)

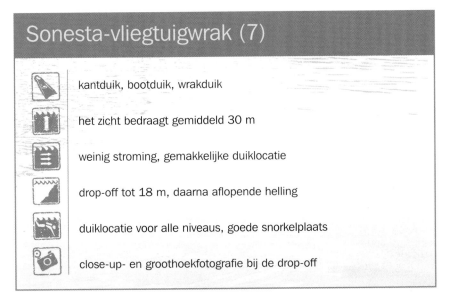

kantduik, bootduik, wrakduik

het zicht bedraagt gemiddeld 30 m

weinig stroming, gemakkelijke duiklocatie

drop-off tot 18 m, daarna aflopende helling

duiklocatie voor alle niveaus, goede snorkelplaats

close-up- en groothoekfotografie bij de drop-off

Deze duiklocatie ligt net buiten Sonesta Island. Hier heeft men twee vliegtuigen afgezonken, een Convair 400 en een Beechcraft 18. De Beechcraft lag in 5 à 7 m diep water maar is sinds de orkaan Lenny spoorloos verdwenen. De Convair ligt dieper, op 20 m. Dit vliegtuig, dat lijkt op een Dakota DC-3, was door de Arubaanse douane in beslag genomen vanwege het smokkelen van drugs en is door enkele duikoperators van Aruba hier afgezonken als duikwrak. Het vliegtuig is echter flink uit elkaar geslagen. De romp is weliswaar nog grotendeels intact, maar de beide vleugels liggen ernaast. Orkaan Lenny heeft hier flink huisgehouden en het wrak toegetakeld. Toch blijft het een interessante duik. De duikboot *Atlantis IV* bezoekt dit wrak frequent, dus is het oppassen geblazen dat je niet onderste-

Sonesta-vliegtuigwrak

boven wordt gevaren door een duikboot vol toeristen.

Duiklocaties in de omgeving
Aan de westelijke kant van Sonesta-eiland ligt voor de zuidkust het **Sponsrif** (8). Deze duiklocatie met een diepte tussen de 5 en 25 m, staat bekend om zijn talrijke soorten sponzen, waaronder de grote oranje olifantsoorsponzen en gele en paarse buissponzen. In dit gebied zijn ook mooie formaties plaatkoraal te vinden.

Kantil-rif (9)

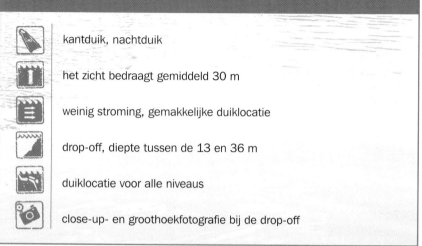

kantduik, nachtduik

het zicht bedraagt gemiddeld 30 m

weinig stroming, gemakkelijke duiklocatie

drop-off, diepte tussen de 13 en 36 m

duiklocatie voor alle niveaus

close-up- en groothoekfotografie bij de drop-off

Halverwege de zuidkant van Sonesta-eiland (ten zuiden van de Bucuti Yacht Club) ligt het Kantil-rif: een mooie drop-off met enorme hersenkoralen. Veel grote formaties plaatkoraal, waaierkoralen en gorgonen. Deze duiklocatie heeft een rijke flora en fauna. Hier worden grote adelaars- en pijlstaartroggen gezien. Deze duik moet beslist in je logboek worden bijgeschreven.

Duiklocaties in de omgeving
Voor de zuidoostpunt van Sonesta-eiland ligt het **Plonco-rif (10)**. De diepte hier is tussen de 7 en 33 m. Dit is de woonplaats van groene murenen van meer dan 50 kilo. Ze heten je vaak welkom als je deze duiklocatie beduikt. Grote langoesten scharrelen er over de bodem van de zee op zoek naar voedsel. Enorme koraalformaties bepalen de lijn van het landschap onder water. Aan de zuidkant van het rif ten oosten

van Sonesta-eiland ligt het **Barcadera-rif (11)**. Deze duiklocatie met een gemiddelde diepte van 30 m bestaat uit een zandbodem met veel hersenkoraal en veel waaierkoralen en gorgonen. Deze waaiers zijn voortdurend in beweging, waardoor ze de suggestie wekken dat ze je welkom heten in deze unieke en adembenemende onderwaterwereld. Dit is ook de plaats waar je de *Atlantis IV* en de *Seaworld Explorer* tegen kunt komen, duikboten die er met toeristen onder water langs het rif varen.
Voor de zuidoostpunt van Sonesta-eiland ligt **Skalahein (12)**, een drop-off met verbazingwekkend mooie koraalformaties tussen de 5 en 37 m. Hier kom je regelmatig barracuda's tegen. Het is een ideale plaats om een driftduik te maken. Af en toe zijn hier grote pijlstaartroggen te zien. En de oplettende duiker kan er zeepaardjes tegenkomen. Een uitstekende duiklocatie voor de fotograaf.

Wrak van de *Jane Sea* (13)

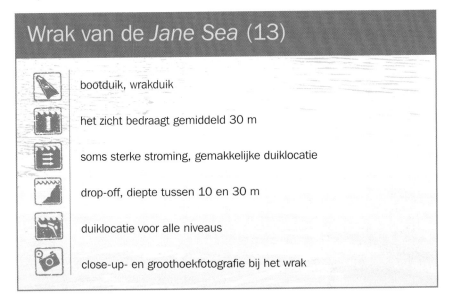

bootduik, wrakduik

het zicht bedraagt gemiddeld 30 m

soms sterke stroming, gemakkelijke duiklocatie

drop-off, diepte tussen 10 en 30 m

duiklocatie voor alle niveaus

close-up- en groothoekfotografie bij het wrak

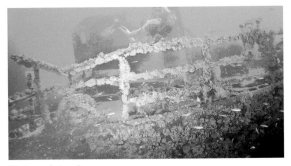

Wrak van de *Jane Sea*

van de middag hun prachtige gele poliepen laten zien. Het wrak zelf is omringd door waaierkoralen en formaties hersenkoralen. Bovendien is het een trekpleister voor grote scholen vissen en barracuda's. Het wrak is gedeeltelijk toegankelijk. Het dek ligt op 18 m diepte en de brug op 14 m.

Aan het westelijk einde van het De Palmeiland staat op een diepte van 30 m de *Jane Sea Freighter* haast rechtop op de bodem, tegen de drop-off aan. Het werd in 1988 afgezonken als artificieel rif en is vandaag de dag prachtig begroeid. Deze vrachtboot is ongeveer 65 m lang en prachtig begroeid met onder andere *Tubastrea*-koralen, die overdag gesloten zijn, maar 's morgens en aan het einde

Een driftduik van de boei van de *Jane Sea* in noordwestelijke richting voert over een prachtig koraalrif met aan het einde van de duik een oude gezonken ponton. Boven op deze ponton, die in de haven lag, was een Chinees restaurant gevestigd, maar enkele jaren terug is hij tijdens een storm losgeslagen en hier gezonken. De ponton is nog maar nauwelijks begroeid met koraal.

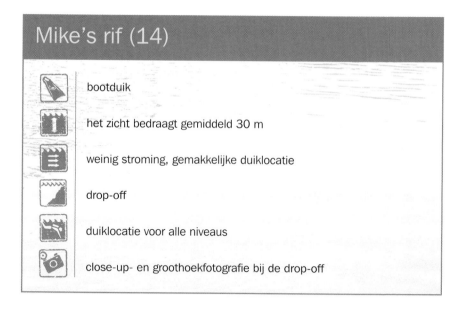

Mike's rif (14)

bootduik

het zicht bedraagt gemiddeld 30 m

weinig stroming, gemakkelijke duiklocatie

drop-off

duiklocatie voor alle niveaus

close-up- en groothoekfotografie bij de drop-off

Mike's rif wordt gedomineerd door enorme clusters van gorgonen, hersen- en sterkoraal. Paarse en oranje sponzen zijn het decor van kleurrijke vissen en barracuda's. Het is bovendien een prima driftduik van de duiklocatie 'The Fingers' vlak bij De Palm Island. In het blauwe water zie je regenboogrenners die de kust afstropen. Een ideale plaats voor macrofotografie.

Duiklocaties in de omgeving

Het rif van **The Fingers** (15) steekt uit als vingers die in de diepte wijzen. Het ligt aan de zuidoostpunt van het De Palm-eiland. De aflopende helling, diepte tussen de 7 en 37 m, is doorspekt met geulen tussen het koraal. Een plaats vol prachtige koraalformaties en met een grote verscheidenheid aan tropische vissen.

De duiklocatie **De Palm Helling** (16), die vanaf de kant van het De Palm-eiland te beduiken is, voert langs een geleidelijk aflopende helling van 8 naar 37 m diepte. De helling is begroeid met een grote verscheidenheid aan koralen. Voor duikers is het een ideale plaats voor een driftduik.

Mangel Halto-rif (17)

bootduik, kantduik

het zicht bedraagt gemiddeld 30 m

weinig stroming, gemakkelijke duiklocatie

drop-off tot 34 m

duiklocatie voor alle niveaus

close-up- en groothoekfotografie bij de drop-off

Zeepaardje in een spons

Het Mangel Halto-rif ligt recht voor het Mangel Halto-strand. Je vindt hier een drop-off die vanaf 5 m diepte steil afloopt naar 34 m. Hij biedt de gelegenheid een grote veelvuldigheid aan koralen te bewonderen. Grote hersenkoralen, zeeanemonen, gorgonen en sponzen bepalen hier het landschap. Een grote veelvoud aan vissen komt hier ook voor, kijk uit naar zeepaardjes en octopus.

Puerto Chiquito-rif/Snapper City (18)

boottduik, kantduik, nachtduik

het zicht bedraagt gemiddeld 30 m

weinig stroming, gemakkelijke duiklocatie

drop-off, diepte tussen de 6 tot 26 m

duiklocatie voor alle niveaus

close-up- en groothoekfotografie bij de drop-off

Deze duiklocatie, ten westen van Savaneta en ten zuiden van Pieter Boer, biedt een buitengewoon mooi landschap met enorme sterkoralen. De plek staat ook bekend als **Snapper City** of **Bao Baranca** bij lokale duikers. Grote pijlstaartroggen en af en toe een schildpad kun je hier tegenkomen. Deze duiklocatie is met de auto bereikbaar en vanaf de kant te beduiken. Een van de beste nachtduiken op het eiland is een seizoengebonden gebeurtenis. Duiken naar het Puerto Chiquito-rif worden georganiseerd in september en oktober om het natuurlijk opbloeien van het koraalrif (in het Engels 'coral spawning') te bekijken (zie p. 159).

Duiklocaties in de omgeving
Het **Isla di Oro-rif** (19) heeft hetzelfde te bieden als het Puerto Chiquito-rif. Het vlakke deel van het rif op 7 m diepte staat vol schitterende combinaties van koralen. Er zijn hier veel gorgonen en waaierkoralen te vinden. Grote murenen, koraalkrabben en scholen snappers leven er tussen het koraal. In het ritme van de zee deinen lange zeezwepen (een gorgonensoort) mee in de stroming op de aflopende helling die naar 27 m diepte afdaalt.

Commandeursrif (20)

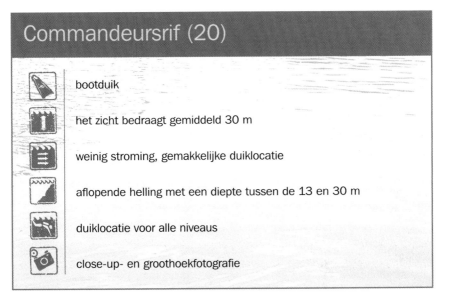

bootduik

het zicht bedraagt gemiddeld 30 m

weinig stroming, gemakkelijke duiklocatie

aflopende helling met een diepte tussen de 13 en 30 m

duiklocatie voor alle niveaus

close-up- en groothoekfotografie

Bij de zuidkant van Commandeursbaai ligt het Commandeursrif. Op de geleidelijk aflopende helling wordt je duik beloond met enorme formaties hertshoornkoraal en plaatkoraal. Een uitbundig zeeleven vind je hier met veel snappers, zeebaarzen, diverse engelvissen, grommers en horsmakrelen in scholen. Ook barracuda's zwemmen hier vaak in grote scholen rond.

Duiklocaties in de omgeving

Het **Lago-rif** (**21**) ligt aan de zuidoostkant van Commandeursbaai. Hier kun je een diepe duik maken tot 37 m. Deze duik biedt indrukwekkende koraalformaties, gorgonen, waaierkoralen, sponzen, zeeanemonen en een grote diversiteit aan zeeleven.

Indian Head (**22**), gelegen aan de zuidoostelijke kant van Commandeursbaai, genoemd naar een grote koraalformatie die op het hoofd van een indiaan lijkt, is de diepste duiklocatie (drop-off tot 40 m) van Aruba met indrukwekkende koraalformaties. Een rijk zeeleven met gorgonen, sponzen, zeeanemonen en veel vissoorten, waaronder soms grote exemplaren.

Het kruis (23)

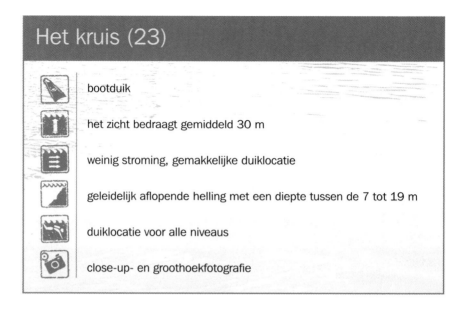

bootduik

het zicht bedraagt gemiddeld 30 m

weinig stroming, gemakkelijke duiklocatie

geleidelijk aflopende helling met een diepte tussen de 7 tot 19 m

duiklocatie voor alle niveaus

close-up- en groothoekfotografie

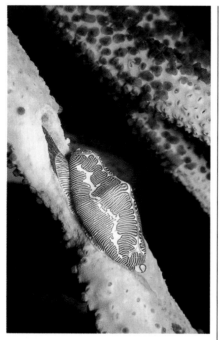

De zeldzame vingerafdruk-flamingotong

Voor de kust van San Nicolas ligt de duiklocatie 'Het kruis'. Op deze duiklocatie kom je een monument van ruim drie 3 m ter ere van Sint-Nicolaas tegen, geplaatst op de zanderige bodem. Het kruis grenst aan het rif, vol mooie koraalformaties, gorgonen en een grote verscheidenheid aan zeeleven. Een perfecte plaats voor een driftduik.

Baby Beach-rif (24)

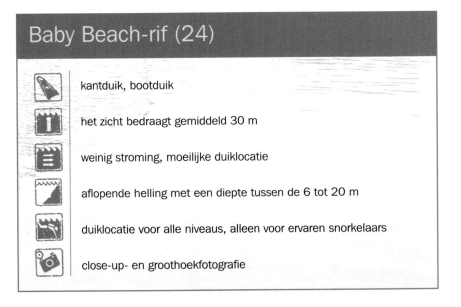

kantduik, bootduik

het zicht bedraagt gemiddeld 30 m

weinig stroming, moeilijke duiklocatie

aflopende helling met een diepte tussen de 6 tot 20 m

duiklocatie voor alle niveaus, alleen voor ervaren snorkelaars

close-up- en groothoekfotografie

Baby Beach is als duiklocatie een van de beste kantduiklocaties van Aruba. Het ligt vlakbij de oude Lago-raffinaderij. Het is een ideale gelegenheid om vanaf de kust te duiken. Voel de kracht van de oceaan die hier zijn golven langs de kust laat spoelen. Het is echter wel even flink zwemmen om bij de helling te komen, maar dan kom je ook op een bijzonder mooi rif met enorme paddestoelvormige koraalformaties. Grote formaties tafelkoralen en hersenkoralen zijn de woonplaats van koraalkrabben en langoesten. Een kleine helling brengt je naar een diepte van 20 m waar veel gorgonen groeien. Ook hier komen schildpadden en grote scholen barracuda's voor. In het ondiepe water wuiven grote waaierkoralen in de stroming. Je verlaat het water weer als je de telefoonkabel naar Curaçao tegenkomt. Volg de kabel en je kunt met enige moeite het water weer verlaten. Zorg ervoor dat je voordien hier je auto hebt geparkeerd, anders moet je een flink eind teruglopen.

Duiklocaties in de omgeving

Het **Santana di Cacho-rif** (25) ligt ten oosten van Baby Beach. Deze kantduiklocatie biedt een doolhof aan hertshoornkoralen. Bij het te water gaan voor deze kustduik kan de zee soms wat wild zijn en niet altijd even gemakkelijk. Het rif, met een diepte tussen de 6 en 17 m, biedt dezelfde aanblik als Baby Beach-rif. Een goede duiklocatie die gemakkelijk met de auto bereikbaar is. Een tip is om een driftduik te maken van Santana-rif naar Baby Beach-rif.

Cabez-rif (26)

kantduik, nachtduik

het zicht bedraagt gemiddeld 30 m

sterke stroming, moeilijke duiklocatie

aflopende helling met een diepte tot 16 m

duiklocatie voor zeer ervaren duikers

close-up- en groothoekfotografie

Cabez-rif is als duiklocatie nog maar weinig bedoken. Deze kustduiklocatie ligt ten zuiden van de Colorado Point-vuurtoren en is alleen geschikt voor zeer ervaren duikers, want de zee is hier vaak ruw en er staat een sterke stroming. Van-af de kust komende is het al direct een indrukwekkende duik, waarbij je geconfronteerd wordt met grote scholen barracuda's, amberjacks en horsmakrelen. In dit gebied komen ook roggen en andere grote oceaanvissen voor.

Duikster boven een woud van wuivende gorgonen

Shark Caves (27)

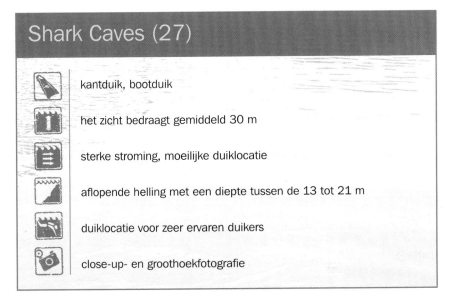

kantduik, bootduik

het zicht bedraagt gemiddeld 30 m

sterke stroming, moeilijke duiklocatie

aflopende helling met een diepte tussen de 13 tot 21 m

duiklocatie voor zeer ervaren duikers

close-up- en groothoekfotografie

De toegankelijkheid is afhankelijk van de zee en de stroming. Het komt er in de praktijk op neer dat hier maar enkele malen per jaar gedoken kan worden. Deze kantduik is alleen geschikt voor ervaren duikers. Maar ook als bootduik is het geen gemakkelijke plaats, er staat veel deining. Onder de rotsen die over het meest zuidoostelijke puntje van het eiland hangen, liggen vaak verpleegsterhaaien te slapen. Ook dit is een zeer indrukwekkende duik waarbij je veel grote oceaanvissen tegen kunt komen. Grote scholen barracuda's, amberjacks, horsmakrelen en grote roggen zijn hier met grote regelmaat aan te treffen.

Duiken langs de woeste noordkust
Ook de woeste noordkant van Aruba heeft een paar heel mooie duiklocaties, waar je slechts enkele dagen per jaar kunt duiken als de passaatwind is gaan liggen. Dit is vaak in de maanden september tot november. Duiken op deze plaatsen betekent duiken op echt bijna maagdelijke plaatsen. De bodem in het ondiepe water is begroeid met sargassowier, het favoriete voedsel van groene zeeschildpadden. De kust zelf is echter erg ruw. Op sommige plaatsen is het koraal messcherp en niet toegankelijk. Vaak moet je dezelfde weg terugzwemmen. De stroming kan ook sterk zijn. Maar de dappere duiker die zich hier te water begeeft, zal niet teleurgesteld worden. Het beste is voor deze duiklocaties een lokale duiker, die hier bekend is, mee te nemen. Tijdens de rest van het jaar spuit het zeewater metershoog boven de kust uit en is het water ontoegankelijk en zeer gevaarlijk.

Natural Bridge (28)

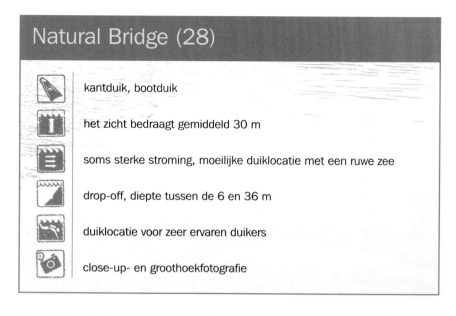

kantduik, bootduik

het zicht bedraagt gemiddeld 30 m

soms sterke stroming, moeilijke duiklocatie met een ruwe zee

drop-off, diepte tussen de 6 en 36 m

duiklocatie voor zeer ervaren duikers

close-up- en groothoekfotografie

Deze duiklocatie ligt aan de ruwe noordkust van Aruba en is voor toeristen een van de topattracties van het eiland. Een natuurlijk gevormde brug bepaalt hier het bovenwaterlandschap. Je gaat te water vanaf het strandje voor de natuurlijke brug, waar je vervolgens onderdoor zwemt. Onder water liggen gigantische rotsblokken. Er groeien hersenkoralen en sterkoraalformaties van ongelooflijke afmetingen. Overal staat er vuurkoraal en met een soms sterke stroming moet je hier erg oppassen. Enorme vaatsponzen decoreren de zeebodem.

Kolonievormende zakpijpen

Wrak van de *California* (29)

 bootduik, wrakduik

het zicht bedraagt gemiddeld 20 m

soms sterke stroming, moeilijke duiklocatie met vaak ruwe zee

plateau, de diepte ligt tussen de 10 en 15 m

duiklocatie voor ervaren duikers

close-up- en groothoekfotografie bij het wrak

Op de kop van het eiland staat het imposante California Lighthouse.

Dit mooie wrak ligt op een diepte die zeer geschikt is voor het maken van goede landschaps- en wrakfoto's. Rondom het wrak liggen uitgestrekte koraalformaties met een grote verscheidenheid aan tropische vissen. Omdat er op deze plaats bijna altijd een zeer sterke stroming staat, is deze duiklocatie alleen geschikt voor ervaren duikers. Het ss *California* was een houten brik of brigantijn die bij de Hudishibana-heuvel (waar nu de vuurtoren op staat) ruim 100 jaar geleden aan de grond liep. Het schip was op weg van Liverpool naar Centraal-Amerika met passagiers, handelswaar, provisie, kleding en meubels aan boord. De ironie wil dat toen het schip precies om

Aruba tijdens de Tweede Wereldoorlog

Curaçao en Aruba waren tijdens de Tweede Wereldoorlog voor de geallieerde oorlogvoering van groot belang. Zonder de olie die op beide eilanden tot brandstof werd verwerkt, had de Britse luchtmacht aan de grond moeten blijven. Zonder de brandstof hadden de Amerikaanse en Engelse legers Rommel niet uit Noord-Afrika kunnen verjagen. Zonder de brandstof van Aruba had de Amerikaanse oorlogsindustrie niet kunnen draaien en had de strijd in de Pacific tegen de Japanners niet gevochten kunnen worden. Van ongekend belang was het daarom dat de olietankers in beweging bleven. Maar ook de Duitsers waren zich bewust van het belang van beide eilanden. Een groep van vijf Duitse onderzeeërs maakten voor het eerst in de Tweede Wereldoorlog de wateren van de Caribische Zee onveilig. Hun doel: de levensader over zee door te snijden, dat wil zeggen de bevoorradingsschepen met brandstof, materieel en voedsel voor de strijdende troepen in Europa te doen zinken. De Duitsers slaagden daar aanvankelijk zo goed in dat Churchill later heeft toegegeven meer bevreesd te zijn geweest voor de Duitse U-boten dan voor de Duitse luchtmacht.

Op 10 mei 1940, luttele uren na de inval in Nederland, werd iedereen met Duits bloed – ook als ze joods waren – op de drie eilanden opgepakt en op Bonaire in een kamp opgesloten. Uit angst voor een vijfde colonne, de onzichtbare vijand die met sabotage onrust op de eilanden had kunnen zaaien, werd iedereen met Duits bloed gearresteerd.

Het gloednieuwe Duitse vrachtschip *Antilla* lag op de rede van Aruba, toen de oorlog uitbrak. De politie kwam aan boord en dwong de kapitein tot overgave. Ze gaven de kapitein één dag bedenktijd. Deze dacht er niet lang over na en liet alle boordkranen opendraaien en liet die nacht nog de *Antilla* naar de bodem van de zee zinken. De kapitein en de bemanning werden voor de rest van de oorlog naar het kamp op Bonaire gestuurd (op deze plaats staat nu het Divi Divi Flamingo Beach Hotel).

De snoek is een gewilde vis voor sportvissers.

In de nacht van 15 op 16 februari 1942 werd Aruba ruw de oorlog in gesleurd. Die nacht werden er vier tankers geraakt, naar later bleek door twee U-boten. De U-156 onder commando van Kapitänleutnant Werner Hartenstein had op 19 januari 1942 Lorient in Noord-Frankrijk verlaten op weg naar West-Indië. Haar opdracht was de raffinaderij op Aruba en haar tankers te vernietigen. Op 16 februari om 1.31 uur vuurde de U-156 haar eerste torpedo af. Precies 48,5 seconden later drong de explosieve lading in het middenschip van de Lago-tanker *Pedernales*. Een enorme explosie was het gevolg. Een tweede torpedo trof de *Oranjestad*. Op de *Pedernales* werden twee bemanningsleden gedood en zes vermist. Op de *Oranjestad* werden 16 opvarenden vermist. De U-156 koerste direct richting haven van Aruba, waar ze op driekwart mijl van het rif stopte. Aan dek stond de artillerie klaar om te vuren. De commandant gaf order om het vuur te openen toen een enorme explosie de duikboot deed schudden. Een van de Duitse zeelieden lag bewegingloos op het dek en een ander zat wezenloos voor zich uitkijkend tegen de commandotoren aan. Ze waren vergeten de prop uit de loop te halen, die voorkomt dat er water indringt tijdens het duiken! De andere stukken geschut openden nu het vuur, maar de afstand was veel te groot en ze boekten geen resultaten. De U-152 besloot langs Oranjestad te varen en schoot nog eens drie torpedo's af op de olie-installaties. Een ervan ramde een olietanker en ketste af, waarbij de tanker alleen de kracht van de explosie te verduren kreeg. De tweede is nooit gevonden en de derde vloog het strand op, waar hij bleef liggen. Later, bij het verwijderen van de explosieven, ontplofte het projectiel alsnog en doodde de beide ontmijners.

De olietanks werden weliswaar door vijandelijk vuur getroffen, maar dat maakte niet meer dan deuken in de tanks.

middernacht op de kust liep, de passagiers druk aan het feesten waren. Pas de volgende morgen zagen de inwoners van Aruba bij daglicht wat er was gebeurd. De bemanning van de *California* had al een groot deel van de lading overboord gegooid voordat het op de rotsen liep, en de eilanders begonnen al snel alles te verzamelen en naar Oranjestad te verslepen.

De overblijfselen van de *California* liggen verspreid over de bodem, overgroeid met koralen en sponzen. Het achterliggende land, waar de gelijknamige vuurtoren uit 1914–1916 staat (vernoemd naar het wrak), heet *California Point*.

4 BONAIRE: DUIKPARADIJS MET EEN HOLLANDS TINTJE

Bonaire heeft 'mooie lucht', maar leeft van de zee. De zoutpannen, waarin zout uit zeewater wordt gewonnen, zijn lange tijd de voornaamste economische activiteit geweest. Deze broodwinning is al enige tijd terug overvleugeld door het toerisme. En de belangrijkste trekpleister is het water. Bonaire hoort bij de toplocaties voor sportduikers, zowel in het Caribisch gebied als op wereldschaal. Duiken op Bonaire is volgens velen duiken zoals het ooit was in deze regio, voordat het massaduiktoerisme zich meester maakte van de beste duikgebieden. De combinatie van schitterend koraal vlak voor de kust, volop tropische vissen en goede bereikbaarheid van de duiklocaties is uniek. Je kunt hier net zo makkelijk vanaf het land als vanaf de boot duiken. Dat maakt Bonaire de plek bij uitstek om totaal verslingerd te raken aan het sportduiken.

De afgelopen tien jaar is de toename van het toerisme in het Caribisch gebied niet aan Bonaire voorbij gegaan, maar toch heeft het eiland z'n karakter, z'n charme, z'n rust niet prijsgegeven. Daarbij komt dat het water het hele jaar door bijzonder helder is en van een aangename temperatuur. Onder water is er veel te zien.

Bonaire heeft over het algemeen een rotsachtige kust. Alleen aan de zuidwestkant, vlak bij de zoutpannen, heeft zich een strand kunnen vormen: Pink Beach. De overige stranden in en bij Kralendijk zijn allemaal kunstmatig aangelegd ten behoeve van de hotelgasten.

De ruigste kant van het eiland is de noordoostkust, waar de passaat de golven hoog opstuwt tegen de kust. Vanaf de weg tussen Kralendijk naar Rincón zie je het zeewater opspuiten. Als gevolg van de verwering door het zeewater, maar ook in de bergen door de zon, de wind en de regen, zijn er door afbrekend gesteente scherpe rotsranden ontstaan.

Lac Bay, een binnenmeer aan de zuidoostkant van het eiland, is een bijzonder natuurgebied. Een rifdrempel breekt de golven, zodat landinwaarts mangrovevegetatie kon ontstaan. Dit is de kraamkamer voor de rifvissen, die aan de westkant van het eiland voorkomen. Je kunt er het wonderlijke schouwspel van op-

Zeeschildpadden worden regelmatig gezien op de riffen.

Het paradijs onder druk

Divers' Paradise, maar hoe lang nog? Die vraag kan de kritische bezoeker zeker stellen, de ingrijpende veranderingen van de afgelopen twintig jaar in ogenschouw nemend. Vooral sinds de jaren tachtig heeft het toerisme op Bonaire een enorme vlucht genomen. Het ene na het andere hotel verrees aan de waterkant, complete villawijken voor rijke buitenlanders zijn uit de grond gestampt. Kralendijk heeft zelfs een heuse *shopping mall* met de bekende fastfoodrestaurants. De ontwikkeling is niet tegen te houden, zeggen investeerders, zakenlieden én bestuurders op het eiland. Maar natuurbeschermers en duikinstructeurs luiden de noodklok.

De druk op de natuur neemt onrustbarende vormen aan. Door de uitbreiding van de bebouwing en met name de horeca is er een groot afvalprobleem. Riolering is er nauwelijks op Bonaire. De huizen hebben een eigen put, maar de hotels en restaurants lozen hun afvalwater rechtstreeks op zee. Wetenschappelijk onderzoek heeft aangetoond dat het aantal afvalstoffen per liter water voor de kust snel toeneemt. Dit kan tot onherstelbare schade leiden aan het koraal en dus het hele onderwaterleven. Deze problemen komen nog eens boven op de temperatuurstijging van het zeewater en de schade die orkaan Lenny heeft aangericht. Op steeds meer plekken verkleurt het koraal – *coral bleaching* of 'witte dood' – en neemt de groei van koraal en sponzen af.

Bezorgde eilandbewoners willen dat de ongelimiteerde groei van het toerisme stopt. Er moeten eindelijk een bestemmingsplan en riolering komen. Het eilandbestuur dient een actief natuur- en milieubeleid te voeren. Gelukkig vinden deze geluiden nu gehoor bij het bestuur. Zo kon een paar jaar geleden een rampzalig plan van een grote investeerder om een resort-hotel te bouwen op Klein Bonaire worden tegengehouden. Ook is er een rem op hotelbouw gezet; de bezettingsgraad van de bestaande hotels kan nog verder omhoog en verantwoord toerisme heeft de toekomst.

Voor de structurele aanpak van het milieuprobleem en de natuurbescherming is heel veel geld nodig. Het Wereld Natuur Fonds (WNF) heeft de helpende hand toegestoken met een grootschalig natuurbeschermingsprogramma. Voor de riolering vraagt Bonaire financiële steun van Nederland en de Europese Unie.

groeiende papegaaivissen, keizersvissen, hagedissen en krabben zien.

Klein Bonaire is onbewoond en grotendeels begroeid met struikgewas. Aan de noordzijde hebben zich stranden kunnen ontwikkelen, die tot de beste van Bonaire behoren. Ze worden gebruikt als rustpunt tijdens een duiktocht, om te snorkelen en voor barbecues.

ONDERWATERLANDSCHAP

Het rif rond Bonaire en Klein Bonaire verkeert, mede dankzij de beschermingsmaatregelen van de laatste twintig jaar, in goede conditie. De riffen van Bonaire zijn uitbundig en gevarieerd en worden algemeen beschouwd als de beste die het oostelijk deel van het Caribisch gebied te bieden heeft. Hetzelfde geldt voor de vissen. Naar verluidt komen er meer soorten tropische vis voor dan waar ook in de regio. Zelfs in de wereld neemt Bonaire in dit opzicht een toppositie in.

Bonaire is echter vooral een duikparadijs omdat zowel beginnende als avontuurlijke gevorderde duikers hier ruimschoots aan hun trekken komen. De duiklocaties zijn, met een paar uitzonderingen, mak

kelijk toegankelijk en geschikt voor alle categorieën duikers. Praktisch alle duiken zijn te maken vanaf de boot en vanaf het land. Vooral dat laatste maakt Bonaire uniek in de Caribische regio. Je kunt er met je buddy zelf op uit trekken en bijvoorbeeld met een jeep een dag naar de duikplekken in het Nationaal Park Washington-Slagbaai gaan, of de kust bij de zoutpannen verkennen. Alleen het duikgebied rond Klein Bonaire moet je met de boot doen.

In grote lijnen is het riflandschap identiek op willekeurig welke plaats langs de kust. Het bijzondere zit 'm in de begroeiing, de koraalvormen en de diverse soorten vis die iedere plek toch weer anders maken.

Het terras

Eerst komt er een zandterras, dat afloopt tot zo'n 10 m diepte. Aan de noordwestkust is het terras vrij smal (soms begint de drop-off een paar meter van de kust), aan de zuidkant van het eiland is het een plateau van soms wel 100 m breed. In deze zone groeien vooral gewei-, blad- en hersenkoraal. Je komt hier altijd wel een

's Nachts jaagt de octopus op het rif.

Bonaire Marine Park

Het besef dat Bonaire gezegend is met een bijzondere onderwaterwereld, drong al vrij vroeg door bij duikliefhebbers, natuurbeschermers en de overheid. Zo werd in 1961 het besluit genomen dat het verzamelen van schildpadeieren voortaan illegaal was. Niet veel later werd het gebruik van een harpoen verboden. In de jaren zeventig kwam er wetgeving die het afbreken van koraal, het verzamelen van schelpen en ander onderwaterleven aan banden legde.
In 1979 is het hele kustgebied rond Bonaire, inclusief Klein Bonaire, tot beschermd onderwaterpark verklaard. Er gelden strenge voorschriften waar duikers, snorkelaars en andere watersporters, maar ook vissers zich aan moeten houden. Zo mag er nergens binnen de grens van het park geankerd worden, is het gebruik van handschoenen verboden en mag je onder water niets aanraken. Bij aankomst in de duikshop moet iedere duiker die regels onderschrijven en een kleine parkbelasting betalen. Je krijgt een rond plastic labeltje dat je vervolgens tijdens de duikvakantie bij je moet houden (de beste plek is aan je automaat of trimvest). Het beheer van het onderwaterpark is in handen van de Stichting Nationale Parken Nederlandse Antillen (STINAPA). Deze stichting heeft als hoofddoel de bescherming van de flora en fauna op de Antillen. Op Bonaire heeft STINAPA ook nog het Nationaal Park Washington-Slagbaai en het Karpata Ecologisch Centrum in beheer. In het onderwaterpark verzorgt STINAPA de duiklocaties (boeien, bewegwijzering), houdt toezicht op de naleving van de regels, doet onderzoek naar bijzondere ecosystemen onder water en geeft informatie. Afhankelijk van de gezondheid van het koraal en het visleven

paar papegaaivissen tegen die knabbelen aan het koraal, of een koningsvis die nieuwsgierig poolshoogte komt nemen. Op het koraal vind je garnaaltjes, sergeant-majoors, koraalvlinders en juffertjes die hun territorium verdedigen. Onder de waterspiegel houden trompetvissen zich op. Af en toe komt er een school makrelen langs of duikt een barracuda op. Als je vlak over de zandbodem scheert, kom je ongetwijfeld wel een pauwbot tegen die verschrikt het zand afschudt en wegzwemt.
Verder van de kust stuit je op steeds grotere koraaleilanden, begroeid met sterkoraal, buis- en vaatsponzen, soms al wat zwart koraal, gorgonen, en anemonen.

De drempel

De koraaleilanden krijgen indrukwekkende vormen bij de rifdrempel, doorgaans te vinden op 10 à 12 m diepte. Zandvlaktes worden nu scherp gemarkeerd door hoge formaties sterkoraal, begroeid met felgekleurde sponzen en gorgonen in pasteltinten. Het koraalleven komt hier tot volle bloei. Baars en grootoogmakrelen kom je tegen in de ravijnen tussen de koraalbergen. In de holen en spleten houden murenen zich schuil. Op het koraal krioelt het van de kleinere vissen: geelstaartsnappers, koraalvlinders, lipvisjes, juffertjes en sergeant-majoors. Kom je nog dichterbij, dan is er het drukke leven van de grondels en de visjes op en in de sponzen.

op de duikplekken kan STINAPA besluiten om bepaalde plekken voor korte of langere tijd te sluiten. De duikshops zijn hiervan op de hoogte. De boetes die de patrouillerende rangers uitdelen bij overtreding van de regels, zijn fors.

Parkreglement
Steevast geldt bij het duiken en snorkelen op Bonaire de volgende hoofdregel: 'Neem uitsluitend foto's en laat slechts luchtbelletjes achter.'
De voornaamste parkregels zijn:
1. Ankeren is verboden, behalve bij het dok in Kralendijk en de jachthaven.
2. Gebruik de boeien bij de duiklocaties en per keer niet langer dan twee uur.
3. Haal niets uit het water, behalve afval; ook onder water geldt: *Tene Boneiru limpi* (Houd Bonaire schoon).
4. Raak het rif niet aan, laat vissen en andere dieren met rust.
5. Zorg dat je goed bent uitgetrimd, zodat je niet tegen het koraal aankomt.
6. Het gebruik van een harpoen is ten strengste verboden.
7. Het voeren van vissen is slechts toegestaan onder begeleiding van deskundigen.
8. Meld iedere overtreding aan het Bonaire Marine Park, tel. 84444.

ℹ Bonaire Marine Park, P.O. Box 368, Bonaire, N.A., tel. 78444, fax 77318, e-mail mairnepark@bmp.org, website www.bmp.org.

Bonaire heeft bij de drempel geen spectaculaire doorgangen, tunnels en grotten. Wel zijn er waaierkoralen en vooral veel mooie gorgonen te vinden. Op enkele plaatsen, zoals bij Boka Bartól, Karpata en aan de zuidkant van Klein Bonaire, is de rifdrempel gebroken en lopen zandbanen tot vrijwel aan de drop-off. Dit zijn de spannendste locaties.
Aan de zuidkant van het eiland heeft zich een dubbel rif gevormd met een zandige vlakte er tussenin. Alice in Wonderland en Angel City zijn hier fraaie voorbeelden van.

De drop-off
Achter de drempel loopt de drop-off naar zo'n 40 tot 60 m, op sommige plaatsen tot ruim 80 m diepte. Dit is de zone van het grote hersenkoraal, felgekleurde buissponzen, vaatsponzen, waaierkoraal en wuivende gorgonen. Op bepaalde plekken is aan de bovenkant van de drop-off aardig wat zwart koraal te vinden. Behalve scholen makrelen, snappers en grote baarzen kun je hier schildpadden, verpleegsterhaaien en dolfijnen tegenkomen.
Meestal ligt er een zandige vlakte onderaan de drop-off. Een aantal locaties kenmerkt zich echter juist door een terrasvormige afloop (Carl's Hill, Rappel).

Speciaal, avontuurlijk én duiken voor kinderen

De duikcentra op Bonaire bieden een uitgebreid pakket voor de duikliefhebber. Er zijn legio mogelijkheden en dus is er voor elk wat wils. Je kunt een volledig verzorgd arrangement nemen – met verblijf en duiken – of zelfstandig je gang gaan. Er zijn resort-achtige hotels met een duikcentrum, intieme duikpensions en je kunt een appartement of huis huren en bij de duikcentra alleen lood en flessen halen. In het servicekatern staat een uitgebreid overzicht van de duikcentra en de mogelijkheden.

De trend is: speciale duiken maken, met respect voor de natuur. Verder zetten steeds meer duikcentra in op de hele familie en adventure-activiteiten.

De specials nemen toe. Als je eens wat anders wilt, boek je een stromingduik, waarbij je onder water van de ene naar de andere duikplek zwemt terwijl de boot meevaart. Zo prijst Buddy's de *Mega Drift Dive* en de *One Way Boat Dive* aan, onder meer bij Cliff, La Machaca en Buddy's Reef. De Dive Inn organiseert *La Dania's Leap*, duiken zoals Capt. Don dat op deze plek introduceerde, met een sprong vanaf de rotsen. Een heel speciale duik voor de gevorderde duiker is verder de Cooper's Barge, een diepe duik (45 m) op dit vrij onbekende wrak bij de waterfabriek. Voor de romantisch ingestelde duikers is er de *Moonlight Serenade*, een nachtduik op het wrak van de *Hilma Hooker*.

Sand Dollar is enkele jaren geleden al begonnen met cursussen voor kinderen. De Sand Penny Club is er voor kinderen van 3 tot 6 jaar, Ocean's Classroom voor kinderen van 6 tot 15. Ze leren over de onderwaterwereld en leren goed te snorkelen. Voor ouderen is er Guided Snorkeling en Fish Watching, om de soorten vis en koraal beter te leren kennen.

Goede ideeën krijgen meteen navolging. Inmiddels hebben ook andere duikcentra programma's voor de kleinsten. Bubble Makers en Family Dip (allebei bij Buddy's) zijn programma's gericht op kinderen van respectievelijk 8 tot 11 en 12 jaar en ouder om ze bekend te maken met het scuba-duiken.

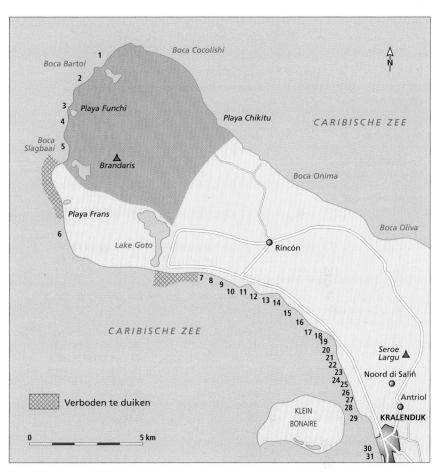

Noord-Bonaire met duikplaatsen 1 t/m 31

DUIKLOCATIES

Rond Bonaire zijn ruim tachtig officiële duiklocaties uitgezet, veel te veel om gedurende één reis te bezoeken. Sommige worden voor bepaalde tijd afgesloten om het koraal de kans te geven ongestoord te groeien, of omdat er te veel risico is voor aardverschuivingen onder water. De STI-NAPA geeft een handige uitklapkaart waarop alle duikplekken staan aangegeven. De informatie in deze gids is op die

Bonaire is het duikersparadijs

kaart gebaseerd, met extra informatie over de toegang en de moeilijkheidsgraad.

Duiklocaties Bonaire
1. Boka Bartól K, E
2. Playa Bengé B, K, E
3. Playa Funchi K, G, S
4. Bise Morto B, K, E
5. Boka Slagbaai B, K, G, S
6. Nukove K, AL, S
7. Karpata BK, AL, S
8. La Dania's Leap B, K, G, S
9. Rappel B, Al, S
10. Bloodlet K, B, AL, S
11. Ol' Blue BK, AL, S
12. Country Garden B, K, AL, S
13. Bon Bini na Cas BK, AL, S
14. 1000 Steps BK, AL, S
15. Weber's Joy/Witches Hut BK, AL, S
16. Jeff Davis Memorial BK, AL, S
17. Oil Slick Leap BK, AL, S
18. Barcadera BK, AL, S
19. Andrea I BK, AL, S
20. Andrea II BK, AL, S
21. Petries Pillar K, AL
22. Small Wall BK, AL, S
23. Cliff BK, AL, S
24. La Machaca (Habitat) BK, AL, W, N, S
25. Reef Scientifico BK, AL, N, S
26. Buddy's Reef (Buddy Dive) K, AL, N, S
27. Bari Reef (Sand Dollar) K, AL, N, S
28. Front Porch (Sunset Beach) K, B, W, N, S
29. Something Special: garden eels BK, AL, N
30. Town Pier BK, AL, N
31. Calabas Reef (Dive Bonaire) K, AL, N, S
32. Eighteen Palms BK, AL, N, S
33. Windsock Steep B, K, AL, N, S
34. North Belnem BK, AL, N, S
35. Bachelor's Beach BK, AL, N, S
36. Chez Hines BK, AL, N, S
37. Lighthouse Point BK, AL, N, S
38. Punt Vierkant BK, AL
39. The Lake BK, AL
40. Hilma Hooker BK, E, W
41. Angel City BK, AL
42. Alice in Wonderland BK, AL
43. Aquarius BK, AL
44. Larry's Lair BK, AL, S
45. Jeannie's Glory BK, AL
46. Salt Pier BK, AL, S
47. Salt City BK, AL, S
48. Invisibles BK, AL, S
49. Tori's Reef BK, AL, S
50. Pink Beach BK, AL, S
51. White Slave BK, AL, S
52. Margate Bay BK, AL, S
53. Red Beryl K, G, S
54. Atlantis K, G, S
55. Vista Blue K, G, S
56. Sweet Dreams K, E
57. Red Slave K, E
58. Willemstoren Lighthouse K, E
59. Blue Hole B, K, E
60. Cai K, E

Klein Bonaire
61. No Name B, AL, S
62. Ebo's Reef B, G, S
63. Jerry's Reef B, AL
64. Just a Nice Dive B, AL
65. Nearest Point B, AL
66. Keepsake - tijdelijk afgesloten
67. Bonaventure B, AL, S
68. Monte's Divi B, AL, S
69. Rock Pile B, AL, S
70. Joanne's Sunchi B, AL, S
71. Capt. Don's Reef B, AL, S
72. South Bay B, AL
73. Hands Off B, AL
74. Forest B, G
75. Southwest Corner B, G
76. Munk's Haven B, G
77. Twixt - tijdelijk afgesloten
78. Valerie's Hill B, AL, S
79. Sharon's Serenity B, AL, S
80. Mi Dushi B, AL, S
81. Carl's Hill B, AL, S
82. Carl's Hill Annex B, AL, S
83. Ebo's Special B, AL, S
84. Leonora's Reef B, AL, S
85. Knife - tijdelijk afgesloten
86. Sampler B, AL, S

Toegang

B = bootduik;   K = kantduik;
BK = boot- of   S = ook geschikt
     kantduik;   voor snorkelen

Moeilijkheidsgraad

B = beginners,   G = gevorderden;
E = ervaren;   AL = voor alle duik-
                       niveaus

Bijzonderheden

W = wrak;   N = nachtduik

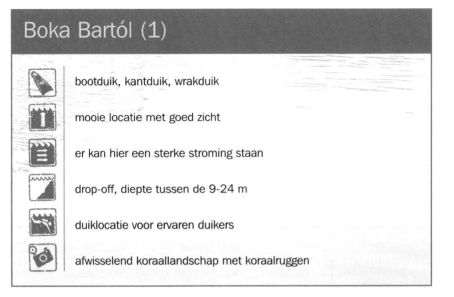

Boka Bartól (1)

bootduik, kantduik, wrakduik

mooie locatie met goed zicht

er kan hier een sterke stroming staan

drop-off, diepte tussen de 9-24 m

duiklocatie voor ervaren duikers

afwisselend koraallandschap met koraalruggen

Boka Bartól ligt in het Nationaal Park Washington-Slagbaai. Om er te komen, moet je de lange route in het park nemen, langs het bizarre kalksteenlandschap aan de oostkust. Je komt onder de Seru Bentana en de vuurtoren op het noordelijkste puntje van het eiland door, en vervolgt de weg naar de westkust. Houd de weg naar Saliña Bartol aan. Dit meertje, met doorgaans veel vogels, staat in verbinding met de zee en loopt alleen vol water als er hoge golfslag is.
Rechtsaf gaat de weg naar Boka Bartól. De beste kant om het water in te gaan, is aan de zuidkant, bij het strandje. Vrijwel direct zit je tussen het koraal. Brede koraalruggen staan hier loodrecht op de kust, met ertussen zandbodem. Geleidelijk loopt die bodem af naar zo'n 24 m. In deze zone is al veel te zien: plaat- en bergkoraal, allerlei soorten sponzen en de wat grotere vissen, zoals baarzen, barracuda's, tarpons en roggen. De holen onder in de koraalformaties vormen een ideale schuilplaats voor langoesten en murenen.

De drop-off ligt op ongeveer 17 m en wordt vooral gekarakteriseerd door brede zandbanen die in de diepte verdwijnen. Er is hier minder aaneengesloten koraal. Wel is het leuk om het leven op de zandbodem eens aan een nader onderzoek te onderwerpen. Een tweede drop-off ligt op 50 m diepte.
Om meteen een diepere duik te maken, kun je aan de noordkant van de baai het water betreden, of van de boot bij de boei die hier ligt. Let op! Doe dit alleen als er niet te veel stroming staat, want de weg terug is lang. Vanaf het land zwem je eerst boven water tussen het elands- en hertshoornkoraal door totdat je de bodem niet meer ziet. Daal dan af en zwem loodrecht op de kust verder tot aan het eerste koraaleiland op 38 m diepte. De korte tijd dat je op deze diepte kunt blijven (maximaal 12 min.), kijk je je ogen uit. Er zit volop vis, van eenzame tand- en tijgerbaarzen tot scholen makrelen en snappers. Barracuda's en verpleegsterhaaien laten zich hier regelmatig zien. Op de terugweg kun je het koraallandschap op 15 m diepte verder verkennen.

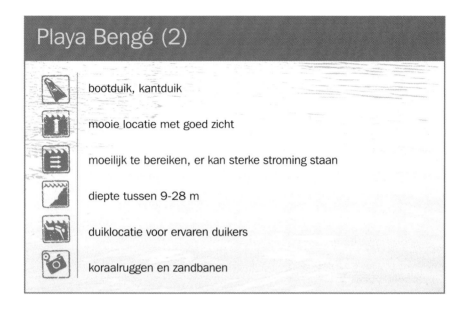

Playa Bengé (2)

bootduik, kantduik

mooie locatie met goed zicht

moeilijk te bereiken, er kan sterke stroming staan

diepte tussen 9-28 m

duiklocatie voor ervaren duikers

koraalruggen en zandbanen

Een andere mooie locatie aan de kust bij het Nationaal Park Washington-Slagbaai is Playa Bengé, te bereiken via een droog meer. De ingang is niet gemakkelijk. Informeer bij de ingang van het park of de locatie open is. In de regentijd is de bodem zacht en modderig. Zelfs met een jeep kun je gemakkelijk vast komen te zitten. Ook als er te veel stroming staat, kun je beter doorrijden naar Boka Bartól of Boka Slagbaai, waar de entree makkelijker is.

Het koraallandschap is vrij identiek aan dat bij Boka Bartól, met uitzondering van de drop-off. Er is hier wel een forse koraaldrempel en een behoorlijke drop-off, begroeid met gorgonen en sponzen. Maar zo ver kom je vaak niet, want de koraalruggen en zandbanen bieden al genoeg vertier. Het handigste is om na de entree langs de koraalrug aan je rechterhand te zwemmen en aan het eind rechtsaf te buigen. Hier liggen achtereenvolgens zes volgende koraalruggen. Tussen de derde en de vierde zijn diverse doorgangen. Op de koraalformaties, de buis- en bekersponzen zit veel kleine en middelgrote rifvis. De zandbanen worden afgestruind door tand- en tijgerbaarzen, grommers, geelstaartsnappers en af en toe een verpleegsterhaai.

Bij de boei waar de boot aanlegt, kom je op de zandvlakte, die voorbij de ruggen en valleien licht afloopt naar de drop-off. Je zwemt verder langs de bodem en komt bij de rifrand 38 m. De drop-off is begroeid met allerlei soorten sponzen, gorgonen en fijn draadkoraal. Het kleurenspel is fenomenaal. Na 10 minuten ga je geleidelijk terug via de noordkant van de baai naar het gebied van elands- en hertshoornkoraal.

Playa Funchi (3)

kantduik

het zicht bedraagt gemiddeld 30 m

matige tot sterke stroming

diepte tussen de 7-12 m

duiklocatie voor gevorderde duikers, goede snorkelplaats bij het strand

een groot plateau met takkoraal, besloten ligging met fraai koraal, aardig wat vis in besloten plaatkoraalruggen en zandbanen

Duikster met oranje-rode kussenzeester

De duikplek bij Playa Funchi is geschikt voor zowel duikers als snorkelaars. In het ondiepe water staat vooral veel takkoraal, zoals elands- en hertshoorn. Dichter bij de drop-off vind je massiever bergkoraal, gorgonen en sponzen. Aan de noordkant van de baai groeit veel zwart koraal. Dicht bij de rotsen verandert het onderwaterlandschap in met ruig koraal begroeide rotsbrokken. In dit gebied kom je vooral veel engelvissen, papegaaivissen, koraalvlinders, papegaaivissen, grommers en sergeant-majoors tegen.

Bise Morto (4)

bootduik, kantduik

het zicht bedraagt gemiddeld 30 m

matige tot sterke stroming

diepte tussen de 3-33 m

duiklocatie voor alle niveaus, goede snorkelplaats

een mooie ondiepe tuin met veel koraal en daarachter een diepe helling

De naam Bise Morto betekent 'Dood hert', een verwijzing naar het talrijke elandsgewei- en hertshoornkoraal in het ondiepe water. Het is een van de twee duiklocaties voor de kust bij het Nationaal Park Washington-Slagbaai. Het rif heeft een lange en diepe helling die eindigt in een zandbodem op 33 m diepte waar nog verspreide koraaleilandjes te vinden zijn. Het diepste deel van de helling is bedekt met het typische plaatkoraal en hier en daar tref je bossen met zwart koraal aan. Het bovenste deel van de helling is het rijk van de zachte koralen en bergkoralen. Hier kun je enkele grote tijgertandbaarzen tegenkomen. Het ondiepe terras is echter het beste deel van de duik: het is bedekt met allerlei harde koraalsoorten. Hier zie je grote scholen vis. Dit is ook het mooie snorkelgedeelte.

Hans Hass en Captain Don – avonturiers en grondleggers

Twee namen zijn onverbrekelijk verbonden met de onderwatersport op Bonaire, die van Hans Hass en Captain Donald Stewart.
De Oostenrijker Hans Hass is met recht een duikpionier te noemen. Al in de jaren dertig van de 20ste eeuw bestudeerde hij in de Middellandse Zee het leven onder water, uitgerust met een duikbril, harpoen én een zelfgemaakte onderwaterfoto- en -filmcamera. De zucht naar avontuur en de spectaculaire verhalen over de wateren in het Caribisch gebied lagen ten grondslag aan zijn reis naar Curaçao in 1939. Hij was inmiddels als onderzoeker verbonden aan de Universiteit van Wenen en wilde met twee collega's het leven in tropische wateren in kaart brengen. Hass bleef slechts enkele dagen op Curaçao, want de vissers daar vertelden het

Oostenrijkse gezelschap dat Bonaire nog mooier was. En zo gebeurde het dat in de zomer van 1939 de eerste duiken voor de kust van Bonaire werden gemaakt. Hans Hass was verrukt over de kleuren en de rijkdom van het leven onder water. Hij dook bij Punt Vierkant en verbleef zes weken op Klein Bonaire. Vooral daar voelde hij zich als Robinson Crusoe in het aard-

Een heel jonge Hans Hass met ow-camera.

se paradijs. Het was de tijd van het speervissen; er was niets mooier dan jagen op de joekels van vissen op het rif. Toch had Hans Hass ook oog voor de schoonheid van de flora en fauna. Hij experimenteerde met onderwaterfotografie en -film en bracht als eerste de onderwaterwereld van Bonaire in beeld. Door de oorlog was Hass gedwongen terug te keren naar Europa. Daar publiceerde hij in 1941 zijn eerste boek *Unter Korallen und Haien*, waarin ruim aandacht voor z'n belevenissen op Bonaire. In 1956 kwam de Nederlandse vertaling, *Tussen haaien en koralen*.

Met zijn eigen driemaster *Xarifa* keerde Hans Hass in november 1953 terug naar Bonaire om verder onderzoek te doen. Hij dook toen onder meer bij Slagbaai en weer bij Punt Vierkant en op Klein Bonaire.

Kalli de Meyer, manager van het Bonaire Marine Park, heeft enkele aardige hoofdstukken uit *Tussen haaien en koralen* geselecteerd in de publicatie *Hans Hass and his Journeys to Bonaire* (1999). Er staat ook een hoofdstuk in over het Bonaire Marine Park (zie p. xxx).

Captain Don is een begrip op Bonaire omdat hij aan de basis van het sportduiken op het eiland heeft gestaan. Op 21 mei 1961 meerde hij z'n schip af in het haventje van Kralendijk en twee uur later maakte Donald Stewart hier zijn eerste duik. *'Ik zag het rif en hoorde hoe het mijn naam riep,'* schrijft hij in *The Adventures of Captain Don* (1996). De verhalen over hoe hij het duiktoerisme opbouwde, zijn een genot om te lezen, niet het minst vanwege de humoristische ondertoon en de nodige zelfspot. Captain Don begon een duikcentrum in de Flamingo Beach Club, een complex met voornamelijk houten barakken, dat tijdens de oorlog dienst deed als gevangenkamp. Het duiktoerisme op Bonaire ging van start met zes flessen. De lucht moest uit Curaçao komen. Met een oude vrachtwagen werden duikers naar de duiklocaties gereden. Don zette de een na de andere duikplek op de kaart en wierp zich steeds meer op als beschermer van de natuurschatten op het eiland. In het genoemde boekje verhaalt Don van zijn confrontatie met de directie van de olieterminal, toen die bekend maakte vlak bij het Gotomeer olie te willen gaan opslaan.

Hans Hass and his Journeys to Bonaire en *The Adventures of Captain Don* zijn te koop in de boekwinkels en bij de meeste duikshops op Bonaire.

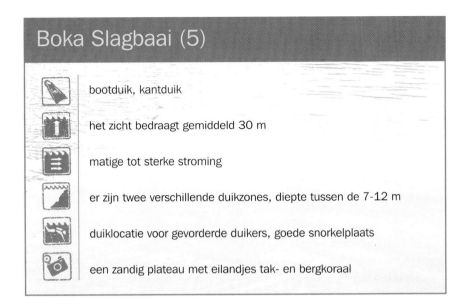

Boka Slagbaai (5)

bootduik, kantduik

het zicht bedraagt gemiddeld 30 m

matige tot sterke stroming

er zijn twee verschillende duikzones, diepte tussen de 7-12 m

duiklocatie voor gevorderde duikers, goede snorkelplaats

een zandig plateau met eilandjes tak- en bergkoraal

Duik 1

Bij Boka Slagbaai is het makkelijk om het water in en uit te gaan. Aan de zuidkant liggen de mooiste koraalformaties, merendeels eilanden, gevormd door afgebroken stukken rots waarop zich vlees-, elandshoorn- en vuurkoraal, gorgonen en sponzen hebben ontwikkeld. Scholen makrelen, snappers, doktersvissen hangen tussen de hoge wanden, juffertjes, koraalvlinders en baarzen zijn individueel op stap. Ook roofvissen komen er regelmatig een kijkje nemen. Op één duik kwam de auteur hier drie barracuda's en vier tarpons tegen.

Duik 2

Een bijzondere duik kun je aan de noordkant van de baai maken. De kustlijn maakt een flauwe bocht. Zwem daar al snorkelend zo veel mogelijk naar toe tot boven de drop-off. Laat je een vijftal meter zakken – niet dieper, want dit is een lange duik – en zwem gedurende een kwartier parallel aan de kust naar het noorden. Je ziet dan het plateau onder je als het ware openscheuren. Er liggen hier vrijwel parallel aan elkaar en loodrecht op de kust een vijftal in-

kepingen van 65 à 70 m diep. De bovenkant van de wanden vormt een schitterend schouwspel van zwam- en bergkoraal, afgewisseld met de fijnmazige gorgonen en felgekleurde sponzen. In de nissen en holen zitten murenen, langoesten, krabben en garnaaltjes. Lipvissen, trekkervissen, vijlvissen, barracuda's, baarzen en zo nu en dan een rif- of verpleegsterhaai zwemmen rond.

Houd de tijd goed in de gaten. Blijf hier maximaal een kwartier en niet dieper dan op zo'n 12 à 15 m; de weg terug is weer zo'n 20 min.

De duikplekken in Washington-Slagbaai

De diverse locaties in Nationaal Park Washington-Slagbaai zijn goed te combineren op één dag. Neem voldoende eten en drinken mee, want met uitzondering van een restaurantje bij Slagbaai is er nergens voedsel te krijgen. Bij de entree van het park krijg je een kaart met route en de genoemde locaties aangegeven. Let erop dat je een betrouwbare auto meeneemt, liefst met vierwielaandrijving. Een aardig intermezzo tussen de duiken door is een bezoek aan de vogelplaatsen Pos Mangel en Bronswinkel.

Je kunt je tocht ook zo plannen dat je de lunch gebruikt bij Slagbaai. Je kunt daar lekker zwemmen en zonnen.

Overige duikplekken

Nukove (6)

kantduik

het zicht bedraagt gemiddeld 30 m

matige tot sterke stroming

deze locatie ligt aan een strandje achter de BOPEC-olieopslag, diepte tussen de 5-22 m

duiklocatie voor alle niveaus, goede snorkelplaats

woud van pilaar-, tak- en bergkoraal

De plek is wat moeilijk te vinden. Je moet achter de BOPEC doorrijden richting Playa Frans. Dit strandje is werkelijk een oase van rust. Er ligt een pier en er is een nauwe doorgang tussen het elandshoornkoraal. Kijk uit voor zee-egels! Na een tiental meters breekt de zone met elandshoornkoraal open en heb je verspreid liggende eilandjes van koraal, ook weer overwegend takkoraal. Naarmate je verder naar de drop-off zwemt (100 m uit de kust), groeit er meer berg-, plaat- en bladkoraal. Je komt geelstaartsnappers, tijgerbaarzen, vijlvissen, lipvissen, zwarte trekkervissen en natuurlijk papegaaivissen tegen. Bij de drop-off hangt nog wel eens een barracuda. De zuidelijke zone van de drop-off is het mooist, met gorgonen, zwart koraal en kleurrijke buissponzen.

De windjammer van Bonaire

Bij Karpata, vlak voor de pier van BOPEC, ligt op grote diepte het wrak van een windjammer, een driemaster die in 1910 tijdens zwaar weer verging. Een duik op dit beroemde wrak heeft echter zijn beperkingen, want de toegang ligt op het terrein van de Bonairiaanse Petroleum Company (BOPEC) en aangezien daar regelmatig tankers aanleggen of afvaren, is het verboden duikwater. De tweede beperking is de diepte waarop het wrak ligt. Hoewel twee masten kruislings op ca. 8 m liggen, is het wrak van de helling afgezakt, zodat het diepste punt, het kraaiennest van de derde mast, op maar liefst 62 m diepte ligt. Maar zo diep hoef je niet te gaan, want het wrak zelf ligt op 'slechts' 46 m diepte. Een goede duikplanning is dus noodzakelijk voordat je dit wrak bezoekt. Richting eerste steiger moet je eerst een flink stuk naar het westen snorkelen – de twee masten liggen kruislings. De een ligt evenwijdig aan de kust, de ander wijst in de richting van het wrak. De helling van het rif is vrij steil, dus de afdaling is slechts een kwestie van naar beneden zwemmen.

De *Maria Bahn* (Gaelisch voor Bonny Mary) was een Engels schip, het snelste van zijn tijd, gebouwd als een ijzeren driemastschoener in 1874 bij Barclay, Curle en Company in Glasgow, Schotland. Het was een schoener getuigd met een lengte van 239 voet, 37 voet breed en een gewicht van 1378 ton. De eigenaar was de rederij Fratelli Denegri en G.B. Mortol. Het voer langs de Venezolaanse kust op weg van Trinidad & Tobago naar Marseille met een lading asfalt.

Gedreven door een sterke storm werd het zeilschip veel te hoog naar het noorden gedrukt en ging het uiteindelijk overstag richting Nederlandse Antillen. Kapitein Luigi Razeto kruiste langs Bonaire weer naar het zuiden. Dit wordt de groot-

Karpata (7)

bootduik, kantduik

het zicht bedraagt gemiddeld 30 m

lichte tot matige stroming

diepe duik met een plateau en drop-off, diepte tussen de 10-25 m

duiklocatie voor alle niveaus, goede snorkelplaats

ankers in het rif en een grote variatie aan koraal

Het snelste schip van zijn tijd: als schip op de wilde vaart voer de *Maria Bahn* niet op vaste routes. Afhankelijk van het ladingaanbod wisselde zij van haven.

ste fout uit zijn loopbaan. Terwijl hij door wind en hoge golven steeds dichter naar de kust wordt gevoerd, loopt de driemastschoener ten slotte op het franjerif, waar zich thans de BOPEC bevindt. De stevige ijzeren romp heeft niet veel van de klap te lijden, maar door de schok barsten verschillende vaten teer open en de inhoud vat door een kerosinelamp vlam. Tegelijkertijd wordt de stuurboordzijde door de wind steeds verder naar de lijzijde gedrukt, tot het water over het dek stroomt en de laadruimen vult. De 32 bemanningsleden moeten het schip opgeven. Vier van hen verdrinken onderweg naar de op slechts enkele meters verwijderde oever. De overigen kijken daarvandaan toe hoe hun windjammer aan de voet van het rif, de kiel naar het eiland en de masten naar open zee gericht, op 7 december 1912 naar de zeebodem zinkt. Daar ligt hij op de rand van een helling en langzaam glijdt het schip naar de diepte en komt op zijn stuurboordzijde onder aan de helling terecht. De door de brand vloeibaar geworden teer stroomt uit het schip over de zeebodem, waardoor je vandaag de dag het idee krijgt alsof je op een asfaltweg duikt.

Deze duiklocatie ligt onder het landhuis Karpata, vroeger een plantagegebouw, nu het hoofdkwartier van STINAPA. Ook hier moet je weer eerst door een woud van elandshoornkoraal, maar al vrij snel komt er meer variatie in de koraalbegroeiing. Er is berg-, plaat-, tak- en hersenkoraal, er groeien gorgonen, ook al hebben recente stormen hier nogal wat schade aangericht. Op zo'n 30 m uit de kust en op 12 m diepte ligt het eerste anker, een herinnering aan de tijd dat handelsboten aanlegden bij het landhuis. Er liggen meerdere ankers verstopt in het koraal. Bij de drop-off (50 m uit de kust) zijn fraaie formaties bergkoraal en gorgonen te zien. Op een paar plekken is de rifdrempel opengescheurd. In de spleten kun je langoesten, schuchtere baarzen en murenen tegenkomen. In dit gebied duiken vaak schildpadden op. Verder zwemmen er veel geelstaartsnappers, makrelen, trekkervissen, sergeantmajoors, keizersvissen.

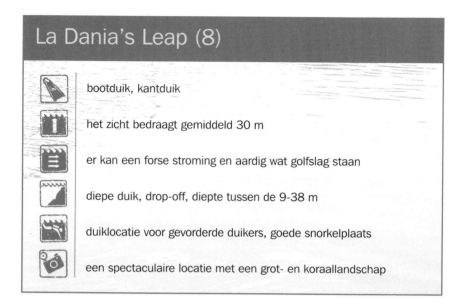

La Dania's Leap (8)

bootduik, kantduik

het zicht bedraagt gemiddeld 30 m

er kan een forse stroming en aardig wat golfslag staan

diepe duik, drop-off, diepte tussen de 9-38 m

duiklocatie voor gevorderde duikers, goede snorkelplaats

een spectaculaire locatie met een grot- en koraallandschap

La Dania's Leap ligt voor de kust in de richting van het Gotomeer, even voor het landgoed Karpata. Een spectaculaire locatie wat betreft grot- en koraallandschap. De kust is rotsachtig, waardoor deze plek moeizaam te bereiken is vanaf de kant. De boei ligt niet zo ver weg, maar je moet klimmen en vanwege de rots is er aardig wat stroming. Je kunt de auto het best parkeren bij het landhuis Karpata, want daar kom je het water uit.
Doe je uitrusting aan de rand van de rotsen aan en kijk uit waar je het water in stapt. Er ligt hier vlak onder de waterspiegel meteen een aantal koraaleilandjes. Het beste is om gelijk te gaan zwemmen. De eerste vlakke zone is niet zo interessant. Door de golfslag en stormen is veel koraal vernield. Op 9 m diepte begint de bodem snel af te lopen en krijgt het koraal kleur en grillige vormen. Berg-,

ster- en bladkoraal staan in eilandjes bij elkaar. Af en toe rijzen ze als bizarre formaties op, als bakens voor de rifvissen. Op deze plek tref je knagende papegaaivissen, zoekende keizersvissen, altijd wel geelstaartsnappers en soms ook een barracuda aan. Als je geluk hebt kom je een reuzenschildpad tegen.
Bij de boei, op zo'n 24 m diepte, is de drop-off. De drop-off heeft inkepingen en holen. De begroeiing bestaat uit sponzen, gorgonen en aardig wat zwart koraal. Ook de slierten draadkoraal geven altijd een mooi effect. Je kunt nu het beste in westelijke richting zwemmen, naar de duikstek Karpata. Langzaam ga je omhoog tot 11 m hoogte, totdat je bij een ijzeren frame komt. Dit is er ooit neergelegd ten behoeve van een onderzoek. Zwem nu in de richting van de kust en de pier.

Rappel (9)

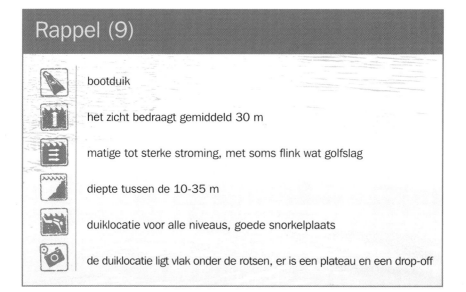

bootduik

het zicht bedraagt gemiddeld 30 m

matige tot sterke stroming, met soms flink wat golfslag

diepte tussen de 10-35 m

duiklocatie voor alle niveaus, goede snorkelplaats

de duiklocatie ligt vlak onder de rotsen, er is een plateau en een drop-off

Rappel wordt niet zo vaak bezocht en is uitsluitend per boot te bereiken. De boei ligt vlak onder de rotsen. Hier loopt de rotswand onder water bijna 10 m door. Onder een kleine uitstekend plateau is een grillig landschap van kliffen, scheuren en holen gevormd met het bijbehorende visleven. Veel fijn koraal en sponzen. Vanwege de vele schuilplaatsen kom je hier altijd wel een paar murenen tegen. Tussen het koraal staan fraaie roze anemonen en ontdek je hoe levendig en kleurrijk het visleven is.

Beginnersgeluk

We waren onlangs op Bonaire, natuurlijk om te gaan duiken. Tussen de duiken door zitten we bij Dive-Inn gezellig te keuvelen aan tafel als een van de andere duikers, Patrick Mak uit Wormer, samen met zijn duikmaat aanschuift. *'Wow!'* kwam er nog net uit hun kelen en met een glazige blik staarden ze voor zich uit. Wij natuurlijk nieuwsgierig en vroegen wat er zo 'wow' was geweest. *'Een manta bij Ol' Blue,'* was het antwoord. Nu kennen we dergelijke verhalen en wordt bijna elke rog voor een manta aangezien.
'Weet je dat nu zeker, was het geen adelaarsrog?' vroeg ik.
'Nee, zeker weten, een manta! Ik heb hem ook nog gefotografeerd.'

Beginnersgeluk: een manta bij Ol'Blue'

Een paar dagen later kom ik zijn duikmaat tegen bij de Harbourpassage (het eiland is niet zo groot). *'Heb je die dia's van Patrick al gezien?'* vraagt hij. *'Een pracht van een manta!'*
Terug bij Dive-Inn zien we de volgende dag vol verlangen uit naar de bewuste dia's. En inderdaad: een manta! Patrick verontschuldigde zich, want het was de eerste keer dat hij onder water fotografeerde, maar een beetje geluk mag een beginner ook best hebben. *(JN)*

Bloodlet (10)

bootduik, kantduik

het zicht bedraagt gemiddeld 30 m

er kan hier een forse stroming en aardig wat golfslag staan

diepte tussen 9-38 m

duiklocatie voor alle niveaus, goede snorkelplaats

plateau en drop-off

Bloodlet is een schitterende duiklocatie omdat er zo weinig wordt gedoken. Eerst zwem je over een terras met aardig wat gorgonen. Na zo'n 10 m loopt het terras af en neemt de koraalbegroeiing toe. Er volgt een tweede rifdrempel met breuken, onderbroken door zandvalleien. Je ziet hier vooral veel berg-, plaat- en fijn takkoraal, gorgonen, beker- en buissponzen.

Duiklocaties in de omgeving
Ol' Blue (11) ligt meteen aan de kustweg en is wat makkelijker bereikbaar dan Bloodlet. Vooral bij Ol' Blue zijn de paarse sponsformaties het visitekaartje. Ook hier duiken regelmatig schildpadden op. Verder kom je er veel makrelen, trekker-vissen, snappers en baarzen tegen. Let op het kleine leven op de gorgonen en het bergkoraal. Deze plek is bijzonder geschikt voor zowel groothoek- (sponzen) als macro-opnames.

Beide locaties lijken wat op elkaar. Ol' Blue, meteen aan de kustweg, is wat makkelijker bereikbaar. Maar Bloodlet is schitterend omdat er zo weinig wordt gedoken. Eerst zwem je over een terras met aardig wat gorgonen. Na zo'n 10 m loopt het terras af en neemt de koraalbegroeiing toe. Er volgt een tweede rifdrempel met breuken, onderbroken door zandvalleien. Je ziet hier vooral veel berg-, plaat- en fijn takkoraal, gorgonen, beker- en buissponzen.

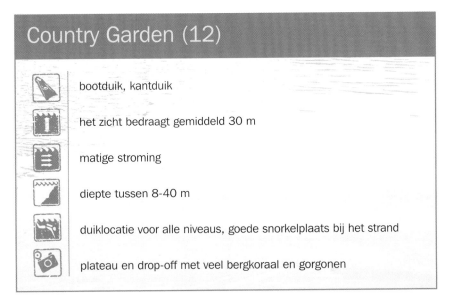

Country Garden (12)

bootduik, kantduik

het zicht bedraagt gemiddeld 30 m

matige stroming

diepte tussen 8-40 m

duiklocatie voor alle niveaus, goede snorkelplaats bij het strand

plateau en drop-off met veel bergkoraal en gorgonen

Langs de kustweg naar het Gotomeer voorbij de zendmasten van Radio Nederland Wereldomroep liggen drie locaties. 'Country Garden' is een bootduik. Het landschap wordt gekarakteriseerd door forse formaties bergkoraal, De drop-off-zone is grillig en kleurrijk, behalve bergkoraal zie je plaat-, tak- en hersenkoraal, felgekleurde buissponzen, pastelgetinte beker- en vaassponzen, zeeveren en zweepkoraal. Op zo'n 45 m is er een breed zandplateau, waar wel eens een verpleegsterhaai opduikt. Dit gebied puilt uit van de vissen: in alle maten en soorten. Ze zijn gemakkelijk te fotograferen.

Duiklocaties in de omgeving

Een andere bootduik is **Bon Bini na Cas (13)**. De karakteristieken van deze duik zijn bijna gelijk aan de vorige duiklocatie die naadloos in elkaar over gaan.

1000 Steps (14), genoemd naar een lange stenen trap die naar het water voert, is het bekendst en makkelijkst toegankelijk. Bij 1000 Steps begint het rif meteen al onder de boei. Let hier op de paarse buissponzen en de poetsgarnalen tegen het rif aan.

Weber's Joy/Witches Hut (15)

bootduik

het zicht bedraagt gemiddeld 30 m

meestal kalm water

diepte tussen de 8-40 m

duiklocatie voor alle niveaus, goede snorkelplaats

smal plateau en drop-off met fraaie gorgonen en sponzen

De locaties **Webers Joy/Witches Hut (15)**, **Jeff Davis Memorial (16)** en **Oil Slick Leap (17)** zijn moeilijk vanaf de kust te bereiken. Er is een relatief smal, zandig terras, met wat elands- en hertshoornkoraal. De rotsen lopen vrij steil naar beneden. Vanaf de drop-off loopt de bodem geleidelijk af naar 40 m diepte. Haaks op de kust staan koraalruggen en valleien, fraai begroeid met berg-, zwam-, plaat- en takkoraal, grote gorgonen en sponzen. In de spleten van de rotsformaties zitten murenen, langoesten en garnalen. Je ziet hier met name baarzen, engelvissen, vijlvissen en trekkervissen.

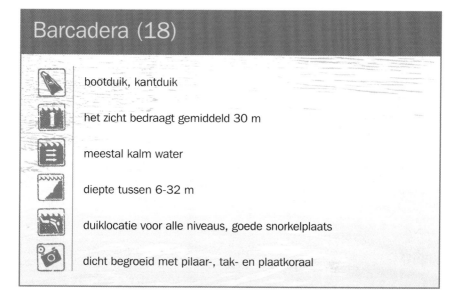

Barcadera (18)

bootduik, kantduik

het zicht bedraagt gemiddeld 30 m

meestal kalm water

diepte tussen 6-32 m

duiklocatie voor alle niveaus, goede snorkelplaats

dicht begroeid met pilaar-, tak- en plaatkoraal

Dicht onder de kust ligt een viertal duiklocaties waar je wat uitvoeriger aandacht kunt besteden aan het koraal. Eerst is er een ondiepe zone met elandshoorn-, hertshoorn- en vuurkoraal, maar na een tiental meters loopt deze geleidelijk af en komen er andere soorten koraal. Je kunt doorzwemmen naar de drop-off met berg-, zwam- en takkoraal.

Barcadera, dat beter met de boot te bereiken is, heeft opvallend veel plaatkoraal in ondiep water. De platen kunnen een paar meter breed worden en liggen als pannenkoeken over elkaar.

Duiklocaties in de omgeving

Andrea I en II (**19** en **20**) zijn vergelijkbare locaties, al loont het hier de moeite de drop-off te verkennen. De gorgonen en het takkoraal zijn hier fraai, ook al hebben recente stormen forse schade aangericht.

Petries Pillar (**21**) ontleent z'n naam aan de bossen pilaarkoraal die je hier aantreft. Al direct bij de boei is het raak. Hoger op het terras vind je het gebruikelijke elands-, hertshoorn- en het scherpe vuurkoraal. Met name Petries Pillar is een aardige duik voor snorkelaars. Vanaf het stenige strandje, en laverend door de koraaltakken, kom je als het ware in een aquarium met papegaaivissen, sergeantmajoors, vijlvissen en koraalvlinders, om maar wat te noemen.

Small Wall (22)

bootduik, kantduik

het zicht bedraagt gemiddeld 30 m

meestal kalm water

diepte tussen de 10-30 m

duiklocatie voor alle niveaus, goede snorkelplaats

fraaie drop-off met sponzen, gorgonen en grotere vissen

Duiken leren tijdens de vakantie

zonder schouwspel. Let op het leven in de kleine scheuren en nissen. Dit is een plek waar langoesten en garnalen zich verstoppen. Onder aan de drop-off zit meer zwart en plaatkoraal. Dan volgt er een zandvlakte die geleidelijk afloopt naar grotere diepte.

Aan de noordkant van de hotelzone liggen twee goede locaties voor een drop-off-duik. Meestal worden ze als bootduik gedaan, maar je kunt er ook vanaf het land komen.

Small Wall ligt achter de dubbele villa's voorbij de zoetwaterfabriek. De boei ligt in 5 m diep water. Eerst zijn er gorgonen en wat hoger takkoraal. De drop-off gaat niet zo diep (24 m), maar de sponzen en het draadkoraal maken het tot een bij-

Duiklocaties in de omgeving

Een vergelijkbaar landschap heeft **Cliff** (**23**). Deze locatie ligt voor de kust bij Captain Don's Habitat. Via het strandje kun je gemakkelijk in en uit. De drop-off gaat iets dieper (tot 42 m). Ook hier oranje gekleurde sponzen, draad- en zwart koraal. Bij beide locaties zie je behalve barracuda's en grote tandbaarzen regelmatig een school tarpons zwemmen.

La Machaca (24)

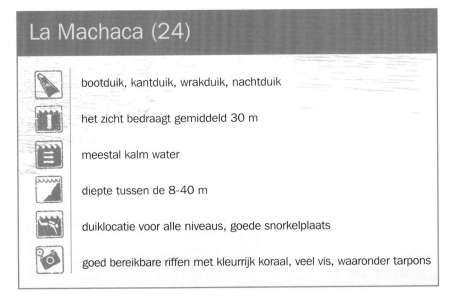

bootduik, kantduik, wrakduik, nachtduik

het zicht bedraagt gemiddeld 30 m

meestal kalm water

diepte tussen de 8-40 m

duiklocatie voor alle niveaus, goede snorkelplaats

goed bereikbare riffen met kleurrijk koraal, veel vis, waaronder tarpons

Deze locaties liggen op snorkelafstand van de duikhotels aan de noordkant van Kralendijk. Ze worden intensief gebruikt voor de duikcursussen, vooral omdat er een grote variëteit aan koraalbegroeiing en vissen is te zien. Geen betere plek dus om met de ontdekking van Bonaires onderwaterwereld te beginnen. De goede bereikbaarheid maakt deze plekken geschikt voor een nachtduik. Pas wel altijd op voor boten!

La Machaca ligt recht voor Captain Don's Habitat. Vanaf de pier loopt er een lijn naar de drop-off. Onderweg kom je op 11 m diepte het wrak van de kleine vissersboot *La Machaca* tegen dat Donald Stewart (Captain Don) heeft geborgen van 36 m diepte en voor Captain Don's Habitat opnieuw heeft laten zinken. Het wrakje ligt op z'n kop op de zandbodem. Het is het decor geweest voor de populaire Nederlandse televisieserie *Duel in de diepte* uit 1979 (hierin heette het de *Cucaracha*). Geleidelijk loopt de bodem vervolgens af van 10 m naar 35 m diepte. Er staan hier gorgonen en sponzen op het bergkoraal, en wat dieper het plaatkoraal.

Tandbaarzen laten zich 'flossen' door poetsvisjes, in het zand vind je pauwbotten en buisaaltjes. Scholen grommers en snappers zijn op patrouille.

Duiklocaties in de omgeving

Ten zuiden van La Machaca ligt **Reef Scientifico (25)**. Hier heeft men op 12 m diepte een roostersysteem aangebracht om de algengroei op het rif te volgen. Omdat hier veel minder duikers komen, zijn de vissen veel minder tam.

Buddy's Reef (26) en **Bary Reef (27)**, bij respectievelijk Buddy Beach & Dive Resort en bij Sand Dollar, hebben fors wat schade opgelopen door de laatste orkaan Lenny. Een groot deel van de steigers, met duikcentrum en het restaurant Green Parrot, is door de golven weggeslagen. Daarmee is een fantastisch aquarium vlak voor de kust wat minder aantrekkelijk geworden. Maar op de helling, die begint op zo'n 35 m uit de kust, groeit bergkoraal en staan buis-, vaat- en bekersponzen in alle maten en pastelkleuren. Het visleven is net zo uitbundig als voorheen. Let op de murenen, de

Schildpadden tellen

Sinds 1994 worden er ieder jaar meer schildpadden in de wateren rond Bonaire waargenomen. Dit zijn dieren die hier ooit geboren zijn en terugkomen om zelf eieren te leggen. De stranden van Klein Bonaire, Pink Beach en Lac zijn favoriete plekken. Maar ook bij de hotelzone komen ze in het water veel voor. Bij Buddy's en Harbour Village zijn er zelfs een aantal jaren lang het meest geteld.

Een duikster ontmoet een zeeschildpad.

In de wateren rond Bonaire zwemmen met name de soepschildpad (*green turtle*) en de karetschildpad (*hawksbill turtle*). De Sea Turtle Club op het eiland is erg actief om ze te beschermen tijdens het broeden. Deze groep mensen roept de actieve medewerking in van bewoners en bezoekers van het eiland, onder meer tijdens diavoorstellingen in de hotels. Ze hebben een eigen nieuwsbrief met nieuws, achtergrondinformatie, oproepen en waarschuwingen. Zo zet de club zich in voor het behoud van Klein Bonaire. Projectontwikkelaars hebben hun oog laten vallen op dit onbewoonde eiland en hebben snode plannen gemaakt voor een resort-hotel. Dat zou grote gevolgen hebben voor het rif en de natuur op en rond het eiland. Misschien wordt het hele rif van Bonaire wel bedreigd. Tot nu toe houdt het eilandbestuur de boot gelukkig af.

ⓘ Bonaire Turtle Club, tel. 8399, fax 8118 of via het Bonaire Marine Park, tel. 8444; e-mail imreaida@bonairelive.com en website www.bonairenet.com/turtle/turtle.htm. Het adres in Nederland: Seaturtle Conservation Bonaire, Madurostraat 126 hs, 1094 GW Amsterdam, tel. 020-6684782, fax 020-6795002, e-mail: tvaneyck@bio.vu.nl.

buisaaltjes in het zand en de tarpons! **Front Porch (28)**, voor het voormalige Sunset Beach Hotel, heeft ook een geleidelijk aflopende bodem met fraaie koraaleilanden, veel sponzen, gorgonen en kleinere rifvissen. De zandvlakte is het gebied van platvissen, waaronder zo af en toe een pijlstaartrog. Snorkelaars kunnen hun hart al ophalen bij de steen- en koraalformaties vlak bij het strand. Links van de pier ligt op 25 m diepte het wrak van een kleine sleepboot die lokaal bekendstaat als *Tug*. De oorspronkelijke naam van deze sleepboot was *Cavalier State*. Het wrakje ligt op z'n kop over bakboord. Het is een goed onderwerp voor groothoekfoto's.

Something Special (29)

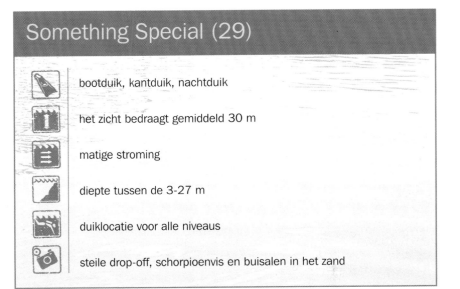

bootduik, kantduik, nachtduik

het zicht bedraagt gemiddeld 30 m

matige stroming

diepte tussen de 3-27 m

duiklocatie voor alle niveaus

steile drop-off, schorpioenvis en buisalen in het zand

Deze locatie aan de zuidkant van de jachthaven heeft een stevige drop-off. Die begint net onder de boei op 10 m en gaat naar zo'n 50 m. Behalve berg-, plaat-, tak- en draadkoraal, gorgonen en felgekleurde sponzen kom je een rijkdom aan vis tegen, waarvan de schorpioenvis de meest bizarre soort is. Hij verschuilt zich tegen de rotswand en maakt zich zo vrijwel on- zichtbaar. In de scheuren en gaten zitten murenen, langoesten en houden zich schuchtere visjes op. In het open water zie je soms een tarpon of een barracuda. Verder veel snappers, grommers, sergeant-majoors, dokters- en keizersvissen. In het zand steken de buisalen brutaal hun 'nek' uit.

Een groep snappers

Town Pier (30)

bootduik, kantduik, nachtduik

het zicht bedraagt gemiddeld 30 m

meestal kalm water

diepte tussen de 6-14 m

duiklocatie voor alle niveaus

close-up- en groothoekfotografie rond de palen van de pier, veel vis en oranje kelkkoraal

Een duik onder de Town Pier biedt altijd wel iets verrassends

De Town Pier, de stadspier bij de vismarkt in het hart van Kralendijk, is misschien wel de kleurrijkste duiklocatie van Bonaire. Tegen de pijlers van de pier groeien oranje kelkkoraal, paarse, rode en gele buissponzen en roze en witte anemonen. Het krioelt er bovendien van de kleine vissen – koffervisjes, egelvissen en koraalvlinders. 's Avonds komen grote vissen, zoals barracuda's, tarpons en zelfs haaien, op het licht af. Mede daarom is Town Pier een populaire plek voor een nachtduik. Je hoeft niet ver te zwemmen om bijzonder visleven te zien en de plek is makkelijk toegankelijk. Behalve bij de pier zelf zit er bij de koraalformaties in de omgeving aardig wat visleven. In deze beschutte omgeving vind je 's avonds in het schijnsel van de lamp langoesten, krabben en murenen.

Het duiken bij de pier is gereguleerd en je hebt een vergunning nodig om hier te duiken. Je moet even langs het havenkantoortje ernaast gaan om een (gratis) vergunning te halen die je duidelijk zichtbaar in je auto moet achterlaten of op verzoek moet kunnen tonen. Deze vergunning is ingesteld (net als voor de zoutpier) om de veiligheid van de dui-kers te waarborgen als er grote schepen aanleggen of andere activiteiten plaatsvinden. Te allen tijde moet je opletten dat je niet vast komt te zitten in stukken vislijn die onder de pier zijn achtergebleven. Bij de oude vismarkt is de beste toegang tot deze duiklocatie. Zorg ervoor dat de auto goed is afgesloten of dat er toezicht is op je spullen tijdens de duik.

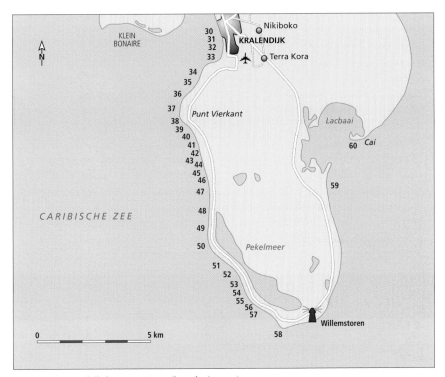

Zuid-Bonaire met duikplaatsen 30 t/m 60 (legenda zie p. 104)

Service aan de waterkant: de duikbus

Op initiatief van Pascal de Meyer van het PADI 5 Star Duikcentrum Photo Tours Divers Bonaire is een uniek project in het leven geroepen. Wat eens een afgedankte bus was, is nu omgebouwd tot een opvallende roze duikbus. Deze duikbus gaat dagelijks, 365 dagen per jaar, naar een van de zeven geselecteerde duiklocaties aan de zuidkust van Bonaire. Deze locaties zijn ideaal voor zowel de beginnende als de gevorderde duiker. De locaties die de duikbus aandoet, liggen tussen Windsock en Margate Bay in. De duikbus staat vanaf 9 uur tot en met 16.30 uur dagelijks op een van de locaties. Voorlopig is het schema als volgt:

maandag – Angel City
dinsdag – Hilma Hooker
woensdag – Margate Bay
donderdag – Salt Pier/Jeannies Glory (alleen Salt Pier als er vergunning is)
vrijdag – Alice in Wonderland
zaterdag – Windsock
zondag – Pink Beach

Het idee van de duikbus is ontstaan door de regelmatige auto-inbraken op de duiklocaties van Bonaire. Door de duikbus is dit probleem opgelost. In de bus zijn kluisjes om waardevolle spullen veilig op te bergen. Je geeft gewoon je autosleutels af en laat je auto open staan, zodat die onbeschadigd blijft omdat er niets meer te halen valt. Dus geen ingeslagen ruiten meer. De kluisjes in de bus hebben maar beperkt ruimte, dus neem niet alles wat je bezit mee tijdens een duik.

Calabas Reef (31)

kantduik, wrakduik, nachtduik

het zicht bedraagt gemiddeld 30 m

matige stroming

diepte tussen de 8-23 m

duiklocatie voor alle niveaus, goede snorkelplaats

zandig kustterras met koraaleilandjes en veel vis

De tweede service die de duikbus ver-
leent, is de mogelijkheid om voor en/of
na de duik de inwendige mens te versterken. Er zijn softdrinks en snacks te
koop die je onder de zonneluifel of op
het Aloha-deck van de duikbus kunt
nuttigen. Verder zijn er enkele huursets
en reserveduikmateriaal aanwezig als
ondersteuning van de duik bij materi-
aalproblemen of als je iets bent verge-

ten. O-ringen en brilbandjes zijn eveneens bij de duikbus te koop. Ook kun je op je gemak na de duik hier je logboek invullen en in diverse identificatieboeken snuffelen om
na te slaan wat voor moois je allemaal hebt gezien. Er is verder een toilet in de duikbus
aanwezig, waarvan je tegen betaling van US$ 1 gebruik kunt maken. Overigens gaat 10
procent van de inkomsten naar de Sea Turtle Conservation Bonaire. Last but not least is
er een complete zuurstofset en EHBDO-koffer in de duikbus aanwezig in geval van een
duikongeval. De bemanning van de duikbus is PADI, MFA en DAN Oxygen provider ge-
brevetteerd. Ook is er een mobiele telefoon aanwezig voor noodgevallen.
De duikbus is een fantastisch initiatief dat mede mogelijk gemaakt werd door een zestal internationale hoofdsponsors. Ook is er een website: www.duikbus.com. Daar vind
je de meeste actuele informatie.

Voor het complex van Divi Flamingo
Beach Hotel. Via het strandje kun je gemakkelijk het water in en uit. Eerst is de
bodem zandig. Er zwemmen hier vijlvissen, blauwe doktersvissen, geelstaartsnappers en barbelen. Bij de helling staan
forse formaties hersenkoraal en wuivend
zweepkoraal. Grotere vissen, zoals barracuda's, tarpons en pijlstaartroggen, komen regelmatig langs. Vanwege de goede
verlichting aan de buitenkant van het hotel is hier 's avonds goed te duiken. Op 21
m diepte ligt in de richting van de Town
Pier een aluminiumsloep afgezonken.

Eighteen Palms (32)

bootduik, kantduik, nachtduik

het zicht bedraagt gemiddeld 30 m

lichte stroming

diepte tussen de 6-14 m

duiklocatie voor alle niveaus, goede snorkelplaats

smal onderwaterterras met een aantrekkelijke helling en grotere vis

Net onder de landingsbaan van het vliegveld liggen de locaties **Eighteen Palms** (32) en **Windsock Steep** (33). De entree tot het water is rotsachtig. Na een smalle strook met elandshoorn-, hertshoorn- en vuurkoraal loopt de bodem langzaam af. Er staat hersen- en bergkoraal, begroeid met sponzen en gorgonen. Opvallend vaak duiken hier tarpons en barracuda's op. Verder zitten er tijgerbaarzen, trekkervissen, sergeant-majoors, keizersvissen, grommers en geelstaartsnappers.

Steenvis

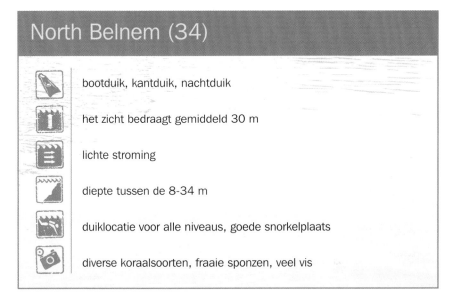

North Belnem (34)

bootduik, kantduik, nachtduik

het zicht bedraagt gemiddeld 30 m

lichte stroming

diepte tussen de 8-34 m

duiklocatie voor alle niveaus, goede snorkelplaats

diverse koraalsoorten, fraaie sponzen, veel vis

Op een aantal plaatsen aan de J.A. Abraham Boulevard liggen de bekende gele stenen die wijzen naar duiklocaties. **North Belnem (34)** en **Bachelor's Beach (35)** liggen aan het begin van de kustweg. De entree van de laatste is het makkelijkst, aan een klein strandje onder de rotsen.

Eerst is er een terras met vooral elands- en hertshoornkoraal. Voor snorkelaars al ideaal om bijvoorbeeld papegaaivissen, sergeant-majoors, juffertjes en koraalvlinders te bekijken.

Na 10 tot 20 m loopt de bodem langzaam af. Barbelen en geelstaartmakrelen hebben een voorkeur voor dit gebied. Op de bodem neemt de koraal- en sponzenbegroeiing toe. Vooral de sponzen zijn hier bijzonder van vorm en kleur.

Duiklocaties in de omgeving
Voorbij de villa's liggen **Chez Hines (36)** en **Lighthouse Point (37)**. De eerste staat bekend om z'n grote olifantoorsponzen. Je vindt ze op zo'n 30 m diepte op een zandige strook.

Punt Vierkant (38)

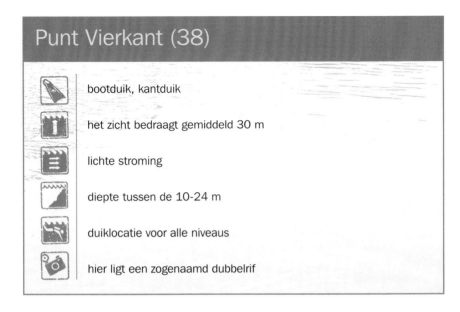

bootduik, kantduik

het zicht bedraagt gemiddeld 30 m

lichte stroming

diepte tussen de 10-24 m

duiklocatie voor alle niveaus

hier ligt een zogenaamd dubbelrif

Voorbij de vuurtoren begint een dubbel rifsysteem voor de kust. Dat maakt deze locaties uitdagend en spannend. Er is veel te zien. Houd wel je duiktijd en diepte goed in de gaten en oriënteer je voortdurend op de plaats waar je bent.

Bij alle drie de duikstekken kun je parkeren aan de kust. Eerst volgt er een terras met elands- en hertshoornkoraal en wat gorgonen. De boei hangt in zo'n 6 tot 8 m diep water. Hier ligt het eerste langgerekte rif evenwijdig aan de kust. Het loopt af naar 30 m diepte. Bergkoraal is dominant, en er groeien gorgonen en sponzen. De zandvlakte die volgt, is het domein van de buisalen en pauwbotten. Soms ligt er een pijlstaartrog. De strook zand wordt in zuidelijke richting van Punt Vierkant naar The Lake iets smaller. Het tweede rif komt aan de noordkant een vijftal meter omhoog en heeft veel bergkoraal, gorgonen, beker- en buissponzen. Er zitten hier veel snappers, makrelen en tandbaarzen.

Duiklocaties in de omgeving

Het riflandschap bij **The Lake (39)** is iets contrastrijker, omdat het buitenste rif hier hoger is dan bij Punt Vierkant (tot 18 m onder de waterspiegel). De formaties bergkoraal lijken soms pilaren, er staan buissponzen met felle kleuren en waaierkoraal, en zeeveren deinen mee in de stroming. De zandvlakte is hagelwit en heeft door z'n beslotenheid iets weg van een meer, vandaar de naam. Let op! Bij The Lake en vooral bij Angel City zijn de twee riffen op een aantal plaatsen verbonden door koraal. Dit kan de oriëntatie bemoeilijken.

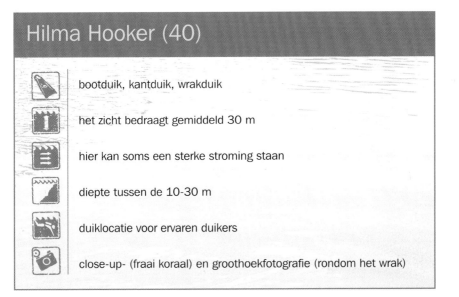

Hilma Hooker (40)

bootduik, kantduik, wrakduik

het zicht bedraagt gemiddeld 30 m

hier kan soms een sterke stroming staan

diepte tussen de 10-30 m

duiklocatie voor ervaren duikers

close-up- (fraai koraal) en groothoekfotografie (rondom het wrak)

Twee boeien noordwaarts van Alice in Wonderland ligt het wrak van de *Hilma Hooker*. Dit vrachtschip werd in 1984 op deze plek afgezonken als duikobject. Het 103 m lange vrachtschip werd als *Midsland* in 1951 in Nederland gebouwd en wisselde in de loop der jaren vaak van eigenaar en naam. Als *Hilma Hooker*, varende onder Colombiaanse vlag, kreeg het in 1984 problemen met de roerinstallatie voor Bonaire. De kapitein weigerde echter aan de kade te gaan liggen en ankerde in open water dicht onder de kust. Douane en politie kregen argwaan bij een inspectie van het stuurloze schip. Terwijl ze hun werk deden, begon het schip plotseling te drijven. Het was losgeslagen van zijn ankers en de motoren en stuurinstallatie waren defect. Was dit een poging om buiten de territoriale wateren te komen? Maar ver kwam het schip niet, want Klein Bonaire lag in de weg. Om een stranding te voorkomen, werd de *Hilma Hooker* tijdig door een sleepboot naar de kade in Kralendijk gesleept en aan de ketting gelegd. De bemanning werd overgebracht naar het po-litiebureau en een groot onderzoek leverde in eerste instantie niets op. Maar toen er een specialist uit Amerika was geraadpleegd, werd de ware vracht gevon-

Het noodstuurwiel van de *Hilma Hooker* is nog goed zichtbaar

De 'Hilma Hooker' wordt op locatie afgezonken

den: 12.000 kilo marihuana, verborgen achter een valse scheepswand in een van de voorste ruimen. Het schip werd in beslag genomen. Een kostbare zaak voor het eiland Bonaire en zeker op lange termijn, daar het schip veel plaats innam aan de drukbezette kade en bovendien niet meer helemaal waterdicht was, waardoor er elke dag gepompt moest worden.

Nadat het maandenlang in de haven had gelegen besloot een groep duikinstructeurs van CURO BONAIRE (een organisatie van zelfstandig opererende Antilliaanse duikbases) het schip in bezit te krijgen om het als kunstmatig rif en duikattractie af te zinken. Op 7 september 1984 werd de *Hilma Hooker* naar haar huidige ligplaats gesleept, nadat alle schadelijke stoffen waren verwijderd en het binnenste van het schip ontoegankelijk was gemaakt.

Naast de duiklocatie Angel City viel het anker op de zandplaat tussen het dubbelrif. Op 12 september om 9.08 uur zonk het schip binnen twee minuten. Nu ligt het op zijn stuurboordzijde op een diep-

te van 30 m op het zand en is vandaag de dag een van Bonaires meest geliefde duiklocaties.

Het wrak ligt niet ver van de boei. Zwem je van de kust, kijk dan eerst of er geen duikersboot bij de boei ligt, want dit is een gewilde duikstek. Wie niet op de *Hilma Hooker* heeft gedoken, is niet echt op Bonaire geweest

De boot is vrijwel intact, hoewel er het een en ander is gesloopt in de stuurhut en het vrachtruim. Op de boeg, reling en in de stuurhut begint zich koraal te vormen. Altijd spannend is het om een kijkje te nemen in het 'donkere' ruim. Kijk bij het binnenzwemmen uit voor uitstekende buizen. Voorkom jojoën, altijd een gevaar bij een wrakduik, door de duik goed in te delen. Duik eerst naar het diepste punt en doe het ruim, blijf vervolgens bij de reling en de stuurhut.

In de omgeving van het wrak ligt een aantal redelijk fraaie koraalformaties en is opvallend veel visleven. Als het bij het schip te veel wordt, biedt het reguliere onderwaterlandschap voldoende vertier.

Angel City (41)

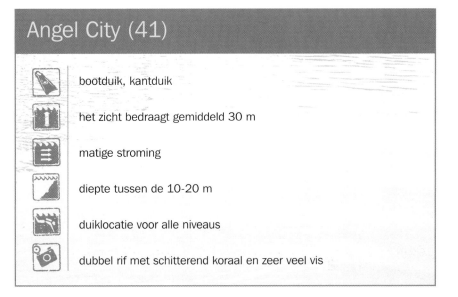

bootduik, kantduik

het zicht bedraagt gemiddeld 30 m

matige stroming

diepte tussen de 10-20 m

duiklocatie voor alle niveaus

dubbel rif met schitterend koraal en zeer veel vis

Angel City is een topduik. De locatie maakt deel uit van het dubbele rifsysteem vanaf Punt Vierkant naar Salt City, bij de zoutpannen. Het binnenste en buitenste rif ligt bij Angel City vrij dicht bij elkaar. De begroeiing is fantastisch. Aan de noordkant van de reep zand, op een van de koraaloverbruggingen tussen de twee riffen, staat de grootste buisspons in Bonaire. Zwem vervolgens rustig via het buitenste rif naar de zuidelijke kant van deze locatie. Alle duikers die hier komen zijn daar lyrisch over. Je zwemt er in een koraaltuin met een zeer kleurrijk visleven. Op de vierkante meter kun je hier al van alles zien; van de rotsschoonheid en de koraalvlinder, tot poetsgarnaaltjes en baarzen. Ten zuiden van de 'brug' van koraal tussen de twee riffen liggen enkele koraaleilanden. Ze vormen de thuishaven van een school zwarte makrelen. Pijlstaartroggen en schildpadden laten zich hier regelmatig zien. Via het eerste rif kun je vervolgens terugzwemmen naar de boei.

Alice in Wonderland (42)

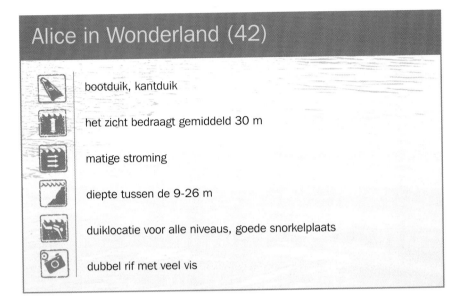

bootduik, kantduik

het zicht bedraagt gemiddeld 30 m

matige stroming

diepte tussen de 9-26 m

duiklocatie voor alle niveaus, goede snorkelplaats

dubbel rif met veel vis

Als je vanaf Kralendijk komt, is Alice in Wonderland een van de eerste duikplekken tegenover de zoutpannen. De boei is gemakkelijk vanaf de kust te bereiken. Zoals de naam al aangeeft, is deze plek gezegend met kleurrijk koraal en een nog kleurrijker visleven.

Meteen al bij de kust kom je geweikoraal en waaierkoraal tegen. Dan volgt op 9 m diepte de eerste rifdrempel met bergkoraal, sponzen en gorgonen. Deze zone zit vol vis: grote papegaaivissen en keizersvissen, geelstaartsnappers, makrelen, sergeant-majoors.

De drop-off loopt af naar zo'n 24 m. Daar ligt een strook zand van een dertigtal meters breed. Vervolgens komt een tweede rifzone, met rifformaties die hoog oprijzen, soms meer dan 5 m. Behalve berg- en plaatkoraal tref je hier veel hersenkoraal – soms erg groot – aan. Bij de drop-off, die in de donkerblauwe diepte wegloopt, heb je een goede kans om forse tandbaarzen, barracuda's, scholen makrelen en snappers tegen te komen.

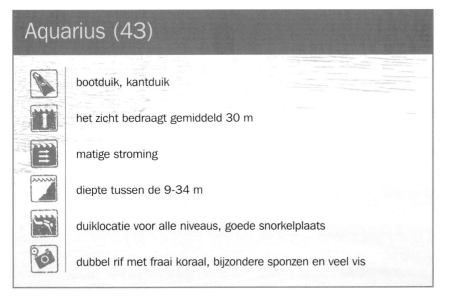

Aquarius (43)

bootduik, kantduik

het zicht bedraagt gemiddeld 30 m

matige stroming

diepte tussen de 9-34 m

duiklocatie voor alle niveaus, goede snorkelplaats

dubbel rif met fraai koraal, bijzondere sponzen en veel vis

De duiklocaties ten zuiden van Alice in Wonderland tot aan de Salt City hebben een vergelijkbaar landschap: eerst een terras, met een rifdrempel dicht onder de kust, dan een flauwe helling naar een zandige bodem en vervolgens het tweede rif. De boeien liggen op zwemafstand. Met uitzondering van Aquarius, dat te ondiep is, kun je overal zowel vanaf de kust als de boot duiken. Aan de kust is het rotsachtig. Het verdient aanbeveling je vlak bij het water te prepareren op de duik. Je laat de zone van elands- en hertshoornkoraal vrij snel achter je. Langs de gorgonen, kom je vervolgens in het gebied van het bergkoraal. De sponzen zijn kleurrijk en hebben bizarre vormen.

Duiklocaties in de omgeving
De entree naar het water bij **Larry's Lair** (44) gaat over scherpe rotsen. Het is niet op blote voeten te doen, dus vergeet je duiklaarsjes niet. De onderwatertopografie is gelijk aan die van Aquarius, want het maakt nog steeds deel uit van hetzelfde dubbel rif.

Zo vind je bij **Jeannie's Glory** (45), vlak bij de boei, een 'wild' bos paarse draadsponzen. Nabij de zandige bodem staan forse vaatsponzen.

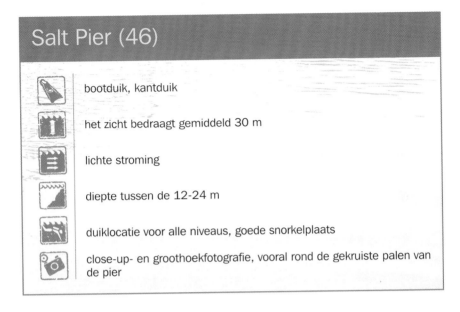

Salt Pier (46)

bootduik, kantduik

het zicht bedraagt gemiddeld 30 m

lichte stroming

diepte tussen de 12-24 m

duiklocatie voor alle niveaus, goede snorkelplaats

close-up- en groothoekfotografie, vooral rond de gekruiste palen van de pier

Salt Pier is als duiklocatie het broertje van Town Pier. De begroeiing is nog jong en dus minder interessant, maar er komen op deze locatie grote scholen makrelen, snappers en grommers af, en barracuda's en groupers speuren hier naar prooi. Voor fotografen is het een zeer interessante plaats vanwege de gekruiste palen die een waar 'onderwaterwoud' vormen en er op een foto goed uitzien. Net als bij de Town Pier moet je om hier te mogen duiken eerst een gratis vergunning halen bij het havenkantoor. Er mag niet worden gedoken als er een schip ligt of wordt verwacht. De vergunning moet je duidelijk zichtbaar achter de voorruit van je auto plaatsen.

Bij **Salt City** (47), even ten zuiden van de pier, eindigt het dubbele rifsysteem. De entree, met een smal strandje, is eenvoudig. Het kustterras is hier aardig breed en in ondiep water, wat deze plek geschikt maakt voor snorkelaars. De afdaling naar het tweede rif gaat over kleurrijk bergkoraal. Handig is om eerst de zandbaan door het koraal te volgen (vanaf de kust goed te zien). Let op de buisalen en platvissen in het zand als je de bodem hebt bereikt (30 m). Het tweede rif bestaat uit diverse koraalruggen haaks op de kust. De koraal- en sponzenbegroeiing is bijzonder kleurrijk, net als het visleven. Er zitten hier onder meer keizersvissen, sergeant-majoors, doktersvissen, grootoogmakrelen, geelstaartsnappers en baarzen. Onder het koraal zitten de schuilplaatsen voor de schaaldieren en murenen. In het gebied tussen de koraal-'eilanden' duiken soms schildpadden op. Op de weg terug kun je de duik afronden met bestudering van het kleine leven (poetsstations!) op het terras.

Invisibles (48)

 bootduik, kantduik

het zicht bedraagt gemiddeld 30 m

matige stroming

diepte tussen de 9-27 m

duiklocatie voor alle niveaus, goede snorkelplaats

zandig terras met gezond en kleurrijk koraal op de afdaling, dolfijnen!

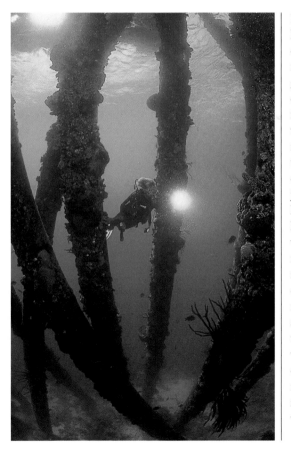

Invisibles en **Tori's Reef** (49) hebben een wat moeilijker entree met stenen en takkoraal vlak onder de waterspiegel. **Pink Beach** (50) biedt daarentegen een heel comfortabele in- en uitgang. Het terras bij al deze locaties is relatief breed. Na formaties takkoraal, met vuurkoraal en gorgonen ertussen, kom je bij meer aaneengesloten koraalformaties op de helling. Sponzen in overvloed, wat zwart koraal en gorgonen. Omdat deze plek niet zoveel duikers krijgt, ziet het er allemaal prima uit. Je ziet met name barbelen, geelstaartsnappers, makrelen en tandbaarzen. Let op het leven in de zandige bodem en op de dolfijnen. Op hun route rond Klein Bonaire zwemmen ze hier meestal vlak langs de kust.

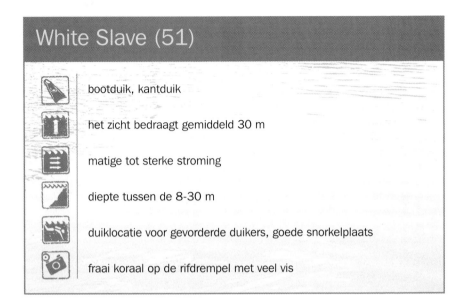

White Slave (51)

bootduik, kantduik

het zicht bedraagt gemiddeld 30 m

matige tot sterke stroming

diepte tussen de 8-30 m

duiklocatie voor gevorderde duikers, goede snorkelplaats

fraai koraal op de rifdrempel met veel vis

White Slave (51) en Margate Bay (52) liggen achter de eerste serie slavenhutjes die je tegenkomt aan de kustweg vanuit Kralendijk. Om in het water te komen vanaf de kust, moet je de rotsen en het takkoraal – let op zee-egels – trotseren. Maar daarna komt de beloning voor de moeite in de vorm van een helling met heel fraai koraal, veel sponzen, gorgonen en een gevarieerd visleven. Je bent hier in een gebied waar ook grotere vissen zitten, tot vlak onder de kust. Pijlstaartroggen, barracuda's en verpleegsterhaaien struinen het gebied af naar prooi. Verder heb je grote kans dat er een paar schildpadden langskomen. Kijk voordat je het water in gaat of er niet te veel golven zijn; houd rekening met stroming. Is die te sterk, blijf dan op het terras.

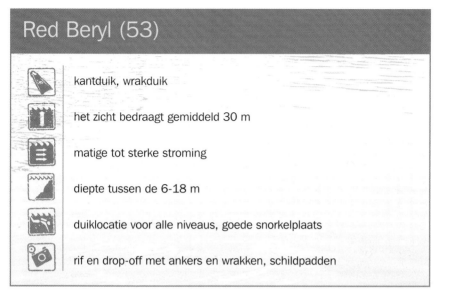

Red Beryl (53)

kantduik, wrakduik

het zicht bedraagt gemiddeld 30 m

matige tot sterke stroming

diepte tussen de 6-18 m

duiklocatie voor alle niveaus, goede snorkelplaats

rif en drop-off met ankers en wrakken, schildpadden

Het laatste groepje duiklocaties begint bij de tweede serie slavenhutjes. Een rode obelisk – vroeger oriëntatiepunt voor de schepen die zout kwamen halen – markeert het begin van dit duikgebied. Vanwege de afstand naar de duikcentra nabij Kralendijk wordt hier slechts sporadisch met de boot gedoken. Vanaf het land is de entree moeizaam. Het terras van rotsen en takkoraal, met zee-egels en vuurkoraal, is smal. Daarna volgt een zone van berg-, plaat- en takkoraal, met forse gorgonen en sponzen. Soms zie je zwart koraal. Na de afdaling volgt een zandige strook met koraalruggen en koraaleilanden. De grote vissen die je tegen kunt komen, variëren van enorme tijgerbaarzen tot pijlstaartroggen. Schildpadden zitten er volop.

Duiklocaties in de omgeving

Atlantis (54) en **Vista Blue** (55) liggen in het verlengde van Red Beryl en gaan naadloos in elkaar over. De karakteristieken van deze duiklocaties zijn vrijwel identiek. **Sweet Dreams** (56) ligt tegenover het Pekelmeer Flamingoreservaat, net ten noorden van Red Slave.

Vanwege de scheepsactiviteit in het verleden kun je ankers, kettingen, ballaststenen en soms in het zand scherven van oude flessen en servies tegenkomen. Bij **Red Slave** (57) is de koraalbegroeiing op de helling minder mooi, maar het wrak van HMS *Barham*, vergaan in 1829, maakt veel goed. De overblijfselen zijn versteend en 'overwoekerd' met koraal. **Willemstoren of Lighthouse** (58) is het zuidelijkste punt van het eiland. Ook deze locatie is alleen vanaf het land te bereiken. Vooral hier kan de stroming sterk zijn. Je moet eerst door de branding zwemmen, tot je de bodem onder je donkerder ziet worden. Overbodig te zeggen misschien, maar hier is het erg belangrijk wil je niet in Curaçao belanden: zwem eerst tegen de stroming in en oriënteer je voortdurend. De drop-off is fraai begroeid met koraal en sponzen. Ook hier liggen brokstukken van vergane schepen en ankers. Het waaierkoraal, de vaat- en bekersponzen zijn opvallend groot, net als de vissen; dus veel baarzen, forse grommers, geelstaartsnappers, vervaarlijke murenen, schildpadden en roggen.

Oostkust

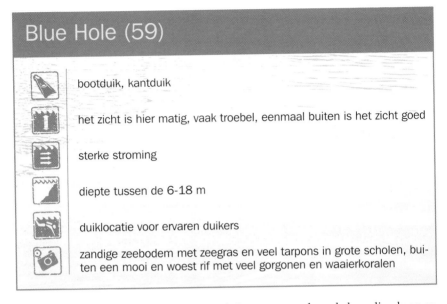

Blue Hole (59)

bootduik, kantduik

het zicht is hier matig, vaak troebel, eenmaal buiten is het zicht goed

sterke stroming

diepte tussen de 6-18 m

duiklocatie voor ervaren duikers

zandige zeebodem met zeegras en veel tarpons in grote scholen, buiten een mooi en woest rif met veel gorgonen en waaierkoralen

Twee duiklocaties aan de oostkant, aan weerskanten van Lac Bay, zijn **Blue Hole** (59) en **Cai** (60). Blue Hole bereik je vanaf de kust bij Sorobon Beach. Voor Cai moet je naar het gelijknamige strandje rijden, waar je bij de grote bergen conchschelpen te water gaat. De stroming en golfslag bij beide locaties zijn erg sterk.

Je moet eerst door de branding heen en vervolgens laat je je afdalen, naar zo'n 8 m. Het zicht aan deze oostkant van het eiland is minder dan aan de luwe westkant, vooral omdat de bodem zandiger is en het water wilder. Er zijn koraalbedden met wat visleven. Je treft hier de grotere soorten aan: barracuda's, tarpons en

Een grote school tarpons bij Lac Bay

verpleegsterhaaien. Handig is dat er op de bodem – vooral voor de drempel van het meer – veel zeegras groeit. Je kunt je hier goed aan vasthouden terwijl je bijvoorbeeld de grote scholen tarpons gadeslaat. Naar buiten ligt een mooi en woest koraalrif met enorme waaierkoralen en wuivende gorgonen. De stroming kan hier ook erg sterk zijn en je moet dezelfde weg weer terug als je gekomen bent. Hou daar met je lucht rekening mee.

Klein Bonaire

Duiklocaties in de omgeving

Andere locaties waar wel eens gedoken wordt, maar slechts onder deskundige begeleiding, is **Boca Onima** aan de noordkant van het eiland. Je kunt hier maar enkele dagen per jaar duiken als de passaatwind is gaan liggen. Als de zee hier niet te veel spuit, kun je midden in de baai in en uit zwemmen. Het koraalleven is niet zo bijzonder, maar tien tegen één dat je hier een forse verpleegsterhaai, zwartstip- of rifhaai tegenkomt.

No Name (61)

bootduik

het zicht bedraagt gemiddeld 30 m

zachte tot matige stroming

diepte tussen 6-27 m

duiklocatie voor alle niveaus, goede snorkelplaats

fraaie afdaling met plaat- en zwart koraal, grotere vissen en schildpadden

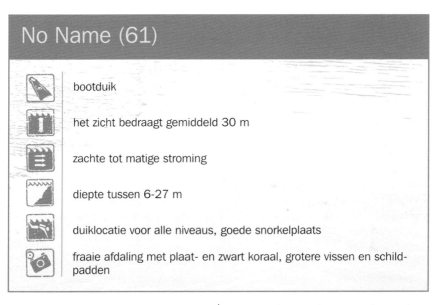

Klein Bonaire met duikplaatsen

De eerste locatie die je tegenkomt als je met de boot oversteekt vanaf de hotelzone, is No Name, bekend vanwege het mooie strand. Je kunt hier snorkelen boven het smalle terras met hertshoornkoraal. Bij de drop-off is het zandig. Let op de pauwbotten die zich in het zand hebben verstopt, en kijk uit naar schildpadden. De afdaling gaat over grote formaties plaatkoraal met vaat- en buissponzen, zeeveren en zweepkoraal. Ook vind je hier aardig wat zwart koraal. Naar het westen toe – dus aan de noordkant van

Klein Bonaire – is de afdaling het mooist. Zandbanen doorkruisen het koraal. Er zijn spelonken en holen met murenen, schaaldieren en verlegen vissen. Er zitten hier tijger- en tandbaarzen, barbelen, geelstaartsnappers, keizersvissen en gestippelde riddervissen.

'Plotseling beet de haai'

'Toen de verpleegsterhaai zich in mijn kruis vastbeet en heftig begon te schudden, dacht ik: "Nu ben ik er geweest." Wat begon als een buitengewone duik, eindigde bijna in een drama.' Aad Rietveld vertelt over zijn haaienervaring.

Bonaire is op dit moment een van de populairste eilanden van de Nederlandse Antillen voor het beoefenen van de duiksport. Door zijn hoge golven en de veel voorkomende wind is de noordkant van het eiland vrijwel ongeschikt voor het duiken. Alleen op bijna windstille dagen is het mogelijk hier te water te gaan.

'11 november was zo'n dag en met vier man besloten we te gaan duiken bij Playa Grandi aan de noordkant van het eiland. Het is een ongeveer 25 m lang zandstrand tussen ruwe en scherpe rotsen. De weg naar deze duiklocatie is moeilijk begaanbaar, een hobbelige rit van bijna een half uur. Het te water gaan is een kunst op zich, eerst een stuk lopen door ondiep water, vervolgens word je door de hoge golven opgepakt en in dieper water gesmeten. Toen we alle vier in het water lagen, doken we door naar een diepte van 30 m.

Nauwelijks onder zagen we twee grote schildpadden wegzwemmen. Op deze weinig bezochte duiklocatie is alles veel groter en weelderiger. Je ziet daar enorme waaierkoralen en kanjers van vissen. Ik fotografeerde een grote Franse engelvis, toen mijn aandacht werd getrokken door een luid getik. Frans, die voor het eerst op Bonaire was, sloeg met zijn mes op zijn fles en maakte wilde gebaren. Maar dat deed hij bij elke duik en we reageerden hier niet meer zo snel op. Frans bleef echter wenken en tikken, dus besloten we maar eens te gaan kijken. Haaks op een zandrug lag een ca. 2 m lange verpleegsterhaai. Met z'n vieren keken we over de zandrug heen naar de haai. Ik besloot hem van de andere kant te fotograferen.

Tjabel ging naast de haai liggen en liet zich zo fotograferen. Ik schoot een aantal foto's, zwom om de zandrug heen en fotografeerde de haai van de andere kant, steeg op en maakte nog enige opnames van bovenaf. Op dat moment werd ik door een lichte stroming gegrepen, die mij boven de haai deed belanden. Toen ging alles in een flits. Ik zag dat de haai zich oprichtte en uit mijn gezichtsveld verdween. Het volgende moment voelde ik dat hij mij in mijn kruis greep en heftig heen en weer schudde. Ik zag in een fractie van een seconde de vaak bekeken haaienscènes van Cousteau en anderen voor mijn geestesoog verschijnen. U weet wel, van die opnamen waar een haai

een flink stuk vlees uit een karkas bijt.
Hij liet los en greep mij weer, maar vreemd genoeg voelde ik geen pijn. De
haai liet los en verdween. Ik boog mij onmiddellijk om de schade te inspecte-
ren. Er stroomde geen bloed. Mijn veel te wijde spijkerbroek had de beide be-
ten opgevangen. Aan de ene kant zat een grote scheur en aan de andere
kant stonden de tandafdrukken in mijn broek. Tjabel vloog op mij af en greep
mijn fles beet. Ik gebaarde hem dat alles oké was, maar dat geloofde hij niet.
Terwijl hij mij vasthield, inspecteerde hij zelf de plaats des onheils. Ook hij
constateerde geen verwondingen en samen stegen we op.'

Uit het bovenstaande kun je de volgende lering trekken: ofschoon verpleegsterhaaien als ongevaarlijk te boek staan, blijkt dat ze niet te vertrouwen zijn. Een
aantal malen per jaar worden duikers op diverse plaatsen ter wereld door haai-
en aangevallen, ook door deze verpleegsterhaaien. Vaak is dit door eigen
schuld, de duikers drijven de dieren in het nauw, waardoor deze zich bedreigd
voelen en hun enige verdediging bestaat uit de aanval. De duikers uit dit verhaal mogen zich erg gelukkig prijzen, want wanneer er werkelijk verwondingen
waren geweest, had het er heel wat slechter uitgezien. Behalve dat bloed nog
meer haaien aan had kunnen trekken, was het ter plaatse erg moeilijk om het
water te verlaten. Ook directe medische hulp had men pas na een ruwe autorit
van zo'n half uur kunnen krijgen. Het blijkt dat een oude (en in dit geval een
veel te wijde) spijkerbroek een duiker redelijk beschermt tegen verwondingen.
De gevolgen waren veel ernstiger geweest als de duiker werkelijk in zijn kruis of
dijbenen was gebeten. Juist dit gebied van het menselijk lichaam is erg kwetsbaar en hier loopt een aantal grote slagaders vlak onder de spieren. Mocht er
zich een slagaderverwonding voordoen, handel dan als volgt: onder water begin
je met het afdrukken van de slagader(s), waardoor de bloeding in de meeste
gevallen stopt. Verlaat zo snel mogelijk het water en transporteer het slacht-
offer onmiddellijk naar een ziekenhuis of dokter. Voorkom bloedverlies, je voorkomt hierdoor een shock, die vaak nog gevaarlijker is. In noodgevallen waar afdrukken niet meer helpt, kun je besluiten het been af te binden. Maar uitsluitend in noodgevallen, omdat dit vaak tot het verlies van het lichaamsdeel kan
leiden.

Ebo's Reef (62)

bootduik

het zicht bedraagt gemiddeld 30 m

zachte tot matige stroming

diepte tussen de 8-26 m

duiklocatie voor alle niveaus, goede snorkelplaats bij het strand

steile drop-off met een hoge dichtheid aan zwart koraal

Vrijwel direct onder de boei loopt de koraalmuur recht naar beneden. Meestal komen er een paar vijlvissen nieuwsgierig kijken als je afdaalt. Overal staat zwart koraal. Zandbanen lopen als onderwaterskipistes door het koraal heen. Groene en gevlekte murenen steken dreigend hun kop uit de schuilplaats omhoog als de duikers overkomen. Onder de vissen op deze locatie vallen de geelstaartsnappers, trekkervissen en forse baarzen op.

'Zweven' van No Name naar Ebo's Reef

Met de boot van Buddy Dive Resort varen we over naar Klein Bonaire om de drift- of stromingduik te maken. We gaan het water in bij No Name. Meteen bij de drop-off zit al volop vis. Een grote tandbaars zwemt schuchter voorbij. Ineens gebaart een van de duikers naar boven. Tegen de waterspiegel zwemmen twee karetschildpadden. De snorkelaars die met ons mee zwemmen, hebben ze ook gezien en proberen ze te volgen.

We zetten de afdaling voort boven een gevarieerd koraallandschap, en gaan met de lichte stroming mee zuidwaarts. De oranje buissponzen vallen het meest op, verder staat er aardig wat zwart koraal. Een murene, die agressief naar de passerende duikers hapt, trekt de aandacht.

Overal is leven: boven de vaatsponzen die op de koraalwand groeien, zwemt druk een rotsschoonheid heen en weer, een school grootoogmakrelen komt langs, tussen twee forse stukken bergkoraal hangt een barracuda. De koraalwand wordt af en toe gebroken door een zandpiste. Op de wat vlakkere delen zitten pauwbotten. Het voelt heerlijk aan om zo op de stroming langs het onderwaterlandschap te zweven. Ineens is alles wit. Nog niet zo lang geleden heeft hier een aardverschuiving plaatsgevonden; koraal is weggezakt en 'overspoeld' met zand. Hieruit blijkt overduidelijk dat Klein Bonaire beweegt. Het eiland heeft een zeer instabiele bodem en verplaatst zich langzaam westwaarts. En dan te bedenken dat op dit prachtige natuurfenomeen een duur en vooral zwaar hotelcomplex gebouwd had moeten worden. We komen bij Ebo's Reef, waar het landschap nog afwisselender wordt. Een school donkerblauwe doktersvissen wacht ons op. Na een duik van bijna een uur komen we boven water. De boot ligt op ons te wachten.

Jerry's Reef (63)

bootduik

het zicht bedraagt gemiddeld 30 m

zachte tot matige stroming

diepte tussen de 6-36 m

duiklocatie voor alle niveaus

steile afdaling met lange zandbanen en kleurrijke sponzen, let op schildpadden

Jerry's Reef (63), Just a Nice Dive (64) en **Nearest Point (65)** zijn drie vergelijkbare duiklocaties, ongeveer recht tegenover het centrum van Kralendijk: een steile drop-off, die doorgaat tot zo'n 100 m, met afwisselend zandbanen en koraalruggen. Berg-, plaat- en zweepkoraal, gorgonen en sponzen. Ook hier staat aardig wat zwart koraal, met name in de strook tussen 20 en 30 m diepte.

Goudstreep-, zwijn- en zwarte grommers, lipvissen, geelstaartsnappers, vijlvissen, riddervissen zwemmen veelvuldig op deze locaties. Je vindt er verder murenen, langoesten in de holen van het koraal, en zandduikers en pauwbotten boven het zand. Soms hangt er in het blauwe open water een barracuda te loeren, of komt er een karetschildpad langs. Nearest Point is de meest zuidelijke duikplek aan de oostkant van het eiland. Vanwege de stroming heb je een grote kans grote scholen makrelen, zwarte grommers, meerdere barracuda's, schildpadden én dolfijnen tegen te komen (op hun dagelijkse 'rondje' langs Klein Bonaire).

Hoe Klein Bonaire werd gered

1939: Jörg vindt een schildpad.

Na bijna 131 jaar in particuliere handen te zijn geweest, is het kleine eilandje Klein Bonaire bijna weer in handen van het volk. Het was echter op het nippertje, want bijna was er een groot hotel gebouwd.
In de *Curaçao Courant* van augustus 1868 wordt Klein Bonaire beschreven als een eiland van 600 ha, uitstekend geschikt voor het fokken van dieren, want er zijn enkele bronnen aanwezig. Op 1 september 1868 werd het verkocht aan Angel Jeserun, wiens familie het tot 21 december 1999 in handen heeft gehad. Tot die tijd werd Klein Bonaire gebruikt om geiten te fokken en werd er wat aan landbouw gedaan. Dat Klein Bonaire een duikparadijs is, ontdekte duikpionier Hans Hass al in 1939 toen hij er, samen met zijn vrienden Alfred von Wurzian en Jörg Boehler, ruim een half jaar verbleef. In zijn boek *Tussen haaien en koralen* beschreef hij zijn verblijf als volgt: '*We besloten voorlopig ons kamp op het kleine, onbewoonde eiland Klein Bonaire op te slaan, dat ongeveer 2 km voor de bocht van Kralendijk ligt... Het landschap onder water waarin we terechtkwamen, verraste ons door zijn grote verscheidenheid van koraalsoorten: hagen van hertshoornkoraal en ronde, groene hersenkoralen, daartussen grote, vormloze koraalblokken met hier en daar wijdvertakte bomen van elandsgeweikoraal. Dichte scholen donkerblauwe, gele en bruine doktersvissen trokken voorbij en overal tussen de koralen zwommen rode, blauwe en groene papegaaivissen. Het verbaasde me hoe weinig schuw en hoe vertrouwelijk de vissen zich hier gedroegen en het ergerde mij, dat ik mijn fototoestel in Kralendijk gelaten had... Klein Bonaire is geheel vlak en begroeid met lage doornige struiken en veel cactussoorten. De bomen, die hier vroeger gestaan hebben, zijn in de loop van de tijd aan de kolenbranders en botenbouwers van Bonaire ten offer gevallen. Alleen midden op het eiland is een stuk dicht opeenbegroeid, hoog kreupelhout in stand gebleven. Daar huisden onze enige metgezellen op dit onbewoonde plekje aarde: wilde ezels en geiten.*'
De Tweede Wereldoorlog haalde de onverschrokken duikers op Bonaire in en ze werden geïnterneerd op een schip in Curaçao. Na de oorlog kwam Hans Hass in 1953 met zijn boot *Xarifa* terug naar Klein Bonaire om het koraal te bestuderen.
De Fundashon Preservation Klein Boneiru beheert nu het eiland als natuurreservaat. Donaties zijn van harte welkom. Kijk voor meer info op website www.klein-bonaire.org.

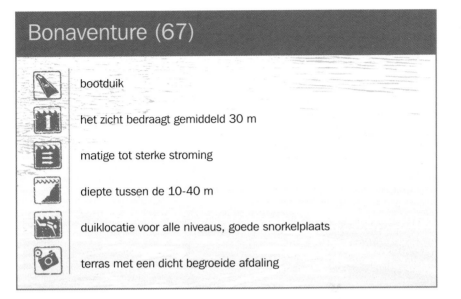

Bonaventure (67)

bootduik

het zicht bedraagt gemiddeld 30 m

matige tot sterke stroming

diepte tussen de 10-40 m

duiklocatie voor alle niveaus, goede snorkelplaats

terras met een dicht begroeide afdaling

Deze duiklocaties liggen aan de zuidkant van Klein Bonaire. **Keepsake (66)** is tijdelijk afgesloten. Het terras (10-12 m diep water) is bij Bonaventure het breedst, maar niet zo interessant voor snorkelaars. Bij de ander locaties is dat wel het geval. Daar zie je meteen onder de boei een gevarieerde begroeiing van takkoraal, fijne gorgonen en kleurrijke sponzen; dit alles met de gebruikelijke rifvissen. Er zitten hier onder meer papegaaivissen, sergeant-majoors, hertogsvissen, soldatenvissen, trompetvissen en keizersvissen. De afdaling gaat vervolgens naar zo'n 50 m. Bij Bonaventure is er een getrapte afdaling met steeds een smalle strook zand.

Duiklocaties in de omgeving
Monte's Divi (68) gaat wat geleidelijker. Kenmerkend zijn hier de enorme formaties bergkoraal, het plaatkoraal en de uitbundig gekleurde vaat- en buissponzen. **Rock Pile (69)** is, de naam zegt het, rotsachtiger en grilliger, met tal van spleten en holen voor murenen. Ook hier zijn er 'treden' bij de afdaling. Grote scholen grommers en snappers 'hangen' voor de drop-off.

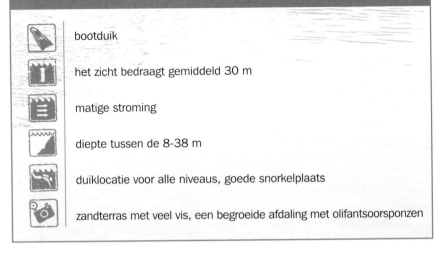

Joanne's Sunchi (70)

bootduik

het zicht bedraagt gemiddeld 30 m

matige stroming

diepte tussen de 8-38 m

duiklocatie voor alle niveaus, goede snorkelplaats

zandterras met veel vis, een begroeide afdaling met olifantsoorsponzen

Joanne's Sunchi biedt een geweldige duik en voor snorkelaars gaat er een wereld open. Het terras is zandig, maar vol met leven. Het water is slechts 5 m diep, zodat je het leven goed kunt zien. In het zand loeren pauwbotten, grote en kleine pijlstaartroggen en zandduikers op hun prooi: de week- en schaaldiertjes. Koffervisjes, barbelen, soldatenvissen en grommers struinen al woelend en slurpend de bodem af naar voedsel. De afdaling bestaat afwisselend uit koraalruggen en zandbanen. Er zijn veel plaat-, draad- en bergkoraal, oranje buis- en olifantsoorsponzen te zien.

Duiklocaties in de omgeving

Enorme olifantsoorsponzen zijn de karakteristieken van **Captain Don's Reef (71)**. Ze zijn te vinden op de afdaling, samen met draad- en plaatkoraal, en flink wat gezond zwart koraal. Ook hier bestaat het landschap uit zandige valleien en hoge koraalruggen die aflopen naar grote diepte.

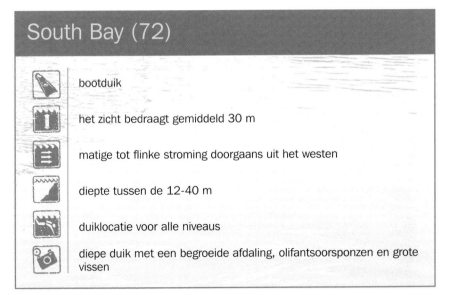

South Bay (72)

bootduik

het zicht bedraagt gemiddeld 30 m

matige tot flinke stroming doorgaans uit het westen

diepte tussen de 12-40 m

duiklocatie voor alle niveaus

diepe duik met een begroeide afdaling, olifantsoorsponzen en grote vissen

South Bay en Hands Off liggen vlak bij de zuidwestpunt van het eiland, dus er kan aardig wat golfslag optreden en stroming staan. Bij de boei op 5 m diepte liggen verspreid eilandjes van bergkoraal met kleine sponzen en gorgonen. Ook over de rifrand heen naar beneden groeien volop gorgonen, zeeveren en zweepkoraal, naast het fijne vinger- en bladkoraal. Verder naar beneden is er plaat- en zwart koraal en zie je olifantsoorsponzen als 'uithangborden' in blauw, lila en oranje. Er zijn hier volop grommers, makrelen en trekkervissen. Als je geluk hebt, kom je de plaatselijke hengelaarvis tegen en ontdek je de schuilplaatsen van de murenen en langoesten.

Duiklocaties in de omgeving
Hands Off (73) lijkt erg op Forest, de topper aan deze kant van het eiland: een smal terras met veel gorgonen en vervol-

gens een afdaling met uitgesproken hoge koraalruggen gescheiden door zandvalleien. Op sommige plaatsen is het koraal verzakt en zijn zandlawines ontstaan. De afdaling heeft veel soorten koraal, waaronder grote 'bollen' hersenkoraal en lange slierten draadkoraal. De ruggen zijn rijk begroeid met sponzen en gorgonen. Op deze plek zit veel baars en verder scholen grommers en makrelen, soms zie je een stalkende barracuda of een passerende schildpad.

Hands Off is aan het begin van de jaren tachtig als duiklocatie opgenomen om onderzoek te doen naar het schadelijke effect van onervaren en fotograferende duikers. Die mochten hier dan ook niet komen. Maar al vrij snel moest men het onderzoek staken, omdat een storm grote schade toebracht in dit gebied en het vergelijkingsmateriaal weg was.

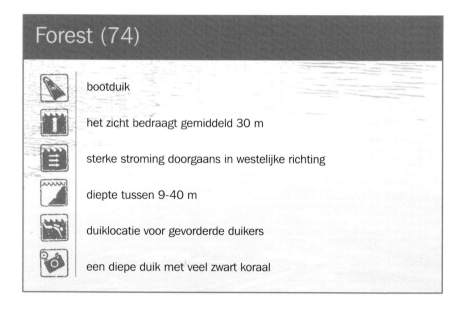

Forest (74)

bootduik

het zicht bedraagt gemiddeld 30 m

sterke stroming doorgaans in westelijke richting

diepte tussen 9-40 m

duiklocatie voor gevorderde duikers

een diepe duik met veel zwart koraal

Duikster met hengelaarsvis

Forest ligt voor de zuidwestpunt van Klein Bonaire en de naam zegt het: 'woud', wat hoofdzakelijk betrekking heeft op de indrukwekkende hoeveelheid 'bossen' zwart koraal.

Het landschap bestaat uit een plateau (9 m) en daarvandaan aflopende koraalruggen en zandvalleien tot op 50 m diepte. Met name in de zone van de ruggen op 15 m hoogte is het zwarte koraal te vinden. Iets dieper staan felgekleurde sponzen en gorgonen.

Je ziet hier zowel schildpadden als grote tarpons, naast het gebruikelijke drukke rifleven. Er is hier zoveel te zien op en tussen de koraalruggen dat je makkelijk de diepte uit het oog verliest. De meeste koraalformaties eindigen op zo'n 40 m diepte.

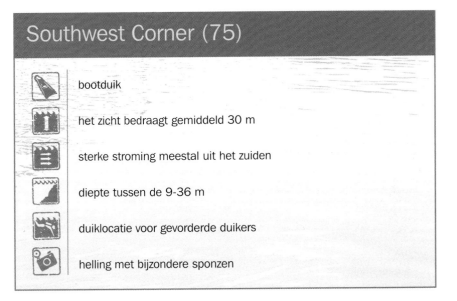

Southwest Corner (75)

- bootduik
- het zicht bedraagt gemiddeld 30 m
- sterke stroming meestal uit het zuiden
- diepte tussen de 9-36 m
- duiklocatie voor gevorderde duikers
- helling met bijzondere sponzen

De afdaling bij deze drie locaties aan de zuidwestkant van Klein Bonaire gaat geleidelijk naar zo'n 35 m diepte. Daar ligt een zandplateau. De helling is dicht begroeid met berg- en plaatkoraal, sponzen in felle kleuren, wuivende gorgonen en zwart koraal. Bij Southwest Corner, op 36 m diepte op de zandplaat, staat een merkwaardige vaatspons met een dubbele wand.

Duiklocaties in de omgeving
Munk's Haven (76) heeft opvallend veel zacht koraal en lichtgevende sponzen in de zone tussen 18 en 30 m diepte. Het licht wordt er door de fijnmazige structuur van de spons gebroken, zodat het lijkt alsof deze licht geeft.

Twixt (77) is tijdelijk afgesloten maar heeft op ongeveer dezelfde diepte forse oranje buissponzen met daarbij oranje anemonen.

Op alle drie de locaties kom je scholen juffertjes en sergeant-majoors tegen. Het planktonrijke water boven de drop-off is hun foeragegebied. Verder zie je hier onder meer trompetvissen, keizersvissen, geelstaartsnappers, trekkervissen en baarzen.

Sharon's Serenity (78)

bootduik

het zicht bedraagt gemiddeld 30 m

matige stroming

diepte tussen de 6-38 m

duiklocatie voor alle niveaus, bijzonder goede snorkelplaats (toplocatie)

fraai begroeid terras en een mooie afdaling

Koningintrekkervis

Bij **Sharon's Serenity** (78) en **Mi Dushi** (79) is zowel het terras met hertshoorn-, vuurkoraal en tal van gorgonen interessant als de afdaling.

Valerie's Hill (80) – op het moment gesloten – moet het meer hebben van die afdaling.

Het berg- en plaatkoraal, oranje- en paarse buis- en olifantsoorsponzen, brede gorgonen, zeeveren, waaier- en zwart koraal zorgen voor een aantrekkelijk decor op de wand. Bij Sharon's Serenity wordt de afdaling onderbroken door smalle 'stroken' zand. Bij Mi Dushi gaat deze recht naar beneden naar grote diepte. Door de steile helling en de beweging van Klein Bonaire zijn er enkele zandvalleien ontstaan. Je vindt op deze plekken grote tand- en tijgerbaarzen, trekkervissen, scholen makrelen, geelstaartsnappers, en op het terras keizersvissen, papegaaivissen, juffertjes, sergeant-majoors en koraalvlinders. Ook duiken hier wel eens dolfijnen op.

Carl's Hill (81)

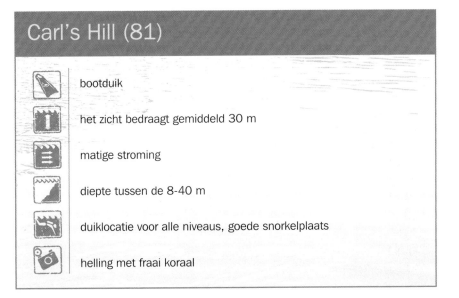

bootduik

het zicht bedraagt gemiddeld 30 m

matige stroming

diepte tussen de 8-40 m

duiklocatie voor alle niveaus, goede snorkelplaats

helling met fraai koraal

De meeste locaties aan de noordwestkant van Klein Bonaire hebben veel fraai koraal en een uitbundig visleven, zijn niet moeilijk en ook voor snorkelaars goed te doen.

Carl's Hill (81) en **Carl's Hill Annex (82)** (naar de bekende Amerikaanse onderwaterfotograaf Carl Roessler vernoemd) liggen aan het meest noordwestelijke puntje van Klein Bonaire. De boei zit vast op een plateau, dat naar het oosten toe smaller wordt.

Doorgaans duik je in oostelijke richting, omdat de stroming naar het westen gaat. Zwem vanaf de boei eerst een stuk (5 min.) naar het oosten boven de rifdrempel. Je daalt dan af naar de drop-off, begroeid met waaier- en draadkoraal, gele en oranje sponzen, en opvallend veel zwart koraal. Op een diepte van 20 m gaat de afdaling van het koraal weer geleidelijker. Je kunt nu afdalen tot 43 m diepte. Maar daar is niet veel meer te zien. Beter is het om langzaam omhoog te zwemmen in westelijke richting. De koraalhelling loopt flauwer af.

Zeewaarts ligt een brede koraalzone, doorsneden door zandbanen. Berg- en sterkoraal zijn dicht begroeid met sponzen in alle vormen en kleuren. Vooral opmerkelijk zijn de lange buissponzen. Altijd spectaculair zijn de kloven en openingen in het koraal; verzamelplaatsen van murenen, langoesten en krab. Op 40 m diepte kom je op een zandbodem. Boven de drempel ligt een plateau met gewei-(herten en elands) en vuurkoraal, en wuivende gorgonen. Hier kun je goed uitzwemmen.

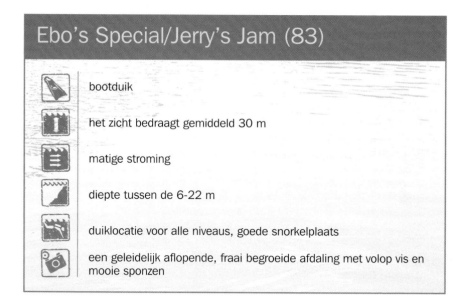

Ebo's Special/Jerry's Jam (83)

bootduik

het zicht bedraagt gemiddeld 30 m

matige stroming

diepte tussen de 6-22 m

duiklocatie voor alle niveaus, goede snorkelplaats

een geleidelijk aflopende, fraai begroeide afdaling met volop vis en mooie sponzen

Er is bij **Ebo's Special (83)**, ook wel **Jerry's Jam** genoemd, nauwelijks sprake van een terras. De afdaling begint vrijwel direct bij de boei, in 5 m diep water. Het elands- en hertshoornkoraal steekt als het ware boven de helling uit. Je ziet hier al murenen en tal van kleine rifvissen.

Duiklocaties in de omgeving
Leonora's Reef (84), genoemd naar de vrouw van Captain Don, heeft een breder terras. Er zit veel visleven. Let ook op de schaaldieren en de vissen die daarop jagen. Op de helling groeit hersen- en bergkoraal, draad- en plaatkoraal, er staan sponzen in diverse maten en met felle kleuren, wat dieper kom je zwart koraal tegen. In de holen onder het koraal vind je langoesten, soms een murene. Baarzen, snappers en trompetvissen zijn hier de meest voorkomende vissen.

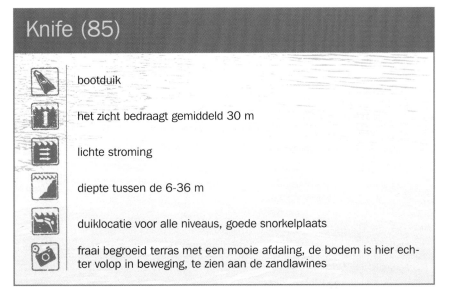

Knife (85)

bootduik

het zicht bedraagt gemiddeld 30 m

lichte stroming

diepte tussen de 6-36 m

duiklocatie voor alle niveaus, goede snorkelplaats

fraai begroeid terras met een mooie afdaling, de bodem is hier echter volop in beweging, te zien aan de zandlawines

Knife (85) – deze duiklocatie is tijdelijk afgesloten – en **Sampler (86)** zijn altijd populaire duiklocaties geweest aan de noordkant van Klein Bonaire, maar de ondergrond is erg instabiel. Vandaar het zandige terras. Toch staat er aardig wat elands- en hertshoornkoraal, afgewisseld met vuurkoraal, gorgonen en kleinere sponzen.

De afdaling gaat geleidelijk en heeft berg-, blad- en plaatkoraal. Knife heeft grote buissponzen, Sampler heeft vlak bij de boeilijn een mooie formatie pilaarkoraal. Beide locaties staan bekend om het diverse visleven. Je ziet hier elegante Franse keizersvissen, knagende papegaaivissen, juffertjes, snappers en trekkervissen. Wat dieper zitten meer baarzen, hengelaarvissen, murenen, langoesten. Schildpadden zijn hier de laatste tijd regelmatig waargenomen.

CURAÇAO: HET DUIKEILAND MET DE VELE GEZICHTEN

DUIKSPORT

De duiksport op Curaçao, het grootste eiland van de Nederlandse Antillen, heeft jarenlang een sluimerend bestaan geleid. Het was alleen bekend bij een paar lokale duikers. Daarom zijn er nu nog bijna maagdelijke duikgebieden te vinden. Maar de afgelopen jaren is de infrastructuur flink uitgebreid en maken de buitenlandse sportduikers dagelijks kennis met de 'onderwaterschatkamer' van Curaçao. Velen zijn zo enthousiast dat ze keer op keer terugkomen.

Goede duikscholen en duikshops

Curaçao heeft veel goed georganiseerde duikbases. Bij vrijwel elk hotel vind je er een. De betere duikscholen en duikshops hebben zich verenigd in de Curaçao Diving Operators Association (CDOA), de overkoepelende organisatie van duikscholen op Curaçao. Zij hebben zich ten doel gesteld het onderwaterleven rondom het eilandengebied van Curaçao te beschermen. Tevens stellen zij hoge normen ten aanzien van de verhuur van duikmateriaal, het vullen van duikflessen en veiligheidseisen. Op alle aangesloten duikshops vind je een uitgebreide EHBO-koffer en een complete zuurstofset. Bovendien staan ze in directe verbinding met het Sint-Elizabeth Ziekenhuis in Willemstad, waar continu een professionele meerpersoons compressietank met deskundig opgeleid medisch personeel ter beschikking staat, 24 uur per dag voor de bewaking van je optimale veiligheid.

Harpoenvissen is in de wateren rond Curaçao ten strengste verboden.

Sinds 2000 wordt er een niet-verplichte bijdrage gevraagd van US$ 10 per duiker voor het onderhoud van de boeien en ankerlijnen buiten het park.

Ten slotte is er een fraaie aluminium 'penning' gemaakt, heel anders dan op Bonaire. Het stelt een duiker voor, die je ook als flesopener kunt gebruiken. De 'penning' is verkrijgbaar bij alle duikbases.

Snorkelroutes

In het natuurpark liggen diverse snorkelroutes voor mensen die op een relaxte manier kennis willen maken met dit onderdeel van de duiksport. Op deze snorkelroutes vind je onder water stenen

Veilig haaien voeren 'achter glas' bij Animal Encounters op Curaçao

In het Sint-Elizabeth Ziekenhuis in Willemstad staat dag en nacht een compressietank ter beschikking.

wegwijzers met namen en uitleg over de flora en fauna die je hier ziet. Bij de duikshops zijn geplastificeerde kaartjes te koop met de routebeschrijving. Vergeet niet om je in te smeren met een watervaste sunblocker en een T-shirt aan te trekken, want de zon brandt ongenadig op je rug.

Duikles en Animal Encounters

Voor diegenen die de duiksport niet machtig zijn, is er de mogelijkheid een duikcursus te volgen naar moderne maatstaven van onder andere PADI, SSI en IDD. Ook is er het Seaquarium, een groot zee-aquarium met ruim 75 aquaria met daarin meer dan 800 zeebewoners. In het Seaquarium kunnen duikers tegen betaling zogenaamde *Animal Encounters* maken: haaien en roggen kun je hier uit de hand voeren. De citroenhaaien en verpleegsterhaaien zitten veilig in een ander gedeelte van het bassin, gescheiden door gaas en plexiglas. Verder zijn er pijlstaart-

roggen die vrij rondzwemmen en niet schuw zijn, en in een ander bassin verblijven schildpadden die uit de hand eten. Het Seaquarium is het mooiste en het grootste in het Caribisch gebied.

Wrakduiken

Curaçao heeft enkele zeer mooie wrakken, waarvan de *Superior Producer* bij Willemstad het grootste is. Bij het Seaquarium ligt het wrak van het Nederlandse stoomschip SS *Oranje Nassau*, dat hier in het begin van deze eeuw op een koraalrif liep. Als duiklocatie is het echter verloren gegaan door de expansiedrift van 'Dutch' Schrier, die het bij het Seaquarium heeft ingelijfd. Het ligt nu in een troebele lagune van het Seaquarium. De stoomketel is inmiddels uit het water verwijderd, omdat men in deze lagune dolfijnen wil laten zwemmen. Bij Caracasbaai ligt het wrakje van *Towboat*, een van de mooist begroeide wrakken uit het Caribisch gebied. Het is slechts enkele meters diep en biedt ook aan snorkelaars een mooie duik. Dit wrakje is een fotostudio onder water, het is totaal overgroeid met koraalformaties. Richting Breezes Curaçao ligt het wrak van de sleepboot *Sabah*, eveneens in ondiep water. Ook *Car Pile* bij Breezes Curaçao is een mooie wrakduik; er liggen veel oude autowrakken uit de jaren vijftig opeen. En overal vind je mooie ankers van oude schepen. Op Curaçao kun je zowel met de boot als vanaf de kust duiken.

Duiksafari's

Behalve met de boot zijn veel duikloca-

Coral spawning

Als je nog nooit onder water een 'ondersteboven' sneeuwstorm hebt meegemaakt, is dit je kans: tweemaal per jaar vindt op Curaçao de 'coral spawning', het eitjes leggen van het koraal, plaats. Biologen kunnen deze beide data precies uitrekenen en het klopt vaak tot op de minuut. Het vindt altijd plaats enkele dagen na volle maan in de maanden september en oktober. Maar het zijn niet alleen de koralen die een 'seksorgie op het rif' hebben, ook zeesterren, sponzen, zee-egels en allerlei wormen doen eraan mee. Het elandsgeweikoraal legt de vierde en vijfde nacht na volle maan zijn eitjes

en is dus als eerste aan de beurt tussen 21.15 en 21.45 uur. Het hertshoornkoraal op de 5de en 6de nacht tussen 21 en 22 uur. Hersenkoraal op de 7de dag rond 20.45 uur. Sterkoraal op de 5de en 6de dag tussen 21.30 en 22.30 uur. Op de 6de en 7de dag zijn de grote koraalformaties tussen 21.30 en 22.30 uur aan de beurt (soms ook later). Zeekomkommers en zee-egels doen 'het' tussen 19.30 en 20.30 uur. De vuurwormen beginnen er 's middags al mee, de kerstboomwormen in de koralen rond 19 uur. Gorgonen zijn ook vroege vrijers, die doen het om 19 uur. De grote rode vuursponzen en pijpsponzen doen het overdag tussen 14 en 17 uur. Grote wolken komen er dan uit de sponzen, alsof ze 'roken', die het water troebel maken. Coral spawning is een natuurlijk fenomeen en kan in tijd afwijken, maar de ervaringen van alle jaren hiervoor zijn dat de tijden vrij precies zijn. Je kunt natuurlijk altijd wel op de juiste tijd, maar net op de verkeerde plaats zijn.

ties op Curaçao ook te bereiken met de auto. Nieuw is de duiksafari. Je huurt daarvoor een jeep bij een autoverhuurbedrijf en duikflessen bij een erkende duikschool en je gaat vervolgens zelf op ontdekkingsreis langs de kust van Curaçao.

Klein Curaçao
De duikoperators bieden regelmatig unieke en avontuurlijke dagtochten naar Klein Curacao aan. Naast bootduiken kun je je hier ook per helikopter af laten zetten en 's avonds met de boot weer terug naar Curaçao varen.

Duiklocaties Curaçao
1. Wata Mula B, E, G, D
2. Playa Kalki/Alice in Wonderland K, AL, N, S
3. Playa Piscadó di Westpunt BK, AL
4. Playa Forti/Sweet Alice BK, AL
5. Playa Kenepa (Knipbaai, Kleine Knip) BK, AL, G, S
6. Playa Grandi BK, AL, S
7. Playa Jeremi BK, AL, S
8. Playa Lagun K, AL, G, N, S
9. Boca Santa Cruz B, AL, S
10. Boca Santu Pretu BK, AL, W, G
11. Mushroom Forest B, AL, G
12. Sponge Forest B, E, G
13. Playa Hulu K, AL
14. Rediho City B, E
15. Black Coral Gardens K, E
16. Hell's Corner K, E
17. Mako's Mountain B, E, D
18. Wrak van The Airplane/ Mike's Reef K, AL, W, N, S
19. Harry's Hole B, AL, N, S
20. Playa Hundu/Lost Anchor 1 K. AL
21. San Juan Baai BK, AL, S
22. Boka Grandi K, G, S
23. Playa Mansaliña K, AL, S
24. Mike's Place (Big Sponge) BK, AL
25. Playa Largu K, AL, S
26. Kas Abou K, AL, S
27. Port Marie/The Valley K, AL, N, S
28. Daaibooi K, AL, N, S
29. St. Marie BK, AL,S
30. Huisrif Habitat Hotel K, AL, N, S
31. Vuurtoren (Lighthouse) B, E, D
32. Seldom Reef B, E, D
33. Bullen Baai BK, E, G, S
34. Bachelor's Beach BK, AL
35. Vaersenbaai BK, AL, N, S
36. Car Wrecks BK, AL, W
37. Halfway B, AL, S
38. Boka Sami K, AL, N
39. Slangen Baai K, AL
40. Kaap Malmeeuw K, E
41. The Wall BK, AL, D
42. Blauwbaai K, AL
43. Piscadera Playa Largu K, AL, N, S
44. Wrak van het watervliegtuig, BK, AL, W, N, S
45. Dubbelrif K, AL, N, S
46. Wrak van de *Superior Producer* S.A. BK, G, W, N
47. Oswaldo's drop-off K, AL, N, S
48. Car Pile K, G, W
49. Cornelis Baai BK, AL, N, S
50. Wrak van de *Sabah* BK, AL, W, N, S
51. Playa Jan Thiel K, AL, N, S
52. Sandy's Plateau K, AL, N, S
53. Boka di Sorsaka K, AL, N, S
54. Diver's Leap BK, AL, S
55. Piedra di Sombré BK, AL
56. Kabes di Baranka/Beacon Point B, AL, S
57. Caracasbaai/Lost Anchor 2 B, AL, S
58. Wrak van *Towboat* BK, AL, W, N, S
59. Kabayé B, AL
60. Small Wall B, AL
61. Barracuda Point/ Punt'i Piku B, AL, S
62. Eel Valley B, AL, S
63. Nieuwpoort B, AL, S
64. Kathy's Paradise B, AL, S
65. Punt'i Sanchi/Smokey B, AL, S
66. Guliaw B, G, S
67. Piedra Pretu/Black Rock B, AL, S
68. No Way B, G, S
69. Basora B, G, S
70. Tarpon Bridge B, E
71. St. Joris Baai K, E
72. Tunnel of Doom K, E
73. Boca Playa Canoa K, E
74. Boca San Pedro K, E
75. Boca Bartól K, E
76. Playa Grandi K, E
77. Boca Grandi K, E
78. Boca Tabla K, E
79. Klein Curaçao B, AL, S, D

Toegang
B = bootduik; K = kantduik;
BK = boot- of kantduik; S = ook geschikt voor snorkelen
Moeilijkheidsgraad
B = beginners, G = gevorderden;
E = ervaren; AL = voor alle duikniveaus
Bijzonderheden
W = wrak; N = nachtduik;
G = grotduik; D = drifduik

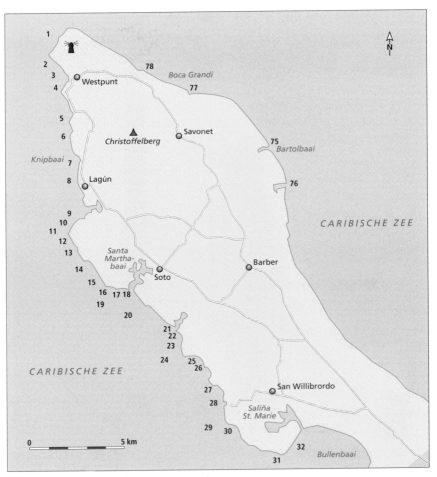

Noordwest-Curaçao met duikplaatsen 1 t/m 32 en 75 t/m 78

DUIKLOCATIES

Curaçao heeft 79 duiklocaties, die nogal gevarieerd zijn: van ondiep en stroomloos tot diepe duiken langs de talrijke drop-offs of aan de woeste noordkant van het eiland. De duiklocaties van Curaçao zijn veel gevarieerder dan die op Bonaire. Bonaire ligt op een continentaal plat, terwijl Curaçao een berg is die uit de diepe zee oprijst en daarom veel duiklo-caties kent die tot heel diep doorlopen (soms honderden meters diep). Ook heeft Curaçao een aantal zeer interessante duikwrakken op een beduikbare diepte. De duiklocaties zijn óf met de boot bereikbaar óf vanaf de kant en op sommige plaatsen beide.

Achter de namen van de duiklocaties staat extra informatie over de toegang en de moeilijkheidsgraad.

Banda Abao (van Wata Mula tot Vuurtoren)

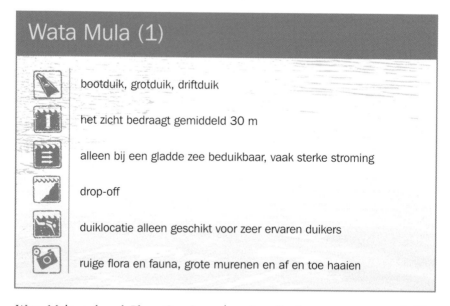

Wata Mula (1)

bootduik, grotduik, driftduik

het zicht bedraagt gemiddeld 30 m

alleen bij een gladde zee beduikbaar, vaak sterke stroming

drop-off

duiklocatie alleen geschikt voor zeer ervaren duikers

ruige flora en fauna, grote murenen en af en toe haaien

Wata Mula, ook wel **Playa Guepi** genoemd, is de ruige noordpunt en de meest noordelijke duiklocatie van het eiland. Het is de verblijfplaats van grote groene murenen en met wat geluk zijn er ook haaien te zien. Je treft hier een flora en fauna aan die veel ruiger is dan elders op het eiland, een meer oorspronkelijke onderwaterwereld. Bij Wata Mula vind je een mooie onderwatergrot. Deze duiklocatie is echter alleen geschikt voor ervaren duikers. De stroming en golfslag kunnen hier soms erg sterk zijn.

Zeeveren en zweepkoraal strekken zich uit naar het licht. Ertussen zitten felgekleurde buissponzen.

Playa Kalki/Alice in Wonderland (2)

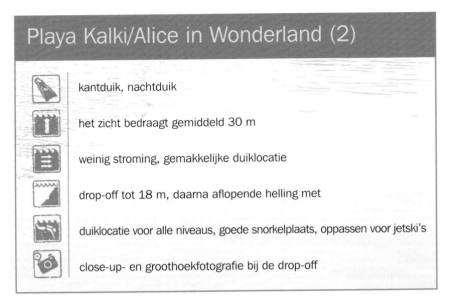

kantduik, nachtduik

het zicht bedraagt gemiddeld 30 m

weinig stroming, gemakkelijke duiklocatie

drop-off tot 18 m, daarna aflopende helling met

duiklocatie voor alle niveaus, goede snorkelplaats, oppassen voor jetski's

close-up- en groothoekfotografie bij de drop-off

De bekende Amerikaanse onderwaterfotograaf Stephen Frink in actie

Deze duiklocatie, een kleine beschutte baai met bijna altijd glad water, die onder het Kadusi Cliff Resort op Westpunt ligt, wordt ook wel Alice in Wonderland genoemd. Rij tot aan het dorp Westpunt, sla bij het kerkhof af en maak een draai naar links aan het einde van het kerkhof. Volg deze weg tot aan de T-splitsing, ga hier naar links en een tiental meters verderop ligt een betonnen trap die naar het strand afdaalt. Het is een vanaf het strand gemakkelijk toegankelijke duiklocatie en een uitstekend strand om een dagje met het gezin op door te brengen. Het is tevens een goede snorkelplaats. De naam 'Playa Kalki' komt uit het Papiamento en betekent kalkrotsstrand. Het is een eind sjouwen met je duikuitrusting vanaf de parkeerplaats naar het water.

Zwem, als je eenmaal in het water bent, recht op de boei af. Pas op voor jetski's. Je doet er ongeveer 3 min. over om naar de drop-off aan de meest rechterkant van de baai te zwemmen die geleidelijk tot zo'n 18 m afdaalt. Onder water zie je paddestoelachtige sterkoraalformaties en soms groene murenen en langoesten. Beneden de 30 m vind je grote formaties plaatkoraal. Goede snorkelplaatsen liggen langs de rand van de drop-off. Dit is dé plaats waar hamerhaaien en manta's worden gezien, maar dan moet je wel af en toe naar boven kijken.

Playa Piscadó di Westpunt (3)

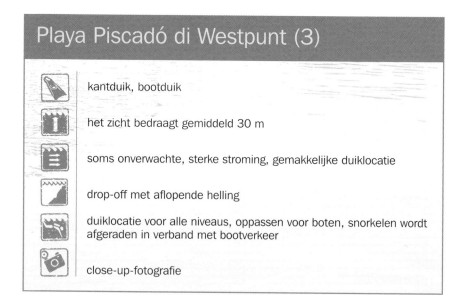

kantduik, bootduik

het zicht bedraagt gemiddeld 30 m

soms onverwachte, sterke stroming, gemakkelijke duiklocatie

drop-off met aflopende helling

duiklocatie voor alle niveaus, oppassen voor boten, snorkelen wordt afgeraden in verband met bootverkeer

close-up-fotografie

Deze duiklocatie ligt, net als de volgende, in het dorpje Westpunt. Playa Piscadó di Westpunt (vissersstrand) is een typisch lokaal strandje dat vol ligt met kleine vissersbootjes en waar de vissers op het strand hun netten laten drogen. Onder de kleine pier zie je erg veel kleine vissen. Zowel het strand als de bodem is bedekt met vulkanisch asgesteente. Je zwemt hier zo'n 4–5 min. tot aan de drop-off. Pas op voor boten en jetski's. Soms kan er onder water plotseling een sterke stroming optreden! Kijk naar de vele bontgekleurde vissen rond de koraalformaties op de drop-off en de helling. Snorkelen wordt afgeraden in verband met de vele jetski's die hier rondvaren.

Duiklocaties in de omgeving
Net als de vorige duiklocatie ligt ook **Playa Forti/Sweet Alice (4)** in het dorpje Westpunt, maar nu aan de andere zijde van Westpuntbaai. Ook bij Playa Forti, dat ook wel Sweet Alice wordt genoemd, zijn het strand en de bodem bedekt met vulkanisch asgesteente. Je zwemt hier zo'n 4-5 min. tot aan de drop-off. Pas op voor boten en jetski's. Soms kan er onder water plotseling een sterke stroming optreden. Kijk naar de vele bont gekleurde vissen rond de koraalformaties op de drop-off en helling.
Snorkelen wordt afgeraden in verband met de vele jetski's die hier rondvaren.

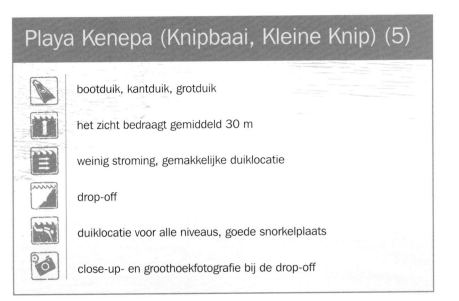

Playa Kenepa (Knipbaai, Kleine Knip) (5)

bootduik, kantduik, grotduik

het zicht bedraagt gemiddeld 30 m

weinig stroming, gemakkelijke duiklocatie

drop-off

duiklocatie voor alle niveaus, goede snorkelplaats

close-up- en groothoekfotografie bij de drop-off

Je rijdt vanaf de Kenepa-plantage bij Knipberg naar het nabij gelegen strandje in een kleine baai, die ook wel Knipbaai of Kleine Knip genoemd wordt. Het strand, met zijn witte zand, langs deze baai is de mooiste van het hele eiland. Het is een goede plek voor het hele gezin en daarom kan het er tijdens de weekeinden erg druk zijn. De auto kun je vlak bij het water parkeren en het is dan ook maar een klein stukje lopen voordat je het water in kunt. De beste entree ligt aan de linkerzijde (zuidoostzijde) van het strand, hoe verder hoe beter. De drop-off, die naar 40 m afdaalt, ligt op 15 m diepte bij de rotsen, ruim 10 min. zwemmen. Hier vindt je kleine grotjes en veel gorgonen. Het koraal is hier in vrijwel ongeschonden staat. Er zijn veel grote kolonies met pagodevormige koraalbergen. Sommige zijn doorspekt met spleten, waarin langoesten hun onderkomen zoeken. Met een beetje geluk tref je hier zeeschildpadden of de zeldzame tijgertandbaars aan.

Goede snorkelplaatsen liggen langs de rand van de drop-off, al is dat wel een eind zwemmen.

Duiklocaties in de omgeving: Playa Grandi (6)

Playa Grandi (Groot Strand) is een veel groter strand iets verder langs dezelfde weg dan de vorige duiklocatie. Heel populair bij de lokale bevolking (die het ook wel **Grote Knip** noemt), in het bijzonder tijdens de weekeinden. Aan het strand is goed te zien dat het veel gebruikt wordt. Om het water te bereiken loop je de kleine trap af. De drop-off ligt ongeveer 15 min. zwemmen van het strand. Ook hier moet je goed oppassen voor jetski's aan het wateroppervlak. Goede snorkelplaatsen liggen langs de rand van de drop-off, wel een eind zwemmen.

Duikers tussen de gorgonen op Klein Curaçao

Neptunus op de zeebodem

Op 7 december 1998 werd bij duikcentrum All West Diving op Westpunt
een standbeeld van Neptunus onthuld.
Dit standbeeld was van de hand van
kunstenaar en kersverse open-water-
duiker Gerrit Dammer. Enkele weken
daarvoor had deze kunstsmid Neptunus vervaardigd, die 2,5 m hoog, ge-
wapend met een drietand en kroon zijn
eeuwige rust heeft gevonden op een
diepte van 9 m tussen de vissen en
koralen. 'Neptunus moet een bijdrage
leveren aan het behoud van het rif,' al-
dus Gerrit Dammer. 'Iedere duiker
moet zich ervan bewust zijn hoe fragiel
het rif is.' Deze gedachte was voor de
kunstenaar dan ook de basis voor het
uitwerken van het beeld.

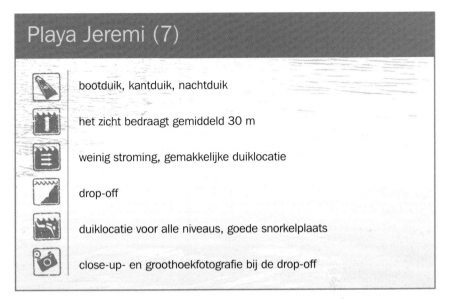

Playa Jeremi (7)

- bootduik, kantduik, nachtduik
- het zicht bedraagt gemiddeld 30 m
- weinig stroming, gemakkelijke duiklocatie
- drop-off
- duiklocatie voor alle niveaus, goede snorkelplaats
- close-up- en groothoekfotografie bij de drop-off

Playa Jeremi ligt net voorbij Soto op weg naar Lagun. Het strand van deze beschutte baai bestaat uit zand en vulkanisch gesteente. Je moet je omkleden bij de auto en dan een klein stukje naar het water lopen. Je kunt hier gemakkelijk het water in en uit lopen. Het zand in het midden van de baai herbergt veel dieren zoals pauwbotten, grote schelpen en zeesterren. In het midden van de baai, zo'n 5 min. zwemmen, begint de drop-off op 12 m diepte. Hier vind je grote koraalkoppen van sterkoraal en veel vis. Goede snorkelplaatsen liggen langs de rand van de baai aan beide kanten van het strand.

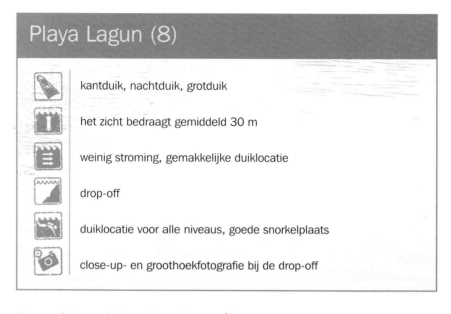

Een prachtig parelwit zandstrandje tussen twee grote rotsformaties ten zuiden van het dorp Lagun. Het is een heel kleine baai, heerlijk voor een dagje ver weg van de bewoonde wereld. Het ligt heel beschut tussen de rotsen en je vindt er daarom vrijwel altijd glad water. Tijdens de weekeinden kan het hier erg druk zijn, want ook de lokale bewoners en de vissers weten Playa Lagun te vinden. Sla vanaf de hoofdweg de weg in naar Lagun (tussen Westpunt en Soto). Als je naar het noorden rijdt, draai dan links af naar de parkeerplaats. Je kunt hier tot op 8 m van het water je auto parkeren. Omkleden kan onder schaduwrijke bomen op het strand. Er is een klein winkeltje op het strand waar je versnaperingen kunt kopen.

De snorkelafstand tussen het strand en het rif is ongeveer 150 m. De eerste drop-off begint op 10 m diepte onder een hoek van 45°, gevolgd door een tweede die tot 46 m diepte doorloopt. Het midden van de baai bestaat voornamelijk uit zand. Op het rif vind je enorme sponzen en koraalformaties. Langs de kust en voorbij het witte zandstrand liggen in de rotskust verschillende kleine grotten verscholen. Goede snorkelplaatsen liggen langs de rand van de baai aan beide kanten van het strand en boven de drop-off. Bij het snorkelen kun je sponzen en koralen bekijken.

Boca Santa Cruz (9)

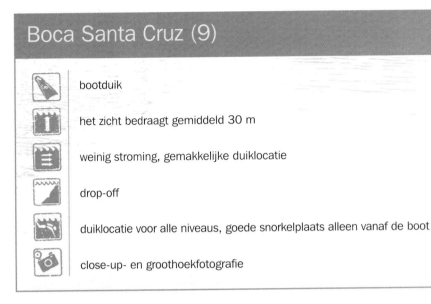

bootduik

het zicht bedraagt gemiddeld 30 m

weinig stroming, gemakkelijke duiklocatie

drop-off

duiklocatie voor alle niveaus, goede snorkelplaats alleen vanaf de boot

close-up- en groothoekfotografie

Mushroom forest heeft bizar gevormde koralen.

Ten westen van Mushroom Forest ligt Santa Cruz. Bij de oever bevindt zich een klein strandje met zonnehutten, Playa Santa Cruz. Het is een heel eind zwemmen om op deze duiklocatie te komen, daarom is het aan te raden om met de boot te gaan. Bovendien is de baai vaak troebel door het sediment op de bodem. De duiklocatie begint op een zandvlakte die uitloopt naar het rif, dat langzaam afhelt naar dieper water. Met name worden hier veel zandalen in ondiep water aangetroffen. In het ondiepe water is een hoop dierenleven te zien en een duik kan hier tamelijk lang duren. Naar het oosten gaat deze duiklocatie via Santu Petru over in Mushroom Forest. Op deze duiklocatie zijn de uitlopers van Mushroom Forest duidelijk herkenbaar, hier beginnen de typische 'paddestoelvormige' koraalformaties al.

Boca Santu Pretu (10)

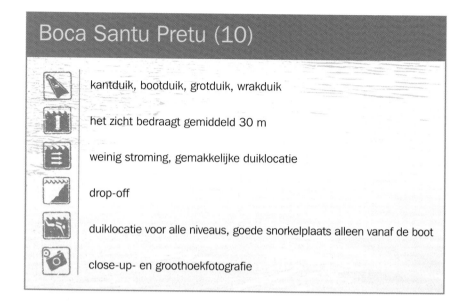

kantduik, bootduik, grotduik, wrakduik

het zicht bedraagt gemiddeld 30 m

weinig stroming, gemakkelijke duiklocatie

drop-off

duiklocatie voor alle niveaus, goede snorkelplaats alleen vanaf de boot

close-up- en groothoekfotografie

'Pretu' betekent 'zwart' in het Papiamento. Het strand ligt ongeveer 15 min. rijden vanaf het hek vanaf de weg van San Nicolas naar Lagun. Het is een mooie tocht door de heuvels (110 en 115 m hoog). Het strand bestaat uit zwart vulkanisch zand en hier word je het vulkanische karakter van het eiland gewaar. Aan de rand van het strand staan bomen die voor voldoende schaduw tijdens het omkleden zorgen. Aan de rechterzijde (noordwestzijde) van het strand kun je te water gaan en dan naar het midden van de baai zwemmen. Hier is een helling met buisalen. Zwem dan nog zo'n 8 min. door naar de koraalrifhelling. Je vindt hier alle soorten Caribische vissen. Er ligt ook ergens nog een klein wrakje. Op 7 m diepte komen hier de zandalen al voor. Typisch voor deze duiklocatie zijn de overhangende, schaduwrijke oeverrotsen langs de baai van Santu Pretu. Dit is een goede snorkelplaats.

Duiklocaties in de omgeving

De allermooiste duiklocatie van het onderwaterpark Banda Abao (een van de toptien duiklocaties van Curaçao) is **Mushroom Forest (11)**. Je vindt hier een geleidelijk aflopend rif met gigantische paddestoelvormige koraalformaties over een groot gebied. Het is een geweldige ervaring om tussen deze duizenden jaren oude koraalformaties door te zwemmen. Deze prachtige fotoduiklocatie mag door geen duiker of onderwaterfotograaf gemist worden. Op deze plaats worden vaak zeepaardjes en hengelaarvissen gevonden. Vanaf de boei is het de moeite waard om aan het einde van de duik nog even naar de grot te zwemmen. Het is een langgerekte opening met een groot koraalblok in het midden waar je langs en onder kunt zwemmen. In deze grot zie je enorme scholen glasvisjes. Het is volkomen veilig om deze ondiepe grot in te zwemmen. Mushroom Forest is tevens een mooie snorkelplaats, maar alleen toegankelijk vanaf de boot (soms zie je lokale mensen vanaf de rotsen in het water springen, maar dat is ten zeerste af te raden als je niet goed kunt klimmen of de plaatsen niet kent waar je het water uit kunt klimmen). De grot, die door de lokale bevol-

Olifantsoorspons

king **Boka Flùit** wordt genoemd, is ook toegankelijk voor snorkelaars. Hij dankt zijn naam aan het fluiten van de lucht die door een smalle opening ontsnapt als de golven de lucht in de grot samenpersen.

De grot zelf is een open *dome* naar de zeekant. Omdat het licht eerst door het wateroppervlak dringt, komt er alleen blauw licht de grot binnen, wat een heel mooie sfeer creëert.

Sponge Forest (12)

bootduik, grotduik, diep

het zicht bedraagt gemiddeld 30 m

weinig stroming, gemakkelijke duiklocatie

drop-off

duiklocatie voor ervaren duikers

hier vind je bijna alle in de Caribische Zee voorkomende sponzen

Een onderwaterfotograaf met zeeklit-egels

De naam Sponge Forest spreekt voor zich: een duiklocatie waar je grote aantallen karakteristieke beker- en tonsponzen van de Caribische Zee kunt aantreffen. Ze zijn zeer indrukwekkend met hun diameter van 1,5 m en een hoogte van 2 m, groter dan elders op het eiland. Sponge Forest ligt vlak bij Playa Hulu en is het beste per boot bereikbaar. Het plateau nabij de kust bestaat voornamelijk uit zand. Het beste duik je langs de schuine rifhelling die op 12 m begint en doorloopt naar 40 m diepte.

Duiklocaties in de omgeving
Playa Hulu (13) is een verborgen en intieme baai bij Pos Spaño, die tijdens doordeweekse dagen vrijwel uitgestorven is. Vanaf de parkeerplaats leidt een steile trap naar het water. De entree ligt aan de linkerzijde (zuidoostelijke kant). Hiervandaan zwem je in ongeveer 5 min. naar het rif. De bodem bestaat uit zand met hier en daar wat koraalformaties. Rechts van de baai is een met koraal bedekte drop-off met veel vis.

Rediho City (14)

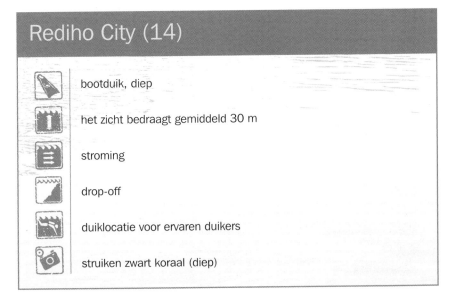

	bootduik, diep
	het zicht bedraagt gemiddeld 30 m
	stroming
	drop-off
	duiklocatie voor ervaren duikers
	struiken zwart koraal (diep)

Omdat Rediho City (ook wel **Boca Pos Spaño** genoemd) een onbeschutte duiklocatie is, kan het hier door golfslag soms flink tekeergaan. Omdat de stroming constant vers water aanvoert, vind je hier veel koraal en vis. Grote struiken zwart koraal zijn hier niet zeldzaam. En omdat hier altijd wel stroming heerst, kom je er ook grote scholen vissen tegen. Je kunt deze duiklocatie vanaf de kant beduiken, 5 min. zwemmen vanaf de oever, maar beter is om er per boot naar toe te gaan. De boei ligt op een diepte van 7 m en de drop-off begint op 12 m en eindigt op 46 m. Het rif is erg uitbundig en heel gezond. Kijk naast de grote scholen vis en schildpadden ook uit naar zeepaardjes en hengelaarsvissen.

Duiklocaties in de omgeving

Black Coral Gardens (15), een diepe duiklocatie, ligt op ongeveer 5 min. zwemmen uit de oever en wordt aangegeven met een boei op een diepte van 7 m. Er is weinig beschutting, zodat er hoge golven en stroming kunnen voorkomen. Als je voorbij de drop-off op 12 m zwemt, zie je grote bruinkleurige bossen zwart koraal. Het rif loopt af onder een hoek van 45 graden tot grote diepte. Zeeschildpadden, groene murenen, sepia's en scholen barracuda's zijn hier bij de landtong ten noordwesten van de ingang naar Santa Martha Baai regelmatige gasten. Af en toe zie je ook een pijlstaartrog, een haai of soms een manta. Kijk uit voor struiken zwart koraal.

Hell's Corner (16) is een uitdagende duiklocatie voor ervaren duikers die eens wat meer avontuur willen beleven. De duiklocatie staat volledig bloot aan het geweld van de zee en op het strand breken de grote oceaangolven op de rotsen. Het water kan bijzonder woelig zijn en er staan vaak sterke stromingen. Maar juist daarom is het voedselaanbod er enorm en is het leven onder water erg levendig met grote vissen en veel koraal. Het zicht is erg goed, tot zeker zo'n 40 m horizontaal. Je vindt hier een steil aflopend rif met grote gorgonen, grote bossen zwart koraal en imposante zuilkoralen. Op dit rif komen grote barracuda's, murenen en langoesten af.

Mako's Mountain (17)

bootduik, driftduik

het zicht bedraagt gemiddeld 45 m

veel stroming

drop-off

alleen geschikt voor ervaren duikers, snorkelen mogelijk voor ervaren snorkelaars

close-up- en groothoekfotografie

Atlantische schopvis

Mako's Mountain lijkt in tal van opzichten op Hell's Corner (duiklocatie 16). Ook deze duiklocatie staat bloot aan het geweld van de zee, wind en golven en is daarom alleen geschikt voor zeer ervaren duikers. De duiklocatie ligt op een hoek bij de ingang van Santa Martha Baai, recht tegenover Coral Cliff Beach. Ook hier staat vaak een sterke stroming (tot wel 2 knopen). De duiklocatie wordt aangegeven door een boei die op 5 m diepte verankerd ligt. Vanaf hier is het niet ver zwemmen naar de drop-off. Op een diepte van ongeveer 20 m ligt een oud scheepsanker. Deze duiklocatie herbergt in het ondiepe water veel elandsgewei-, hertshoorn- en waaierkoralen. Het rif eindigt op een diepte van 50 m.

Wrak van The Airplane/Mike's Reef (18)

kantduik, goed voor nachtduiken, goede snorkelplaats

het zicht bedraagt gemiddeld 30 m

weinig stroming

het vliegtuigwrakje ligt op de rand van de helling

duiklocatie voor alle niveaus, oppassen voor bootverkeer

op 6 m diepte ligt het vliegtuigwrakje, goed voor groothoekopnamen

Vliegtuigwrakje op Mike's Reef

Vlak voor het strand van het Sunset Waters Beach Resort (het voormalige Coral Cliff Hotel) ligt op nauwelijks 10 m diepte een klein sportvliegtuigje dat door de inmiddels overleden duikbaseigenaar Mike Feyts hier is afgezonken. Deze machine van het type Aero Commander, bouwjaar 1962, markeert de plaats waar je het water in en uit gaat om op het huisrif te duiken. Heel wat stormen en orkanen hebben het vliegtuigje zwaar geteisterd, waardoor inmiddels de vleugels zijn afgebroken en de bekleding in de loop der jaren is verdwenen. Inmiddels is het mooi begroeid met koralen. Het huisrif van het Sunshine Waters Beach Resort, dat Mike's Reef wordt genoemd en waar het vliegtuigwrakje op ligt, is meer dan de moeite waard. Als je met je gezicht naar zee kijkt, ligt links van het wrakje (naar het zuidoosten) een groot stokanker in ondiep water. Het gemakkelijkst ga je te water tussen de twee piertjes op het strand en zwem je naar de boei bij het wrakje. Na een bezoek aan het wrakje ga je naar links (zuidoosten) om de rest van Mike's Reef te onderzoeken.

Harry's Hole (19)

bootduik, goed voor nachtduiken, goede snorkelplaats

het zicht bedraagt gemiddeld 30 m

weinig stroming

drop-off

duiklocatie voor alle niveaus, oppassen voor bootverkeer

in het zand zijn grote kolonies buisalen te vinden

Harry's Hole wordt gekenmerkt door de talrijke hertshoorn-, waaier- en vuurkoralen in het ondiepe water en langs de drop-off. Het rif eindigt op een diepte van 50 m. Het gemakkelijkst ga je, net als bij de vorige duiklocatie, te water tussen de twee piertjes op het strand en zwem je naar links (zuidoosten). Kijk in het zand naar grote kolonies buisalen.

Duiklocaties in de omgeving
Playa Hundu/Lost Anchor 1 (20) ligt aan een bijna verlaten baai. Neem de afslag in Soto naar het Coral Cliff Resort. Als je het huis op de Groot Santa Martha-plan-tage bent gepasseerd, rij je door een plaats met veel schaduwrijke bomen en een rotswand aan je linkerzijde. Aan het einde van de rotswand zie je een zandweg aan je linkerzijde die je naar de duikloca-tie Playa Hundu (letterlijk 'diep strand') brengt. Aan je rechterzijde zie je een aan-tal kapitale villa's staan. Deze duiklocatie herbergt in het ondiepe water veel elandsgewei-, hertshoorn- en waaierkor-alen. De drop-off begint op zo'n 9 m diepte. Op een diepte van ongeveer 23 m ligt een oud scheepsanker. Snorkelaars kunnen het beste naar links zwemmen.

San Juan Baai (21)

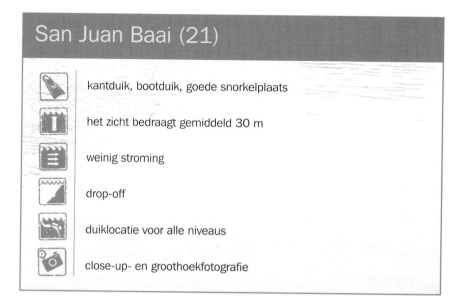

kantduik, bootduik, goede snorkelplaats

het zicht bedraagt gemiddeld 30 m

weinig stroming

drop-off

duiklocatie voor alle niveaus

close-up- en groothoekfotografie

San Juan Baai heeft vier duiklocaties die erg interessant zijn: Boka Grandi, Playa Mansaliña, Playa Largu en Mike's Place (ook wel Big Sponge genoemd). Net voorbij de afslag naar Kas Abou geeft een verkeersbord aan dat je linksaf naar de kust kunt rijden. Na ongeveer 5 min. rijden kom je bij het plantagehuis waar je een entree van NAf. 5,- moet betalen bij de poort. Die geeft je toegang tot alle hier genoemde duiklocaties. Alle duiklocaties liggen dicht bij de parkeerplaatsen. Onder water tref je een loodrechte drop-off aan met een uitbundige koraalgroei en visleven. Het rif bevind zich aan de voorzijde van een rotspartij ten zuidoosten van het dorp San Juan. Je kunt er per boot of met de auto komen (je moet wel entree betalen, want de weg loopt over privé-terrein). Om bij het rif te komen, moet je ongeveer 5 min. over de zandbodem zwemmen.

Duiklocaties in de omgeving

Boka Grandi (22) (Grote Baai) is een gemakkelijk toegankelijke duiklocatie met een groot zandstrand in de noordwest-

hoek van San Juan Baai. Om de drop-off te bereiken, moet je een flink eind zwemmen tot de ingang van de baai. Als je naar rechts (noodwesten) zwemt, zie je een klein strandje met koraalpuin dat de ingang aangeeft van San Juan Baai. Op 15 m diepte vind je hier sterkoraalblokken. Snorkelaars moeten naar links (zuidoosten) zwemmen want daar liggen ook mooie koraalformaties.

Playa Mansaliña (23) (genoemd naar de mansaliña-bomen, die veel schaduw geven maar waarvan het fruit giftig is en de bladeren bij aanraking, zeker als je nat bent, een hevige huidirritatie veroorzaken) bestaat uit een rotsachtig strand met hier en daar zandstrandjes ertussen. Omdat hier nauwelijks stroming of golfslag is, is het zicht wel zo'n 45 m. Als je naar het oosten zwemt, vind je een drop-off met veel sponzen. Aan de rechterkant liggen koraalformaties in ondiep water, interessant voor snorkelaars.

Mike's Place (of **Big Sponge**) (24) In Boca Santa Martha, vlak bij Punt Halve Dag,

De enorme 'Big Sponge' is door een schimmelinfectieziekte volkomen verdwenen.

lag een gigantische spons (ruim 3 m in doorsnede) onder water, die men het 'tweepersoonsbed' noemde en die wel enkele honderden jaren oud moest zijn. Nergens in het Caribisch gebied was zo'n unieke en fotogenieke spons te zien. Helaas heeft een schimmelinfectieziekte de spons binnen een jaar tijd volledig vernietigd. Er is nog nauwelijks iets van over. Maar ook zonder deze spons is er op deze duiklocatie nog veel te zien. Deze duiklocatie is ook zwemmend te bereiken, het kost je ruim een kwartier zwemmen vanaf Playa Largu. De boei ligt op een diepte van 5 m, de reuzenspons lag op 28 m diepte.

Playa Largu (25) (Lang Strand) is, zoals de naam reeds doet vermoedden, een lang recht en hard strand in het zuidwesten van San Juan Baai. Om hier met de auto te komen, volg je de hoofdstraat van Willemstad naar Soto in zuidwestelijke richting naar San Juan. Het is slechts een paar kilometer naar landhuis San Juan. Hier moet je bij een slagboom entreegeld betalen. Playa Largu heeft een rotsachtig strand, dus goede schoentjes zijn geen overbodige luxe om zonder verwondingen te water te kunnen gaan. De drop-off ligt hier vlak bij het strand. Hier vind je de meest uiteenlopende dieren, zoals symbiosegarnalen, brokkelsterren en haarsterren. Het is een uitstekende snorkelplaats met veel koraal en vis. Playa Largu is een duiklocatie voor de gehele dag, bomen aan de rand van het strand bieden de broodnodige schaduw.

Kas Abou (26)

kantduik, goede snorkelplaats

het zicht bedraagt gemiddeld 30 m

geen stroming, geen golfslag

drop-off

duiklocatie voor alle niveaus

close-up- en groothoekfotografie

Bij Kas Abou Beach ligt een van Curaçaos mooiste zandstranden. Je moet ook hier bij de poort van het plantagehuis NAƒ 5,- entree per auto betalen (op zondag is dat NAƒ 10,-). Vlak bij het strand ligt een grote parkeerplaats waar je je om kunt kleden. Er is nauwelijks golfslag en geen stroming. Je kunt overal te water gaan en naar de drop-off zwemmen die op 9 m diepte begint en tot zo'n 43 m diepte doorloopt. Vrijwel alle Caribische vissen komen hier voor, maar ook grote sponzen en zweep-

Een paartje grijze engelvissen

koralen. Ook het rif op het plateau is zeer rijk aan vissen en ander zeeleven.

Port Marie/The Valley (27)

kantduik, goed voor nachtduiken, goede snorkelplaats

het zicht bedraagt gemiddeld 30 m

weinig stroming, weinig golfslag

dubbel-rif, drop-off

duiklocatie voor alle niveaus

close-up- en groothoekfotografie

Port Marie (ook wel **The Valley** genoemd) behoort tot de toptien van duiklocaties op Curaçao. Hier vind je een zogenaamd dubbel-rif met een 'vallei' ertussen. De duiklocatie ligt voor Port Marie Beach, een baai met een lang zandstrand op nog geen 10 min. rijden vanaf de Sint-Willibrorduskerk. Je betaalt er NAf 4,- entree per auto en NAf 1,- per duiker. Je krijgt hiervoor echter wel een strandstoel en een consumptie. Rij naar de rechterzijde van het strand voor een gemakkelijke toegang tot de duiklo-catie. Je moet ongeveer 5 min. zwemmen voordat je het eerste rif bereikt. In het midden van de baai ligt een boei voor het afmeren van boten. Bij deze boei is het 9 m diep en het eerste rif ligt er niet ver vandaan op zo'n 15 m diepte. Als je rechtuit zwemt over het rif, zie je de zandbo-dem van de vallei en dan het tweede rif op 18 m. Veel mooi koraal, in het zand vaak grote roggen en soms verpleegster-haaien. Onlangs is hier een PADI AWARE artificieel rif van betonnen 'reefballs' gebouwd.

Reefball-project slaat aan

Het reefball-project bij Port Marie aan de zuidkust van Curaçao lijkt aan te slaan. Wat als kale betonnen ballen het zeewater in ging, is inmiddels behoor-lijk begroeid, en de vissen gebruiken het als schuil- en voedingsplaats. Met dit project wil Port Marie de door de orkaan Lenny beschadigde onderwaternatuur een handje helpen. De ballen van beton vormen een uitstekende basis voor koraalgroei en worden wereldwijd gebruikt op beschadigde riffen. Voor Port Marie is de grote educatieve waarde voor toeristen en schoolkinderen even-eens van groot belang.

Daaibooi (28)

kantduik, goed voor nachtduiken, goede snorkelplaats

het zicht bedraagt gemiddeld 30 m

weinig stroming, weinig golfslag

dubbel-rif, drop-off

duiklocatie voor alle niveaus

macro-, close-up- en groothoekfotografie

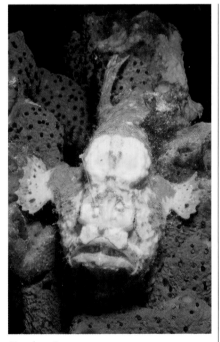

Hengelaarsvis

In de buurt van St. Willibrordus ligt Daaibooi Baai, een hard strand waar aan de ene zijde de vissers hun boten en netten repareren en aan de andere zijde de lokale bevolking en toeristen zonnen en barbecuen. De rotspartijen en de vissersboten maken het tot een pittoresk plekje. Daaibooi Baai is gemakkelijk te vinden door de wegwijzers te volgen die bij de kerk beginnen. Bij het strand bevindt zich een parkeerplaats waar je je om kunt kleden. De uit de baai omhoogrijzende fossiele koraalrotsen zijn sterk begroeid met zeeleven en zijn een ideale plek voor snorkelaars. Duikers zwemmen de baai uit tot de drop-off (zo'n 5 min.). Vrijwel alle Caribische vissen komen hier voor en maken het tot een mooie duik. Het is een van de mooiste plekken in Curaçao voor macro- en close-up-fotografie.

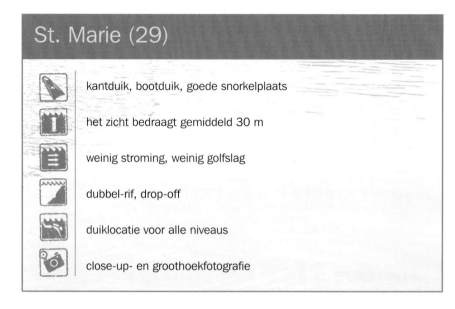

St. Marie (29)

kantduik, bootduik, goede snorkelplaats

het zicht bedraagt gemiddeld 30 m

weinig stroming, weinig golfslag

dubbel-rif, drop-off

duiklocatie voor alle niveaus

close-up- en groothoekfotografie

Op de weg naar het Habitat Hotel ligt de duiklocatie St. Marie. Als je de berg af komt rijden, liggen in de scherpe bocht naar links twee zandwegen aan de rechterkant. Rij de weg die in het verlengde van de weg naar het water loopt in en rij door tot je op een klein parkeerplaatsje komt en niet verder kunt (er liggen grote stenen op de weg). Hier kun je parkeren en je omkleden. Er liggen drie wegen voor je. De meest linkse is afgesloten door grote betonnen buizen. Voor je ligt iets naar links een pad dat naar de rand van een rotswand loopt. Je moet via een ladder afdalen en je loopt dwars door een dichte begroeiing naar het strand van St. Marie. Het is een strandje uit koraalpuin en de entree naar het water is rotsachtig. Je moet zo'n 3 min. zeewaarts zwemmen om de drop-off te bereiken. Je vindt hier een gezond en rijk rif. Vaak zijn hier zeepaardjes en hengelaarvissen te vinden (voor duikers met een goed oog). Vanwege de beperkte toegankelijkheid en moeite die je moet doen om het strand te bereiken, is het hier vaak erg rustig.

Duiklocaties in de omgeving

Voor het **Habitat Hotel** (het ultieme 'Divers Freedom Center') ligt een prachtig **huisrif** (30), waar je een week lang kunt duiken en steeds weer nieuwe dieren kunt ontdekken. Vraag de *divemasters* naar zeepaardjes en hengelaarsvissen; ze weten ze vaak te vinden, want er zitten er regelmatig enkele vlak in de buurt. Een lange lijn wijst de weg naar de drop-off die op 12 m diepte begint. Je kunt hier zowel naar links als naar rechts duiken. Het rif is heel gezond met veel vis. Direct rechts van de lijn die de diepte in voert en een baken is voor duikers om de duiksteiger weer terug te vinden, ligt een klein anker in het koraal ingebed. Ook zit hier een grote groene murene in de buurt. Nachtduiken zijn hier heel bijzonder. Tijdens elke nachtduik zie je meerdere inktvissen (octopussen) jagen. In het lamplicht zwemt de octopus met je mee en spreidt als een net zijn vangarmen, met daartussen grote vliezen, over het koraal om de argeloze slapende vis te verschalken. Ook zie je op het rifplateau regelmatig slangmurenen zwemmen die

Grote bek, klein hart

Tijdens mijn laatste bezoek aan Curaçao zag ik bij Habitat wel iets heel bijzonders. Het was Habitat-manager Albert Romein die me erop wees: *'Heb je onze bijzondere haai al gezien?'* Bij het woord 'haai' spitste ik natuurlijk mijn oren, want sinds de jaren van Hans Hass zie je niet zoveel haaien meer rond de eilanden. Natuurlijk begon ik voorzichtig te informeren in de trant van: *'Wat voor haai?'* en *'Hoe vaak heb je hem al gezien?'* Het antwoord maakte me wel heel erg nieuwsgierig: *'Dagelijks!'*

Dus ging ik op zoek naar de Habitat-haai van Curaçao. En tussen neus en lippen door werd me nog verteld dat er ook nog een grote manta rondzwom die af en toe gezien werd op het huisrif. Ik zwom en ik zwom, keek in elke hoek en spleet, maar geen haai. Teleurgesteld en met een houding van 'Zie je nou wel' schoof ik aan de bar aan. Met een grote koude piña colada voor mijn neus wachtte ik op Albert. Die kwam (Happy Hour slaat hij nooit over) en ik liet mijn teleurstelling de vrije hand. Hij moest lachen en samen keken we wazig uit over het water. *'Draai je hoofd nu eens een beetje,'* zei Albert. En ik draaide mijn hoofd. *'Wat zie je daar in de verte?'* Ik keek weer en waarachtig: de haai! Voorzichtig kwam ik dichterbij en toen zag ik het! Een exemplaar van de soort *Carcharias plasticus*, zo'n 2 m lang! En toen zag ik ook zijn bijzondere gedrag: het was een muilbroeder! Dat gedrag is uniek onder haaien en is nog nooit waargenomen. Dus ging ik op jacht met mijn camera. En uiteindelijk, het laatste uur van mijn verblijf lukte het me een paar goede foto's te schieten. En ziehier het resultaat: terwijl de haai angstvallig zijn bek opengesperd houdt, vliegen beide suikerdiefjes af en aan om hun kroost te voeden. Wat een vorm van symbiose! (JN)

op jacht zijn naar kleine visjes en kreeftachtigen. In het ondiepe water, direct voor de rotskust, staan grote elandsgeweikoralen.

De appartementen en bungalows die bij het Habitat Hotel staan, zijn ontworpen door lokale architect Henk Bolivar.

Vuurtoren (Lighthouse) (31)

bootduik, driftduik

het zicht bedraagt gemiddeld 30 m

stroming, golfslag

drop-off

alleen geschikt voor ervaren duikers

close-up- en groothoekfotografie

Een Spaanse zwijnslipvis

Het is een duiklocatie die alleen toegankelijk is vanaf een boot en vanwege haar ruige karakter alleen geschikt is voor ervaren duikers. De duiklocatie is genoemd naar de vuurtoren boven op de rots. De duikers worden er overboord gezet en de boot volgt de duikers om ze later weer op te pikken. Je moet hier een goede maag hebben, want er staat nogal wat golfslag. Het rif start op 7 m diepte en je komt hier veel diepwatervissen tegen en zelfs haaien en hamerhaaien. Alles is er groter, vanwege de constante toevoer van vers en voedselrijk water.

Duikers die eens wat anders willen en het avontuurlijke zoeken, komen bij de vuurtoren, ook wel Light Tower of Lighthouse genoemd, goed aan hun trekken.

Hollandse krijgslist werd Franse vloot fataal

Leden van een Amerikaanse duikexpeditie hebben bij de Aves-eilanden (Venezuela), ten oosten van de Nederlandse Antillen, een door een Hollandse krijgslist vergane Franse oorlogsvloot uit 1678 teruggevonden. Na een paar jaar zoeken zijn de dertien oorlogsbodems gelokaliseerd. Het gaat om wrakken van zo'n achttien Franse oorlogs- en piratenschepen die drie eeuwen geleden door een noodlottig toeval op een koraalrif vergingen. De wrakken werden gevonden op een diepte van 9 m. Twee ervan, het vermoedelijke Franse vlaggenschip *Le Terrible* en een piratenschip verkeren in meer dan uitstekende staat. Bij de wrakken lagen talloze bronzen kanonnen, kruiken, knopen en stukken van bronzen versierselen. Slechts één keer eerder is op de zeebodem een piratenschip gevonden.

Volgens expeditieleider Barry Clifford, die zijn brood verdient met het bergen van schepen, kan er nauwelijks twijfel over bestaan dat de gevonden schepen deel uitmaakten van de bewuste vloot. In het gebied zijn volgens historische bronnen alleen een 17de-eeuws parelschip en in de recente geschiedenis twee vrachtschepen en een zeilboot gezonken.

De ondergang van deze vloot is niet de beroemdste ondergang van Franse eskaders, maar wel een van de gruwelijkste. Zeker 1100 mensen verloren in 1678 het leven. De gevolgen hebben de geschiedenis van het Caribisch gebied in belangrijke mate bepaald.

De Franse vloot, een kleine armada van 35 oorlogs- en piratenschepen, was in mei 1678 op weg naar Curaçao, dat ze wilden veroveren. Ze vormde de belangrijkste marine-eenheid in het Caribisch gebied. De Hollanders op de Antillen hadden maar drie schepen en waren geen partij voor de Fransen. Dit wetende besloten de Hollandse kapiteins de Fransen naar koraalriffen van de Aves-eilanden te lokken. Ze voeren de vloot even tegemoet en de Fransen kwamen hen vervolgens achterna. Korte tijd later liep de Franse vloot op 130 km ten oosten van Curaçao op de riffen. De ramp voltrok zich toen *Le Terrible*, die onder bevel stond van een graaf, bij zwaar weer het koraalrif ramde en bij wijze van waarschuwing kanonschoten loste. De andere kapiteins vatten de schoten op als signaal dat *Le Terrible* werd aangevallen (door de Nederlanders) en haastten zich in de richting van het vlaggenschip, waarna een aantal schepen zelf op het rif liep. Naar schatting achttien schepen met een grote hoeveelheid kanonnen, zwaarden, goud en zilver aan boord, zonken en zo'n vijfhonderd opvarenden verdronken. Twaalfhonderd bemanningsleden slaagden erin de Aves-eilanden te bereiken; in drie maanden tijd stierf de helft door honger of ziekte. De rest werd gevangengenomen door de Nederlanders en uitgewisseld tegen Nederlandse gevangenen.

Het einde van deze vloot betekende dat de Britten het Caribisch gebied konden domineren en tal van eilanden in bezit namen. Er brak voor de zeepiraterij een gouden tijd aan in de Caribische Zee.

Onderwaterpark Centraal Curaçao (van Bullenbaai tot Breezes Curaçao)

Seldom Reef (32)

bootduik, driftduik, diep

het zicht bedraagt gemiddeld 30 m

stroming, golfslag

drop-off

alleen geschikt voor ervaren duikers

close-up- en groothoekfotografie

Grote bekerspons langs de drop-off

Deze ruige duiklocatie ligt 15 min. varen per boot van Boka St. Michiel. Vanwege het karakter is deze duik alleen geschikt voor ervaren duikers. De zee kan er erg ruw zijn en het in de boot klimmen erg moeilijk maken. De boten droppen hun duikers vaak om de hoek aan de noordwestelijke kant van de baai. Het rif van de drop-off begint op zo'n 7 m en zakt in de eindeloze diepte weg. Je kunt er diepe duiken maken. Er zijn hier veel diepwatervissen te zien en enorme grote scholen barracuda's. Grote murenen en schildpadden zijn er geen uitzondering. Op de punt van het rif zijn het koraalleven en alles daaromheen bijna spectaculair te noemen. Dit zijn dé plaatsen voor de onderwaterfotograaf om groothoekopnamen te maken. Op het ondiepe rif is erg veel hertshoornkoraal te vinden.

Duiklocaties in de omgeving

Met zijn loodrechte drop-off behoort **Bullen Baai** (33) tot de beste duiklocaties van Curaçao met vaak een extreem goed onderwaterzicht. Hier kun je diepe duiken maken, maar ook deze plaats kan ruw zijn. Het is mogelijk om deze duiklocatie vanaf het land te beduiken. Sommige duikcentra hebben toestemming om het landgoed te betreden. Rechts van de baai ligt de boei waar de drop-off begint. Deze bijna loodrechte wand is doorspekt met scheuren en grotten met veel koraal. Hij eindigt op 43 m diepte. Je ziet hier, naast een heel mooi rif met veel hertshoornkoraal, veel langoesten, soms grote krabben, murenen en veel verschillende soorten rifvis.

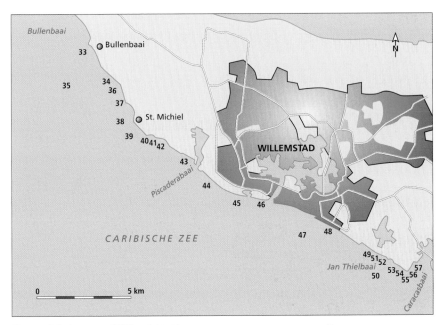

Curaçao: duikplaatsen rond Willemstad, 33 t/m 57

Bachelor's Beach (34)

kantduik, bootduik

het zicht bedraagt gemiddeld 30 m

weinig stroming, weinig golfslag

drop-off

duiklocatie voor alle niveaus

close-up- en groothoekfotografie

Bachelor's Beach, ook wel Lover's Beach of Pest Baai genoemd, doet zijn naam eer aan, want menig verliefd stelletje zoekt hier de privacy op. Als je de weg volgt voorbij de afslag naar Vaersenbaai, kom je na ongeveer 7 min. aan je linkerzijde een smalle zandweg tegen, net voordat je Bullenbaai bereikt. Rij dit zandweggetje in en rij tot de rand van de rotsen, vanwaar je dit intieme rotsstrandje kunt zien. Kleed je om bij de auto en klim naar beneden, zwem ongeveer 3 min. rechtuit naar de drop-off. Vlak voor de drop-off staan grote koraalblokken op 15 m diepte op de bodem. Vrijwel alle Caribische vissen komen er voor.

Een duikster me een gele hengelaarsvis in een paarse pijpspons

Vaersenbaai (35)

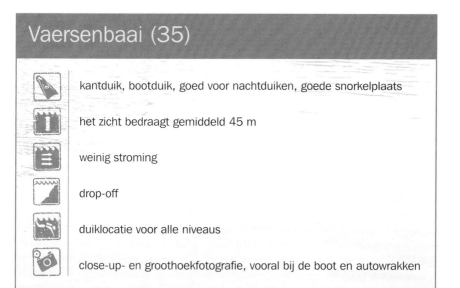

kantduik, bootduik, goed voor nachtduiken, goede snorkelplaats

het zicht bedraagt gemiddeld 45 m

weinig stroming

drop-off

duiklocatie voor alle niveaus

close-up- en groothoekfotografie, vooral bij de boot en autowrakken

Vaersenbaai ligt tussen het dorp Sint-Michiel en Bullenbaai in, ten noordwesten van Willemstad. Dit is de plaats waar de Politie Recreatie Club ligt. Om hier te mogen duiken moet je NAƒ 3,50 entree betalen en NAƒ 3,75 per persoon. Vanaf de parkeerplaats is het maar een klein stukje lopen naar het water. De zee is hier altijd rustig en biedt een goede snorkelplaats. Voor zwemmers ligt er een vlot juist buiten de kustlijn. De drop-off is goed te zien vanaf de kant en ligt op amper 5 min. zwemmen naar de linker- of rechterzijde van de baai. Het rif ligt op 9 m diepte en valt via een drop-off onder een hoek van 45% af naar 46 m. Je komt hier alle soorten rifvis tegen. Kijk uit naar egelvissen, keizersvissen, murenen en buissponzen. De lokale bevolking komt hier vaak nachtduiken. In het ondiepe water staan grote blokken hersenkoraal. Als het duiken in het Onderwaterpark onmogelijk is, biedt Vaersenbaai door haar beschutte ligging nog altijd de mogelijkheid voor een goede duik.

Duiklocaties in de omgeving

Links (ten zuidoosten) van Vaersenbaai ligt de duiklocatie **Car Wrecks (36)**, een leuke duiklocatie met goede fotomogelijkheden en gemakkelijk vanaf de kust bereikbaar in 7 min. zwemmen naar de boei die de duiklocatie markeert. Bij de boei is het maar 6 m diep. De oude auto's werden op een ponton vervoerd, maar gingen door de golfslag schuiven, waardoor de ponton kapseisde en de tientallen auto's en het ponton onder water verdwenen. De ponton waarop de autowrakken werden vervoerd, ligt op 18 m diepte. De auto's liggen nu verspreid over de bodem op 20 tot 35 m diepte. Iets verder ligt de drop-off die naar 43 m diepte afvalt. De sleepboot die de ponton trok, ligt hier op zijn kant op 45–57 m diepte met de boeg omhoog.

Halfway (37)

bootduik, goede snorkelplaats

het zicht bedraagt gemiddeld 30 m

weinig stroming

drop-off

duiklocatie voor alle niveaus

close-up- en groothoekfotografie

Deze duiklocatie ligt halverwege Boka St. Michiel en Vaersenbaai en is daarom 'Halfway' genoemd. Omdat hier geen boei ligt, wordt er niet vaak gedoken, ook omdat je er vanaf de kant niet kunt komen. Wanneer je over de zandbodem naar de drop-off, die op een diepte van 9 m begint, zwemt, maak je kans om grote zonnebadende pijlstaartroggen tegen te komen. De drop-off is bijzonder rijk aan koraal en af en toe kom je er zeepaardjes tegen. Halfway is tevens een heel mooie snorkelplaats met alles wat de Caribische Zee te bieden heeft.

Blauwe doktersvis

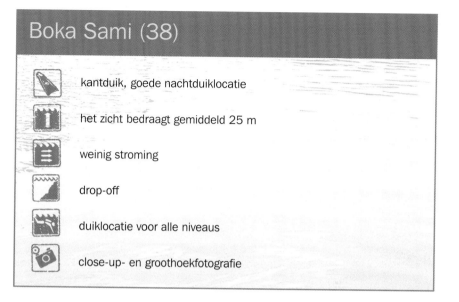

Boka Sami (38)

kantduik, goede nachtduiklocatie

het zicht bedraagt gemiddeld 25 m

weinig stroming

drop-off

duiklocatie voor alle niveaus

close-up- en groothoekfotografie

Als je door het dorpje Boka St. Michiel rijdt, kom je bij de baai uit, waar de vissersbootjes op het strand liggen. Er zijn diverse lokale restaurantjes waar het goed vertoeven is. Mis de 'catch of the day' niet. Rechts van de baai ligt het Wedervoort Dive Center. De beste plaats om naar Boka Sami te zwemmen, is recht voor het duikcentrum rechts van de rotsen. Je zwemt hiervandaan in ongeveer 7 min. naar het rif. De bodem bestaat uit zand en het zicht is gemiddeld zo'n 25 m. De top van het rif begint op 12 m en daalt af tot meer dan 45 m. Hier worden vaak zeepaardjes en hengelaarvis gezien.

Duiklocaties in de omgeving

De duiklocatie **Slangen Baai (39)** ligt aan het zuidoostelijk eind van Boka St. Michiel. Hier vind je veel zandalen (waar de naam vandaan komt, het zijn echter geen slangen maar familie van de murene). Parkeer je auto op de straat en loop via het kleine kiezelstrand naar het water. Zwem over de zandvlakte naar de drop-

off. Er is hier altijd weinig golfslag en stroming en een zicht onder water rond de 30 m. De top van het rif ligt op 12 m en daalt af naar meer dan 45 m diepte. Op deze duiklocatie is op de rand van de drop-off en het plateau erg veel potloodkoraal (*Madracis mirabilis*) te vinden, een zeer fraaie koraalformatie die echter ook heel breekbaar is. Als het koraal afbreekt, rolt het weg en groeit weer verder waar het ligt. Op deze manier verspreidt dit koraal zich razendsnel.

Kaap Malmeeuw (40) ligt op de landpunt richting Blauwbaai. Het is een prima duiklocatie voor open water en gevorderde open-waterduikers. Bij een ruwe zee is dit een moeilijke entree tot het water (en natuurlijk ook bij het verlaten van het water). Eenmaal te water vind je hier een mooie drop-off met vaak grote scholen met vis. Informeer van tevoren bij het duikcentrum hoe de weercondities zijn en of het mogelijk is dat je hier te water kunt gaan.

The Wall (41)

bootduik, kantduik, driftduik

het zicht bedraagt gemiddeld 45 m

weinig stroming

drop-off

duiklocatie voor alle niveaus

close-up- en groothoekfotografie

De naam 'The Wall ' zegt al voldoende voor deze diepe duiklocatie. Je kunt het water met de boot in bij de noordwestelijke hoek van Blauwbaai. De top van het rif ligt op 6 m en daalt af naar meer dan 45 m diepte. Van de top van de drop-off kun je richting strand zwemmen. Je komt hier op een plateau dat varieert tussen de 9 en 18 m diepte. Grote koraalformaties staan er in het landschap, waartussen je vaak grote scholen vis, adelaarsroggen en schildpadden kunt vinden.

Duiklocaties in de omgeving
Blauwbaai (42) is een beschutte baai tussen Piscaderabaai en het dorp Sint Mi-

chiel. Het strand is echter privé-terrein, zodat je hier eigenlijk alleen per boot kunt komen. De baai is zanderig en geschikt voor duikopleidingen. Vanaf de kust zwem je door een uitstekend snorkelgebied. Het rif ligt op zwemafstand links van het strand. Je bereikt hier een diepte van maximaal 15 m. Rechts van het strand ligt op zo'n 7 min. zwemmen de drop-off. Het rif begint op 9 m diepte en valt steil af naar beneden tot 46 m. Je vindt hier veel plaat- en draadkoralen, zwart koraal en sponzen. Op sommige plaatsen is de drop-off bijna verticaal, op andere plaatsen heeft hij een hoek van zo'n 45°.

Piscadera Playa Largu (43)

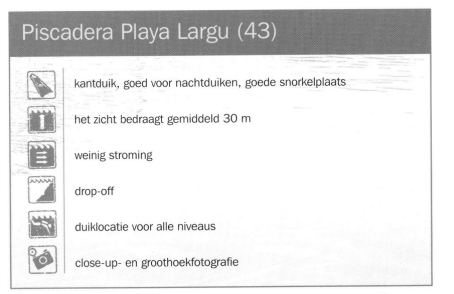

kantduik, goed voor nachtduiken, goede snorkelplaats

het zicht bedraagt gemiddeld 30 m

weinig stroming

drop-off

duiklocatie voor alle niveaus

close-up- en groothoekfotografie

Piscadera Playa Largu ('Groot strand') is een duiklocatie voor mensen met een beetje conditie. Je moet hier namelijk zo'n 10-15 min. door een lichte stroming zwemmen om bij de duikplek te komen. Je kunt natuurlijk ook met de boot gaan, dat maakt het allemaal wat eenvoudiger.

Zeepaardje in touwspons

Laat je niet van de wijs brengen door de naam 'Playa Largu', want het strand stelt bijna niets voor, een smalle strook met koraalpuin en stenen. Je moet de auto parkeren bij de vissershutjes en daar te water gaan. Zwem het kanaal van Piscaderabaai over naar rechts maar pas op voor boten en jetski's. Het kanaal is modderig en troebel. Als je voorbij bent, kom je in helder water met vaak zo'n 30 m zicht. Er is een steile drop-off met veel leven. Vaak worden hier scholen adelaarsroggen gezien, maar ook schildpadden, barracuda's en zelfs dolfijnen. Links aan de andere kant staan de palen van de wandelpier van het Curaçao Sheraton Resort. Hier worden met grote regelmaat zeepaardjes aangetroffen. Vraag de duikgidsen van Dolphin Divers ernaar. Ook zie je hier jonge keizersvissen, grote anemonen met garnalen en zelfs schaamkrabben in het zand. Het is dé plaats voor onderwaterfotografen die wat bijzonders willen fotograferen. Onder de pier liggen heel veel rommel en vissersnetten, een echt attractieve duiklocatie is het niet, maar de bijzondere dieren die je hier ziet, maken alles goed.

Wrak van het watervliegtuig (44)

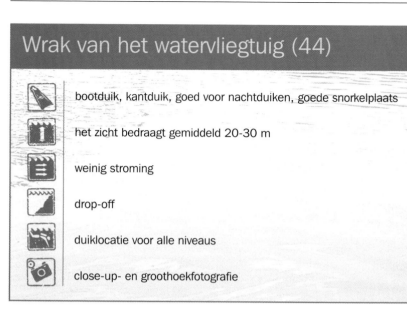

bootduik, kantduik, goed voor nachtduiken, goede snorkelplaats

het zicht bedraagt gemiddeld 20-30 m

weinig stroming

drop-off

duiklocatie voor alle niveaus

close-up- en groothoekfotografie

Een paar honderd meter westelijk van de boei van het wrak van de *Superior Producer* liggen de resten van een watervliegtuig. Het is niet gemakkelijk te vinden, het beste neem je een lokale gids mee die ter plaatse bekend is. Links voorbij het Sonesta Beach en Parasasa Beach liggen veel brokstukken van het vliegtuig verspreid over de zandvlakte. Je kunt deze duiklocatie vanaf de kant bereiken door vanaf de joggingbaan bij Koredó te water te gaan. Het is wel zo'n 5 min. lopen vanaf de parkeerplaats bij Parasasa Beach. Er staan vaak flinke golven, die het niet eenvoudig maken om het water in en uit te gaan. Er ligt een ankerboei op een diepte van 5 m bij deze duiklocatie.

Hier ligt het wrak.
Er zijn veel versies van wat hier gebeurd is. Sommige bronnen zeggen dat hier een watervliegtuig tijdens de Tweede Wereldoorlog is gecrasht. Andere bronnen zeggen dat een gecrasht watervliegtuig vanaf een vliegdekschip over de muur (van boord) gegooid is. In het ondiepe water liggen de vleugels tussen het koraal. De motor is nog duidelijk herkenbaar. Overal ligt tussen de wrakstukken scherpe munitie. Aangeraden wordt die NIET aan te raken of mee te nemen. Langs de drop-off liggen op 25–30 m diepte nog de aluminiumdrijvers van het watervliegtuig tussen het koraal.

Wrak van de *Superior Producer S.A.* (46)

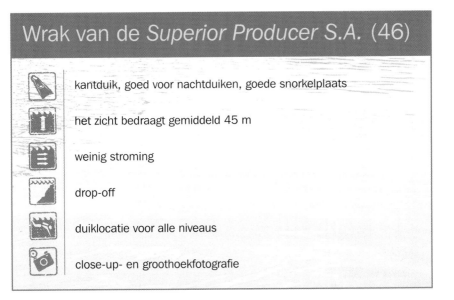

kantduik, goed voor nachtduiken, goede snorkelplaats

het zicht bedraagt gemiddeld 45 m

weinig stroming

drop-off

duiklocatie voor alle niveaus

close-up- en groothoekfotografie

Bij Otrobanda, waar je bij de stoplichten links naar Punda kunt afslaan, ga je rechts richting Megapier. Je rijdt dan (aan je linkerzijde) langs het Riffort en slaat rechts af richting Megapier. Die rij je voorbij totdat je de boei van de *Superior Producer S.A.* ziet. De *Superior* is net naast het **Dubbelrif (45)** gezonken. In 2000 werd de Megapier in gebruik genomen. Hier kunnen de enorme cruiseschepen afmeren en het heeft er lang om gespannen of de *Superior* hiervoor geofferd werd. Gelukkig is de pier op een redelijke afstand gebouwd en zolang er geen cruiseschepen liggen, kun je hier duiken. Liggen ze er wel, denk er dan aan dat het achterschip van zo'n cruiseschip bijna boven de *Superior* ligt. Het dubbelrif is meer dan de moeite waard om een duik op te maken.

Curaçao heeft een prachtig begroeid wrak, dat van de **Superior Producer S.A. (46)**, vlak voor zijn kust liggen. Gemakkelijk bereikbaar vanaf de oever, tussen de waterfabriek en de Megapier ligt het evenwijdig aan het rif in ruim 30 m diep water. Een hoogtepunt tijdens je duikva-

kantie. Het grote wrak ligt parallel aan en niet ver vanaf het rif op zijn kiel op ruim 30 m diepte. In de loop der jaren is het wrak mooi begroeid met koralen, maar die zijn overdag gesloten. In de schemering en tijdens de nacht verandert het met oranje buiskoraal (*Tubastrea*) begroeide wrak in een oranje-gele 'bloementuin'. Het trapje achter de brug is altijd goed voor een mooie foto. De mast is tijdens de aanleg van de Megapier een stuk korter geworden. De brug is toegankelijk en een grote school roodgekleurde eekhoornvissen hangt in het halfduister. Van het interieur is allang niets meer over. Door de open vensters kijk je in de laadruimen en naar het voorschip. De laadruimen zijn leeg, toch wordt er af en toe nog iets gevonden. Rondom het wrak is de zeebodem bezaaid met lege koffers en alles wat niet de moeite van het bergen waard was. De laadbomen op het voorschip vormen een mooi decor en een school bontgekleurde creoolvissen trekt voorbij. Door de diepte – het dek ligt op 25 m – is je duiktijd snel voorbij en over de zandbodem zwem je terug

De ondergang van de *Superior Producer S.A.*

Het verhaal van de *Superior Producer S.A.* begint in september 1977. Het kleine vrachtschip van 400 brt (= brutoregisterton) voer de haven van Willemstad in Curaçao binnen. Deze vroeger Nederlandse kustvaarder, varende onder Panamese vlag, kwam brandstof tanken en was op weg naar Isla de Margarita in Venezuela. Het schip was reeds overladen en werd in de haven van Curaçao nog verder beladen. De dekken en ruimen lagen vol balen kleding, lakens, dekens, whisky en alkolada glacial (een populair geparfumeerd reukwater uit Curaçao). In Venezuela, dat zelf geen kleding produceert en dus alles uit het buitenland moet invoeren, wordt erg veel kleding gesmokkeld.

De zee was ruw toen de *Superior Producer S.A.* op 30 september 1977 de haven uitvoer. De wind was zelfs voor Curaçao sterk, ruim 30 knopen. Net buiten de haven schudde het schip enkele malen en bij de volgende hoge golf kapseisde het vlak voor de haven, maar bleef drijven. Het schip werd op sleeptouw genomen en weg van de vaargeul getrokken. De bemanning bleef aan boord van het gevaarlijk overhellende schip.

Om half vier 's middags verdween de *Superior Producer S.A.* in de golven. Enkele uren later al hadden duikers kabels vastgemaakt en werd het schip 500 m ten westen van de haven getrokken in de richting van de waterfabriek omdat het wrak de haven versperde. Deze duikers brachten berichten mee naar boven over de gemakkelijke bereikbaarheid van het wrak, dat met zijn kiel op 30 m diepte en slechts 200 m uit de kust op de zeebodem stond. De talrijke sportduikers op Curaçao raakten geïnteresseerd en er ontstond een ware 'goldrush'. Inmiddels waren er al zoveel balen kleding boven komen drijven dat heel Curaçao geïnteresseerd was geraakt.

Binnen enkele dagen werd de markt overvoerd met een aanbod van de buit. Kledingwinkels zagen enkele maanden lang geen klanten meer. Op bestelling gingen dagelijks de sportieve wrakrovers kleding uit het wrak halen. Spijkerbroeken werden op maat besteld, beddenlakens voor één of twee personen en in een bepaalde kleur, geen probleem. De 'Coi Salu' (Zoute Spullen) werden zo populair dat ook niet-duikers zich aan deze lucratieve sport waagden. Jongens lieten zich vanuit een boot zakken, waarbij zij een flinke steen omarmden. Na enige oefening kwamen zij in het ruim uit, en graaiden om zich heen en brachten voor een paar tientjes kleding mee naar boven.

De systematischer werkende duikers brachten hele balen, nog in de originele verpakking, mee naar boven met een autoband die onder water werd opgeblazen. Inmiddels was de strijd om de schuldvraag ontbrand, het ging tenslotte om miljoenen guldens. Openbare opheldering werd nooit gegeven, wat mogelijk verband hield met de smokkelopdracht van het schip. De eigenaars ergerden zich aan de grote voorraden uit hun schip die te koop werden aangeboden en zij verboden het duiken op het wrak. Hierop ontstonden geruchten over een mogelijk nog niet ontdekte kostbare lading en dit had een nog grotere duikac-

tiviteit tot gevolg.
Vervolgens huurden
de eigenaars een
boot en gewapende
mannen om het
wrak te bewaken.
Een snorkelende
Amerikaanse toerist
werd voor een ro-
vende duiker gehou-
den en in zijn been
geschoten. Dit had

weer tot gevolg: een politieverbod om zich met vuurwapens boven of in de
buurt van het wrak te bevinden.

Dit was weer het moment voor de ijverige duikers om het wrak verder leeg te
halen. Ook de inventaris werd niet meer gespaard: de navigatie-instrumenten,
stuurwiel, schroeven en de gehele kombuis kwam boven water. De handel in
'zoute spullen' bloeide steeds weliger, maar men had te kampen met een zee-
waterlucht die moeilijk uit de kleren was te krijgen. Alle wasmiddelen werden
geprobeerd, totdat een wasvrouw ontdekte dat de geur helemaal verdween
door het gebruik van een volledig onbekend wasmiddel.

Intussen hadden de eerste duikongevallen plaatsgevonden. Sommige sportduikers bleven veel te lang in het ruim of doken, uit pure inhaligheid, te vaak
achter elkaar of spanden zich te veel in. In totaal zeven (meest gebrevetteerde
en ervaren) duikers liepen in één maand decompressieziekte op, van wie een
zeer ernstig. De compressietank van het Sint-Elizabeth Ziekenhuis was bijna
continu in gebruik en werd zelfs rendabel. In maart 1978 lagen er alleen nog
maar wat incourante kinderkleren in het wrak, het wrak was volledig gestript.

De Superior Producer S.A. werd als Andromeda gebouwd in Nederland op de
werf De Rietpol bij Kramer & Booy N.V. in Spaarndam. Het liep op 10 augustus 1957 van stapel en werd op 8 november 1957 gekeurd en ingeschreven.
De lengte van het schip bedroeg 49,5 m, het was 7,75 m breed en had een
diepgang van 3,25 m. De 400 brt kustvaarder kon met zijn 500 pk 6-cilinder-
motor een snelheid halen van 10 knopen.

Het schip werd in 1962 verkocht aan L. Remeeus N.V. en vanaf toen heette
het Superior Producer. Het voer voor de Norfolk Lijn N.V. in Rotterdam.

In 1973 wordt het schip verkocht aan de Pan-Ven Line S.A. in Panama en het
wordt omgedoopt in Superior Producer S.A. Het voer voor deze firma totdat
het op 30 september 1977 verging voor de haven van Willemstad op Curaçao.

naar het rif en de oever.
Voor het duiktoerisme is het wrak van de *Superior Producer S.A.* een van de highlights van Curaçao. Het ligt gemakkelijk bereikbaar vanaf de kust en staat bij alle duikbases wekelijks enkele malen op het programma. (zie foto op p. 216.)

Animal Encounters

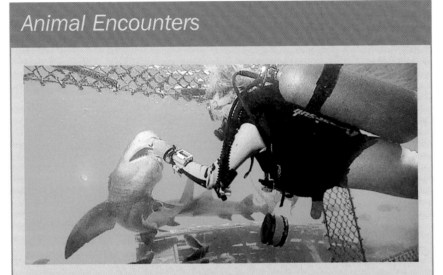

Animal Encounters ligt binnen het terrein van Seaquarium en is een ondiepe duik (2-3 m), waarbij iedereen kennis kan maken met het duiken en het voeren van verschillende spectaculaire vissen en schildpadden. In het eerste bassin zwemmen grote tarpons, snook en allerlei Caribische vissen rond die uit de hand gevoerd kunnen worden. De duiker krijgt een busje met vis mee en weldra vliegen de grote pijlstaartroggen als vliegende tapijten over je heen en proberen alles om maar een visje te pakken te krijgen. In het water ligt een boot met onderwatervensters waardoor de niet-duikende bezoeker ook een blik onder de waterspiegel kan werpen. Onder deze boot liggen twee enorme jodenvissen. Er is een houten wrakje ter decoratie afgezonken en als je naar de zijkant zwemt, kom je bij een groot hek van gaas met daarin grote kunststofruiten. In deze ruiten zitten kleine gaten waardoor je de vis kunt steken, want achter deze ruiten zwemmen de haaien. Grote verpleegsterhaaien verdringen elkaar om een visje. Maar ook vrij zwemmende citroenhaaien komen langs om hun deel op te eisen. Aan de andere kant zitten de schildpadden, enorme jongens, prachtig om te zien. *Animal Encounters* is precies wat het zegt, de duiker of aspirant-duiker kan hier op een eenvoudige en veilige wijze in contact komen met het leven in zee.

Oswaldo's drop-off (47)

kantduik, goed voor nachtduiken, goede snorkelplaats

het zicht bedraagt gemiddeld 45 m

weinig stroming

drop-off

duiklocatie voor alle niveaus

close-up- en groothoekfotografie

Het huisrif van het Breezes Curaçao (het voormalige Princess Beach Hotel) wordt Oswaldo's drop-off (ook wel bekend als **Wandering Buoy**) genoemd ter ere van Oswaldo Serberie, de eerste duikondernemer van het voormalige Princess Beach Hotel die hier erg veel dook. Het is niet alleen gemakkelijk toegankelijk, maar ook een prachtige duiklocatie. Op het rif, dat op 9 m begint, vind je veel tamme vissen die aan duikers gewend zijn geraakt, en fraaie koraalformaties. Het rif loopt af in een drop-off tot grote diepte.

Duiklocaties in de omgeving

Rechts van Oswaldo's drop-off, het huisrif van Breezes Curaçao, ligt de zogenaamde **Car Pile (48)**, een kunstmatig rif dat uit oude autowrakken bestaat. Tussen deze 'file' van oude auto's zul je on-

getwijfeld je favoriete automerk tegenkomen. Enkele van deze auto's, waarvan sommige dateren uit de jaren veertig, zijn fraai begroeid met bossen zwart koraal en kleurige sponzen. Het rif werd in de jaren zestig aangelegd als een experimenteel kunstmatig rif ter vergroting van de visstand. Het is echter op een totaal verkeerde plaats gerealiseerd. De auto's werden gestort op een gezond rif in plaats van bijvoorbeeld op een dood rif of zandbodem.

Het rif begint op 25 m diepte en de auto's, waaronder een aantal oldtimers, staan gestapeld langs de drop-off tot ver voorbij de 40 m. Pas echter op, want ze zijn flink doorgeroest en daardoor instabiel. Op het rif ligt op 21 m bij de Car Pile een oude ponton, een goed oriëntatiepunt als je op zoek bent naar deze duiklocatie.

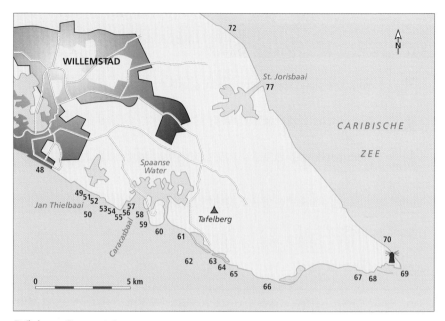

Duikplaatsen Curaçao 48 t/m 72

Bij Car Pile (duikplaats 48) vindt u beslist uw favoriete oldtimer terug.

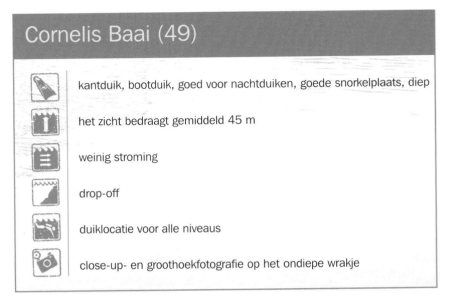

Cornelis Baai (49)

kantduik, bootduik, goed voor nachtduiken, goede snorkelplaats, diep

het zicht bedraagt gemiddeld 45 m

weinig stroming

drop-off

duiklocatie voor alle niveaus

close-up- en groothoekfotografie op het ondiepe wrakje

Ten oosten van Animal Encounters, en alleen via het Seaquarium bereikbaar, ligt Cornelis Baai, een heel mooie duiklocatie. Hier liggen enkele zeer grote ankers op de bodem, die 'Dutch' Schrier van elders heeft weggehaald. Het is een bijzonder mooie snorkelplaats met veel koraal, waaronder grote formaties vuurkoraal, vingerkoraal en elandsgeweikoraal. De drop-off is een drop-off in de ware zin van het woord: hij valt bijna verticaal af naar een pijlloze diepte. Op 60 m diepte is er nog geen bodem in zicht, dus wees ervan overtuigd dat je trimvest werkt.

SS Oranje Nassau

Vlak voor de gebouwen van het Seaquarium ligt het wrak van het Nederlandse stoomschip Oranje Nassau, dat hier zo'n 80 jaar geleden strandde op de kust van Koraal Specht. De stoomketels zijn eruit gehaald omdat hier dolfijnen zullen gaan zwemmen. Het achterschip met de enorme schroef (waarvan enkele bladen ontbreken) steekt nog boven het zand uit. Door de expansiedrift van 'Dutch' Schrier van het Seaquarium is dit eens zo mooie wrak bij het Seaquarium getrokken. Er is een dam omheen gestort en het ligt nu in een ondiepe, maar troebele lagune. Als duiklocatie is het wrak verloren gegaan. De eerste SS Oranje Nassau van de KNSM kwam op 27 maart 1884 op Curaçao aan en bleef in de vaart tot 6 oktober 1906, toen een hevige storm het stoomschip bij Koraal Specht op de kust joeg. De resten van de 'barca kibrá' (Papiamento voor 'Gebroken schip') zijn daar tot vandaag de dag te zien. De tweede Oranje Nassau voer van 1911 tot 1939 en de derde van 1957 tot 1972, toen de KNSM de passagiersschepen op de lijn naar de Antillen uit de vaart nam.

Wrak van de *Sabah* (50)

kantduik, bootduik, goed voor nachtduiken, goede snorkelplaats

het zicht bedraagt gemiddeld 45 m

weinig stroming

drop-off

duiklocatie voor alle niveaus

close-up- en groothoekfotografie op het ondiepe wrakje

Ongeveer 1 km van het Seaquarium ligt in zuidoostelijke richting in Cornelis Baai het wrakje van de sleepboot *Sabah*. Het wrak bevindt zich op 12 m diepte nog voor de drop-off. Rondom het wrak ligt een mooi en gezond rif dat het duiken hier meer dan de moeite waard maakt. Het is tevens een ideale snorkelplaats.

Het wrak ligt met zijn boeg in de richting van de oever en is hier speciaal voor duikers afgezonken. Het wrak is ideaal om te combineren met een diepe drop-off duik. Als je het wrak aan het einde van je duik plant, is het een mooie 'decompressiestop'.

Twee duiksters inspecteren het wrak van de *Sabah*.

Curaçao Onderwater Park (van Breezes Curaçao tot Oostpunt)

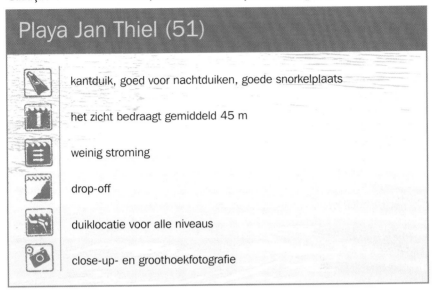

Playa Jan Thiel (51)

kantduik, goed voor nachtduiken, goede snorkelplaats

het zicht bedraagt gemiddeld 45 m

weinig stroming

drop-off

duiklocatie voor alle niveaus

close-up- en groothoekfotografie

De boei van Jan Thiel is zichtbaar vanaf Playa Jan Thiel. De baai is goed beschermd door een golfbreker. De ondiepe baai is zeer geschikt voor beginnende duikers en snorkelduikers. Beide zijden van de baai zijn begroeid met koralen en gorgonen. Er komen hier veel meer tonsponzen voor dan op andere duiklocaties. Het midden van de baai is zandig met een begroeiing van zeegras en hertshoornkoraal. De door een golfbreker beschutte baai met zijn gorgonenwaaiers en koralen is vooral voor beginnende duikers en snorkelaars geschikt.

De linker duiklocatie heet **Sandy's Plateau (52)**. Deze duiklocatie ligt, net als de volgende, in de zandige lagune. Als je met de auto naar Caracasbaai rijdt en bij het water (en de jachthaven) komt, sla je rechtsaf bij het visrestaurant (Pisces Restaurant) en volg je de weg. Aan het einde bij de T-splitsing sla je rechtsaf, richting Jan Thiel Baai. Je komt dan bij een appartementencomplex en watersportfaciliteiten op het strand. Hier ligt de duikschool Papagajo Beach. Je moet NAƒ 6,- (in het weekend NAƒ 10,-) betalen om hier je auto te parkeren en toegang tot het strand te krijgen. Sandy's Plateau is een ondiep plateau dat zich uitstrekt tot de drop-off. Het kost ongeveer 12 min. zwemmen.

De rechter duiklocatie heet **Boka di Sorsaka (53)**. Als je ongeveer 8 min. in noordwestelijke richting zwemt vanaf het strand, kom je net buiten de Jan Thiel Lagune. Hier ligt een diep uitgesleten rotsrand, die meer dan 5000 jaar geleden werd gevormd. Er is een groot ondiep plateau dat naar de top van de drop-off op 9 m diepte leidt. Je vindt hier veel vis, koraalformaties en sponzen. Een op 5 m diepte sterk uitstekende rotsrand maakt het ondiep duiken hier de moeite waard. Langs de drop-off groeien veel oranje olifantsoor- en paarse fluorescerende sponzen. De drop-off eindigt op 20 m diepte. De helling van de drop-off is doorsneden door zandbanen.

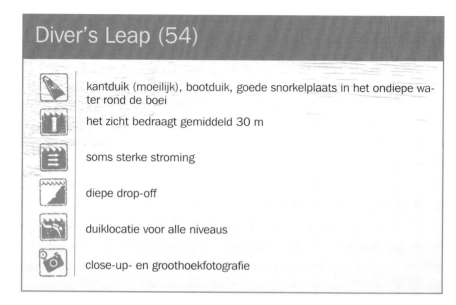

Diver's Leap (54)

kantduik (moeilijk), bootduik, goede snorkelplaats in het ondiepe water rond de boei

het zicht bedraagt gemiddeld 30 m

soms sterke stroming

diepe drop-off

duiklocatie voor alle niveaus

close-up- en groothoekfotografie

Lokale duikers hebben deze plek 'Diver's Leap' genoemd omdat de entree in het water een sprong van de rotsen is. Maar het is aan te raden deze duiklocatie per boot aan te doen. De boei ligt dicht bij de drop-off, die afdaalt naar meer dan 37 m diepte. Kijk goed rond, want bij de boei komen zeepaardjes voor. De bovenkant van de drop-off en het ondiepe water is ruim voorzien van pilaarkoralen en grote scholen kleine vissen. De drop-off zelf kent een mooie koraalbegroeiing en in het blauwe water worden vaak scholen grote vissen gezien.

Duiklocaties in de omgeving
Piedra di Sombré (55) ligt tussen Caracasbaai en Jan Thiel Baai. Een rotsformatie in de vorm van een hoed geeft deze duiklocatie dan ook de naam 'Piedra di Sombré' (Stenen hoedje) die vroeger het oriëntatiepunt voor duikers was om op deze plaats te kunnen duiken. Nu ligt er een ankerboei. Deze plaats is vanaf de

kant beduikbaar, alleen als je een goede zwemmer bent (ongeveer 10 min. zwemmen vanaf Jan Thiel). Aangeraden wordt de duik per boot te maken. Hier ligt ook een prachtige snorkelroute. Bij de duikcentra kun je een watervast routekaartje kopen met uitleg over de flora en fauna die je hier tegenkomt. Je zwemt over versteende wouden van elandsgeweikoralen en hertshoornkoraal, veel wuivende waaierkoralen en veergorgonen. Deze duiklocatie biedt een imposante drop-off, begroeid met zweepkoralen, zwart koraal, sterkoraal en grote sponzen, die tot meer dan 40 m diepte afdaalt. Verder langs de drop-off, meer naar links, is een geleidelijk aflopend rif dat op 10 m diepte begint en eindigt op 30 m. Het is mogelijk om langs de drop-off af te dalen en dan in zuidoostelijke richting weer via de helling op te stijgen. Er zijn diverse ondiepe grotten met langoesten en murenen.

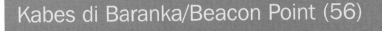

Kabes di Baranka/Beacon Point (56)

bootduik, goede snorkelplaats in het ondiepe water rond de boei

het zicht bedraagt gemiddeld 40 m

soms sterke stroming

diepe drop-off

duiklocatie voor alle niveaus, je moet echter oppassen door de duik-diepte

close-up- en groothoekfotografie

Kabes di Baranka betekent 'Hoofd van steen' in het Papiamento. Maar ook de naam Beacon Point wordt veel gebruikt voor deze duiklocatie aan de ingang van Caracasbaai. Hier ligt een diepe drop-off die naar een diepte van meer dan 100 m afdaalt. Het terras begint op 6 m diepte en de drop-off daalt af tot een plateau op 33 m en gaat vervolgens verder de diepte in. De koraalgroei is er erg uitbundig.

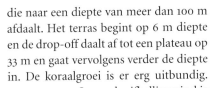

Langs de rifhelling vind je veel sponzen en gorgonen, met name de grote oranje olifantsoorspons. Hoe dieper je komt, des te steiler de drop-off wordt. Bij de boei liggen rotsformaties overdekt met wuivende gorgonen. Hier zie je vaak verpleegsterhaaien slapen. Ook worden er met regelmaat barracuda's gezien.

Duiklocaties in de omgeving
Caracasbaai/Lost Anchor 2 (57) ligt aan de westelijke zijde van Caracasbaai. Hier vind je een indrukwekkend terras en steile drop-off, prachtig be-

Een jack-in-the-Box zweeft boven zijn hol.

groeid met gorgonen en waaierkoralen. Er bevindt zich een ankerketting die in de duistere diepte verdwijnt. Duikers hebben deze ketting gevolgd tot meer dan 90 m diep en hij gaat nog altijd verder! Het is niet aan te raden dit na te doen! Caracasbaai is extreem diep, bij de ingang van de baai maar liefst 250 m. In 1970 hebben geologen ontdekt dat deze duiklocatie enkele duizenden jaren terug is ontstaan na een landverschuiving, waarbij 375 miljoen ton rotsen van de berg de oceaan in gleden. Echopeilingen hebben duidelijk gemaakt dat de rotsblokken een 'litteken' van 1000 m breed, 150 m diep en 5 km lang zeewaarts hebben nagelaten. Monsters van de rotsblokken zijn van een diepte van 900 m naar boven gehaald. En juist op deze duiklocatie vind je vaak grote oceaanvissen in het blauwe water.

Een ander alternatief is vanaf het openbare strand in Caracasbaai te water te gaan. Na een kort stukje zwemmen kom je bij de drop-off, waar grote kolonies van sterkoraal verblijven. Zandbanen tussen het koraal bepalen hier het landschap. Een paar honderd meter oostelijk kom je bij een heel diepe drop-off. Ook hier is er een doolhof van canyons en valleien. Op 30 m diepte verandert het in een geleidelijk aflopende zandbodem die naar een onbereikbare diepte verdwijnt.

Fort Beekenburg

Boven het wrak van de *Towboat* zie je op de rotsen het imposante Fort Beekenburg. Jarenlang was dit het meest ontoegankelijke fort op het eiland omdat het op het voormalige Shell-terrein ligt. Tegenwoordig kun je het bezoeken, bijvoorbeeld na je duik. Het fort is naar de stichter Nicolaas van Beek (1700–1704) genoemd, maar werd pas in de 18de eeuw voltooid. Het hoofdmonument is de gave, zeer doordachte ronde 'toren' uitgevoerd in breuksteen met bakstenen details. De kern bestaat uit een afgeknotte kegel met kruitmagazijn en regenbak onder het afsluitende batterijplateau, aan de zeezijde halverwege omgeven door een eveneens massief opgetrokken lagere batterij in de vorm van een afgeknotte zeshoek. Ook de *enceinte* en de lagere batterij bij de toegang bleven aanwezig; de nog in 1863 grotendeels vernieuwde kazernegebouwen zijn volledig verdwenen. Het fort werd in de historie van het eiland bekend door de mislukte aanval van de Engelsen in 1805 (slag op de Kabrietenberg) waarbij Luis Brion (van wie een standbeeld in Otrabanda staat) krijgsroem oogstte.

Wrak van *Towboat* (58)

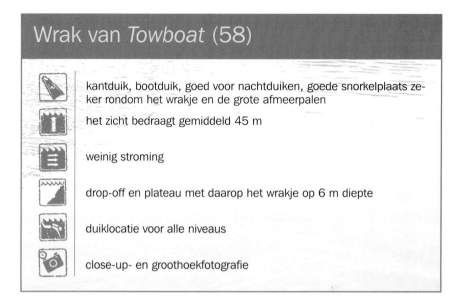

kantduik, bootduik, goed voor nachtduiken, goede snorkelplaats zeker rondom het wrakje en de grote afmeerpalen

het zicht bedraagt gemiddeld 45 m

weinig stroming

drop-off en plateau met daarop het wrakje op 6 m diepte

duiklocatie voor alle niveaus

close-up- en groothoekfotografie

Tegen de oostelijke punt van Caracasbaai ligt het wrakje van *Towboat*, ook wel *Tugboat* genoemd, een van de mooist begroeide wrakken uit het Caribisch gebied. Het is slechts enkele meters diep en biedt ook aan snorkelaars een mooie duik. Dit wrakje is een fotostudio onder water, het is totaal overgroeid met koraalformaties en leent zich ook uitstekend voor een nachtduik.

Op het dek vind je grote hersenkoralen, waarin zich kleine slijmvisjes bevinden die in de lege kokertjes van de kokerwormen leven. Tegen de avond en 's nachts verandert het wrakje in een oranje-gele bloementuin, de overdag gesloten oranje buiskoraal laten dan hun oranje-gele tentakels zien. Op het wrak vind je soms zeepaardjes en in het zand rondom het wrak zweven de geelkopkaakvisjes boven hun holen. Deze grappige visjes, die in het Engels ook *jack-in-the-box* worden genoemd, hangen boven hun hol op de uitkijk naar een vrouwtje, soortgenoten en vijanden. Nadat hij de eieren heeft be-

vrucht, neemt het mannetje deze in zijn bek en laat ze daar uitkomen. Ook de jonge visjes zoeken vaak nog bij pa bescherming in zijn bek. Dit staat bekend als muilbroeden.

Naast het wrakje ligt een drop-off die afdaalt tot 30 m. Het is aan te raden eerst een duik langs de drop-off te maken en deze te eindigen bij het wrak. Pas op bij de meest zuidwestelijke hoek van de drop-off, want daar kan een flinke stroming staan.

Een ander leuk alternatief zijn de palen van de afmeerboeien die een klein stukje voorbij het wrak staan. Een woud van palen doet denken aan een duik bij de Town Pier in Bonaire. Deze palen dragen de afmeerplatforms van de oliemaatschappij en zijn onder water prachtig begroeid met sponzen, gorgonen en kleine koraalformaties, zoals het oranje buiskoraal met zijn oranje-gele poliepen. Het is een perfecte schuilplaats voor hengelaarsvissen en zeepaardjes. De diepte is tussen de 6 en 12 m.

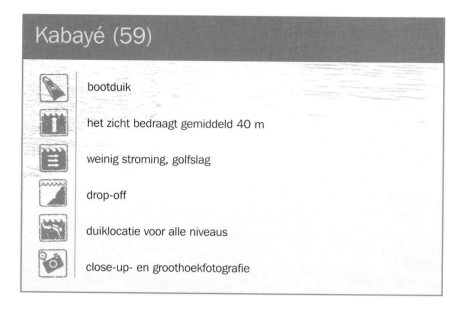

Kabayé (59)

	bootduik
	het zicht bedraagt gemiddeld 40 m
	weinig stroming, golfslag
	drop-off
	duiklocatie voor alle niveaus
	close-up- en groothoekfotografie

Kabayé en Small Wall liggen vlak naast elkaar en bieden bijna identieke duikcondities. Ze bevinden zich net voorbij Caracasbaai in de Directeursbaai, en een boei markeert de plaats. De naam 'Directeursbaai' stamt uit de tijd dat de Shell haar raffinaderij op het eiland had en de directeuren het strand als privé-plek gebruikten. De duiklocaties zijn vanaf de kust ook bereikbaar, ware het niet dat het zich op privé-terrein bevindt. Daarom is het vooralsnog alleen toegankelijk per boot. Een zanderig plateau loopt vanaf het strand aan beide zijden naar het rif. Vanaf de boei is het slechts een klein stukje naar de drop-off zwemmen die op 5 m diepte begint en tot een diepte van 43 m loodrecht afdaalt.

Tijdens de winderige maanden van het jaar kan de zee hier behoorlijk ruw zijn met veel golfslag. Twee zandgeulen doorsnijden de drop-off en langs de drop-off vind je veel sponzen en zwart koraal.

Hier worden regelmatig tijgertandbaarzen gezien.

Duiklocaties in de omgeving

Small Wall (60) bevindt zich, zoals je hierboven hebt kunnen lezen, direct naast Kabayé en de duikomstandigheden zijn er vrijwel gelijk. Tegenwoordig is het privé-terrein beperkt geopend en kun je met de auto langs Fort Beekenburg naar het strand rijden en hier parkeren. Op het strand is een restaurant gevestigd. Fort Beekenburg is de moeite van een bezoek waard, het ligt direct op de weg naar het strand. Vanaf het fort heb je een mooi uitzicht op Caracasbaai en op Directeursbaai. Aan de overzijde van Directeursbaai, boven op de berg, ligt het oude quarantainegebouw, waar vroeger de zeelui in afzondering werden gehouden als er besmettelijke ziekten aan boord waren uitgebroken.

Barracuda Point/Punt'i Piku (61)

bootduik, goede snorkelplaats tijdens kalme dagen; oppassen voor boten die het Spaanse Water in- en uitvaren

het zicht bedraagt gemiddeld 40 m

weinig stroming, vaak ruwe zee

diepe drop-off

duiklocatie voor alle niveaus

close-up- en groothoekfotografie

Dit is een historische plaats, want duikpionier Hans Hass en zijn twee gezellen maakten hier reeds in 1939 hun eerste duiken (📖 108-109). Vandaag de dag lijkt de omgeving echter niet in het minst meer op de enthousiaste verhalen in zijn boek *Tussen haaien en koralen*. Het is nu een goed aangelegd badstrand (Barbara Beach) en het door Hass zo lyrisch beschreven elandsgeweikoralenwoud in de ondiepwaterzone is er al lang niet meer. Ook de haaien die hij hier met regelmaat zag, zijn in geen velden of wegen meer te bekennen. Maar desondanks is het nog steeds een mooie duiklocatie.

Barracuda Point dankt zijn naam aan de grote barracuda's die hier vaak de wacht houden en je tijdens je duik begeleiden. Wees niet bang, ze zijn slechts nieuwsgie-

rig. Barracuda Point wordt ook wel Punt'i Piku genoemd en ligt vlak bij de monding van het Spaanse Water en het bekende Barbara Beach, waar veel lokale bewoners en toeristen het weekeinde aan het strand doorbrengen. Op de achtergrond ligt de Tafelberg waar druk mijnbouw gepleegd wordt. Vlak bij de kust ligt aan de linkerzijde op 6 m diepte een zandplaat bedekt met vuurkoraal, elandsgewei-, hertshoorn-, pilaarkoraal en gorgonen. Links van de ankerplaats van de boei bevindt zich slechts 2 min. zwemmen naar zee een rif met een vrij steil aflopende drop-off tot een diepte van 30 m. De drop-off is mooi begroeid met zweepkoraal, gorgonen en sponzen. Je moet hier erg oppassen voor boten die het Spaanse Water in en uit varen.

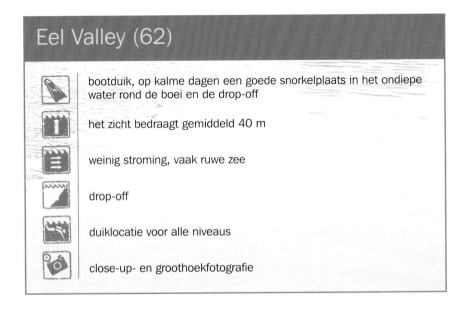

Eel Valley (62)

bootduik, op kalme dagen een goede snorkelplaats in het ondiepe water rond de boei en de drop-off

het zicht bedraagt gemiddeld 40 m

weinig stroming, vaak ruwe zee

drop-off

duiklocatie voor alle niveaus

close-up- en groothoekfotografie

Aan het noordwestelijke einde van Fuik-baai (zo genoemd omdat de baai wordt ingesloten door twee landtongen, zodat ze op een visfuik lijkt) ligt Eel Valley. De naam komt oorspronkelijk door het grote aantal murenen die hier voorkwamen. Inmiddels is het aantal weer tot normale proporties teruggekeerd. De boottocht naar deze plaats en de volgende twee duiklocaties die er vlakbij liggen, is heel mooi en voldoet aan alle clichés van een 'prentbriefkaarttochtje'. Het water langs de kust is azuurblauw met een witte zandbodem. Dit zijn van die beelden die thuis, tijdens koude winterdagen, de heimweegevoelens naar dit zonnige eiland weer aanwakkeren. Een zandvlakte voert naar de drop-off op 8 m diepte die naar ruim 30 m diepte afdaalt. Langs de drop-off zijn veel harde en zachte koralen te vinden, evenals een grote variatie aan sponzen en vissen.

Duiklocaties in de omgeving

Pal naast de vorige duiklocatie Eel Valley ligt **Nieuwpoort (63)**. De naam Nieuwpoort (Nieuwe Haven) stamt uit de tijd van de guanomijn (vogelpoep die als kunstmest wordt gebruikt) in Fuikbaai. Deze mijn is lange tijd gesloten geweest en toen weer heropend. Het achterliggende land is privé-terrein en dus verboden voor duikers. De duiklocaties zijn alleen per boot bereikbaar. Zwem vanaf de boei op 8 m diepte naar de drop-off die tot 30 m diepte afdaalt. Deze drop-off wordt door zandbanen doorsneden. Een van die zandbanen die naar de ankerboei leidt, vormt een echte canyon. Het rifplateau is bedekt met blokken hersenkoraal en een woud van gorgonen. Links van de ankerboei groeien veel hertshoornkoralen. Dit is een duiklocatie waar erg veel te zien is.

Kathy's Paradise (64) ligt naast een landpunt die vanaf Nieuwpoort naar buiten steekt. Juist omdat deze landpunt in zee steekt, tref je er vaak een ruwe zee en stroming aan. Maar, zoals de naam al doet vermoeden, het is een waar duikersparadijs. De drop-off daalt af naar ruim 30 m diepte. Op kalme dagen is het een goede snorkelplaats.

Punt'i Sanchi/Smokey (65)

- bootduik, goede snorkelplaats, maar veel golfslag
- het zicht bedraagt gemiddeld 30 m
- weinig stroming, vaak ruwe zee met veel golfslag
- drop-off
- duiklocatie voor alle niveaus
- close-up- en groothoekfotografie

Een 'lachende' papegaaivis

Ten zuidoosten van Fuikbaai ligt Punt'i Sanchi, ook wel **Smokey** genoemd. Het is een van de mooiste duiklocaties van Curaçao met een uitbundige flora en fauna. Juist door zijn verre ligging en vaak ruwe zee is het een schaars bezochte duikloca-tie. Het achterland is privé-terrein dat al gene-raties lang in handen is van de familie Maal en niet toegankelijk is voor het publiek. Daarom is het rif hier heel goed ge-conserveerd en heel oor-spronkelijk, bijna maag-delijk. Smokey ligt bij een kaap zuidoostelijk van Nieuwpoort. Er ligt een uitgestrekt ondiep terras met veel koraalblokken, sponzen en gorgonen. De drop-off ligt op 2 min. zwemmen vanaf de boei en bereikt een diepte van ruim 30 m. Je kunt hier zowel links als rechts af-slaan tijdens de duik. Er zitten veel grote vissen tussen het koraal en in het blauwe water.

Guliaw (66)

bootduik, goede snorkelplaats, maar veel golfslag

het zicht bedraagt gemiddeld 40 m

sterke stroming, ruwe zee

drop-off

duiklocatie geschikt voor gevorderden

close-up- en groothoekfotografie

Een trompetvis zoekt gezelschap bij een Spaanse zwijnslipvis.

Westelijk van Lagun Blanku ligt de duiklocatie Guliaw op een plaats die heel sterk beïnvloed wordt door wind en water. Ook deze plaats is niet vanaf land toegankelijk en daarom ook heel bijzonder. Heel helder water (tot wel 40 m zicht) wordt er aangevoerd. Golven die ongehinderd over de hele Caribische Zee aan komen rollen, rammen hier ongenadig op de uitstekende rotspunten op het land. Daarom heerst hier vaak een ruwe zee en sterke stroming. Kleed je vast op de weg naar deze duiklocatie om, want ter plaatse zal de boot erg tekeergaan. Ook bij het terugklimmen in de boot moet je met grote golven rekening houden. Maar als je hier te water gaat, maak je een duik die je niet snel zult vergeten. De koraalgroei is bijzonder mooi en zeer gezond. Het ondiepe terras ligt op 8 m diepte en de drop-off daalt af tot meer dan 40 m diepte. Ook de stroming kan er zeer sterk zijn. Kijk vooral in het blauwe water voor grote oceaanvissen. Ongeveer 10–15 min. naar links zwemmen van de ankerboei ligt op een diepte van 6 m een oud anker, volledig in het koraal ingebed.

Piedra Pretu/Black Rock (67)

bootduik, slechts tijdens kalme zomerse dagen een goede snorkelplaats

het zicht bedraagt gemiddeld 40 m

vaak sterke stroming, ruwe zee

drop-off

duiklocatie voor alle niveaus

close-up- en groothoekfotografie

Piedra Pretu, ook wel Black Rock genoemd, is de een van de meest afgelegen duiklocaties van het onderwaterpark met een ruige begroeiing en een spectaculaire drop-off. De boei ligt geheel onbeschut en is zeker geen plek voor duikers of begeleiders met een zwakke maag (het achterland heet niet voor niets 'Duivelsklip'). De trip naar deze plaats is lang (ruim 19 km vanaf de laatste duikbases) en de duiklocatie is niet altijd toegankelijk door de ruwe zee. Het is slechts 2 min. zwemmen vanaf de boei naar de drop-off. Het begint met een ondiep terras (een sprookjestuin) op 6 m. De drop-off daalt verticaal af tot ruim 37 m. Aan de voet van de drop-off vind je enorme plaatkoralen, die als grote tafels klaar staan om gedekt te worden. Op 25 m diepte liggen enkele kleine grotten met veel koningsgramma's, groene murenen en langoesten. Maar het mooiste van de drop-off zijn de grote bossen zwart koraal en de enorme waaierkoralen. Als je de drop-off zo'n 25–30 min. blijft volgen, gaat hij weer over in een geleidelijk aflopende helling van 45°, die overigens net zo mooi is. Het ondiepe terras is bedekt met hertshoorn- en elandsgeweikoralen en veel wuivende gorgonen.

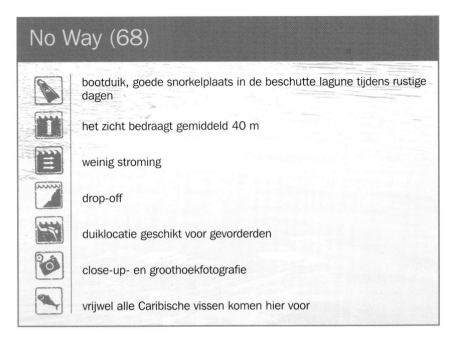

No Way (68)

bootduik, goede snorkelplaats in de beschutte lagune tijdens rustige dagen

het zicht bedraagt gemiddeld 40 m

weinig stroming

drop-off

duiklocatie geschikt voor gevorderden

close-up- en groothoekfotografie

vrijwel alle Caribische vissen komen hier voor

Op deze duiklocatie kun je uit de mond van de meest doorgewinterde duiker de kreet 'No Way' horen. Deze spectaculaire duiklocatie ligt op Oostpunt, de meest aan weer en wind blootgestelde duiklocatie van het eiland. Maar als je dapper en verstandig genoeg bent om hier te water te gaan, maak je er de duik van je leven. Naast een zeer uitbundige flora en fauna vind je hier op ongeveer 3 m diepte een oud Spaans kanon. Hierdoor hebben de vissers deze plaats de naam '**Punt Kanon**' gegeven. De duiklocatie ligt vlak voor een ondiepe en beschutte lagune die de naam

Awa di Oostpunt (Water van Oostpunt) draagt. Dit is een goede snorkelplaats tijdens rustige dagen. De boei ligt op het ondiepe plateau op 8 m diepte, het is ongeveer 2 min. zwemmen naar de drop-off die tot 43 m diepte afdaalt. Vlak voor Oostpunt ligt een groot anker tussen het koraal. Op ongeveer 24 m diepte bevindt zich een grot waarin vaak kleine verpleegsterhaaien liggen te slapen. Op de drop-off groeien grote struiken zwart koraal. Vergeet niet vaak achterom te kijken naar het blauwe water voor grote oceaanvissen, schildpadden, haaien en manta's.

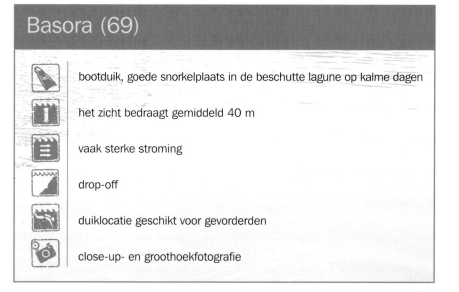

Basora (69)

bootduik, goede snorkelplaats in de beschutte lagune op kalme dagen

het zicht bedraagt gemiddeld 40 m

vaak sterke stroming

drop-off

duiklocatie geschikt voor gevorderden

close-up- en groothoekfotografie

Basora is de allerlaatste duiklocatie op de meest oostelijke punt van het eiland. Ze ligt net aan de andere zijde van de landtong die de lagune van Awa di Oostpunt beschermt. De duikcondities zijn vrijwel gelijk aan die van 'No Way', maar het verschil is dat hier, net als in Mushroom Forest aan de andere zijde van het eiland, paddestoelvormige koraalformaties voorkomen. Het duurt ruim een uur voordat je vanaf de laatste duikbasis deze duiklocatie bereikt. Ze is alleen toegankelijk met kalm weer, want Oostpunt is blootgesteld aan al het geweld van de Caribische Zee. De stroming kan hier sterk tot zeer sterk zijn (meer dan 2 knopen) en als de stroming het toelaat, moet je in zuidwestelijke richting duiken. Het plateau ligt op 9 m diepte en het is ongeveer 1 min. zwemmen naar de drop-off. Op het terras groeien enorme gorgonen en waaierkoralen, steenkoralen en enorme hersenkoralen. Langs de drop-off zie je enorme struiken zwart koraal en paddestoelvormige sterkoralen. Kijk uit naar grote vis, ook in het blauwe water. Het terras is een sprookjestuin vol met hertshoorn-, hersenkoralen en wuivende gorgonen.

Duiklocaties in de omgeving
Net om de hoek van de meest oostelijke punt van het eiland ligt **Tarpon Bridge (70)**, op een heel turbulente, aan weer en wind blootgestelde plaats. Het is een heel mooie, maar erg ruige duiklocatie met een natuurlijke boog op 18 m diepte. De bodem bestaat uit massieve rotsen met veel soorten algen erop, waaronder het sargassowier en verspreide koraalformaties. Hier kan haast niets groeien omdat er bijna altijd een zeer ruwe zee staat. Een school met grote tarpons is hier meestal in de nabijheid van de natuurlijke boog te vinden. Ze zwemmen rustig rond of hangen gewoon stil in het water. Deze duiklocatie kun je alleen per boot bereiken, en dan alleen als de zee heel kalm is. Vaak zijn de golven te groot en de stroming kan zeer sterk zijn op deze uithoek van het eiland. Daarom is deze plek uitsluitend toegankelijk voor zeer ervaren duikers.

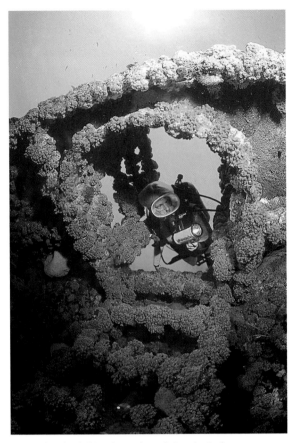

Een prachtig doorkijkje op het wrak van de *Superior Producer*.

duikers ook op de woeste noordkust van het eiland duiken. Hier duik je op duiklocaties waar haast geen duikers komen, want eigenlijk weet alleen de plaatselijke bevolking de weg naar deze duiklocaties te vinden. Daarom doe je er verstandig aan voor deze duiklocaties een lokale duiker, die hier bekend is, mee te nemen.

De bodem in het ondiepe water is begroeid met sargassowier, het favoriete voedsel van groene zeeschildpadden. De kust zelf is echter erg ruw, op sommige plaatsen is het koraal messcherp en niet toegankelijk. Vaak moet je dezelfde weg weer terugzwemmen. De stroming kan ook sterk zijn. Maar de dappere duiker die zich hier te water begeeft, zal niet teleurgesteld worden.

Duiken langs de woeste noordkust

Als de passaatwind op Curaçao is gaan liggen, wat slechts een paar dagen per jaar (meestal in september tot november) het geval is, kunnen zeer ervaren

Tijdens de rest van het jaar spuit het zeewater metershoog boven de kust uit en is het water ontoegankelijk en zeer gevaarlijk.

St. Joris Baai (71)

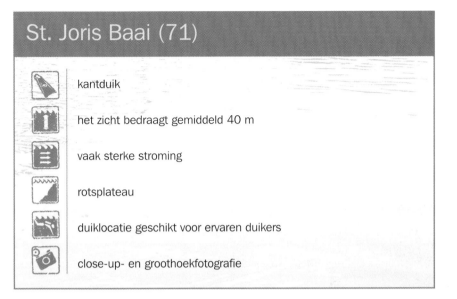

kantduik

het zicht bedraagt gemiddeld 40 m

vaak sterke stroming

rotsplateau

duiklocatie geschikt voor ervaren duikers

close-up- en groothoekfotografie

Om bij St. Joris Baai te komen, volg je de weg naar Santa Catharina. Deze weg vind je door de weg over te steken bij het verkeerslicht bij Santa Rosa. Volg de Santa Catharinaweg tot je bij een oud poorthuis komt. Hier gaat de verharde weg over in een onverharde zandweg. Maak juist voor het huis een scherpe draai naar links. Volg deze weg totdat je op de *racetrack* van Koraal Tabak komt. Volg de zandweg die parallel loopt aan de racebaan naar het oosten. Aan het einde van de baan gaat de zandweg door totdat je de entree van de binnenbaai van St. Joris bereikt. Vanaf hier kun je naar het water lopen, waar je gemakkelijk te water kunt gaan. De baai zelf is niet erg helder. Maar als het weer het toelaat, kun je links naar buiten zwemmen (naar de westelijke kant). Pas op voor sterke stromingen in en rond de smalle opening van de relatief grote baai.

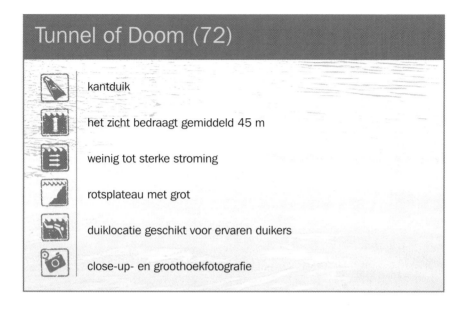

Tunnel of Doom (72)

	kantduik
	het zicht bedraagt gemiddeld 45 m
	weinig tot sterke stroming
	rotsplateau met grot
	duiklocatie geschikt voor ervaren duikers
	close-up- en groothoekfotografie

Je vindt Boca Labadera door de weg naar Santa Catharina te volgen en naar het landhuis Santa Catharina te rijden. Hier ga je aan voorbij en rijd naar de kust. Boca Labadera is dan gemakkelijk te vinden.

De 'Tunnel of Doom' is een unieke ervaring. Hij ligt op de noordoostkust vlak naast Boca Labadera. De eigenlijke grot start op het land. Van de grot loopt een tunnel van zo'n 30 m onder water door het kustterras naar zee. De ingang van de grot ligt in een kratervormige depressie in het land en vormt een kleine 'binnenzee'. In het achterste deel van dit water ligt de ingang van de tunnel. Eenmaal in de tunnel kun je de andere opening zien liggen. De diepte is 4–5 m. Vaak wordt een grote verpleegsterhaai bij de andere ingang (in dit geval de uitgang) van de tunnel gezien. Als de zee ruw is – wat de meeste tijd van het jaar het geval is – lijkt het op een enorme wasmachine. Het is niet aan te raden om dan hier te duiken. Op rustige dagen is het meer dan de moeite waard. Vanaf de uitgang van de grot zwem je over een vlakte vol met zeegras dat ritmisch heen en weer beweegt door de golfslag. Je moet hier een sterke maag hebben en niet snel zeeziek worden. Laat op de kust een goed herkenningspunt (bijvoorbeeld je auto) achter om de ingang van de grot terug te vinden. Het is heel moeilijk om op een andere plaats uit het water te komen.

Boca Playa Canoa (73)

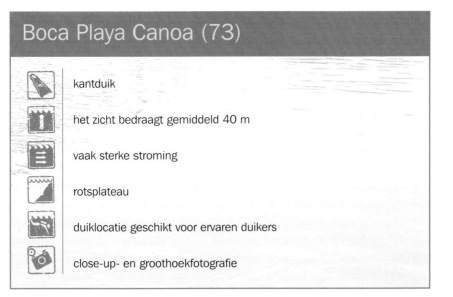

kantduik

het zicht bedraagt gemiddeld 40 m

vaak sterke stroming

rotsplateau

duiklocatie geschikt voor ervaren duikers

close-up- en groothoekfotografie

Deze duiklocatie bereik je als je langs Landhuis Brievengat (zie p. 336) rijdt en de weg volgt naar het industriegebied. De weg voert uiteindelijk naar de kust, naar een kleine beschutte baai die Playa Canoa heet. In deze baai ligt tevens de reddingsboot van de CITRO (Citizens Rescue Organization). Deze boot ligt hier speciaal in geval er een vliegtuig in zee neerstort, want het ligt in het verlengde van de start-en-landingsbaan van Hato Airport. Je kunt in het tamelijk rustige water van de baai te water gaan en dan naar buiten zwemmen, naar de rechterkant van de baai (oostkant). Hier kun je een mooie duik maken.

Vetplanten

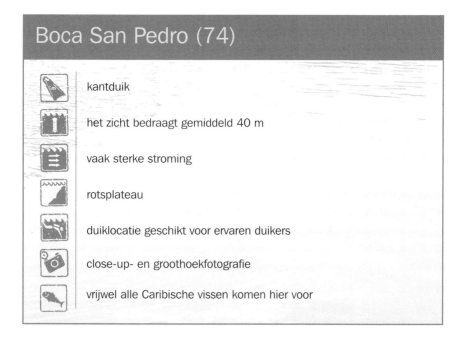

Boca San Pedro (74)

	kantduik
	het zicht bedraagt gemiddeld 40 m
	vaak sterke stroming
	rotsplateau
	duiklocatie geschikt voor ervaren duikers
	close-up- en groothoekfotografie
	vrijwel alle Caribische vissen komen hier voor

Deze duiklocatie is vanaf twee kanten te bereiken. De eerste zie je als je vanaf Westpunt naar Willemstad rijdt. Juist voordat de wegen naar Barber en van Soto samenkomen, is er een afslag naar links naar de noordkust. Hier staat een bord met daarop 'DOW-afvalwaterzuiveringsinrichting'. Volg deze weg naar beneden tot aan een groepje oude huizen. Deze plek heet 'Bron van San Pedro', een van de zeldzame zoetwaterbronnen op het eiland. Draai naar rechts (naar het oosten) en vervolg de zandweg ongeveer 1 km, draai dan richting zee. Er zijn een paar wegen die naar deze plaats leiden, die gemakkelijk te herkennen is door de aanwezigheid van twee ijzeren palen.

De andere route is vanaf het vliegveld over de zandweg langs de noordkust. Ongeveer 1 km voordat je San Pedro ziet liggen, moet je nu naar rechts draaien. Duiken kun je links en rechts langs de kust.

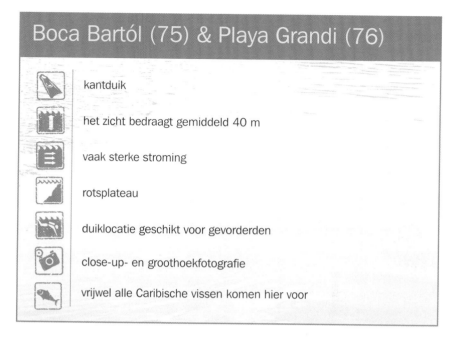

Boca Bartól (75) & Playa Grandi (76)

kantduik

het zicht bedraagt gemiddeld 40 m

vaak sterke stroming

rotsplateau

duiklocatie geschikt voor gevorderden

close-up- en groothoekfotografie

vrijwel alle Caribische vissen komen hier voor

Flamingotong

Deze beide duiklocaties liggen op het Wacao-terrein, waar de mariniers hun oefeningen houden. **Boca Bartól** (75) ligt aan de westkant en **Playa Grandi** (76) aan de oostkant van het terrein. Wacao is het eerste landhuis naast het Christoffelpark. Je kunt het niet missen omdat het langs de grote weg ligt. Op het terrein liggen veel oude autowrakken en machinerie. Je moet toestemming vragen om op het terrein te komen. Volg de weg naar de kust. Het duiken hier is typisch voor de noordkust met een zandplateau op 30 m diepte.

Boca Grandi (77)

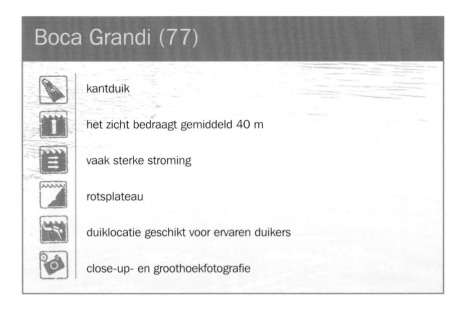

kantduik

het zicht bedraagt gemiddeld 40 m

vaak sterke stroming

rotsplateau

duiklocatie geschikt voor ervaren duikers

close-up- en groothoekfotografie

Dit strand aan de noordkust kun je bereiken door de entree van het Christoffelpark (zie p. 341). Om Boca Grandi te vinden neem je de noordroute langs het oude en vervallen landhuis Savonet. De rit naar Boca Grandi is erg mooi. De auto kun je vlak bij het water parkeren. Een pad brengt je naar het water. Duiken is aan te bevelen aan de rechterkant (de oostkant) van het strand. Hier ligt het mooiste rif.

Pijlpuntspinkrab

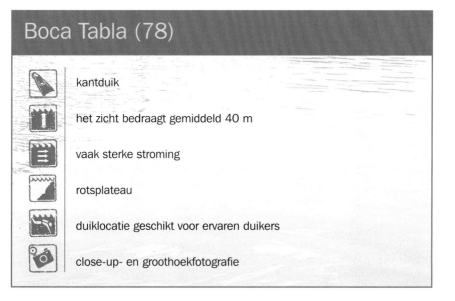

Boca Tabla (78)

kantduik

het zicht bedraagt gemiddeld 40 m

vaak sterke stroming

rotsplateau

duiklocatie geschikt voor ervaren duikers

close-up- en groothoekfotografie

Als je de hoofdweg van Westpunt naar Willemstad volgt, zie je na ongeveer 4 km een bord met daarop Boca Tabla. Een verharde weg leidt naar een parkeerplaats, want het is een van de toeristische hoofdattracties aan de noordkust. Boca Tabla heeft een grot waardoor je de zee kunt bereiken. De zee stormt hier genadeloos binnen en er staat een sterke stroming. Bij de grot ligt een wateroverloop waar tijdens de regentijd het water in zee stroomt. Dit is de plek waar je te water moet gaan (als de zee erg kalm is, want anders is het heel erg gevaarlijk). Laat iemand boven op de rotsen op deze plaats wachten als een herkenningspunt, zodat je deze plek weer terug kunt vinden.

In het ondiepe water liggen veel vlakke koralen (omdat de zee hier genadeloos tekeergaat), de rest van de bodem is begroeid met zeegras (sargassowier). Na enige tijd loopt de bodem schuin weg naar het diepe deel. Op de helling staan alle bekende koralen. Let op de vissen, want die zijn heel anders (veel groter) dan aan de zuidkust. Let ook op grote oceaanvissen, die hier geregeld rondzwemmen. De bodem ligt op zo'n 20 m en bestaat voornamelijk uit zand met nauwelijks koraalbegroeiing.

Twee historische wrakken in de haven van

In de St. Annabaai, vlak voor de kade van de Groote en Kleine Werf in Willemstad, liggen twee historische wrakken: het wrak van het Hollandse fregat *Alphen*
en het wrak van de *Mediator*.

In 1778 vond in de St. Annabaai een ernstig ongeval plaats. Op 4 augustus 1778
arriveerde het oorlogsschip *Alphen* met als commandant kapitein-ter-zee Georg

Voor het Maritiem Museum in Scharlo staan
de kanonnen van de *Alphen* op hun affuiten.

Willem Hendrik, baron Van der Feltz. Het
schip legde aan de kade aan bij de werf van
Michiel van der Meulen (nu bekend als
Groote Werf). Vlakbij lag de *Princesse Fre-
derica Sophia Wilhelmina*, met als commandant de schout-bij-nacht Lodewijk,
graaf van Bylandt. Op dinsdagmorgen 15
september liep er een Engels kaperschip
binnen dat bij de *Alphen* ging liggen. Naast
de twee oorlogsschepen lagen er nog vijf
koopvaardijschepen en een groot aantal
kleinere schepen in de haven. Schout-bij-
nacht Van Bylandt zat die ochtend om 7.45
uur bij de gouverneur Rodier aan het ontbijt. Bij het horen van een schot begaf hij
zich naar het venster en zag de Engelse ka-
per binnenlopen. Hij veronderstelde dat
deze een schot loste. Toen hij amper terug
aan tafel was, volgde 'eene allerijselijkste

Willemstad

slag... *men voelde het aardrijk in beweeging; de gebouwen schudden en lilden'* en in de lucht zag men *'een menigte gloeiende gedaantes'.* Toen Rodier en Van Bylandt naar het venster waren gerend, zagen zij niets meer van de *Alphen*. De ramp was verschrikkelijk. De 205 officieren en matrozen, die tussendeks aan het ontbijt zaten, en talloze vrijen en slaven lieten het leven. Het water in de St. Annabaai steeg zo hoog, dat het Fort Amsterdam binnenstroomde (zie gravure).

Twee dagen na de ramp kwam het stoffelijk overschot van Van der Feltz met dat van twee andere officieren bovendrijven. Ze werden met groot ceremonieel begraven op het terrein van een zekere Brugman aan de Roodeweg, waaruit naar verluidt de militaire begraafplaats aldaar is ontstaan.

Over de oorzaak van de explosie bestaan verschillende lezingen. In het rapport van Rodier, het oudste document, wordt het vermoeden uitgesproken dat er brand is uitgebroken in de zeilbergplaats, die zich voortgeplant heeft naar de kruitkamer. De bevolking daarentegen dacht dat tijdens het schieten van het Engelse kaperschip enkele kardoezen (kruithouders of patroonhulzen) aan boord van de *Alphen* zijn geraakt (wat dan de eerste klap geweest moest zijn), waaruit een brandje is ontstaan.

In de Nederlandse jaarboeken van 1778 wordt het ongeluk aan zinsverbijstering of boos opzet van de konstabel toegeschreven. Een plakkaat werd gepubliceerd met daarop een verbod om in de haven te schieten. Het avondschot, dat sinds enige tijd door het stationsschip werd afgelost, zou weer, evenals vroeger, van het Waterfort gegeven worden. Er werd een regeling voor schadevergoeding

Uit de bodem van de vaargeul steekt een kanon van de *Alphen* omhoog.

Archeolooog dr. Wil Nagelkerken (rechts) en Theo van der Giesen van Uniek Curaçao.

getroffen en een verbod uitgevaardigd 'hetzij door opvisschen of in het water te duikelen' voorwerpen van waarde of wat tot het wrak behoorde zich toe te eigenen. Sinds enkele jaren staat een onderwateropgraving van het wrak van de *Alphen* onder leiding van archeoloog dr. Wil Nagelkerken van de Stichting Uniek Curaçao en het AAINA/Nationaal Museum (Archeologisch/Antropologisch Instituut van de Nederlandse Antillen). Duizenden voorwerpen zijn al geborgen die na conservering een plaats krijgen in het Maritiem Museum in Schaarloo. Van het wrak zelf is niet veel meer over, de explosie heeft haar verwoestende werk grondig gedaan. Maar veel voorwerpen zijn nog in goede en redelijke staat en straks voor iedereen zichtbaar in de overzichtstentoonstelling.

Het tweede historische wrak dat in de haven ligt, is dat van het Engelse stoomschip *Mediator* (voorheen *Dahlia*) dat op 5 juli 1884 verging, net iets verder dan de plek waar de *Alphen* was gezonken. Aan de Kleine Klip (nu bekend als de Kleine Werf, net om de hoek bij het Waaigat) lag de grote *Mediator* van de Harrison-Lijn, rijk geladen met Europese, Amerikaanse en Curaçaose goederen gereed voor vertrek. Om 14 uur werd het Hamburg–Amerika lijnschip *Thuringia* de haven binnengeloodst. Maar ondanks het achteruitstomen, voer het schip met zo'n vaart op de *Mediator* af dat een botsing niet meer te vermijden was. Het Engelse vrachtschip werd aan stuurboordzijde, onder de waterlijn, doorboord en begon direct te zinken. Op het zinkende vaartuig liet men onmiddellijk stoom ontsnappen en een zestigtal werklieden en enkele bemanningsleden trachtten zoveel als mogelijk van de kostbare lading te bergen. Enkele uren later gleed het schip van de rots, waarop het steun had gevonden, meer naar het midden van de haven en in minder dan een minuut verdween het onder de golven.

Vandaag de dag ligt het schip in redelijk goede staat op 30 m diepte in de St. Annabaai, juist ter hoogte van de grote loods bij het Waaigat. De *Mediator* is voor Curaçao wat de *Titanic* voor de rest van de wereld is. Een schip ouder dan de *Titanic* met veel unieke onderdelen aan boord en grotendeels nog geladen. De bedoeling is dat na een onderwateropgraving het schip tot onderwatermuseum wordt verklaard.

ⓘ Meer informatie bij Stichting Uniek-Curaçao, Westwerf z/n, P.O.Box 2031, Curaçao, tel. 4628989, fax 4628998 of op website www.internet.duikclup.net/Uniek-Curacao/.

Klein Curaçao (79)

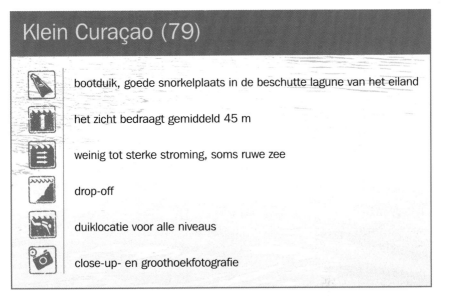

bootduik, goede snorkelplaats in de beschutte lagune van het eiland

het zicht bedraagt gemiddeld 45 m

weinig tot sterke stroming, soms ruwe zee

drop-off

duiklocatie voor alle niveaus

close-up- en groothoekfotografie

Wie dit eiland, waar Hans Hass een van zijn eerste duikexpedities in 1939 uitvoerde en het Caribische gebied verkende, wil bezoeken, kan zich het best tot een van de duikbases wenden die daarheen regelmatig tochten ondernemen. De duikoperators bieden unieke en avontuurlijke dagtochten naar Klein Curaçao aan. Naast bootduiken kun je je hier ook per helikopter af laten zetten en 's avonds met de boot weer terug naar Curaçao varen. De duiklocaties bij het slechts 2,5 km lange en nauwelijks 800 m

Een blik vanaf de zee op Klein Curaçao

brede eiland zijn bijzonder aantrekkelijk. Het eiland zelf is kaal en leeg, op wat vetplanten na die de ruwe koraalbodem bedekken. Twee markante punten zijn de verlaten vuurtoren midden op het eiland en het wrak van het voormalige Nederlandse schip *Maria Bianca Guidesman*, dat hier onder goedkope vlag op de kust is gelopen en langzaam weg ligt te roesten.

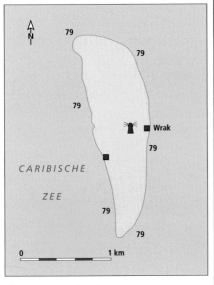

Klein Curaçao met duikplaatsen

De zandstranden zijn kilometers lang en bestaan uit prachtig wit koraalzand. Midden op het strand steekt een oud kanon met zijn loop uit het zand, een 18de-eeuws overblijfsel uit de tijd van de West-Indische Compagnie. De duiklocaties zijn ruig en bijna maagdelijk, net zoals langs de west- en oostpunt van Curaçao zelf.

Duiken kun je op verschillende locaties. Aan de noordkant van het eiland ligt op 30 m een grot waar regelmatig verpleegsterhaaien liggen te slapen. Vanaf deze grot zwem je in oostelijke richting om de punt van het eiland naar de lijzijde ervan. Een andere duik is om de zuidpunt van het eiland. Je laat je door de boot afzetten aan de noordoostkant en zwemt om de

Het wrak van de ex-Nederlandse gastanker 'Maria Bianca Guidesman' op Klein Curaçao

Stichting Uniek Curaçao

Uniek Curaçao is een stichting die in 1992 werd opgericht en staat voor een verandering in mentaliteit op het gebied van Cultuur, Toerisme en Milieu. De stichting organiseert speciale excursies voor toeristen over het eiland waarbij verborgen en unieke plaatsen worden bezocht. Tevens heeft ze een groot aantal prachtige wandelroutes ontwikkeld met wandelkaarten en beschrijvingen. Ook verzorgt ze leerprogramma's voor scholen over deze onderwerpen. Nodig is het wel omdat de inwoners en toeristen eigenlijk maar weinig weten van het unieke karakter van Curaçao. En daarmee levert Uniek Curaçao op een andere wijze een bijdrage aan de bescherming van Curaçao.

zuidpunt heen weer terug naar het beschutte deel van het eiland.

Een driftduik wordt meestal gemaakt op verschillende plaatsen aan de noordkant van het eiland. Afhankelijk van de stroming zwem je in noordelijke of zuidelijke richting. Hier liggen veel oude kanonnen en ankers van schepen die hier in de loop der jaren zijn vergaan. De drop-off is rijk begroeid met gorgonen en waaierkoralen. Vergeet niet in het blauwe water te kijken naar grote oceaanvissen. In het ondiepe water, rond de aanlegsteiger en naar de zuidpunt van het eiland, zwemmen veel zeeschildpadden rond. Met snorkelen zijn ze regelmatig te zien. Op het eiland zijn veel watervogels te vinden. Het eiland wordt 'bewoond' door vissers die hier tijdelijk hun kamp hebben opgeslagen. Rond het eiland worden in november nogal eens migrerende walvissen waargenomen.

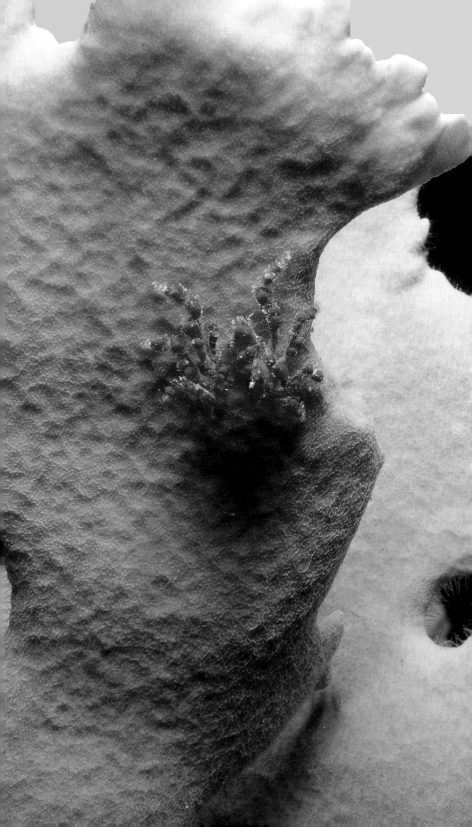

Saba is een dicht begroeide vulkaan die uit de zee oprijst. Wie het eiland nadert, is meteen gefascineerd door deze geweldige creatie van de natuur. De golven spatten uiteen tegen de steile rotsen; een grijze en donkergroene massa, omringd door diepblauw water. En daar hoog boven ligt de gestolde vulkaankrater, meestal gehuld in een krans van nevel.

Het is niet voor niets dat dit stukje Nederlands koninkrijk in de tropen *The Unspoiled Queen of the Caribbean* (De onbedorven koningin van het Caribisch gebied) wordt genoemd. Hier heeft de tijd ogenschijnlijk stilgestaan en voelt de mens zich nederig tegenover de overweldigende natuurkrachten.

EEN MAAGDELIJK DUIKGEBIED

Niet alleen boven het wateroppervlak is Saba betoverend. Het onderwaterlandschap is net zo bijzonder. Rotsformaties van gestold lavasteen met tunnels en gangen, grijs zand en heetwaterbronnen wijzen op de vulkanische oorsprong van het eiland en de omgeving. Op deze ondergrond heeft zich een kleurrijk koraal- en visleven ontwikkeld. De gele, oranje en paarse buissponzen springen meteen in het oog en de wuivende pastelkleurige gorgonen begroeten iedere bezoeker. Aan de rustige kant van het eiland loopt de bodem geleidelijk af met koraal in de vorm van ruggen en kloven.

De drop-off aan de wilde kant van het eiland is groots en vol groot visleven. Je kunt hier schildpadden, roggen en haaien aantreffen.

De wateren rond Saba zitten trouwens helemaal vol vis, vooral veel grote vissen, omdat er weinig visserij plaatsvindt. Tarpons en barracuda's zijn er volop te zien, en in het seizoen altijd wel een paar schildpadden. Een bijzondere attractie vormen de bultrugwalvissen, die tussen februari en april langskomen op doorreis naar het noorden.

Het hele jaar door kun je rond Saba duiken, maar de beste periode is de winter (dec.–mrt.), als het zicht onder water optimaal is: tot bijna 50 m.

Klein maar fijn

Duiken op Saba is een verademing. Naast het bijzondere landschap is de rust hier

Rode spinkrab op vuurkoraal

Saba Marine Park

In 1987 werd het Saba Marine Park ingesteld, met financiële steun van het Wereld Natuur Fonds, het Prins Bernhardfonds en de Sabaanse en Nederlandse regering. Dit onderwaterpark loopt rond het eiland en strekt zich uit tot een diepte van 65 m.

Het is streng verboden te jagen op vis en schelpen, en koraal en andere onderdelen van het onderwaterleven te verzamelen. Het onderwaterpark is onderverdeeld in vier zones: een ankerzone, een exclusieve duikzone, een recreatiezone en een gecombineerde vis- en duikzone.

Ankerzone

Ankeren is slechts toegestaan bij Ladder Bay aan de westkant en Fort Bay aan de zuidkant. Tussen deze twee zones ligt de recreatieduikzone met de beste duiklocaties.

Duikzone

Aan de zuidwestkant van het eiland. Tent Reef, Tent Reef Wall, Hot Springs en Lou's Ladder zijn hier fameuze locaties. Ankeren is hier niet toegestaan.

Recreatieduikzone

De noordwestkust, van Ladder Bay tot Torren's Point is bestemd voor watersport in het algemeen. Third Encounter, Outer Limits, Diamond Rock en Man of War zijn mooie duiklocaties. Labyrinth is voor snorkelaars een aanrader.

Bij Well's Bay ligt Saba's enige stukje strand. Een smalle strook, meer stenen dan zand en alleen in een bepaald deel van het jaar te gebruiken. Maar als het er is, kun je er goed zwemmen en snorkelen.

---

een sterke troef. Tot het einde van de jaren tachtig werd Saba slechts door enkele honderden duikliefhebbers per jaar bezocht. Alleen echte liefhebbers getroosten zich de moeite om de reis naar dit stipje in de Caribische Zee te maken. Met slechts honderd kamers in uiteenlopende prijscategorieën op het hele eiland is massatoerisme uitgesloten. Er wordt nauw op toegezien dat het duiktoerisme, dat toch een belangrijke bron van deviezen is geworden, hier niet de pan uit rijst. Met wie je ook praat op het eiland, iedereen is het erover eens dat Saba zichzelf moet blijven. Voor de Sabanen geen Mc-Donald'sen, geen grote hotels, geen *time sharing*, en niet meer dan drie duikscholen. Saba wil zich in toenemende mate richten op natuurtoerisme, waarbij duiken en *hiking* de speerpunten moeten zijn.

EEN VERKENNING ONDER WATER

Het beeld van de rots die uit zee omhoogrijst, klopt niet helemaal. En dat is maar goed ook, anders zou er weinig van koraalriffen en visleven te genieten zijn. Rondom het hele eiland ligt een plateau, bezaaid met rotsblokken, die de basis

Vis- en duikzone

Vanaf Torren's Point rondom het eiland tot Fort Bay is een zone waar zowel ge-doken als gevist mag worden.

In ruim tien jaar tijd is een dertigtal boeien aangebracht, waar gedoken mag worden.

Aangezien er op Saba geen zandstranden zijn en de toegankelijkheid van de kust een probleem vormt, ben je genoodzaakt vanaf de boot te duiken. Dat gaat erg comfortabel.

Alle duiklocaties zijn makkelijk en snel per boot te bereiken.

Van de Koninklijke Marine kregen de duikcentra een compressietank met een capaciteit van vier personen tegelijkertijd. Een groot aantal vrijwilligers helpt in-middels mee bij het onderhoud en het toezicht in het onderwaterpark. Er zijn speciale informatiesessies voor geïnteresseerde duikers over het park en de onderzoeken die lopen.

Saba's Marine Park heeft al verscheidene internationale prijzen gekregen voor de wijze van aanpak.

Om bij Saba te duiken is een duikbelasting verplicht van US$ 2 per duik per persoon. Gewoonlijk komt deze automatisch op je rekening bij het duikcen-trum.

ⓘ SABA MARINE PARK: het kantoor is gevestigd op Fort Bay, PO Box 18, The Bottom, T/F 63295. Er is ook een website: www.saba-info.com/marine. Iedere dinsdag geeft een van de op-zichters een lezing over het onderwaterpark in Juliana's, aanvangstijd 18.30 uur.

vormen voor koraalformaties.

Aan de 'wilde' noordoost- en oostkant van het eiland is het plateau heel smal. Hier duikt de rots op enkele plaatsen na-genoeg verticaal de diepte in. Vanaf de noordkust en vooral naar het westen toe is het plateau breder. Op de meeste plaat-sen begint de drop-off niet binnen 1 km vanaf het eiland.

Aan de zuidwestkant en ten zuiden van het eiland wordt de strook weer iets smaller. Hier heeft zich wel het fraaiste koraalrif gevormd, dat karakteristiek is voor de vulkanische oorsprong. Bij Tent Reef Wall loopt een helling van gestold

Een harlekijnanemoongarnaal in 'zijn' anemoon

lava af naar de drop-off. Bij Hot Springs en Babylon vind je talrijke heetwaterbronnen in de zandbodem. Dit is tevens het enige behoorlijke snorkelgebied bij Saba.

Karakteristiek voor een vulkanisch gebied als Saba is het grijze zand. De verkleuringen die je op de zandbodem hier en daar kunt waarnemen, wijzen op licht vulkanische activiteit en de aanwezigheid van metalen en mineralen.

Duikgebieden

Het koraal rond Saba wordt als volgt ingedeeld:

1. Rotsen en rotsblokken, met koraal begroeid
2. Bergen en pinakels met koraal begroeid
3. Riffen, die of haaks op de kust lopen, of de drempel boven de drop-off vormen.

Rotsen en rotsblokken

Door de vulkanische activiteit en de verwering van berghellingen aan de kust ligt het plateau bezaaid met grote en kleine brokken steen. Soms liggen de steenklompen in formaties bij elkaar, een andere keer liggen ze wat verdwaald op de zandbodem. Op het gesteente heeft zich in de loop van duizenden jaren koraal gevormd, zachte en harde soorten. Markant zijn ook altijd de sponzen die op deze rotsachtige ondergrond groeien. Vaatsponzen en buissponzen komen veel voor in deze omgeving.

De meeste duiklocaties in Well's en Ladder Bay, alsmede aan de zuidkust, bestaan uit dergelijke begroeide rotsen.

Onderwaterbergen en -pinakels

De onderwaterbergen en -pinakels zijn de meest markante koraalformaties. Ze vormen het visitekaartje van Saba als duikgebied. De grootste aaneengesloten berg ligt voor de westkust en is vermoe-delijk gevormd op puin van de vulkaanmantel. Drie voortreffelijke duiklocaties markeren de hoeken: Third Encounter, Twilight Zone en Outer Limits.

Zeewaarts komen de pinakels vanuit de diepte omhoog. Er zijn pinakels die hun basis hebben op 100 m diepte en eindigen op zo'n 30 à 40 m onder de waterspiegel. Dat maakt dit hele gebied dus uitsluitend geschikt voor diepe duiken en gevorderde duikers. Op de pinakels groeien rondom allerlei soorten zacht koraal, sponzen en er zit natuurlijk veel vis. Het is een fenomenale ervaring om het 'gevaarte' plotseling voor je te zien verschijnen, nadat je een paar minuten in het blauwe open water hebt gezwommen.

Iets meer naar het noorden staat nog zo'n pinakel in vrijwel open water op de bodem: Shark Shoal.

Ook bij Diamond Rock staat nog een aantal pinakelformaties. Diamond Rock is een voortzetting van Torren's Point. De kust is in de loop der tijden door het geweld van het oceaanwater afgekalfd en verbrokkeld. Behalve pinakels vind je er fraai begroeide wanden vol met leven.

Riffen

Net ten oosten en westen van Fort Bay, op nog geen 10 min. varen met de boot, liggen de langgerekte rifformaties van Tent Reef en Giles Quarter. De laatste komt nog het meest overeen met de klassieke vorm en ontwikkeling van een koraalrif. Het plateau loopt hier geleidelijk af en er hebben zich koraalruggen en zandbanen gevormd. Tent Reef is een oude rand langs het plateau waar, door afbrokkeling in de tijd dat de zeespiegel lager stond, een langgerekte strook rotsbrokken voor de oude 'muur' en evenwijdig aan de kust is ontstaan. De stevig met koraal begroeide rotsen, de talrijke kanalen, zandbanen en doorgangen zorgen voor een gevarieerd duikgebied.

DUIKCENTRA

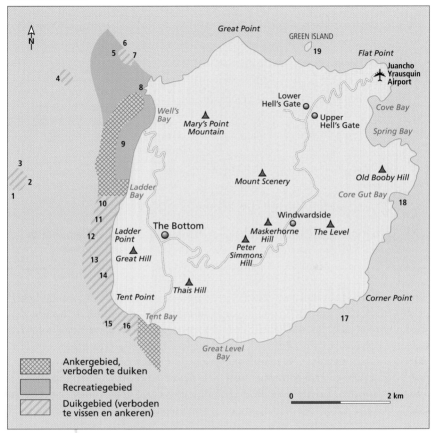

Saba met duikplaatsen

Duiklocaties Saba

1. Third Encounter B, G
2. Mount Sint-Michel B, G
3. Twilight Zone B, G
4. Outer Limits B, G
5. Shark Shoal B, G
6. Diamond Bank B, AL
7. Diamond Rock B, G
8. Man of War Shoals B, G
9. Otto Limits B, AL
10. Torren's Point BK, AL, S
11. Well's Bay Point B, G
12. Ladder Bay Deep Bay Reef /Custom's House Reef B, G
13. Lou's Ladder B, AL
14. Babylon B, G
15. Ladder Labyrinth B, AL, S

16. Hot Springs B, AL, S
17. Tedran Reef, B, G
18. Tent Reef Wall B, G
19. Tent Reef B, AL, S
20. Tent Reef Deep, B, G
21. Greer Gut, B, AL
22. Giles Quarter Deep Reef, B, AL
23. Giles Quarter Shallow, B. AL, S
24. Big Rock Market, B, AL
25. Hole in the Corner B, AL
26. Core Gut BK, G
27. Green Island B, AL

Toegang

B = bootduik;
K = kantduik;
BK = boot- of kantduik

Moeilijkheidsgraad

B = beginners;
G = gevorderden;
E = ervaren;
AL = alle duikniveaus;
S = ook geschikt om te snorkelen;
N = geschikt voor een nachtduik;
W = wrakduik.

Third Encounter (1)

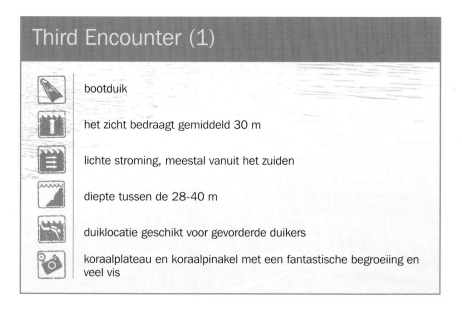

bootduik

het zicht bedraagt gemiddeld 30 m

lichte stroming, meestal vanuit het zuiden

diepte tussen de 28-40 m

duiklocatie geschikt voor gevorderde duikers

koraalplateau en koraalpinakel met een fantastische begroeiing en veel vis

Een van de mooiste duiken bij Saba en tevens in dit deel van het Caribisch gebied. Op zo'n 30 tot 40 m diepte ligt een rots met een plateau, fraai begroeid met koraal, sponzen en vol vis. De randen van het plateau hebben grillige vormen met breuken en gaten. Behalve aan de zuidoostkant lopen de randen steil af. Je ziet hier veel olifantsoor- en vaat- en bekersponzen, rif- en verpleegsterhaaien, grote tandbaarzen en barracuda's, soms een adelaarsrog. De grootste kans om ze te zien, is meteen bij het afdalen.

Langs de drop-off groeien gorgonen, bekersponzen en draadkoraal. In het blauw zwemmen grote scholen makrelen en er

Snorkelaarster met sergeant-majoors

zijn veel blauwe trekkervissen.

Aan de westkant van het bergplateau zwem je een stukje het diepe blauw in. Ondanks het mindere zicht door de temperatuurstijging van het water en het talrijke plankton doemt al vrij snel de bizarre pilaar van koraal op. Deze reusachtige pinakel die buiten het rifplateau uit de diepte oprijst, heeft een diameter van 17 m. De bijnaam is 'Eye of the Needle'. De pinakel komt van een diepte van 75 m. Hij is begroeid met allerlei soorten koraal, grote gele buissponzen, oranje olifantsoorsponzen en gorgonen. De meeste duikinstructeurs beginnen de duik hier op zo'n 30 m diepte en draaien een aantal keren rond de pinakel, zodat je het koraalleven en de vissen die er zich ophouden, goed kunt bekijken. Na 15 min. duiken keer je terug naar een noordelijke uitloper van het plateau. Afhankelijk van de diepte en de duiktijd zwem je hier nog even rond. Grote kans een murene te zien in een van de spleten. Op het koraal zijn verder zeebarbeel, koraalvlinders en snappers te zien.

Duiklocaties in de omgeving
Mount Sint-Michel (2), zuidelijker dan Third Encounter, is een restant van een vulkaankrater. Hij ligt op grote diepte – de rots begint op 35 m. De pinakel is rijkelijk begroeid met olifantsoor- en vaatsponzen en er komen grote vissen voor. Op een plateau tussen de uitlopers van de krater aan deze kant kun je murenen, baarzen en schildpadden tegenkomen. Bovendien maak je kans een rifhaai dan wel een verpleegsterhaai te zien. Ook is hier wel eens een manta gesignaleerd.

Twilight Zone (3)

bootduik

het zicht bedraagt gemiddeld 30 m

lichte stroming vanuit het zuiden

diepte tussen de 28-40 m

duiklocatie geschikt voor gevorderde duikers

een van de betere drop-off duiken met schitterende begroeiing en spectaculaire vissen

Een gestreepte koraalvlinder

Dit gebied maakt deel uit van dezelfde verheffing in de zeebodem als Third Encounter. Er loopt een plateau op 40 m diepte van de ene naar de andere duikstek. Twilight Zone bestaat uit een aantal pinakels. Degene waar de boei aan is bevestigd, begint op zo'n 30 m diepte. Op de top en langs de wanden bevinden zich kleurrijk koraal, diepwatergorgonen en veel sponzen. De oranje olifantsoorsponzen spannen weer de kroon, maar er zijn ook buis- en vaatsponzen te zien. Verder opmerkelijk veel zwart koraal.

Boven het plateau kom je makrelen, snappers en blauwe trekkervissen tegen. Via het plateau zwem je in zuidelijke richting langs de pinakels. De kleurensymfonie van het koraal en de vissen is om lyrisch van te worden: papegaaivissen, keizersvissen, de kleinere hertogsvis en vlindervissen.

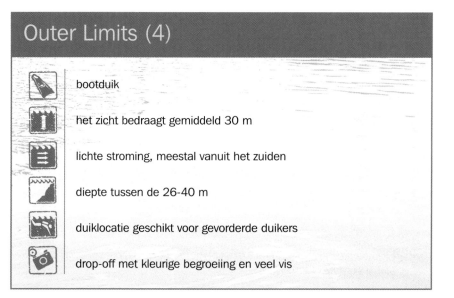

Outer Limits (4)

- bootduik
- het zicht bedraagt gemiddeld 30 m
- lichte stroming, meestal vanuit het zuiden
- diepte tussen de 26-40 m
- duiklocatie geschikt voor gevorderde duikers
- drop-off met kleurige begroeiing en veel vis

Dit is het noordoostelijke puntje van de bergformatie onder water. De boei bevindt zich op zo'n 30 m diepte. Vandaar ga je eerst op verkenning bij de pinakelformatie. Deze heeft een doorsnede van zo'n 35 m op 30 m diepte. Vervolgens volg je de koraalbegroeiing die grotendeels in de richting noordoost–zuidwest loopt. De drop-off is het spectaculairst bij het uiterste noordoostelijke puntje. Je vindt er oranje olifantsoorsponzen, violette bekersponzen en gele buissponzen, gor-gonen en ander zacht koraal. In de scheuren van de wand houden zich grootoogmakrelen en tijgertandbaarzen op. Meer in het open water zie je veel snappers, soms een barracuda, en tussen de sponzen en het zachte koraal de gebruikelijke rifvissen. De drop-off loopt naar een smal plateau op 40 m en vandaar nog verder naar beneden. Heel af en toe duikt bij de drempel een grote roofvis op.

Via de zuidelijke wand zwem je terug.

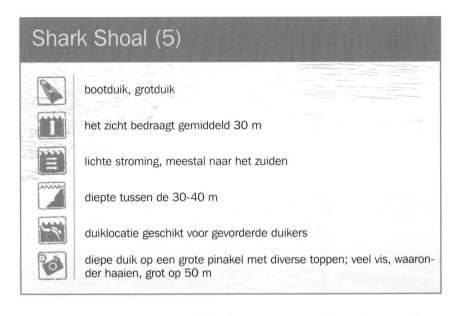

Shark Shoal (5)

bootduik, grotduik

het zicht bedraagt gemiddeld 30 m

lichte stroming, meestal naar het zuiden

diepte tussen de 30-40 m

duiklocatie geschikt voor gevorderde duikers

diepe duik op een grote pinakel met diverse toppen; veel vis, waaronder haaien, grot op 50 m

Een van de meest westelijk gelegen duiklocaties, 800 m ten westen van Well's Bay. Je duikt hier op een immense pinakel, waarvan de overkant 30 m onder het wateroppervlak ligt. Vroeger vingen de vissers hier haaien om als aas te gebruiken. Je kunt ze nog steeds tegenkomen, vooral de Caribische zwartpunthaai en verpleegsterhaai.

Tijdens de afdaling vraag je je eerst af waar je naar toe gaat, want er is in de verste verte geen koraalplateau of andere vaste structuur te zien. Pas op 15 m diepte neemt het visleven toe – zilverkleurige makrelen, die glinsteren in het zonlicht – en neem je een donkere schaduw waar. Naarmate je dichterbij komt, blijkt dit een koraaleiland te zijn, de bovenkant van de pinakel. Grote gele en paarse buissponzen, oranje olifantsoorsponzen en gorgonen vormen samen met de bizarre koraalformaties voor een fraai landschap, dat nog meer kleur krijgt door de papegaaivissen, keizersvissen en tal van kleinere rifvissen. Bij de scheuren, onder de overhangende rotsdelen en in de gaten van de drop-off van de pinakel, die zeer steil vanuit de diepte omhoogsteekt, zie je vooral grotere soorten zoals tandbaarzen, grote makrelen, barracuda's en doorgaans ook haaien.

De pinakel bestaat uit een brede basis op 80 m diepte. Op 50 m diepte bevindt zich een grot, begroeid met sponzen en de schuilplaats van haaien en baarzen. Doorgaans kom je niet zo diep. Je zwemt om de pinakel heen op zo'n 30–40 m diepte en kunt dan net de bovenkant van twee andere uitlopers van de pinakel bekijken (op 40 m). Al vrij snel moet je deze diepte verlaten om wat hoger om de grote pinakel heen te zwemmen. Opvallend is het kleine leven op de drop-off, waar je door al het spektakel van de grotere vissen bijna geen oog meer voor hebt.

Diamond Bank (6)

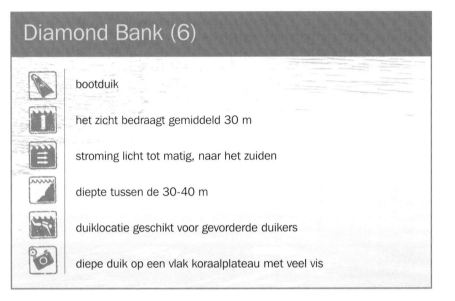

bootduik

het zicht bedraagt gemiddeld 30 m

stroming licht tot matig, naar het zuiden

diepte tussen de 30-40 m

duiklocatie geschikt voor gevorderde duikers

diepe duik op een vlak koraalplateau met veel vis

Deze locatie ten zuidwesten van Diamond Rock is wat vlakker dan de voorgaande. Het koraalplateau loopt in de vorm van een hoefijzer rond de boei. Het koraal is niet zo kleurrijk en uitgesproken qua vorm als op de pinakels maar trekt voldoende leven aan. Opvallend zijn de talrijke zeeveren en het zweepkoraal. Dit is bij uitstek een plek om grotere vissen tegen te komen, zoals tandbaarzen, forse makrelen, barracuda's en Caribische zwartstiphaaien en verpleegsterhaaien.

Decompressie aan de ankerlijn na een diepe duik

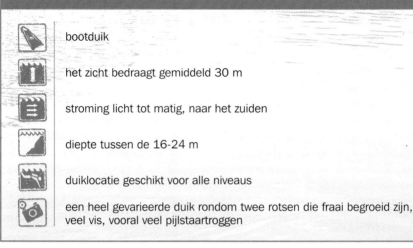

Diamond Rock (7)

bootduik

het zicht bedraagt gemiddeld 30 m

stroming licht tot matig, naar het zuiden

diepte tussen de 16-24 m

duiklocatie geschikt voor alle niveaus

een heel gevarieerde duik rondom twee rotsen die fraai begroeid zijn, veel vis, vooral veel pijlstaartroggen

Diamond Rock ligt net even buiten de kust voor Torren's Point. Vanuit Well's Bay – waar meestal een interval wordt doorgebracht – is de rots in de vorm van een diamant goed te zien. De witte kleur komt van de vogels die hier en aan de kust broeden. De afdaling komt uit op een zandvlakte. Je ziet er zeekomkommers langzaam over de bodem kruipen. Blauwe trekkervissen reageren onrustig op de duikers die afdalen. Je komt hier in de richting van de rots ook pijlstaartroggen tegen. De meeste blijven onverstoord in het donkergekleurde zand liggen, alleen de ogen volgen je nauwlettend, totdat je te dichtbij komt.

De rots rijst aan deze kant vrijwel recht op uit het zand, aan de voet van een smalle band koraal die zich voortzet op de wand. Hier komen vooral veel beker- en vaatsponzen voor, en hier en daar zie je wat kleur door gele of groene buissponzen. Ook zijn er veel anemonen tussen het ster- en hersenkoraal. Op de drop-off groeit waaierkoraal en draadkoraal. Achter de grote rots staat een tweede, die boven water veel kleiner lijkt maar onder water minstens zo groot is. De doorgang tussen de twee rotsen is rijk begroeid met koraal, sponzen en gorgonen. Anemonen in de spleten, soldatenvissen, juffertjes, koraalvlinders zwermen om het koraal heen. Hierna rond je de tweede rots. Het is verbazingwekkend hoeveel leven er op deze steenklomp zit. Als een reusachtige donkere schaduw hangt de rots over je heen, boven klotsen de golven op het steen. De duik gaat nu terug naar de westkant van de eerste rots. Ook deze drop-off is begroeid met van alles en nog wat. Dan ga je terug naar de boeilijn. Grote scholen grootoogmakrelen en geelstaartsnappers doen zich te goed aan het plankton dat volop in het water aanwezig is.

Man of War Shoals (8)

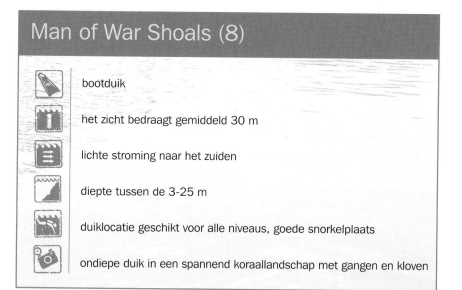

bootduik

het zicht bedraagt gemiddeld 30 m

lichte stroming naar het zuiden

diepte tussen de 3-25 m

duiklocatie geschikt voor alle niveaus, goede snorkelplaats

ondiepe duik in een spannend koraallandschap met gangen en kloven

Deze locatie heeft wat weg van Diamond Rock; ze wordt gekenmerkt door net zo'n fors rotslichaam dat weelderig begroeid is met koraal en sponzen. De rots heeft meerdere toppen. Het handigste is om vanaf de zandbodem langzaam rond de 'berg' te zwemmen en steeds hoger te klimmen naarmate de duiktijd vordert.

Je kunt op deze plek optimaal genieten van de kleuren en het kleine leven op het koraal. Veel mooi gekleurde sponzen, diepwatergorgonen, veelkleurig massief, plaat- en bladkoraal. De kleine vissen doen hun uiterste best om op te vallen. Je ziet hier veel koraalvlinders, sergeant-majoors en trekkervissen.

Hertogsvis

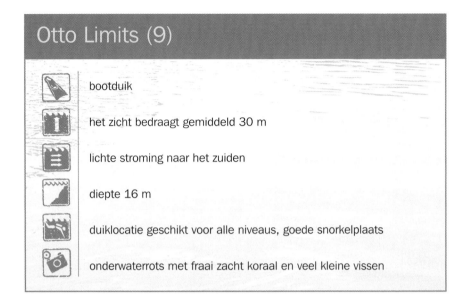

Otto Limits (9)

- bootduik
- het zicht bedraagt gemiddeld 30 m
- lichte stroming naar het zuiden
- diepte 16 m
- duiklocatie geschikt voor alle niveaus, goede snorkelplaats
- onderwaterrots met fraai zacht koraal en veel kleine vissen

Niet te verwarren met Outer Limits. Een zekere Otto heeft z'n naam aan deze plek gegeven, omdat hij niet verder mocht (nog geen duikbrevet).

Een fraaie plek, aan de voet van een rots. Het puntje van de rots komt net boven het water uit. Je daalt af naar de zandbodem op ongeveer 16 m en maakt een rondje rondom de steenklomp. De wanden zijn begroeid met sponzen in felle kleuren: oranje, geel, rood, paars. Alsof Karel Appel in hoogst eigen persoon de patronen heeft uitgezet. Er is waaierkoraal, waarachter plotseling een sergeant-majoor kan opduiken of een soldatenvis. Felgekleurde pijpsponzen, buissponzen en draadsponzen zorgen voor een extra reliëf. Bij deze rots, soms verscholen in de spleten, zitten verder veel juffertjes, koraalvlinders en koffervissen.

Na 15 of 20 min. kun je in de richting van Torren's Point zwemmen. De rotsblokken op de bodem zijn hier begroeid met allerlei soorten zacht koraal. Gracieus deinen de zeeveren, het waaier- en zweepkoraal mee op het ritme van de waterstroom. Ook hier kleurrijke kleine vissen. De zandbodem loopt steeds verder omhoog, tot je bij rotsblokken bent, die net boven het water uitkomen. Je bent dan op de hoogte van Torren's Point.

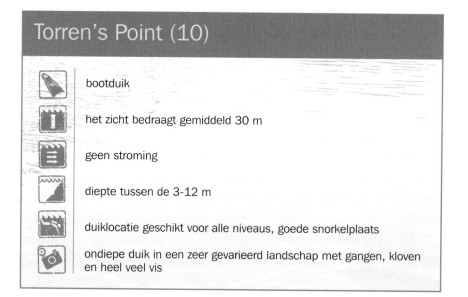

Torren's Point (10)

bootduik

het zicht bedraagt gemiddeld 30 m

geen stroming

diepte tussen de 3-12 m

duiklocatie geschikt voor alle niveaus, goede snorkelplaats

ondiepe duik in een zeer gevarieerd landschap met gangen, kloven en heel veel vis

Torren's Point, bij Well's Bay, is zowel voor beginners als snorkelaars een prima locatie. Vanaf de drop-off ga je langs een gebied met vooral hertshoorn- en hersenkoraal. Er lopen hier verschillende nauwe gangen tussen de rotsblokken naar de drop-off. Rode en oranje sponzen proberen vat te krijgen op de rotswand, maar er zit te veel beweging in het water. Wel kun je in de gangen een verdwaalde baars, een groepje makrelen, soldatenvissen of trekkervissen tegenkomen. Het echte visleven begint als je de gangen uitkomt en op het rif belandt. Ondanks de beweging in het water, het zand dat op het koraal terechtkomt en de schade door storm, groeit het koraal hier volop. Klein visleven is er eveneens genoeg. Poetsgarnalen, kappersgarnalen, vlindervissen, soldatenvissen, rotsschoonheden; het kleurrijke leven contrasteert sterk met de zandige achtergrond. Tussen de koraalhoofden liggen wrakstukken van boten die tijdens de afgelopen orkanen zijn vergaan. Een stuk reling en zelfs een complete motor. Aan de noordkant van de baai is een grot, waar zich sergeant-majoors, juffertjes en snappers ophouden. Rond de eilanden van plaat- en bergkoraal zwemmen allerlei soorten rifvissen. Je komt hier opvallend veel sergeant-majoors, grommers, geelstaartsnappers, papegaaivissen en keizersvissen tegen. Soms zie je een verpleegsterhaai in de verte wegzwemmen. Op de zandige bodem tussen de koraaleilanden schuilen pijlstaartroggen.

Well's Bay Point (11)

bootduik

het zicht bedraagt gemiddeld 30 m

lichte stroming naar het zuiden

diepte tussen de 3-12 m

duiklocatie geschikt voor alle niveaus, goede snorkelplaats

ondiepe duik in een gevarieerd landschap met gangen, kloven en heel veel vis

Ook hier veel begroeide rotsblokken met hard- en zacht-koraalsponzen, en gorgonen. De sponzen en gorgonen zijn groter dan op de twee vorige locaties. Vooral de buissponzen ogen spectaculair: felgekleurd of in pasteltinten. Er staat een aantal fraai gevormde vaatsponzen.

Je vindt hier vooral kleine rifvissen: grommers, sergeant-majoors, soldatenvissen, juffertjes, koraalvlinders, keizersvissen en af en toe een papegaaivis.

Een school vissen

Ladder Bay Deep Bay Reef/Custom's House Reef (12)

bootduik

het zicht bedraagt gemiddeld 30 m

lichte stroming naar het zuiden

diepte tussen de 20-30 m

duiklocatie geschikt voor gevorderde duikers

rotsblokken met doorgangen en waaierkoraal, grote sponzen en middelgrote vissen

De duik begint op een diepte van 20 m. Er ligt een zandige bodem, die oploopt richting de kust. Hier kun je pijlstaartroggen, buisalen en sporadisch een verpleegsterhaai aantreffen. De drop-off wordt gekenmerkt door rotsblokken, die parallel aan de kustlijn liggen. Op de rotsblokken groeien forse buissponzen en draadsponzen, maar het meest karakteristiek voor deze plek is het waaierkoraal.

Zwemmend langs de koraalvormen en sponzen, kun je ineens oog in oog komen met een tandbaars, een barracuda of een forse trompetvis.

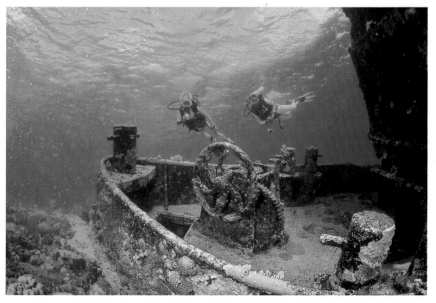

Twee duiksters verkennen een wrak.

Lou's Ladder (13)

bootduik

het zicht bedraagt gemiddeld 30 m

lichte stroming naar het zuiden

diepte tussen de 15-25 m

duiklocatie geschikt voor alle niveaus

grote rotsblokken begroeid met diverse soorten koraal, ruggen en kanalen

Een geel zeepaardje houdt zich aan een stukje wier vast.

Aan de zuidkant van Well's Bay ligt Lou's Ladder. Het landschap bestaat hier uit rotsblokken, door de erosie in het water terechtgekomen, en in de loop der tijden met koraal begroeid. Naarmate je verder van de kust wegzwemt, stuit je op meer ruggen en kloven met zandbanen. Uiteindelijk kom je dan uit bij een andere duikstek, Ladder Labyrinth. Kenmerkend voor Lou's Ladder is de rijkdom aan koraal en sponzen. Je kunt hier volop genieten van het kleinere visleven. In de scheuren en gaten van het koraal tegen de rotswanden houden zich langoesten, krabben en murenen op.

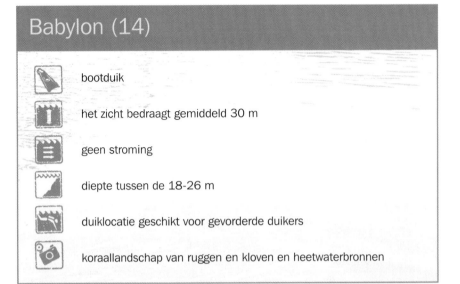

Babylon (14)

	bootduik
	het zicht bedraagt gemiddeld 30 m
	geen stroming
	diepte tussen de 18-26 m
	duiklocatie geschikt voor gevorderde duikers
	koraallandschap van ruggen en kloven en heetwaterbronnen

In de richting van Ladder Bay, aan de westkant, is Babylon de mooiste plek. Op de bodem borrelt heet water uit bronnen omhoog. Onder de koraalbegroeiing kun je goed de gestolde koraalrotsen zien. Er is een koraallandschap ontstaan van ruggen en kloven, met nauwe doorgangen en uitstulpingen; veel schuilplaatsen dus voor langoesten, mu-renen en de schuwere vissen van het rif. Boven het rif is het kleurenspel fascinerend; zilvergrijze makrelen, roodachtige snappers, groenblauwe papegaaivissen en zwarte keizersvissen, gele buissponzen, oranje plaatsponzen en paarse vaatsponzen. Een van de vaste bewoners van deze plek is een vrij forse jodenvis.

Een trompetvis schuilt tussen het koraal.

Ladder Labyrinth (15)

bootduik

het zicht bedraagt gemiddeld 30 m

lichte stroming

diepte tussen de 5-15 m

duiklocatie geschikt voor alle niveaus

een ondiepe duik tussen de ruggen van koraal en vulkanisch zand, een kleurrijk en gevarieerd landschap

De ruggen van koraal met zandbanen daartussen creëren een waar labyrint. Dit is daarom een spannende duik, niet al te diep, maar met een grote verscheidenheid aan vis- en koraalleven. Ideaal dus als tweede duik.

In het ondiepere deel groeit elandsgeweien hersenkoraal. Naarmate je dieper komt, worden de kleuren uitbundiger en wordt het leven gevarieerder. Metershoge wanden zijn begroeid met rode, groene en oranje koraalformaties. Buissponzen en kachelpijpen lijken om aandacht te vragen. Op de vlakkere delen van het landschap tref je enorme vaatsponzen aan. Dit is een gebied met allerlei soorten rifleven. De spleten en de holen vormen de habitat van schaaldieren en murenen. Met name de gevlekte murene zit hier. Op de drop-off kun je een poetsstation vinden waar misschien een poetsgarnaal net bezig is het gebit van een tandbaars te flossen. Op de koraalformaties, soms echte tuinen van koraal en sponzen, knagen de papegaaivissen en bewaken de koraalvlinders hun domein. In het open water zwemmen makrelen en snappers in gesloten formatie.

Een fascinerend gezicht is de vulkanische activiteit op de bodem. Gele en bruine vlekken in het grijze zand markeren de plaatsen waar regelmatig gassen ontsnappen. Als je je hand erop legt, voel je de warmte.

Hot Springs (16)

- bootduik
- het zicht bedraagt gemiddeld 30 m
- geen of lichte stroming
- diepte tussen de 5-15 m
- duiklocatie geschikt voor alle niveaus
- begroeide rotsblokken en heetwaterbronnen

Stekelkopslijmvis in hersenkoraal

Het koraallandschap op deze plek is niet zo kleurrijk als elders in de Ladder Bay. Grote stukken rots zijn begroeid met koraal en sponzen; in ondieper water zie je elandsgeweikoraal, in dieper water bergkoraal. Een fascinerend gezicht zijn altijd de zeeveren en het zweepkoraal. De geïsoleerde koraaleilanden trekken doktersvissen, juffertjes, sergeant-majoors en papegaaivissen aan. In het open water zie je af en toe een baars, een paar grommers of een keizersvis opduiken.

De zandbodem is vol met vulkanische activiteit, wat goed te zien is aan de belletjes die soms opborrelen en aan de verkleuring in het zand. Tijdens deze duik moet je minstens één keer je hand in het zand hebben gestoken om de warmte te voelen.

Tedran Reef (17)

bootduik

het zicht bedraagt gemiddeld 30 m

matige tot sterke stroming naar het zuiden

diepte tussen de 20-30 m

duiklocatie geschikt voor gevorderde duikers

koraaleilanden afgewisseld met zandbanen aflopend naar een steile drop-off

Deze locatie vormt de overgang tussen het vlakkere plateau rond het eiland naar de drop-off. Je duikt hier op de begroeide rotsblokken, die vol leven zitten. In de spleten zitten garnalen en als je geluk hebt een murene of een langoest. Enorme vaatsponzen rijzen soms boven de overige koraal- en sponzenformaties uit. Zacht koraal wuift je tegemoet, een gele of oranje buisspons markeert de route. Alle soorten rifvis komen hier voor. Tussen de koraaleilanden – houd wel de dieptemeter in de gaten, want zonder dat je er erg in hebt, ga je steeds dieper – duiken barracuda's en tijgertandbaarzen op. Aan de bovenkant van de drop-off groeit opvallend veel zwart koraal.

Een pijlinktvis

Tent Reef Wall (18)

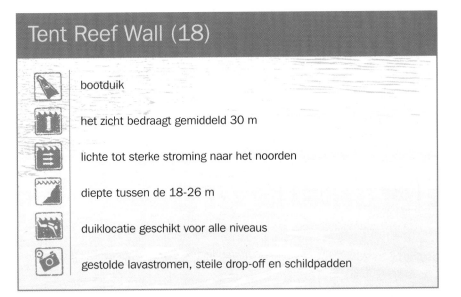

bootduik

het zicht bedraagt gemiddeld 30 m

lichte tot sterke stroming naar het noorden

diepte tussen de 18-26 m

duiklocatie geschikt voor alle niveaus

gestolde lavastromen, steile drop-off en schildpadden

Tent Reef Wall ligt iets ten westen van Fort Bay in de recreatieduikzone. Hier zie je lange banen gestold lava en zandstroken op een licht aflopend plateau. Het ondiepere deel van deze locatie is Tent Reef. Rond de koraalformaties zwemmen de gebruikelijke rifvissen en op de zandige bodem kun je zandduikers aantreffen. In dit gebied houden zich diverse soorten zeeschildpadden op.

De drop-off van Tent Reef Wall is net achter de rifdrempel. Aan de onderkant van de rotsen is een spannend netwerk van tunnels en grotten ontstaan. In de richting van de kust zijn diepe inkepingen gevormd. De donkere wanden krijgen kleur door het koraal, de gorgonen en sponzen. Immense waaierkoralen wuiven heen en weer met de stroming.

In dit grillige landschap kom je de grotere vissen tegen zoals diverse soorten tandbaarzen, makrelen, grote keizers- en papegaaivissen, soms een barracuda en als je geluk hebt een rif- of verpleegsterhaai. Tent Reef Wall en aansluitend Tent Reef zijn aantrekkelijke locaties voor zowel beginnende als gevorderde duikers.

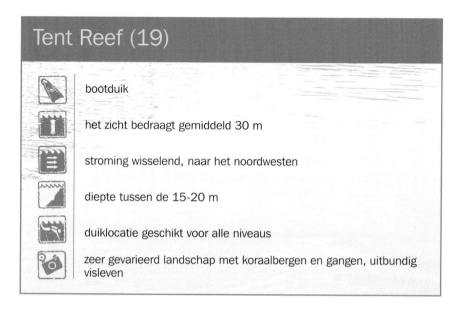

Tent Reef (19)

bootduik

het zicht bedraagt gemiddeld 30 m

stroming wisselend, naar het noordwesten

diepte tussen de 15-20 m

duiklocatie geschikt voor alle niveaus

zeer gevarieerd landschap met koraalbergen en gangen, uitbundig visleven

Deze plek, dicht bij de haven, is een favoriete bij alle duikcentra. De afdaling is bij een rotsplateau met een scherpe rand, waar van alles te zien is. De rand is gevormd door de branding, toen de zeespiegel een stuk lager stond. Voor de rand liggen brokstukken die door de erosie van de vroegere kustlijn zijn afgebroken. Alles is met sponzen en koraal begroeid, maar een dun laagje zand dekt de meeste kleuren af. Over de zandlaag doen twee theorieën de ronde. Een zegt dat het bezonken gruis van de steengroeve en de vergruizer is die aan de zuidkant van de haven staat. De andere theorie zegt dat het bezinksel is als gevolg van de erosie op de rotswanden; met name na de recente orkanen. Hoe dan ook, het is opmerkelijk hoe het leven zich herstelt. Hier en daar zie je de fel gele of helder violette buissponzen door het zand omhoogsteken. Overal is heel veel jong leven.

Op de bodem zie je duidelijk de goudgele contouren in het zand: steek je hand erin en je voelt de warmte. Meestal gaat de duik in westelijke richting, achter de plateaurand langs, en zigzag je door de 'gangen' van koraal en rotsen heen. Hier houden zich makrelen, baarzen en zo nu en dan een barracuda op. Er is een onderdoorgang die je bij de drop-off van Tent Reef brengt, begroeid met sponzen, gorgonen en zwart koraal. (Een Franse keizersvis komt poolshoogte nemen.) Die drop-off volg je een klein stukje en je gaat vervolgens een nieuwe zandbaan volgen, nauwer dan de eerste. Je komt bij een plek waar veel soldatenvissen zitten. Tussen de rotsblokken en het koraal zitten buisalen, in het zand vreemde 'spookachtige' verschijningen die verticaal op en neer bewegen en in het zand verdwijnen als je te dichtbij komt.

Tent Reef Deep (20)

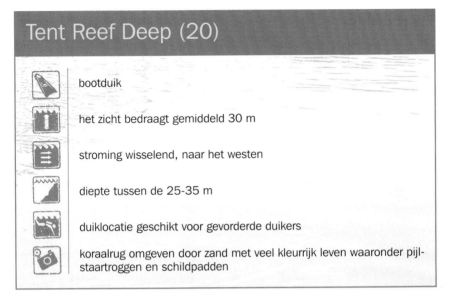

bootduik

het zicht bedraagt gemiddeld 30 m

stroming wisselend, naar het westen

diepte tussen de 25-35 m

duiklocatie geschikt voor gevorderde duikers

koraalrug omgeven door zand met veel kleurrijk leven waaronder pijl-staartroggen en schildpadden

Van de drie onderdelen van het Tent Reef ligt deze stek het dichtst bij de kustlijn. Een brede koraalrug, gevormd op een lavastroom, loopt langzaam af richting de drop-off. Aan beide kanten loopt de rug vrij steil af op het zand. Bij de boeilijn (op zo'n 25 m) groeien oranje olifants-oorsponzen, gele en violette buissponzen en bruinoranje vaatsponzen. In de kleine scheuren en gaten houden tientallen kleine vissen hun hol. Ze zwemmen zenuwachtig heen en weer bij het onraad dat nadert in de vorm van duikers, een langoest, grote dikke tandbaarzen, en later een enorme tijgertandbaars. Twee kappersgarnalen schuilen broederlijk onder een stuk plaatkoraal. De zijkant van de rug is nog interessanter, met doktersvissen, soldatenvissen en vooral het andersoortige leven op het zand. Een rog verheft zich van de bodem en zwemt weg. Je ziet buisalen en tegen de rand van het koraalplateau aan de opmerkelijke verschijning van de geelkopkaakvis, nauwelijks 3 cm lang, met een blauwe kop en doorschijnend wit lichaam. Hij hangt verticaal boven z'n holletje in het zand en laat zich zakken als je nadert. Het mannetje draagt de eieren in de kaak.

Een grote barracuda komt langs, op het moment dat de aandacht bij een schoonmaakstation is, waar een jonge baars zich laat verzorgen.

Via een onderdoorgang kom je bij Tent Reef en zit je midden in het volle visleven. In de spleten en op de koraalhoofden verdringen de vissen elkaar letterlijk. Het spectaculairst is onder de overhangende rots: kolossale grootoogmakrelen zwemmen op een armlengte langs, twee elegante Franse keizersvissen zwemmen er rond, en een paar tandbaarzen hangen in de grot.

Greer Gut (21)

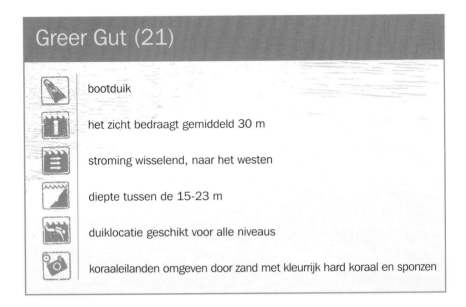

	bootduik
	het zicht bedraagt gemiddeld 30 m
	stroming wisselend, naar het westen
	diepte tussen de 15-23 m
	duiklocatie geschikt voor alle niveaus
	koraaleilanden omgeven door zand met kleurrijk hard koraal en sponzen

Een relatief nieuwe locatie aan de zuidkant van het eiland, tussen het Tent Reef en Giles Quarter Deep Reef in. Op deze plek tref je koraaleilanden aan met vooral hertshoorn-, blad- en takkoraal aan de bovenkant. Langs de wanden zit het kleurrijker bergkoraal, gelardeerd met kleine vaat- en buissponzen en zacht koraal. Naast de gebruikelijke rifvissen, zoals sergeant-majoors, doktersvissen, papegaaivissen en juffertjes, kom je opvallend vaak een vijlvis tegen en andere leden uit de familie der trekkervissen (koningintrekkervis, zwarte trekkervis).

Lettervijlvis

Giles Quarter Deep Reef (22)

bootduik

het zicht bedraagt gemiddeld 30 m

stroming wisselend, naar het westen

diepte tussen de 25-35 m

duiklocatie geschikt voor alle niveaus

meer gesloten rif met bijna maagdelijk koraal- en visleven

Al deze plekken aan de zuidkant hebben een vrijwel onaangetast, gezond koraalleven. Ze worden lang niet zo vaak bezocht door duikers als de locaties aan de westzuidwest- en noordwestzijde van het eiland. Maar ze zijn, juist daardoor misschien, heel aantrekkelijk.

Het rif loopt vrijwel aaneengesloten door. Slechts op een enkele plek doorkuist een zandbaan de kleurrijke koraalformaties richting de drop-off. Je kunt hier langs de drop-off afdalen, maar dat is niet nodig. Het meeste is tussen 25 en 35 m te zien. Op grote formaties bergkoraal bevinden zich hele tuinen van draad- en pilaarkoraal, gorgonen, vaat-, draad- en buissponzen. Daartussen staat dan weer ineens een uit de kluiten gewassen formatie hersenkoraal of een geweldige vaatspons. Overbodig om te zeggen dat het visleven grandioos is: papegaaivissen, koraalvlinders, doktersvissen vind je bijvoorbeeld dicht bij het koraal. Daarboven hangen scholen makrelen, snappers, trekker- en lipvissen. Solitair zwemmende baarzen, de barracuda of heel soms een verpleegsterhaai.

Giles Quarter Shallow (23)

 bootduik

 het zicht bedraagt gemiddeld 30 m

geen stroming

diepte tussen de 5-10 m

duiklocatie geschikt voor alle niveaus, goede snorkelplaats als de zee niet te wild is

rotsblokken met elandsgeweikoraal

Franse engelvis

Vanwege de golfslag overleven op deze plek alleen de heel resistente vormen van koraal, zoals elandsgewei-, hersen-, en vuurkoraal. Dicht op de rotsen tref je de gebruikelijke kleinere vissen aan, zoals koraalvlinders, doktersvissen, koffervissen en sergeant-majoors. Verder houden zich grommers, makrelen en snappers in scholen op in deze contreien.

Dit is niet zo'n kleurrijke locatie als Giles Quarter Deep en Big Rock Market, maar het landschap is allesbehalve monotoon te noemen. De rotsblokken worden afgewisseld met zandplaten, waar je buisalen, zandduikers en pauwbotten kunt aantreffen. Er worden hier regelmatig schildpadden gesignaleerd.

Big Rock Market (24)

bootduik

het zicht bedraagt gemiddeld 30 m

geen stroming

diepte tussen de 8-16 m

duiklocatie geschikt voor alle niveaus

begroeide rotsblokken met fraaie zachte en harde koraalsoorten

Lipvis

Ook op deze locatie heb je weer kleurrijk koraal op de verbrokkelde rotsen. De rotsblokken zijn groter en grilliger naarmate je wat meer naar de kust toe zwemt. Je ziet hier veel buis- en vaatsponzen, en koraal in de vorm van takken en platen. De rotswanden zijn een kleurenfeest van zwamkoraal en sponzen. Koraalvlinders, grommers, soldatenvissen, sergeant-majoors, keizersvissen en papegaaivissen zijn hier volop aanwezig.

In de richting van de drop-off liggen ook rotsblokken, maar kleiner. Het landschap gaat hier over in een 'tuin' van hard en vooral zacht koraal (zeeveren, gorgonen, zweep- en waaierkoraal). De bodem loopt geleidelijk af en er komen wat meer ruggen van koraal, afgewisseld met zandbanen.

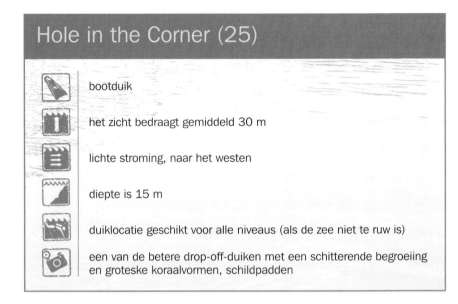

Hole in the Corner (25)

bootduik

het zicht bedraagt gemiddeld 30 m

lichte stroming, naar het westen

diepte is 15 m

duiklocatie geschikt voor alle niveaus (als de zee niet te ruw is)

een van de betere drop-off-duiken met een schitterende begroeiing en groteske koraalvormen, schildpadden

Hole in the Corner bevindt zich voor Corner Point op de zuidoostelijke punt van het eiland. Er staat altijd stroming en ook de golfslag kan fors zijn. Toch is deze plek, als de weersomstandigheden het toelaten, een aanrader. Er zijn veel soorten koraal te zien, mooie sponzen en veel tropische vissen.

De duikplek ligt vlak onder de kust. Eerst is er een zone van grote rotsblokken, begroeid met hertshoornkoraal. De branding en vooral de recente orkanen hebben in deze zone nogal wat fijn koraal vernield. Zelfs het hersenkoraal en het hertshoornkoraal is niet ongeschonden uit het natuurgeweld te voorschijn geko-

men. Maar er is voldoende visleven, getuige ook de roofvissen, zoals de tandbaars, de barracuda en de makrelen die hier rondhangen. En schildpadden...

Naar de drop-off toe wordt het koraal gevarieerder en kleurrijker. Papegaaivissen knagen aan het hertshoornkoraal, keizersvissen zwemmen nieuwsgierig rond. Blauwgevlekte fluitvissen hangen in het water. Waar wat meer koraal groeit, duiken koraalvlinders en juffertjes op. Tussen de buissponzen zwemmen grondels zenuwachtig heen en weer. Meestal zie je wel een juweel- of tandbaars, karet- en soepschildpadden.

Core Gut (26)

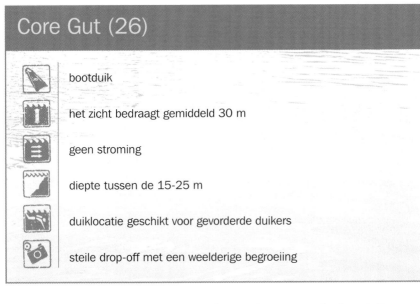

bootduik

het zicht bedraagt gemiddeld 30 m

geen stroming

diepte tussen de 15-25 m

duiklocatie geschikt voor gevorderde duikers

steile drop-off met een weelderige begroeiing

Een bijzondere duik, die alleen bij een rustige zee is te doen. De oceaan beukt hier normaliter loodrecht op de kust, maar de duiklocatie ligt wat beschut in de baai. Toch is de golfslag meestal fors. Je duikt hier meteen op de drop-off en zwemt eerst een stuk langs deze muur. Die is begroeid met uiterst kleurrijke koraal- en sponsformaties. Wuivende zeeveren, zweepkoraal, oranje en gele buissponzen, forse 'bollen' hersenkoraal, af en toe een vaatspons en als ondergrond rood, oran-je, geel en groen vleeskoraal. Een waar kleurenpalet dus. Je komt hier aardig wat baarzen tegen, meestal tijger- en Nassau-tandbaarzen, grote scholen makrelen, en soms een loerende barracuda. In de spleten zitten de schaaldieren en duikt nog wel eens een murene op.

Boven de drop-off heeft het landschap meer het karakter van begroeide rotsblokken. Waar de golfslag stevig wordt, overheersen elandsgewei-, hertshoorn- en hersenkoraal.

Schoolmeester

Green Island (27)

bootduik

het zicht bedraagt gemiddeld 30 m

lichte stroming

diepte tussen de 15-20 m

duiklocatie geschikt voor alle niveaus

drop-off met grote gorgonen en sponzen

Green Island is een eilandje ten noorden van Saba. Het is de verst gelegen locatie, maar zeker de moeite waard. De golfslag en stroming kunnen sterk zijn.
Je duikt meteen op de drop-off. De rifdrempel staat vol met waaierkoraal en gorgonen. Daartussen schreeuwen felgele buis- en trechtersponzen om aandacht. Alle soorten rifvis komen op deze plek voor, maar geelstaartsnappers en makrelen nog het meest.

7 SINT-EUSTATIUS: DE VERBORGEN SCHATTEN VAN DE GOUDEN ROTS

Statia is in de internationale duikwereld nog vrij onbekend. Eigenlijk is dat een zegen, want zo kun je rustig genieten van wat de onderwaterwereld hier te bieden heeft. In aanvulling op het karakteristieke duikgebied van Saba met z'n pinakels, heeft Statia een uitgebreid rifsysteem en wrakken. Het hele jaar door kun je er duiken, maar de beste periode is de winter (dec.–mrt.), als het zicht onder water optimaal is: tot bijna 50 m.

Duiken doe je in Statia vooral aan de westkant van het eiland. Voor de kust ligt een zandstrook. Die is het breedst in de Kay Bay. De grote attractie op deze plek, waar het ooit gonsde van activiteit rond scheepvaart en handel, zijn de wrakken. Wat ervan over is, heeft zich ontwikkeld tot koraaleilanden met een uitbundig onderwaterleven. In het zand vind je sporen van de tijd dat Statia *The Golden Rock* was: versteende en begroeide ankers, scherven van potten, borden of kannen, stukken handgeblazen flessen, metalen voorwerpen en blauwe kralen. Die blauwe kralen van geslepen glas – *Blue Beads* – dienden als beloning voor de slaven. Het zijn de enige souvenirs die

je mee mag nemen, voor de rest is het devies dus: kijken, kijken, niet meenemen. Ook bij Jenkins Bay aan de noordwestkust is de zandvlakte wat breder dan elders.

Dan zijn er de riffen die soms parallel, maar aan de zuidwestkant van het eiland vooral haaks op de kust lopen. Ze zijn gevormd door lavastromen. Op de ruggen hebben zich kleurrijk koraal en sponzen afgezet. Het visleven is bijzonder gevarieerd. Het landschap van ruggen en zandvalleien maakt het een avontuur om hier te duiken.

Tot slot zijn er locaties waar het koraal zich heeft gevormd op de rotsblokken die in de loop van de tijd in het water zijn beland. Ook hier vind je een grillig landschap vol spannende ontmoetingen.

De duikplekken van Statia kun je uitsluitend per boot bereiken, omdat nergens strand is ontstaan. De boeien liggen allemaal minstens een paar honderd meter uit de kust.

Op het eiland zijn drie duikcentra. Ze liggen op loopafstand van elkaar aan de kade van Kay Bay bij Oranjestad. In maximaal een kwartier vaar je naar de meeste duiklocaties.

Typisch Statia: de lavastromen met hun vele spleten en grotten, vol langoesten en ook haaien

Sint-Eustatius Marine Park

De genoemde duikgebieden bij Statia maken allen deel uit van het Sint-Eustatius Marine Park. Dat is op 1 januari 1998 opgericht met het doel de waardevolle ecologie in het kustgebied wettelijk te beschermen. In het zuidelijke deel, van de duiklocaties Crook's Castle tot drop-off, is het verboden te vissen. In de drie overige gebieden is vissen wel toegestaan. De wet regelt dat je uitsluitend onder begeleiding van een plaatselijke duikinstructeur mag duiken in het natuurgebied. Per duik of snorkeltrip betaal je US$ 3. Dit bedrag brengt het duikcentrum je automatisch in rekening als je gaat duiken. Van de opbrengst financiert het Marine Park het onderhoud aan het onderwaternatuurgebied, toezicht en onderzoek, de informatievoorziening en het bezoekerscentrum.

ⓘ Sint-Eustatius Marine Park: het kantoor is gevestigd in Oranjestad, tel. 182884, fax 182913.

Officieel wordt het duikgebied onderverdeeld in de volgende vier zones.

Jenkins Bay, ook wel Northern Marine Park, ligt voor de noordwestkust. De duiklocaties liggen bij het rif dat op een paar honderd meter parallel aan de kust loopt. Het is een visrijk gebied, met een fraaie begroeiing op de koraalformaties. Aan weerskanten van het rif liggen zandplaten, waar je pijlstaartroggen, platvissen en af en toe een verpleegsterhaai tegenkomt. De scheuren en holen die in het koraalrif zijn ontstaan, dienen als schuilplaats voor langoesten. Op de koraalformaties is het kleinere rifleven uitbundig. Het gebied tussen het koraalrif en de kust is prima geschikt voor beginnende duikers en snorkelaars. Nergens is het dieper dan 15 m.

Er is één locatie die verder weg ligt uit de kust, op zo'n 700 m. Dat is Doobies Crack, genoemd naar een grote scheur in het rif. De structuur van het koraal en de begroeiing zijn hier grillig, vooral de grotere vissen domineren.

Stenapa Reef, in Kay Bay loodrecht op de kust voor Oranjestad, bestaat uit een aantal scheepswrakken, die door het Sint-Eustatius Nature Park zijn afgezonken om de ontwikkeling van het koraal en ander leven te bestuderen. Een bijzondere plek midden op een zandplateau, met opmerkelijk veel pijlstaartroggen.

Historical Wrecks, iets zuidelijker in Kay Bay, heeft de resten van een paar historische wrakken. Van de oorspronkelijke boten is weinig meer te vinden, ware het niet dat het koraal de wrakstukken en de ballast heeft versteend en van uitbundige kleuren heeft voorzien. Met een beetje fantasie is in de contouren van deze koraaleilanden nog iets van een boeg of steven te herkennen. Zoek hier naar de poetsstations, koraalvlinders, sergeantmajoors, of een school grommers, en gij zult vinden… De koraalformaties vormen nog steeds de contouren van de vergane schepen. Rondom in het zand grotere vissen, waaronder pijlstaartroggen en de merkwaardige vliegende poon.

Southern Marine Park omvat een groot gebied aan de zuidwest- en de zuidkant van het eiland. Door lavastromen van de vulkaan is onder water een landschap van ruggen en kloven ontstaan. Daar heeft het koraal zich op ontwikkeld. De koraalruggen lopen vingervorming af naar grotere diepte. De ruggen en kloven zorgen voor een verrassend en gevarieerd landschap. Een paar locaties hebben bijzondere koraalhoofden. Overal is een rijk visleven. Heel apart is **Drop-off**, waar je een behoorlijke muurduik kunt maken.

DUIKLOCATIES

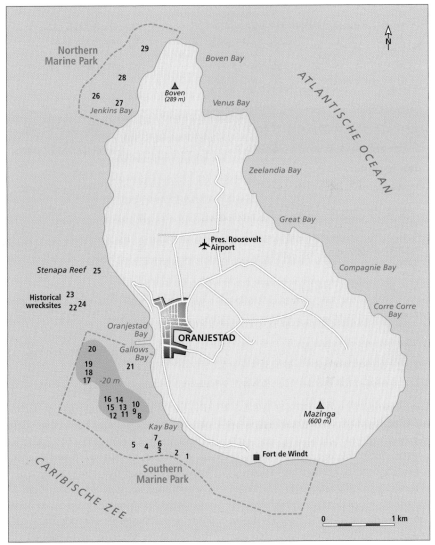

Sint-Eustatius met duikplaatsen

Toegang B = bootduik; K = kantduik; BK = boot- of kantduik; S = ook geschikt voor snorkelen

Moeilijkheidsgraad B = beginners, G = gevorderden; E = ervaren; AL = voor alle duikniveaus

Bijzonderheden W = wrak; N = nachtduik

Duiklocaties Sint-Eustatius
1. Drop-off East B, G
2. Drop-off West B, G
3. Grand Canyon/Off the Wall B, G
4. The Cliffs/Down South B, G
5. Coral Garden/Endless Reef B, AL
6. Mushroom Garden B, AL
7. The Humps B, AL
8. Valley of the Sponges B, AL,
9. Five Fingers South B, AL

10. Five Fingers North B, AL
11. The Ledges B, AL
12. The Blocks B, AL
13. Hangover B, AL
14. Anchor Reef B, AL
15. Anchor Point South B, AL
16. Anchor Point North B, AL
17. Castle Rock/Twin Peaks B, AL
18. Barracuda Reef B, AL
19. Nursing Station B, AL
20. Blair's Reef B, AL
21. Crook's Castle B, AL

22. Wrakduik op Stingray Wreck B, AL, W
23. Wrakduik op Double Wreck B, AL, W
24. Wrakduik op Triple Wreck B, AL, W
25. Stenapa Reef/Wreck City B, G, W
26. Doobies Crack B, AL
27. Jenkins Bay B, AL, S
28. Twin Sisters B, AL ,S
29. Gibraltar/North Point B ,G

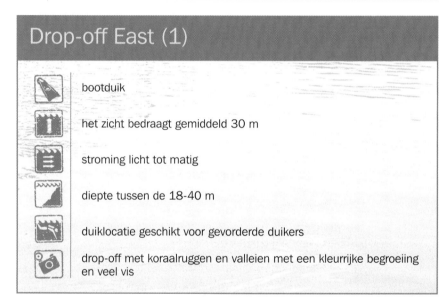

Drop-off East (1)

bootduik

het zicht bedraagt gemiddeld 30 m

stroming licht tot matig

diepte tussen de 18-40 m

duiklocatie geschikt voor gevorderde duikers

drop-off met koraalruggen en valleien met een kleurrijke begroeiing en veel vis

Deze locaties, **Drop-off East** (1) en **Drop-off West** (2) vlak naast elkaar, liggen op het eind van een riflandschap met ruggen en diepe valleien. In het zand ontwaar je de afdrukken van pijlstaartroggen en heb je kans een zandduiker tegen te komen. Hoge koraalwanden schieten omhoog als je door de zandvalleien zwemt. Sponzen in diverse maten en vormen geven kleur aan dit grillige landschap, langgerekte gorgonen en zeeveren deinen met de stroming mee. Op de koraalruggen vind je draadkoraal en op sommige plekken opvallend veel zwart koraal. Daar waar de koraalformatie overgaat in de muur, duikt zo nu en dan een rifhaai op of een barracuda. Een school makrelen glinstert in het zonlicht. In de schaduw van de koraalruggen houdt een reusachtige tandbaars zich op. De gebruikelijke route voor deze duik is om van de Drop-off East op 25 m eerst door de zandvallei te zwemmen naar de drop-off West, daar langs te zwemmen tot op 35 m voor maximaal een kwartier en vervolgens via een tweede vallei terug te komen naar 20 m. Onder de boei kun je ten slotte lekker uitzwemmen en genieten van de begroeiing en het leven op de koraalrug.

Grand Canyon/Off the Wall (3)

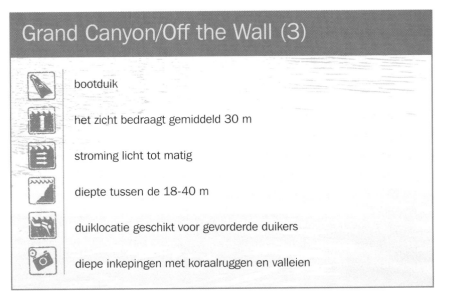

bootduik

het zicht bedraagt gemiddeld 30 m

stroming licht tot matig

diepte tussen de 18-40 m

duiklocatie geschikt voor gevorderde duikers

diepe inkepingen met koraalruggen en valleien

Lavastromen hebben in het verre verleden op deze plek de karakteristieke diepe groeven in de zeebodem getrokken. Daarna zijn er koraalruggen gevormd met bijzonder fraaie begroeiing. Dit trekt een gevarieerd visleven aan. Je duikt hier eerst naar een diepte van 40 m en zwemt langs de drop-off met draadkoraal en diepwatergorgonenen. Daarna kom je bij de koraalrug, waar je de duik rustig kunt vervolgen op 18 m. Er zijn veel kleine en middelgrote rifvissen te zien.

Pijlstaartroggen tijdens het duiken bij de wrakken op St. Eustatius

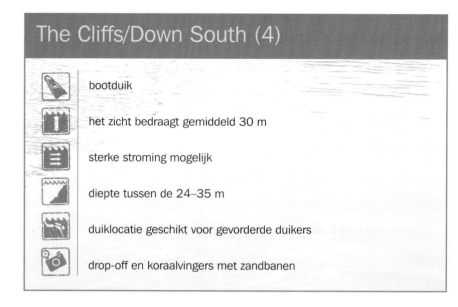

The Cliffs/Down South (4)

bootduik

het zicht bedraagt gemiddeld 30 m

sterke stroming mogelijk

diepte tussen de 24–35 m

duiklocatie geschikt voor gevorderde duikers

drop-off en koraalvingers met zandbanen

Een van de locaties onder de vulkaan. De drop-off is op 24 m. Als er veel stroming staat, daal je af langs de boeilijn. Meter voor meter komt het koraal dichterbij en openbaart zich het fascinerende onderwaterleven. Je komt terecht op een koraalplateau. Aan de westkant loopt het plateau geleidelijk af. Aan de zuidkant bevindt zich een vrij steile drop-off. Op het plateau vind je plaat- en sterkoraal, en grote bekersponzen. Daartussendoor zwemmen de gebruikelijke kleinere rifvissen. Bij de eerste grote zandvallei duiken doorgaans barracuda's van minstens 1 m lang en 30 cm dik. Ook pijlstaartroggen houden zich op bij het zand. De bovenkant van de drop-off leent zich goed voor nader onderzoek. In de grotten vind je dikke groene murenen en langoesten. Houd vanwege het uitdagende landschap de dieptemeter goed in de gaten. Het veiligst is om de duik eerst langs de westelijke helling te maken en deze te volgen tot je links om het rif heen kunt. Je hoeft niet dieper dan 40 m. Langs de steilere zuidelijke wand 'klim' je vervolgens naar 16 m, door een woud van zwarte gorgonen. Je eindigt op het rifplateau.

Duiklocaties in de omgeving
De koraalbegroeiing op de koraalruggen van **Coral Garden** (5), dat ook wel **Endless Reef** wordt genoemd, is nog uitbundiger.

Mushroom Garden (6)

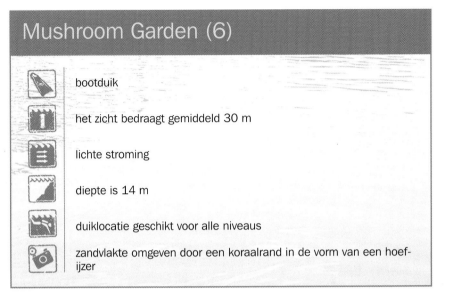

	bootduik
	het zicht bedraagt gemiddeld 30 m
	lichte stroming
	diepte is 14 m
	duiklocatie geschikt voor alle niveaus
	zandvlakte omgeven door een koraalrand in de vorm van een hoefijzer

Aan de kant van de kust liggen voornamelijk rotsblokken en overblijfselen van koraalruggen. Hier houden zich geelstaartsnappers, grommers en zeebarbelen op. Als je geluk hebt, laat een pijlstaartrog zich zien of een pauwbot. De scherpe koraalranden zijn ideale schuilplaatsen voor juffertjes, sergeant-majoors, soldatenvissen en natuurlijk langoesten. Ook wil zich nog wel eens een verpleegsterhaai in dit gebied ophouden. Op de koraalruggen groeien waaierkoralen en gorgonen.

Duiklocaties in de omgeving
The Humps (7) is de voortzetting van deze locatie, maar ligt iets meer richting de kust.

Blauwgestreepte grommer

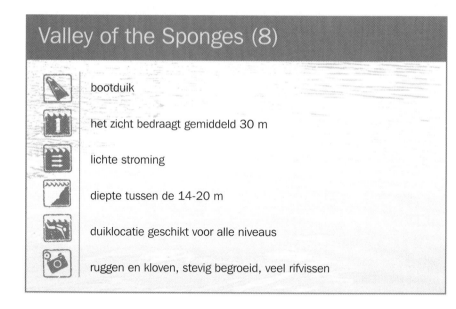

Valley of the Sponges (8)

bootduik

het zicht bedraagt gemiddeld 30 m

lichte stroming

diepte tussen de 14-20 m

duiklocatie geschikt voor alle niveaus

ruggen en kloven, stevig begroeid, veel rifvissen

Drie duiklocaties, net ten zuiden van Kay Bay (100 m voor de kust), lijken sterk op elkaar. **Valley of the Sponges (8)** ligt het zuidelijkst; dan volgen noordwaarts **Five Fingers South (9)** en **Five Fingers North (10)**.

Het onderwaterlandschap maakt deel uit van de vingervormige structuur die hier is ontstaan. Hoge ruggen staan loodrecht op de kust. Ze zijn schitterend begroeid met zwamkoraal en sponzen; de kleurzetting is als op een schilderspalet. Kleinere rifvissen zijn hier in hun natuurlijke habitat. Je vindt er volop juffertjes, sergeant-majoors, koraalvlinders, dok-

tersvissen, koffervissen, keizersvissen en papegaaivissen. Wanneer je de zandbanen tussen de ruggen volgt, kom je ongetwijfeld een verbaasde tandbaars of een groepje geelstaartsnappers tegen. Tegen de wanden van de koraalruggen zit veel klein leven. Neem eens de tijd om het wonderbaarlijke schouwspel van de doorzichtige garnalen of de flamingotongen op het draadkoraal te bekijken.

Je kunt de zandbanen volgen en na zo'n 20 min. via een van de nauwe doorgangen of over de rug naar de volgende vallei gaan om weer terug te zwemmen in de richting van de kust.

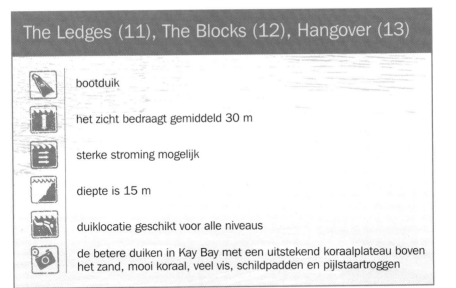

The Ledges (11), The Blocks (12), Hangover (13)

bootduik

het zicht bedraagt gemiddeld 30 m

sterke stroming mogelijk

diepte is 15 m

duiklocatie geschikt voor alle niveaus

de betere duiken in Kay Bay met een uitstekend koraalplateau boven
het zand, mooi koraal, veel vis, schildpadden en pijlstaartroggen

Deze drie locaties liggen op de kop van de ruggen en valleien. Het lavagesteente en het koraal, dat zich daar later heeft gevormd, is hier door de stroming afgebrokkeld. Je zwemt dus tussen formaties met koraal begroeide blokken door, die omgeven zijn door veel zand. Dit maakt het gebied heel gevarieerd. Zowel rifvissen zie je hier als de wat meer in scholen zwemmende vissen – makrelen en geelstaartsnappers – en de grotere jagers – barracuda's, baarzen, verpleegsterhaaien. Op het zand houden zich pauwbotten en roggen op.

Hangover (13) is zonder twijfel de mooiste duik in dit duikgebied, vooral vanwege de grillige vormen in het koraal. Als een langgerekt tablet ligt het koraal op het zand, maar aan de westkant heft het zich op en steekt enkele meters boven de omgeving uit. Onder deze overhangende koraalformatie vind je een uitbundig visleven. Waar het plateau zich opheft, zijn kleine grotten ontstaan, begroeid met rode, oranje en gele sponzen. De boei drijft boven het koraaltablet. Meteen vallen de scheuren en richels op waar kleinere vissen zich schuilhouden. Het plateau zelf is schitterend begroeid met alle kleuren koraal en sponzen. Je hebt grote kans een forse langoest te zien, die zich op klaarlichte dag volledig blootgeeft en rondwandelt.

Anchor Reef (14)

bootduik

het zicht bedraagt gemiddeld 30 m

sterke stroming mogelijk

diepte tussen de 14-18 m

duiklocatie geschikt voor alle niveaus

'koraaltabletten', een 'versteend' anker, heel veel vis en schildpadden

Dit duikgebied is opgedeeld in drie duikstekken. Van zuid naar noord zijn dat **Anchor Reef (14)**, **Anchor Point South (15)** en **Anchor Point North (16)**. Bij de plek aangekomen in Kay Bay, met op de achtergrond de Quill, zie je de grote boeien voor de schepen liggen.

Het rif loopt vanaf de kust hier grofweg

Gestippelde langoest

in een hoefijzervorm. In het midden een zandige vallei met koraaleilanden. Naar de drop-off toe rijzen langgerekte koraalformaties uit het zand op, met breuken en gaten: een ideale plek voor kreeften, murenen en de wat grotere vissen.

Je begint de duik bij de boei van Anchor Point South en zwemt tegen de stroming in. Eerst is er een vrij breed koraalplateau met al meteen diepe scheuren. Ook hier zijn weer veel vaatsponzen, violette en gele buissponzen, naast bergkoraal, grote gorgonen en waaierkoraal. Dit plateau maakt deel uit van de koraalruggen die in de vorm van een hoefijzer om een zandvlakte heen liggen. Achter het koraalplateau loopt de zandbodem geleidelijk af. Vervolgens zwem je terug in zuidelijke richting aan de binnenkant van het 'hoefijzer' en kom je bij Anchor Reef. Op een van de randen steekt een vreemdsoortig object boven het koraal uit. Dit is het oude anker, maar je moet goed kijken. Alleen de vormen verraden de vroegere functie; het is helemaal overwoekerd met koraal en gorgonen.

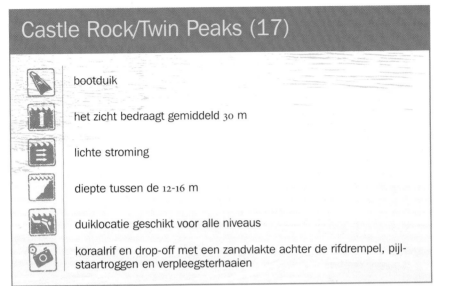

Castle Rock/Twin Peaks (17)

bootduik

het zicht bedraagt gemiddeld 30 m

lichte stroming

diepte tussen de 12-16 m

duiklocatie geschikt voor alle niveaus

koraalrif en drop-off met een zandvlakte achter de rifdrempel, pijlstaartroggen en verpleegsterhaaien

De rand van de zandplaat in Kay Bay wordt hier abrupt afgebroken door een koraalrif van een paar honderd meter lang. Ook hier is de basis vulkanische rots. Koraalsoorten en sponzen hebben er een intrigerend schouwspel van gemaakt, waar tal van vissoorten en schaaldieren huizen. Achter het rif bevindt zich een interessante drop-off. In de spleten, gangen en holen onder de rifrand zitten niet alleen langoesten, reusachtige tandbaarzen, maar houden zich ook verpleegsterhaaien op. De visrijkdom en het diepe water in de buurt maken het tot een aantrekkelijk gebied voor barracuda's. Tijdens een enkele duik kun je er gemakkelijk een handvol tellen.

Duiklocaties in de omgeving
Barracuda Reef (18) is de kleurrijkste locatie. De duik gaat meestal eerst noordwaarts. De geheimzinnige ruimte onder de rifrand biedt volop mogelijkheden voor nadere inspectie. Let bij **Nursing Station** (19) op de poetsgarnalen en hun 'klanten', de baarzen, of zoek de voelsprieten van de langoesten. Je gaat niet dieper dan 20 m. Aan het noordelijke uiteinde van het rif zit een fors anker versteend in het koraal vast. Hier kun je omkeren en iets hoger over het koraallandschap met beker- en vaatsponzen, zeeveren en zweepkoraal. Keizersvissen, papegaaivissen, koraalvlinders, lipvissen en trekkervissen kom je hier volop tegen. Barracuda's duiken ook hier regelmatig op.

Blair's Reef (20)

bootduik

het zicht bedraagt gemiddeld 30 m

lichte stroming

diepte tussen de 18-23 m

duiklocatie geschikt voor alle niveaus

hier ligt een overwoekerd oud wrak op de zandplaat

Interessant voor wie het leuk vindt om de zandbodem af te struinen naar bijzondere voorwerpen. (Let op! Het is streng verboden ze mee te nemen.) Meteen bij de boei zie je de versteende en met koraal en sponzen overwoekerde wrakstukken en ballast boven het zand uitsteken. In het gebied rondom deze wrakstukken kun je glas- en porseleinscherven vinden.

Typisch voor Statia: veel vis boven de riffen

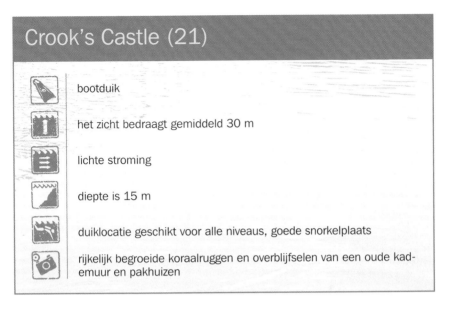

Crook's Castle (21)

bootduik

het zicht bedraagt gemiddeld 30 m

lichte stroming

diepte is 15 m

duiklocatie geschikt voor alle niveaus, goede snorkelplaats

rijkelijk begroeide koraalruggen en overblijfselen van een oude kademuur en pakhuizen

Een vliegende poon op het zand

Net onder de kust bij Crook's Castle liggen onder water overblijfselen van de oude kademuur en ingestorte delen van pakhuizen uit de 18de eeuw. Op de stenen heeft zich koraal gevormd en is een gevarieerd visleven ontstaan. Je vindt er grote bekersponzen, buissponzen en veel zacht koraal. Alle soorten rifvis duiken hier op. Omdat er weinig structuur zit in de koraalformaties, kun je gemakkelijk de weg kwijtraken. Het is echter een redelijk ondiep gebied, dus echt gevaarlijk is het niet.

Wrakduik op Stingray Wreck (22)

bootduik

het zicht bedraagt gemiddeld 30 m

lichte stroming

diepte tussen de 15-18 m

duiklocatie geschikt voor alle niveaus

oude wrakken op een zandvlakte begroeid met koraal, pijlstaartroggen en vliegende ponen op het zand

Stingray Wreck is een aaneengesloten koraalformatie, ontstaan op een schip dat rond 1700 gezonken is. Het wrak ligt praktisch tegen de drop-off aan. Tien tegen een dat je direct pijlstaartroggen ziet liggen. Aan de kant bij de boei lijkt de steven van het schip te liggen. Het is opmerkelijk hoe rijk het koraalleven is op deze plek in een grote zandvlakte. Alle kleuren die koraal kan hebben, en vooral veel gele buissponzen en bekersponzen. In de kleine spleten op het eiland zitten murenen, krabben en langoesten. Aan de noordkant van het wrak bevindt zich een volledig versteend kanon, ook fraai met koraal begroeid. Geelstaartsnappers, soldatenvissen, vlindervissen, af en toe een koningintrekkervis, een papegaaivis, een trompetvis – alle kleinere rifvissen kom je hier tegen. In het zand rond om het wrak zijn kleinere rifformaties ontstaan op wrakstukken en landing van het schip. Verder kom je scherven van handgeblazen flessen, aardewerk en soms bestek tegen. Je kunt Stingray Wreck in één duik doen, het gebied rustig verkennen, of doorzwemmen naar Double Wreck.

Duiklocaties in de omgeving

Op zo'n 50 m ten noord-noordwesten van Stingray ligt **Double Wreck (23)**. Dit zijn de overblijfselen van twee andere schepen uit de vroege 18de eeuw. Deze wrakstukken, lading en ballaststenen liggen veel meer verspreid over de bodem en zorgen voor een interessant duikgebied. Archeologen hebben houten delen van het schip gevonden, geblakerd en verkoold, waaruit zij opmaken dat de schepen in brand hebben gestaan voordat ze zijn gezonken.

Na een tocht over de zandige bodem, waar alleen de buisalen, pijlstaartroggen en vliegende ponen voor zichtbaar leven zorgen, komt het koraal op de wrakstukken als een kleurenfeest op je over. Soldatenvissen en snappers zwemmen boven het koraal, kleinere vissen bakenen hun terrein af bij de gele en rode buissponzen; in de spleten zitten murenen en langoesten. Rondom duiken meestal wel schildpadden op voor de koraalrijkdom, die net zo goed 'de enige kroeg in de buurt' is.

Iets verder weg in zuidelijke richting kom je bij **Triple Wreck (24)**, waar de resten – nogal verspreid – van drie schepen liggen.

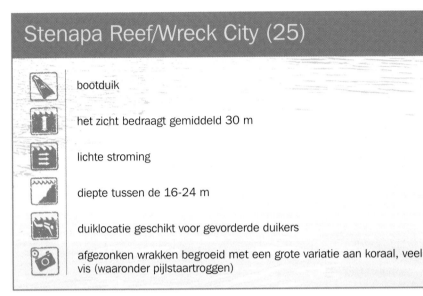

Stenapa Reef/Wreck City (25)

bootduik

het zicht bedraagt gemiddeld 30 m

lichte stroming

diepte tussen de 16-24 m

duiklocatie geschikt voor gevorderde duikers

afgezonken wrakken begroeid met een grote variatie aan koraal, veel vis (waaronder pijlstaartroggen)

Met een beetje fantasie zou je deze plek een scheepskerkhof kunnen noemen. Er ligt onder andere een smokkelboot die 20 jaar geleden tot zinken is gebracht en een vrij forse platbodem. De boeilijn komt uit bij de laatste. Maar het beste is om hem eerst even 'links' te laten liggen en een rondje te maken langs de andere wrakken. Ze liggen allemaal in het zand en het schijnt dat de pijlstaartroggen iets met deze plek hebben, want er liggen er verschillende van onder het zand te loeren. Overal zie je afdrukken van eerdere rustplaatsen van deze gevleugelde vissen. In een opengewerkt wrak houdt zich een grote school geelstaartsnappers op. Op het roestige staal heeft zich koraal afgezet in alle vormen en kleuren. Bij het wrak van de smokkelboot drukken kardinaal soldatenvissen zich tegen de zijkant aan. Na een grote cirkel te hebben gezwommen kom je terug bij de platbodem en kun je het ruim in gaan. Dit schip ligt sinds 1998 onder water en is aan alle kanten rijkelijk begroeid met koraal, een illustratie van het gezonde ecosysteem in dit gebied. Het dek zit vol met witte schelpen. STINAPA doet hier regelmatig onderzoek en houdt het verloop van de koraalgroei bij.

Doobies Crack (26)

bootduik

het zicht bedraagt gemiddeld 30 m

lichte stroming

diepte tussen de 18-32 m

duiklocatie geschikt voor gevorderde duikers

een enorme rifformatie met een diepe inkeping en grote vissen en schildpadden

Een paartje hagedisvissen

Midden op een zandplaat rijst vulkanisch gesteente op dat zich tot een rif heeft ontwikkeld. Deze duiklocatie wordt gekarakteriseerd door een kloof van bijna 30 m diepte in dat rif. Je begint de duik met een afdaling van de boeilijn door de kloof heen naar 25 à 30 m. Daar verken je de muur met z'n inkepingen en holen, en zwemt dan langzaam terug naar boven. De wanden zijn begroeid met beker- en buissponzen en diverse soorten gorgonen. Langoesten en krabben zitten verscholen in de donkere schuilplaatsen. Let op het open water in de kloof, want er zwemmen regelmatig haaien, roggen en schildpadden heen en weer van de zandvlakte boven naar de open zee.

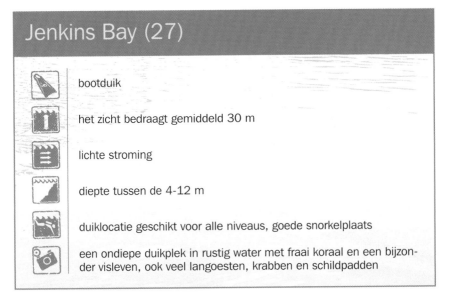

Jenkins Bay (27)

bootduik

het zicht bedraagt gemiddeld 30 m

lichte stroming

diepte tussen de 4-12 m

duiklocatie geschikt voor alle niveaus, goede snorkelplaats

een ondiepe duikplek in rustig water met fraai koraal en een bijzonder visleven, ook veel langoesten, krabben en schildpadden

Een zeldzame zeilvinslijmvis

Jenkins Bay aan de noordwestkust biedt een besloten duik- en snorkellocatie. Het water is vrijwel altijd kalm en het zicht is er goed. Een prima plek om te duiken dus. Je vaart er met de boot in 20 min. naar toe. Het koraallandschap bestaat uit begroeide rotsblokken die kriskras verspreid liggen op een zandige bodem. Zo krijg je afwisselend een gesloten en spannend gebied van gangen en inkepingen, met daaromheen het wijde zandgebied. Massief koraal, zoals berg- en grotkoraal, overheerst, met daarop gorgonen en felgekleurde sponzen. Kleine soorten rifvis, geelstaartsnappers en grommers die meer in scholen optreden, en af en toe een tand- of tijgerbaars duiken er op. In het open water op het zand zie je roggen, schildpadden en pauwbotten.

Tijdens elke duik kom je zeeschildpadden tegen, soms wel vier tijdens een duik.

Twin Sisters (28)

bootduik

het zicht bedraagt gemiddeld 30 m

matige stroming

diepte tussen de 12-20 m

duiklocatie geschikt voor alle niveaus

spannend landschap van rotsblokken met scheuren, holen en doorgangen

De twee noordelijkste duiklocaties die heel aantrekkelijk zijn om te duiken, zijn **Twin Sisters** (28) en **Gibraltar/North Point** (29), ware het niet dat ze relatief ver van de duikcentra liggen. Meestal gaan de boten niet verder dan Stenapa Reef en heel af en toe naar Jenkins Bay en Doobies Crack.

Door duizenden jaren verwering en afbrokkeling van de rotsen is onder water een grillig landschap ontstaan. De rots-blokken liggen zonder enige structuur op de zandige bodem. Dat maakt het een groot avontuur om hier te duiken, maar tegelijk is de oriëntatie moeilijk. Je kunt ontelbare hoeken om, doorgangen door, en op kleine 'binnenpleintjes' verzeild ra-ken. De begroeiing is kleurrijk, met veel zwamkoraal, beker-, vaat- en buisspon-zen. Ook gorgonen hebben zich op het steen afgezet. Op de stenen en in de sple-ten vind je veel kleine vissen, die allemaal hun eigen territorium lijken te hebben.

Dit is een favoriet gebied voor de lang-oesten, krabben en andere schaaldieren. De zandbanen en wat bredere zandpla-ten zijn het gebied van de plattere vissen. Zo af en toe duikt hier een schildpad of barracuda op.

De boei hangt recht boven de rotsblok-ken. Het beste is om eerst met de bodem mee af te dalen naar zo'n 20 m diepte, daar rustig het gebied te verkennen en na zo'n half uur weer in tegenovergestelde richting te zwemmen. Je blijft dan op 12 à 14 m zwemmen tot het eind van de duik.

8 | SINT-MAARTEN: OPMARS VAN HET RECREATIEDUIKEN

Sint-Maarten, het hoofdeiland van de Bovenwinden, is op en top een watersportgebied. De fantastische stranden en de blauwe zee nodigen uit tot actie. Zelfs de meest verstokte zonaanbidder en strandklever ontkomt er niet aan om eens een tochtje te maken per zeil- of motorboot. Je kunt er vanaf het strand alle variaties op waterskiën beoefenen, windsurfen is in opmars en als dat nog te inspannend is, is er altijd wel een opblaasbanaan. Zowel aan de Nederlandse als aan de Franse kant liggen schitterende natuurlijke havens. De haven van Marigot doet weinig onder voor de jachthavens met hun boulevards aan de Côte d'Azur. Ook de jachthaven in Great Bay bij Philipsburg mag er zijn.

Sportduiken wordt hier, net als elders, steeds populairder. Sint-Maarten is niet gezegend met bijzondere onderwaterlandschappen zoals je bij Saba en Statia aantreft. Slechts op enkele plekken rond het eiland heeft zich een behoorlijk rif gevormd. Voor het overige zijn er geïsoleerde koraaleilanden, meestal op basis van rotsformaties onder water. Verreweg de interessantste duiklocaties zijn de talrijke

wrakken die hier in de loop der eeuwen zijn vergaan. Zo is de Britse HMS *Proselyte* in de Great Bay een topper. Het fregat verging in de 18de eeuw met 32 kanonnen, waarvan er nog altijd verschillende goed zichtbaar op de bodem liggen.

Als de schepen niet op de klippen voeren en braken, vergingen ze wel tijdens een orkaan. De duikliefhebbers hebben er geen problemen mee, want het betekent weer een paar duiklocaties erbij. De laatste jaren worden ook boten afgezonken om het koraalleven te stimuleren en meer duikplekken te bieden.

Sensationeel is de 'haaienduik' op Sint Maarten. Net als op de beroemde haaienduikplaatsen in de Bahama's worden ook hier drie maal per week (dinsdag, donderdag en zondag) door de duikgidsen van het duikcentrum Dive Safaris in Bobby's Marina (Philipsburg) grote groepen met haaien gevoerd. Bij deze 'Shark Awerness Dive', zoals ze het noemen, geeft het duikcentrum een haaiengarantie. Ook zwemmen er regelmatig dolfijnen op deze plaats rond die met de duikers spelen, alleen kunnen ze dit niet garanderen. Verder worden er in het seizoen

Duikster met paarse pijpsponzen

Duikers liggen op een rij en kijken naar het haaien voeren op Sint-Maarten.

regelmatig walvissen gezien tijdens het varen naar de duikplaatsen. Sint-Maarten ligt in de passaatzone, wat betekent dat in de winter de wind in noordoostelijke richting waait, en in de zomer in zuidoostelijke richting. Over het algemeen is de wind gedurende de wintermaanden wat krachtiger. Van augustus tot december is het orkaanseizoen. De laatste jaren heeft een aantal orkanen, waaronder Luís in 1995 (□ 23), grote schade aangericht op dit eiland. Tegenwoordig is men beter voorbereid op het natuurgeweld. De informatievoorziening is uitstekend. Zo gauw er een orkaan boven de oceaan wordt gesignaleerd, volgen de meteorologen de koers. Zo is van tevoren aan te geven of de eilanden gevaar lopen.

Onderwaterpark Sint-Maarten in oprichting

Sinds januari 1997 heeft ook Sint-Maarten een natuurbeschermingsorganisatie. De Nature Foundation of St. Maarten wil het milieu in brede zin beschermen door een stringent beleid van de kant van de overheid. Dat moet gebeuren door duidelijke regels te stellen, het toezicht op de naleving daarvan aan te scherpen, en door onderwijs en bewustwording onder de bevolking en de bezoekers te stimuleren.

Onderdeel van het natuurbeschermingsbeleid is de afbakening van het onderwaterpark. Met financiële steun van het Wereld Natuur Fonds is een plan gemaakt voor een Marine Park dat het hele Nederlandse deel van het eiland omspant: van Oyster Pond tot aan Cupecoy Bay. De beschermde zone zou moeten lopen van de kust en het strand tot zo'n 65 m diepte. Net als bijvoorbeeld op Saba zullen er speciale gebieden komen voor sportduikers, vissers, om te ankeren en de scheepvaart.

RECREATIEDUIKEN

Als je bij de duikcentra vraagt wat Sint-Maarten voor de sportduiker te bieden heeft, krijg je meestal heel eerlijk te horen: een paar aardige wrakken en een incidenteel rif of een drop-off. Leuk om te combineren met een duiktrip naar Saba of St. Eustatius. De opkomst van de duikcentra de laatste jaren loopt parallel aan de toename van het aantal vakantiegangers dat Sint-Maarten aandoet om te zonnen, zwemmen, te winkelen en uit te gaan. De hotels willen hun gasten een zo gevarieerd mogelijk programma van activiteiten aanbieden. Duiken hoort daarbij. Dat noemen ze hier dus recreatieduiken.

Een en ander neemt niet weg dat het duiktoerisme groeit, want op de proefduik volgt vaak de eerste cursus. Met de explosieve toename van *time-sharing* komen er ook steeds meer *repeaters*, recidivisten als het ware. Daarvoor moeten er meer variatie en meer duikplekken komen.

Inmiddels telt Sint-Maarten dertig officiële duiklocaties en er wordt gewerkt aan de instelling van een onderwaterpark. Allemaal signalen dat het sportduiken hier toch volwassen wordt.

Duikgebieden

Grofweg zijn de duikgebieden rond het eiland als volgt in te delen:

1 **Great Bay** is vanouds een druk scheepvaartgebied. Zo'n kilometer uit de kust bij het overwoekerde Fort Amsterdam liggen nogal wat wrakken. Het bekendst is de HMS *Proselyte*, die hier in de 18de eeuw te pletter sloeg op het rif. De laatste slachtoffers zijn gevallen tijdens orkaan Luís. Die heeft het rif op deze plek ernstig beschadigd. Heel langzaam komt het herstel nu op gang.

2 **Point Blanche**, aan de uiterste zuidoostpunt van het eiland, heeft de beste koraalriffen met grote vissen.

3 **Guana Bay**, iets noordelijker, heeft een rotsachtige bodem met grillige koraaleilanden en een paar fraaie drop-offs

4 **Île Pinel**, aan de Franse kant helemaal in het noordoosten, biedt zowel een wrakduik als een klein rif.

5 **Grand Case**, een rustige baai met uitstekende mogelijkheden voor beginnende duikers en snorkelaars.

6 **Mullet Bay**, nog meer wrakken, waarvan sommige zo ondiep liggen dat je er kunt snorkelen.

DUIKCENTRA

Niet alle genoemde gebieden zitten in het programma van de duikcentra. Aan de Nederlandse kant wordt het meest gedoken in Great Bay, Mullet Bay en bij Point Blanche. Deze locaties geven een aardige doorsnee van wat Sint-Maarten de duikliefhebber te bieden heeft.

DUIKLOCATIES

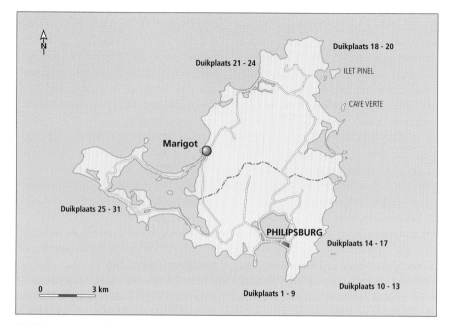

Sint-Maarten met duikplaatsen

Duiklocaties Sint-Maarten
1. Wrak van HMS *Proselyte* B, G, W
2. Cable Alley B, AL
3. Mike's Maze B, AL
4. Cay Bay B, G, W
5. Het wrak van de *Carib Cargo* B, G, W
6. Het wrak van *Lucy's Barge* B, G, W
7. Time Tunnels B, AL
8. Split Rock B, AL
9. Het wrak van de *Tieglund* B, AL, W
10. Ile Fourche B, AL
11. Groupers B, AL
12. Little Groupers B, AL
13. One Step Beyond B, G
14. Hen & Chicks B, G
15. Washing Machine B, G
16. Molly Beday B, AL
17. Pelican Rock B, AL
18. Het sleepbootwrak bij Tintamarre B, G, W
19. Dolphin Point B, AL
20. Spanish Rocks B, G
21. Creole Rock B, AL, S
22. Anse Marcel K, AL, S
23. Grand Case B, AL
24. Marigot Reef B, AL
25. Het wrak van de *Fu Chung* B, G, W
26. Het wrak van de *Gregory* B, G, W
27. The Bridges B, G, W
28. Het wrak van de *Old Tug* B, AL, W, S
29. Het wrak van de *Isabella* B, G, W
30. Frenchman's Reef B, AL

Toegang
B = bootduik; K = kantduik;
BK = boot- of S = ook geschikt
   kantduik;   voor snorkelen

Moeilijkheidsgraad
B = beginners, G = gevorderden;
E = ervaren; AL = voor alle duik-
                     niveaus

Bijzonderheden
W = wrak;   N = nachtduik

Wrak van HMS *Proselyte* (1)

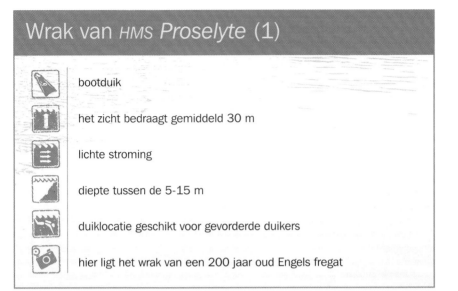

bootduik

het zicht bedraagt gemiddeld 30 m

lichte stroming

diepte tussen de 5-15 m

duiklocatie geschikt voor gevorderde duikers

hier ligt het wrak van een 200 jaar oud Engels fregat

Voor de duikcentra op het eiland is een van de favoriete duiklocaties het wrak van HMS *Proselyte*, een Engels fregat met 32 kanonnen, dat op 4 september 1801 onder het commando van Captain George Fowke op een rif liep en verging. Het rif staat nu bekend als 'Man-of-War Shoal'. Tijdens de schipbreuk verloren alle 215 bemanningsleden het leven. Later werd vastgesteld dat HMS *Proselyte* is vergaan door de onachtzaamheid van zijn stuurman, L. Williams.

Het wrak, waar nog maar weinig van over is, ligt op 2 km uit de kust voor Great Bay. De voormalige wrakstukken hebben zich tot koraaleilanden op de zandbodem gevormd. Opzienbarend zijn de 20 kanonnen en drie grote ankers die er nog liggen, dat wil zeggen overwoekerd door koraal en felgekleurde sponzen. Vooral het fraaie waaierkoraal en de gorgonen geven de plek kleur. Veel andere artefacten, zoals kanonskogels, musketkogels, spijkers en keramiek, zijn nog in het zand terug te vinden.

Cable Alley (2)

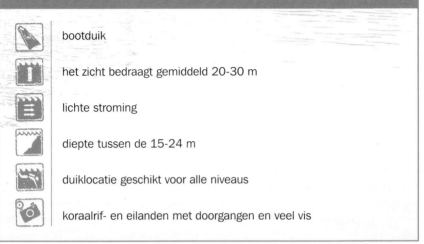

bootduik

het zicht bedraagt gemiddeld 20-30 m

lichte stroming

diepte tussen de 15-24 m

duiklocatie geschikt voor alle niveaus

koraalrif- en eilanden met doorgangen en veel vis

Drie locaties in de buurt van HMS Proselyte

Cable Alley (2) is een rif dat doorloopt naar zo'n 24 m diepte. De rotsen zijn begroeid met oranje, gele en paarse sponzen, gorgonen en waaierkoralen. Ze worden doorbroken door kloven en nauwe doorgangen. Er zit hier zeer veel vis, zowel de kleinere rifvissen (soldatenvissen, koraalvlinders, keizersvissen) als grotere roofvissen.

Duiklocaties in de omgeving

Split Rock (3) heeft grootse koraaleilanden gevormd op de rotsen. Het landschap is grillig met veel doorgangen. Je vindt er behalve vis ook veel schaaldieren. Let op de barracuda's.

Mike's Maze (3) bestaat uit koraaleilanden, stevig begroeid met gorgonen en sponzen, en met veel vis. De doorgangen tussen de koraalformaties maken dit tot een avontuurlijke duikplek.

De kettingmurene komt veel voor in het ondiepe water van Sint-Eustatius.

Cay Bay (4)

bootduik

het zicht bedraagt gemiddeld 30 m

stroming licht tot matig

diepte tussen de 10-25 m

duiklocatie geschikt voor gevorderde duikers

wrakken en kleine koraaleilanden

Het rif **Cay Bay** (4) onder Fort Amsterdam heeft tijdens Luís veel schade opgelopen. Maar er zijn ook duikobjecten bijgekomen. Elk duikcentrum heeft z'n favoriete wrakduik in dit gebied.

Duiklocaties in de omgeving
Het wrak van de **Carib Cargo** (5), een fors vrachtschip, ligt op 23 m diepte. Je kunt er goed in- en uitzwemmen. Op de zandvlakte eromheen liggen altijd wel een paar pijlstaartroggen.
Het wrak van **Lucy's Barge** (6) ligt iets minder diep, op 18 m. De boot werd afgezonken in 1991 als duikobject. De omgeving is rotsachtig. Er zit niet zoveel koraal in de omgeving, maar er is wel aardig wat vis. Makrelen, papegaaivissen en de kleinere koraalvlinders, soldatenvissen en rotsschoonheden zijn veel geziene gasten. **Time Tunnels** (7) heeft wel wat kleurrijk koraal, en er ligt een anker.
De **Tieglund** (9) ten slotte is een recent wrak, in 1995 gezonken tijdens orkaan Luís. De boot ligt op 25 m diepte.

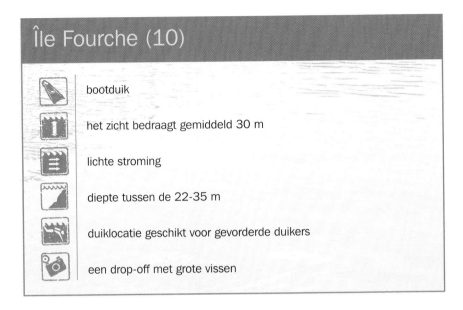

Île Fourche (10)

bootduik

het zicht bedraagt gemiddeld 30 m

lichte stroming

diepte tussen de 22-35 m

duiklocatie geschikt voor gevorderde duikers

een drop-off met grote vissen

De vier locaties 3 km uit de kust bij Point Blanche behoren tot de beste drop-off-duiken. **Ile Fourche (10)** is een langgerekt rif, stevig begroeid met sponzen in felle kleuren, waaierkoraal en gorgonen. Er is dus ook veel rifvis. In de spleten en in het open water hangen de barracuda's te wachten op hun prooi.

Duiklocaties in de omgeving
Nog spectaculairder is **Groupers (11)** – volgens kenners de mooiste rifduik van het eiland. De drop-off is aardig steil, maar de grilligheid van het onderwater-landschap met talrijke doorgangen, een weelderige koraalbegroeiing en veel vis, maakt deze plek bijzonder.

Little Groupers (12) heeft valleien en doorgangen; een wat makkelijke duiklocatie, dus geschikt voor beginners.
One Step Beyond (13) is Sint-Maartens enige pinakelduik. De naam zegt het: even doorzwemmen en de verrassende koraalberg rijst uit het niets omhoog.

Hen & Chicks (14)

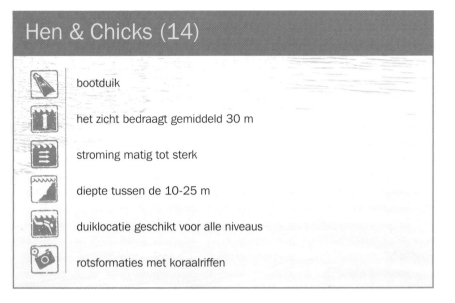

bootduik

het zicht bedraagt gemiddeld 30 m

stroming matig tot sterk

diepte tussen de 10-25 m

duiklocatie geschikt voor alle niveaus

rotsformaties met koraalriffen

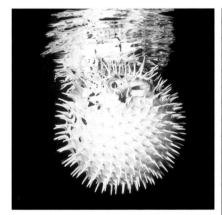

Een opgeblazen egelvis

Om Point Blanche heen, aan de zuid-oostkant van het eiland, liggen enkele goede rifformaties. De rotsachtige bodem vormt de basis van de koraalbegroeiing. Sommige rotsen steken boven water uit. **Hen & Chicks (14)** is zo'n rotsformatie: één grote en twee kleinere rotsen. Er is een drop-off met veel sponzen en gorgonen.

Duiklocaties in de omgeving
Washing Machine (15) en **Molly Beday (16)** volgen het rif. Meestal worden deze als stromingsduik gedaan. **Pelican Rock (17)** steekt eveneens boven water uit. De bodem rond de rots is zandig, met daarin grote afgebroken rotsblokken. Ze zijn fraai begroeid en er zit veel rifvis. In de kieren en holen houden zich langoesten, krabben en murenen op. Barracuda's, grote tijgertandbaarzen en trompetvissen kom je hier veelvuldig tegen.

Het sleepbootwrak bij Tintamarre (18)

bootduik

het zicht bedraagt gemiddeld 30 m

lichte stroming

diepte tussen de 15-25 m

duiklocatie geschikt voor alle niveaus, goede snorkelplaats

snorkelgebied met veel doorgangen en een wrak

Een fraai gekleurde platworm

Bij het onbewoonde eilandje **Tintamarre** (18) ligt het wrak van een sleepboot. Deze is in 1989 afgezonken als duikobject. Rond het wrak, waarop zich koraal vormt, vind je fraai zacht koraal en opmerkelijk veel rifvissen, zoals koraalvlinders, sergeant-majoors, doktersvissen en tandbaarzen. De diepte bedraagt ruim 20 m.

Duiklocaties in de omgeving

Rondom Ile Pinel ligt een uitstekend snorkelgebied. Het is met lijnen aangegeven. Je zwemt hier tussen de rifvissen en boven kleurrijk koraal, sponzen en sierlijke waaierkoralen. Met de veerboot vanuit Cul de Sac vaar je er in 5 min. naar toe. Aan de noordkant van Ile Pinel liggen **Dolphin Point** (19) en **Spanish Rock** (20), waar de rotsen voor een landschap van gangen en doorgangen zorgen.

Creole Rock (21)

boot- en kantduik

het zicht bedraagt gemiddeld 30 m

stroming licht tot matig

diepte tussen de 5-10 m

duiklocatie geschikt voor alle niveaus, goede snorkelplaats

een goed snorkelgebied met fraai koraal

Een ideaal duikgebied voor beginners, voor het wijde strand van Grand Case. Helaas hebben recente orkanen ook hier aardig wat koraal vernietigd.

Creole Rock (21) steekt boven water uit voor de plaats Grand Case. Er gaan speciale snorkeltochten naar toe. Op een paar meter diepte groeit tak- en hersenkoraal, en wat dieper bergkoraal. De sponzen en gorgonen zorgen voor een idyllisch plaatje. Papegaaivissen, hertogsvissen, koraalvlinders, soldatenvissen en vijlvissen storen zich nauwelijks aan het bezoek van de snorkelaars en beginnende duikers.

Duiklocaties in de omgeving
Anse Marcel (22) heeft een redelijk uitgestrekt rif op geringe diepte. Grand Case (23) heeft een kleine pinakel. Bij Marigot Reef (24) tref je een koraalformatie die wat overhelt, zodat er zich holen en gaten konden vormen. Daarin vind je schaaldieren en murenen.

Het wrak van de *Fu Chung* (25)

	bootduik
	het zicht bedraagt gemiddeld 20-30 m
	stroming licht tot matig
	diepte tussen de 12-28 m
	duiklocatie geschikt voor alle niveaus
	verschillende wrakken en koraalformaties met doorgangen

In de wateren voor Mullet Bay en Maho Bay liggen weer aardig wat wrakken. De **Fu Chung** (25) is een Japanse vissersboot, die op 30 m ligt.

Duiklocaties in de omgeving

De **Gregory** (26) is een Panamees vrachtschip dat ondersteboven is gezonken. Het ligt op 17 m diepte. Rondom is koraalbegroeiing en er zijn rotsen.

Een juveniele gebande lancetvis

Overal langs de kust liggen nog oude stokankers uit een ver verleden.

Bij **The Bridges** (27) liggen verscheidene boten, maar de locatie is genoemd naar de resten van de oude brug die hier is gedumpt. **Old Tug** (28) en **Isabella** (29) zijn kleinere boten op respectievelijk 8 en 28 m diepte. *Old Tug* is geschikt om te snor- kelen. Er zit veel vis en het koraal oogt opmerkelijk gezond.

Frenchman's Reef (30) heeft een fraai rifdrempel met enkele kloven daarin; wordt regelmatig aangedaan door verpleegsterhaaien.

9 BEZIENSWAARDIGHEDEN EN OVERIGE ACTIVITEITEN

ARUBA – HET UITGAANSEILAND
Aruba, het oostelijkste van de drie Benedenwindse Eilanden, is staatkundig gezien een beetje de appendix van het Koninkrijk der Nederlanden. Het kan de eigen financiële en bestuurlijke boontjes doppen, zonder bemoeienis van de Antilliaanse regering op Curaçao. De economie floreert, er is geen werkloosheid en jaarlijks bezoeken tienduizenden Nederlanders en nog veel meer Noord- en Zuid-Amerikanen het eiland. Een deel van hen komt per schip, want Aruba is een van de belangrijkste havens voor cruiseschepen in het Caribisch gebied. Op Aruba treffen ze een aardige hoofdstad, prachtige zandstranden, een uitbundig uitgaansleven en enkele leuke natuurlijke bezienswaardigheden. En de mensen zijn er bijzonder vriendelijk. Aruba's motto: 'One Happy Island!'

Paardeneiland
Aruba werd vóór de ontdekking door de Spanjaarden lange tijd door een kleine populatie vreedzame Arawaks bewoond. Rond de overgang van de 15de naar de 16de eeuw lijfden de Spanjaarden het ei-land in. In de 17de eeuw werd Aruba in zijn geheel eigendom van de West-Indische Compagnie (WIC). De compagnie gebruikte het eiland vooral voor de paardenfokkerij. In de eeuwen erna veranderde niet veel. Er kwamen wat kolonisten van de buureilanden en het Latijns-Amerikaanse vasteland en er vestigden zich wat indianen en halfbloeden uit Venezuela en Colombia op het eiland. Begin 20ste eeuw kreeg de economie een forse impuls door de vestiging van de grote Lago Oil and Transportation Company. Een recentere impuls was het verkrijgen van de status aparte in 1986. Sindsdien heeft Aruba zich, bevrijd van het juk van Willemstad, vol op het toerisme gestort. Het gaat inmiddels zó goed op het eiland dat men verwacht in de toekomst geen financiële bijdrage uit Nederland meer nodig te hebben.

Eerste indruk
Aruba is een eiland met twee gezichten. Aan de rustige west-zuidwestkant liggen parelwitte zandstranden waarlangs de grote hotels van het eiland gebouwd zijn. Aan deze zijde bevinden zich ook de gro-

Het beroemde Penha-huis in Willemstad (Curaçao)

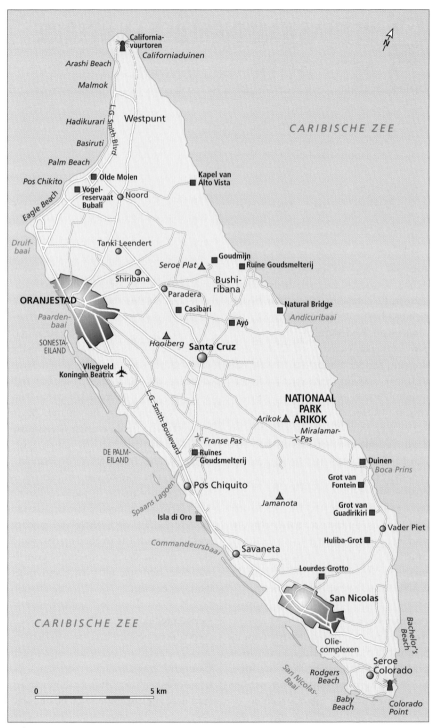

California-
vuurtoren
Californiaduinen

Arashi Beach

Malmok

Hadikurari   Westpunt

Basiruti

Palm Beach

Pos Chikito

Olde Molen

Vogel-
reservaat   Noord
Bubali

Kapel van
Alto Vista

CARIBISCHE ZEE

Druif-
baai

Tanki Leendert

Seroe Plat ▲   Goudmijn
              Ruïne Goudsmelterij

Shiribana   Bushi-
                ribana
           Paradera

ORANJESTAD

Casibari

Natural Bridge
Andicuribaai

Paarden-
baai   Ayó

SONESTA-
EILAND   Hooiberg   Santa Cruz

Vliegveld
Koningin Beatrix ✈

L.G.-Smith Blvd

L.G.-Smith-Boulevard

NATIONAAL
PARK
Arikok ▲   ARIKOK
Miralamar-
Pas

Franse Pas

DE PALM-
EILAND

Ruïnes
Goudsmelterij

Duinen
Boca Prins

Grot van
Fontein

Pos Chiquito

Jamanota

Grot van
Guadirikiri

Spaans Lagoen

Isla di Oro

Vader Piet

Huliba-Grot

Commandeursbaai   Savaneta

Lourdes Grotto

CARIBISCHE ZEE

San Nicolas

Olie-
complexen

Bachelor's
Beach

San Nicolas-
Baai

Rodgers
Beach

Seroe
Colorado

Baby
Beach

Colorado
Point

0   5 km

Eagle Beach

Aruba

te woonkernen en de industriële en andere bedrijvigheid.

De noordoostkant is geheel anders van karakter. De ruwe zee en de harde wind maken het hier onmogelijk te zwemmen of andere watersporten te beoefenen. Het landschap is er rotsig en kaal, en vrijwel de enige bewoners zijn zeevogels en geiten. Tussen de twee uitersten in ligt de *kunuku*, het platteland van Aruba. Dit bestaat uit een aride, op sommige plaatsen heuvelachtig landschap, dat voornamelijk begroeid is met cactussen, lage bomen en doornstruiken. Hier en daar staan verspreid liggende, vrijstaande huizen met een erf eromheen en vaak een cactushaag of stenen muur als afscheiding.

Het gehele eiland is circa 190 km² groot, een omvang die vergelijkbaar is met het Waddeneiland Texel. De lengteas van Aruba loopt van het noordwesten naar het zuidoosten. De lengte is 31 km, de maximale breedte 8 km, ongeveer halverwege het eiland. Aruba heeft in vergelijking met de andere eilanden het droogste en dorste landschap, dat hierdoor een ruige indruk maakt. De passaatwind schijnt op Aruba ook harder te waaien dan op de andere eilanden, wat overigens niet ongunstig is voor zeilers en windsurfers. Liefhebbers van strand, ongedwongen vermaak en een blauwe zee komen aan de west-zuidwestzijde van Aruba het beste aan hun trekken, terwijl de andere delen van het eiland afwisseling bieden voor wie eropuit wil trekken.

Er zijn twee plaatsen van enige omvang, de hoofdstad Oranjestad en het zuidoostelijk gelegen San Nicolas. Kleinere woonkernen zijn Noord, Paradera, Santa Cruz, Savaneta en Seroe Colorado. Vooral in de wijde omgeving rond Oranjestad liggen verder dunner bebouwde woongebieden met namen als Tamarijn, Kudawecha, Tanki Flip en Rooi Bosal. Hoog-

bouw is zo goed als afwezig en vrijwel alle woningen hebben een erf.

Oranjestad is een aardige plaats met niet al te veel bezienswaardigs. In een ochtend of een middag kun je de hele stad belopen. Vanuit Oranjestad zijn twee routes geschikt voor een dagtocht. De zuidoostelijke route over Aruba loopt langs het zuidelijke deel van de kust naar San Nicolas, voert daarna naar een aantal grotten en gaat via het Arikok Nationaal Park weer terug naar Oranjestad. De noordwestelijke route bevat de mooie stranden aan de westkust, doet de uiterste noordpunt van het eiland aan en gaat vervolgens onder meer naar de bizarre rotsformaties centraal op het eiland en naar de indrukwekkende natuurlijke brug even boven Andicuri.

Oranjestad

Oranjestad is het politieke, culturele en zakelijke centrum van het eiland. De meeste toeristen vangen op weg van het vliegveld naar hun hotel al een eerste glimp van de plaats op. De hoofdstad begon haar bestaan aan het einde van de 18de eeuw. De Paardenbaai werd in die eeuw de belangrijkste in- en uitvoerhaven van Aruba. Er ontstond een handelsnederzetting en er werd een fort gebouwd, Fort Zoutman. De plaats groeide snel en werd in 1824 naar het huis van Oranje vernoemd. Tegen die tijd woonde al de helft van de bevolking in Oranjestad.

Tegenwoordig telt de plaats circa 30.000 inwoners. Het hart is het stadsdeel rond de haven bij de Paardenbaai. Over de gehele lengte van Oranjestad, en nog een stuk daarbuiten, loopt de L.G. Smith Boulevard, de belangrijkste verkeersader. In de straten erachter is nog wat van het oude Oranjestad te zien. Niet veel, want de meeste historische panden zijn in de loop van de tijd afgebroken en vervangen door modernere bouwwerken. Alleen Fort Zoutman, enkele kerken en wat panden in de Wilhelminastraat en zijstraatjes verdienen het predikaat 'historisch' nog. Frappant is dat men bij Plaza Daniël Leo de Hollands-Caribische architectuur in de Holland Aruba Mall weer nagebouwd heeft. Het ziet er nogal kitscherig uit, maar de Amerikaanse cruisepassagiers vinden het prachtig.

Behalve enkele oude gebouwen heeft Oranjestad de toerist een paar musea en vooral veel winkels te bieden. 's Avonds komt het centrum nog extra tot leven, want dan gaan de talrijke grote discotheken langs de L.G. Smith Boulevard en bij de haven open.

Fort Zoutman

Op de hoek van de kruising Oranjestraat-Zoutmanstraat staat Fort Zoutman uit 1796, het oudste bewaard gebleven gebouw op Aruba. Vroeger stond dit fort op de kustlijn, maar door landaanwinning is dat allang verleden tijd. Het bolwerk is naar de Hollandse schout-bij-nacht Zoutman genoemd, naar aanleiding van zijn overwinning op een Engelse vloot op de Noordzee tijdens een van de Hollands-Engelse oorlogen in de 18de eeuw. De zeevaarder zelf is overigens nooit op Aruba of in het Caribisch gebied geweest.

In 1868 bouwde men de Koning Willem III-toren voor de hoofdingang. De toren diende als uitkijktoren en vuurtoren. De naam dankt het bouwwerk aan het feit dat het vuur er voor het eerst op de verjaardag van koning Willem III in 1869 werd ontstoken.

Fort Zoutman is rechthoekig van vorm en heeft aan de noordzijde drie vooruitstekende fortificaties. De westzijde is echter de belangrijkste zijde van het fort. Aan deze kant bevindt zich de hoofdpoort; op de muur stonden vier kanonnen die de Paardenbaai bestreken. Binnen de muren staan drie gebouwen die oorspronkelijk als wachthuis, magazijn en barak dienden. Het fort is daarnaast een voormalig keukentje en een regenbak rijk.

Tegenwoordig is het Historisch Museum (Museo Historico Arubano) in Fort Zoutman gevestigd, in 1983 geopend door prinses Margriet. Binnen is onder meer informatie over de bloeitijd van de aloë-industrie op Aruba en over de winning van gouderts op het eiland. In stijlkamers wordt getoond hoe de koloniale interieurs eruitzagen en er is verder een uitgebreide collectie fossielen, stenen, bodemvondsten en schelpen uitgestald.

Iedere dinsdagavond vindt op de binnenplaats van Fort Zoutman het gezellige Bonbini-festival plaats (*bonbini* is Papiamento voor 'welkom'). Het programma van het folkloristische evenement verschilt per keer, maar er zijn altijd lokale muziekgroepen te beluisteren die Arubaanse en Caribische muziek ten gehore brengen. Onderdeel van het pro-

Aruba, kokosmelkverkopers

gramma zijn daarnaast demonstraties van lokale en regionale dansen als de tumba, de Antilliaanse wals en de merengue. In kraampjes langs de rand van de binnenplaats verkopen liefdadigheidsinstellingen allerlei Arubaanse handwerkproducten, snacks en zoetigheden, en ook een verkwikkend drankje ontbreekt niet. Het Bonbini-festival is niet alleen een must voor toeristen die Aruba wat beter willen leren kennen, het is ook een belangrijk sociaal trefpunt voor de Arubanen zelf. Hier kunnen ze elkaar in een ongedwongen sfeer ontmoeten en bij een hapje en een drankje de laatste nieuwtjes en roddels uitwisselen.

ℹ FORT ZOUTMAN. Geopend: ma.-vr. 9-12 en 13-16 uur; Bonbini-festival di. 18.30-20.30 uur.

Wilhelminastraat

In de Wilhelminastraat staan nog enkele huizen uit de 19de en begin 20ste eeuw. Karakteristiek aan de pastelkleurige onderkomens zijn de zadeldaken met een knik erin, bedekt met uit Nederland geïmporteerde dakpannen. Het grootste deel van de historische panden in Oranjestad is al ten prooi gevallen aan de slopershamer, omdat men geen oog had voor de historische waarde ervan of omdat sloop en nieuwbouw rendabeler waren voor de eigenaren dan een dure restauratie.

Aan het begin van de Wilhelminastraat, aan de kant van de overheidsgebouwen en het Sonesta-complex, is de Protestantse Kerk uit 1846 nog een goed voorbeeld van de architectuur uit de vorige eeuw.

Musea

Behalve het Historisch Museum in Fort Zoutman heeft Oranjestad nog twee aardige musea. Het eerste is het Archeologisch Museum (Museo Arqueologico Arubano), in een doodlopend straatje bij de universiteit. In het museum staat het precolumbiaanse Aruba centraal. Er zijn indiaanse gebruiksvoorwerpen, urnen en skeletten te zien, die op verschillende plaatsen op het eiland gevonden zijn. Zo is er veel tentoongesteld van het indiaanse grafveld dat in 1989 bij Malmok werd bestudeerd. Hier zijn veertig skeletten – van 18 mannen, 17 vrouwen en 5 kinderen – en tal van gebruiksvoorwerpen gevonden. Bij de entree van het museum (op de eerste verdieping) is een boekje verkrijgbaar over de cultuur en de gecompliceerde begrafenisrituelen van de Arubaanse indianen.

ARCHEOLOGISCH MUSEUM. Geopend: ma.-vr. 8-12 en 13-16 uur. Entree gratis.

Niet ver van Fort Zoutman, in Zuidstraat nr. 27, is het Muntenmuseum (Museo Numismatico) te vinden. Het privé-museum herbergt tienduizenden munten in allerlei thematische collecties. Er zijn munten bij van vóór onze jaartelling, munten van landen die allang niet meer bestaan, munten van ongebruikelijke materialen zoals hout of ivoor, et cetera.

MUNTENMUSEUM. Geopend: ma.-vr. 7.30-12 en 13-16 uur. Entree gratis (vreemde munten welkom).

Zuidoost-Aruba

Goudsmelterij bij Balashi

Ga je vanuit Oranjestad langs de kust naar het zuidoosten, dan passeer je eerst het Koningin-Beatrixvliegveld. Ter hoogte van het Spaans Lagoen leidt een zijweg links van de L.G. Smith Boulevard naar de ruïnes van de oude goudsmelterij bij Balashi. Tussen de met aloëplanten begroeide heuvels liggen de resten van de smelterij. Het zijn stille getuigen van het kortstondige mijnbouwverleden van Aruba. In 1872 werd bij Bushiribana de eerste goudsmelterij op het eiland gebouwd, nadat al in 1824 goud was ontdekt. Aan het einde van dezelfde eeuw volgde de smelterij bij Balashi, gebouwd door de Aruba Gold Concessions. Vooral bij Seroe Plat en Kristalberg werd gou-

derts gewonnen, maar de voorraden waren niet voldoende om een langdurige exploitatie van de mijnen rendabel te maken. In 1908 legde de Aruba Goud Maatschappij de hand op de smelterij bij Balashi, die vervolgens nog vijf jaar in functie bleef. Daarna was het gedaan met de commerciële goudwinning op Aruba. Er werden nog twee pogingen – de laatste vlak na de Tweede Wereldoorlog – ondernomen de mijnbouwactiviteiten weer op te pakken, maar die liepen beide op een mislukking uit.

De ruïnes bij Balashi laten nog resten zien van vuurovens, zuiveringskuipen, een waterreservoir, een elektriciteitsvoorziening en een pletmolen. Het geheel ligt er wat verwaarloosd bij, want de Nederlandse en later Arubaanse overheid hebben zich nooit de moeite getroost er iets aan op te knappen of de verschillende resten van verklarende teksten te voorzien.

San Nicolas

Voorbij het Spaans Lagoen gaat de kustweg langs een reeks langgerekte barrière-eilanden. Even na Savaneta volgt San Nicolas, de tweede plaats van Aruba. Aan het einde van de 19de eeuw begon San Nicolas zijn bestaan als een klein dorp ten behoeve van de fosfaatwinning op de zuidoostelijke punt van het eiland. Het dorp werd vernoemd naar de grootgrondbezitter Nicolaas van der Biest. Het gereedkomen van de tankerhaven in 1927 en de opening van de Lago-raffinaderij in 1929 luidden een periode van bloei voor de plaats én voor Aruba in. San Nicolas kreeg door de komst van oliearbeiders uit allerlei windstreken een geheel eigen karakter, iets wat tot op heden nog steeds het geval is. De bevolking heeft er bijvoorbeeld doorgaans een veel donkerder huidskleur dan die van Oranjestad en er heerst een Caribischer sfeer dan op de rest van Aruba. Vooral in de arbeiderswijken The Village en Esso Heights is deze merkbaar. De houten huisjes met golfplaten daken die er vroeger stonden, zijn na een intensief volkshuisvestingsprogramma vervangen door betere onderkomens. In San Nicolas zijn verder veel bars met dames van minder zware zeden te vinden (deze 'Spaanse dames' staan onder wekelijkse dokterscontrole). De plaats heeft ook de grootste populatie drugsverslaafden binnen haar grenzen.

De belangrijkste straat in San Nicolas is de Bernardstraat, gelegen in het verlengde van de kustweg (tot hier nog steeds de L.G. Smith Boulevard geheten). In de richting van de raffinaderij geldt eenrichtingsverkeer, terwijl het verkeer in de parallelle Pastoor Hendriksstraat de andere

Rodgers Beach met raffinaderij op achtergrond

kant op wordt geleid. In de Bernardstraat zijn links en rechts winkels en bars gevestigd. Sommige bevinden zich in mooie art-decopanden, een beetje als een mini-Miami, maar ze staan er helaas nogal vervallen bij. Dat geldt ook voor de Caribische arbeiderswoningen in de wijkjes noordelijk van het bescheiden centrum van San Nicolas.

Halverwege rechts op de hoek van de B. v.d. Zeppenveldstraat en de Bernardstraat bevindt zich een van de bekendste cafés van Aruba, de illustere Charlie's Bar. Het Nederlandse etablissement bestaat al meer dan vijftig jaar. Het café is een echte bezienswaardigheid, want de

eigenaars (tegenwoordig de zoon en kleinzoon van stichter Charlie Brouns) hebben in de loop der jaren een zeer uitgebreide collectie curieuze voorwerpen en bordjes met de meest uiteenlopende teksten en pictogrammen verzameld. Charlie's Bar serveert 's middags en 's avonds trouwens ook prima gerechten.

Rodgers Beach en Baby Beach

Bij Seroe Colorado, de voormalige villawijk voor de vroegere Amerikaanse medewerkers van de Lago-raffinaderij, liggen twee fraaie kleine stranden. Rodgers Beach langs de San-Nicolasbaai is het eerste. Tegen een onwezenlijk decor van fabrieksschoorstenen en oliepijpleidingen van de raffinaderij ligt het witte strand langs de helderblauwe tot turkooizen en lichtgroene zee. Bij het strand bevindt zich een kleine jachtclub. Een landtong met daarop de oude Essoclub (tegenwoordig een onderkomen van duikschool Charlie's Scuba) scheidt Baby Beach van Rodgers Beach en onttrekt de raffinaderij aan het zicht. Baby Beach is nog iets mooier dan Rodgers Beach. Het kleine, helderwitte strand ligt rond een prachtige lichtblauwe lagune waarin je veilig kunt zwemmen. Voor beide stranden geldt wel dat er niet overdreven veel schaduw is en dat er nauwelijks voorzieningen zijn. Je kunt dus maar beter zelf eten en drinken meenemen.

Grotten

Op oostelijk Aruba bevinden zich verschillende grotten; een deel ervan is voor publiek toegankelijk. De eerste grot die je vanaf San Nicolas in noordoostelijke richting tegenkomt, is de halfopen Lourdes Grotto. De grot is getransformeerd tot openluchtkapel. In de opening staat een groot Mariabeeld met een altaar eronder. Boven de opening reiken de zuilcactussen symbolisch naar de hemel. Ga je wat verder noordwaarts, dan is bij de grens van het Arikok National Park links van de weg een 200 m lange grot, de Baranka-grot, die ook wel 'Tunnel of Love' genoemd wordt. Weer wat verder is de Huliba-grot een stuk dieper. Een ruwe trap leidt naar een eerste ruimte onder de grond. Deze staat via een tunnel in verbinding met een tweede ruimte, 35 m onder het aardoppervlak. Niet ver van de noordoostelijke kust tref je vervolgens de Grot van Guadakiri, 150 m lang, en de Grot van Fontein, bijna 100 m lang. In beide grotten zijn indiaanse rotstekeningen; vooral die van Fontein zijn goed bewaard gebleven.

Arikok National Park

Het Arikok National Park (genoemd naar een vroegere plantage-eigenaar, Arie Kock) beslaat een gebied van 3400 ha op midden- en zuidoostelijk Aruba, gelegen tegen de noordkust aan. Het heuvelachtige terrein bevat ook de twee hoogste bergen van Aruba, de Jamanota (188 m) en de Arikok (176 m). Jarenlang lag het natuurgebied er wat verwaarloosd bij, maar recent is de ontwikkeling professioneel ter hand genomen en is het nationale park officieel geopend.

Door het park zijn naast een autoroute en een ruiterpad 35 km aan leuke wandelroutes uitgezet, waarlangs je een behoorlijke verscheidenheid aan landschappen tegenkomt. Nu eens loop je door stukken waar een groot aantal enorme zuilcactussen in het gelid staat, dan weer ga je langs grote rotsformaties of door droge beddingen ('rooien') met aan weerszijden bomen als de cadushi en de brazielboom. De karakteristieke watapana, met zijn door de passaatwind vervormde kruin, is er ook goed vertegenwoordigd.

Bij de kust tref je de eigenaardige duinen van Boca Prins en kliffen van koraalsteen aan. De witte zandduinen vormen een merkwaardig geschakeerd patroon met de kruipvegetatie en de zwarte rotsen die ertussendoor steken. Arubaanse kinderen gebruikten de steilere hellingen vroeger als natuurlijke glijbaan. Tegenwoordig hebben Arubaanse jongeren kennelijk heel andere zaken aan het hoofd (computerspelletjes, MTV et cetera). De duinen zijn genoemd naar Boca Prins, een van de interessantere baaien aan de noordoostkust en een populaire picknickplek. De zee heeft hier zo'n grillige inham uit de kust gehapt, dat de Arubanen deze de 'drakenmond' noemen.

In het Arikok National Park leven veel vogelsoorten, zoals de Arubaanse parkiet,

Palm Beach

een endemisch uiltje en de warawara, de grootste roofvogel van de Antillen. Aan reptielen komen er hagedissen, leguanen en twee slangensoorten voor. Een ervan is de endemische Arubaanse ratelslang (de *cascabel*), een van de giftigste ratelslangen ter wereld. Er zijn nog zo'n driehonderd exemplaren van deze endemische soort. De kans gebeten te worden is uiterst klein. De slang maakt zich zo snel mogelijk uit de voeten als er mensen naderen. Bij Miralamar zijn verder de ruïnes van een oude goudmijn te zien. In het deelgebied Cunucu Arikok is een traditioneel cunucu-huisje herbouwd. In de buurt bevinden zich een paar van de best bewaarde indiaanse rotstekeningen van het eiland, waaronder de beroemde afbeelding van een vogel.

Hooiberg

Ruim 2 km ten zuidwesten van het nationale park piekt de nagenoeg symmetrische Hooiberg fier omhoog. Aan de voet van de 165 m hoge berg is een park aangelegd. Hiervandaan loopt een trap omhoog naar de top van de berg, waar een radiomast en twee half ingestorte gebouwtjes staan. De steile klim loont zeker de moeite, want op de top wacht een van de mooiste panorama's op het eiland. Omdat de vrijstaande berg vrijwel in het midden van Aruba ligt, heb je, met de ruisende passaatwind om je oren, naar alle kanten een weids uitzicht.

Noordwest-Aruba

Stranden

Even boven Oranjestad begint de reeks witte stranden die Aruba op de toeristische kaart gezet heeft. De eerste twee zijn Druif Beach en Manchebo Beach, wit en met schaduw van kokospalmen. Er staan een paar leuke hotels bij.
Erna volgen de twee beroemdste stranden van Aruba: Eagle Beach en Palm Beach. Het zijn brede, witte stranden, omzoomd door palmen, met ervoor een blauwe, rustige en warme zee.
Langs Eagle Beach loopt een weg waarover in het weekend op z'n Amerikaans aan 'cruising' wordt gedaan. Aan de andere kant van de weg staat een verzameling

'low rise hotels' (laagbouwhotels), hoewel het reusachtige La Cabana hier toch niet echt laagbouw genoemd kan worden.

Direct aan Palm Beach staan nog veel meer grote en luxe hotels, bekend als de zogenaamde 'high rise hotels' (hoogbouwhotels). Ze trekken vooral gasten uit de Verenigde Staten, Canada, Colombia, Venezuela en ook wel Brazilië. Bij het strand vinden de badgasten watersportcentra die jetski's, surfplanken en bootjes verhuren en parasail- en bananenboottripjes aanbieden.

Tussen de hotelzones van Palm Beach en Eagle Beach in is een voormalige zoutpan het vogelreservaat Bubali geworden. In het rietgebied komen voornamelijk watervogels voor, zoals fregatvogels, pelikanen, Zuid-Amerikaanse aalscholvers, reigers en ibissen. Vanaf een uitkijktoren aan de zijde van Palm Beach kunnen vogelliefhebbers vooral 's morgens vroeg veel vogels bestuderen.

Natuurliefhebbers komen ook aan hun trekken in **The Butterfly Farm**. In de vlinderboerderij, aan de kant van Palm Beach tegen het Bubali-reservaat aan, leer je alles over deze fraaie insectensoort. De Canadese eigenaars houden in hun farm meer dan 45 vlindersoorten in leven. Er zijn rondleidingen in zes talen. ❶ BUTTERFLY FARM. Geopend: dag. 9-16.30 uur.

California Point

De weg langs de noordwestkust van Aruba komt uiteindelijk uit bij California Point, de uiterste punt van Aruba, genoemd naar een vrachtschip dat hier verging. In het desolate, vervreemdende maanlandschap staat hier en daar een doornstruik of een cactus, en er lopen opmerkelijk veel geiten rond.

Vlak bij de punt verheft zich een kalksteenplateau. Bovenop kijkt de fiere California-vuurtoren uit over de woeste

noordzijde van het eiland. Erachter liggen de California-duinen, net als de duinen bij Boca Prins een merkwaardig landschapselement te midden van de dorre omgeving. Iets lager is in het vroegere vuurtorenwachtershuis een uitstekend Italiaans restaurant gevestigd, El Faro Blanco.

Rotsformaties

Vanaf de strandenreep van noordwestelijk Aruba naar het oosten kom je bij de rotsformaties van Casibari en Ayó. Het is weliswaar geen achtste wereldwonder, maar voor wie even genoeg heeft van zee en strand, kan het een aardig uitstapje zijn. In een grijs geologisch verleden zijn hier grote vulkanische diorietblokken op elkaar terechtgekomen, waardoor twee bergen rotsblokken zijn ontstaan. In de loop van de tijd zijn er door erosie holten en spleten tussen gevormd.

Bij Casibari zijn verschillende paden rond, tussen en over de stenen aangelegd en er wordt een plezierig parkje bij onderhouden. Aan de andere kant van de weg is een snackbar. Op 3 km ten oosten van Casibari is bij Ayó de tweede steenhoop te vinden. De stapel diorietblokken is hier nog iets groter, maar iets minder interessant van vorm. Wel zijn hier ook indiaanse rotstekeningen van de Arawaks te zien. Er zijn weer enkele paden aangelegd, maar verder zijn er bij Ayó geen voorzieningen.

Natural Pool en Natural Bridge

De weg vanaf Ayó leidt naar de Andicuri-baai, een zanderige inham met zwartestenenstrand en tevens een geliefde picknickplek. Bij de baai vind je de Natural Pool, een omsloten waterkom met een opening waardoor voortdurend vers zeewater binnenkomt. In het fraaie natuurlijke zwembad kun je veilig zwemmen. Iets voor de Andicuri-baai is de grootste en indrukwekkendste van de acht natuurlijke bruggen die de noordoostkust van Aruba telt. De bruggen zijn ontstaan door water- en winderosie. De onophoudelijk op de kust beukende golven van de Caribische Zee hebben de rotsen aan de onderkant weggeslagen en persen zich nu met geweld onder de ontstane openingen door. Hier, even voor Andicuri, hebben de natuurkrachten de mooiste brug gevormd, simpelweg Natural Bridge genoemd. Hij is meer dan 30 m lang, je kunt eroverheen lopen en vanaf het strandje erachter zijn aardige foto's te maken van de aanstormende branding. De plek is na de witte stranden van de westkust een van de grootste toeristische attracties van Aruba en staat op het programma van elke georganiseerde eilandtour.

Aruba actief

Watersporten
Behalve duiken valt er op Aruba meer actiefs te beleven. Allereerst is het eiland een paradijs voor windsurfers, zowel beginners als gevorderden. In juni is er jaarlijks het internationale Hi-Winds windsurftoernooi. De beste plek om te windsurfen is Fisherman's Huts, ten noorden van Palm Beach. Hier liggen de lege stranden van Basiruti en Hadikurari, vanwege de vissershutten die er staan beter bekend als Fisherman's Huts. De passaatwind heeft er vrij spel, zodat je er spectaculair over het ondiepe en azuurblauwe water kunt scheren. Aan de rechterzijde van de boulevard vóór Malmok liggen enkele windsurfscholen waar ook planken te huur zijn.

ⓘ SURFCENTRA: Aruba Watersports Center, tel. 866613; Divi Winds, tel. 824150; Pelican Watersports 'Velasurf', tel. 863600; Roger's Windsurf Place, tel. 861918; Sailbord Vacation, tel. 862527; en Unique Sports, tel. 863900.

Zeilers komen ook aardig aan hun trekken op Aruba. Ieder jaar in november kunnen professionals meedoen aan de Aruba International Catamaran Regatta. Wil je gewoon een boot huren of een zeiltocht boeken, dan kun je bij een verhuurder terecht.

Surfen bij Aruba

De Antilliaanse keuken: *kabritu* en *karkó*

De Antilliaanse of creoolse keuken (*kushina krioyo*) is ontstaan door dezelfde Latijns-Amerikaanse, Afrikaanse en Europese invloeden die in de Antilliaanse cultuur zijn samengesmolten. Daarnaast was men voor de ontwikkeling van een eigen culinaire traditie afhankelijk van wat er op de schrale Benedenwindse Eilanden voorradig was en wat zonder koeling geïmporteerd kon worden. Typisch Benedenwindse gerechten zijn daardoor stoofpotten (*stobà's*) van geitenvlees, kip, vis of groenten. *Stobà di kabritu*, geitenstoofpot, zou je zelfs het nationale gerecht van de Benedenwindse Eilanden kunnen noemen. Interessant zijn ook de gerechten met gestoofde cactus of met de ietwat slijmerige okra. Stevig gevulde soepen (*sopa's* of *sopi's*) met groenten, geitenvlees, vis, kip en/of banaan komen op de Antillen eveneens veel op tafel. Traditionele bijgerechten zijn funchi, maïsbrij, bakbanaan en *pan bati*, platgeslagen maïsbrood. Natuurlijk wordt er in de zee rond de eilanden veel vis gevangen; Antillianen eten dan ook meer vis dan vlees. Al bij de indianen stond verder de *karkó* op het menu, het grote schelpdier dat in Engelstalige gebieden *conch* wordt genoemd. Hoewel het officieel verboden is, eten Antillianen ook nog wel leguaan. Typerende snacks voor de Benedenwindse Eilanden zijn *empanadas*, gevulde pasteitjes van maïs- of griesmeel, en *pastechi's*, met kaas, kip, vis of vlees gevulde deegflappen.

Op de Bovenwindse Eilanden bestaat vrijwel geen eigen culinaire traditie. Net als op andere Engelstalige eilanden in het Caribisch gebied eet men hier veel rijst met bonen of erwten (*rice 'n peas*) bij gekruide stoofschotels. Rond de drie kleine eilanden, vooral rond Sint-Eustatius, vangt men veel kreeften. Ze worden vooral aan hotels op diverse eilanden in het gebied verkocht.

Tegenwoordig kun je overigens ook gerechten uit alle windstreken krijgen op de Nederlandse Antillen en Aruba. Er zijn voortreffelijke restaurants met Franse gerechten, Italiaanse pasta's en pizza's, Spaanse visgerechten, Mexicaanse taco's en tortilla's; de bekende Chinese en Indische restaurants ontbreken niet. Ook fastfoodketens zijn neergestreken in tropisch Nederland. Kortom, keuze genoeg en voor elk wat wils.

ℹ BOOTVERHUUR: Aruba Marine Services, tel. 839190; Discovery Tours, tel. 875875; Van E&B Yacht Charters, tel. 837723; Octopus Sailing Cruises, tel. 833081; of Windfeathers Charters, tel. 865842.

Tegenwoordig kun je op Aruba ook zeekajaktochten maken, want langs de met mangroven omzoomde barrière-eilanden langs de zuidwestelijke kust is het goed peddelen.

ℹ KAJAKTRIPS: Aruba Kajak Adventure, tel. 825520. Als je een tocht boekt, word je opgehaald bij je hotel.

Paardrijden en wandelen
Op Aruba kun je leuk paardrijden langs de kust. In het Arikok National Park loopt ook een ruiterpad. Er zijn ten noorden van Oranjestad vier ranches die rijdieren verhuren en ook tochten organiseren.

ℹ VERHUUR RIJDIEREN: Rancho Notorious,

tel. 860508; Rancho Daimari, tel. 875675; Rancho El Paso, tel. 873310; en Rancho Del Campo, tel. 820290.

Wil je lekker uitwaaien, maak dan eens een wandeling langs de verlaten en ruige noordkust. Natuurliefhebbers kunnen te voet door het Arikok National Park. Hier is 35 km aan leuke wandelroutes uitgezet, waarlangs je een behoorlijke verscheidenheid aan landschappen tegenkomt. Wil je met een gids op pad, informeer dan bij het parkhoofdkwartier naar de mogelijkheden

ⓘ GIDS: Arikok National Park, Piedra Plat 42, tel. 828001.

Uitgaan

Restaurants

Aruba bezit een uitgelezen reeks goede tot uitstekende restaurants. Hieronder een bescheiden selectie.

Een prima Caribisch restaurant in het hart van Oranjestad is **Boonoonoonoos.** In een mooi Caribisch interieur heeft het gerechten als Roast Chicken Barbados en kipfilet in piña colada-saus op de menukaart staan.

ⓘ BOONOONOONOOS. Wilhelminastraat 18-A, tel. 831888 (zo. gesloten).

Verderop in de Wilhelminastraat heeft **Cuba's Cookin'** Cubaanse gerechten op het menu. En natuurlijk kun je er ter afsluiting van de maaltijd een goede sigaar krijgen.

ⓘ CUBA'S COOKIN'. Wilhelminastraat 27, tel. 880627.

Ook in Oranjestad is restaurant **Driftwood** gespecialiseerd in vis en schelp- en schaaldieren. De gerechten worden tussen allerlei gejutte parafernalia opgediend. Lekker erbij is pan bati, Arubaans maïsbrood.

ⓘ DRIFTWOOD. Klipstraat 12, tel. 832515 (di. gesloten).

Wil je liever Japans, schuif dan aan bij **Sushi-Ya**. Dit is een traditionele Japanse sushi- en sashimibar in het winkel- en restaurantcomplex bij de haven. Uiteraard is er ook sake verkrijgbaar.

ⓘ SUSHI-YA. Seaport Marketplace, tel. 839982.

Eveneens in dit complex is het **Waterfront Crabhouse** een aanrader. Het staat bekend als een van de beste restaurants voor zeevruchten op Aruba; de knoflookkrab is in ieder geval heerlijk.

ⓘ WATERFRONT CRABHOUSE. Seaport Marketplace, tel. 835858.

Wil je liever wat informeler eten, dan is **Iguana Joe's** in het nieuwe winkelcentrum voorbij het Sonestacomplex een goede keuze. Het is een Caribisch grillrestaurant waar een losse atmosfeer heerst. Op het menu prijkt ook een gevulde Goudse kaas. 's Avonds kun je na de maaltijd zó een van de discotheken in het complex binnenrollen.

ⓘ IGUANA JOE'S. Royal Plaza Shopping Mall, tel. 839373.

Buiten Oranjestad hebben vooral de grote hotels goede restaurants, maar er zijn ook enkele prima andere eetgelegenheden te vinden. Topper is **Papiamento**, dat tot de beste restaurants op Aruba behoort. Je eet er buiten onder de bomen, en zoals de naam al doet vermoeden, staan er ook authentieke Antilliaanse gerechten op de kaart. Beatrix en Claus aten hier tijdens hun laatste bezoek ook.

ⓘ PAPIAMENTO. Washington 61, tel. 864544.

Leuk én goed is ook **Pirates' Nest** bij het Bucuti Beach Resort. Je eet er buiten onder de palmen aan het strand, of binnen in een gestrand piratenschip.

ℹ️ PIRATES' NEST. Bucuti Beach Resort, L.G. Smith Boulevard 55-B, tel. 831100.

Een charmant restaurant aan zee, favoriet bij Arubanen, is **Brisas del Mar**, voorbij het vliegveld op oostelijk Aruba. Je kunt er Antilliaans eten en spartelverse visgerechten krijgen, met uitzicht op zee.

ℹ️ BRISAS DEL MAR. Savaneta 222-A, tel. 847718.

Nog een aanrader is **Gasparito**, eveneens op oostelijk Aruba. De chefs wonnen prijzen met hun Arubaanse nouvelle cuisine: ravioli gevuld met barracuda, de Arubaanse 'sand & sea dish', alles kan, en dat te midden van Arubaanse kunst in een historisch pand.

ℹ️ GASPARITO. Gasparaito 3, tel. 867044 (zo. gesloten).

Weinig pretenties heeft **China Buffet**, te vinden vanaf de grote hotels bij Palm Beach landinwaarts. In buffetstijl staan er krankzinnig veel Chinese en andere Aziatische gerechten klaar. Het kost niet veel en het is nog verrassend lekker ook.

ℹ️ CHINA BUFFET. J.E. Irausquin Boulevard 374, tel. 863433.

Bars en discotheken
Tal van bars staan op uitgaanseiland Aruba garant voor genoeglijk vertier. De bars in Oranjestad en omgeving zijn vooral voor jongeren vaak het startpunt voor een bezoek aan een van de grote discotheken die je bij de haven van Oranjestad kunt vinden. Deze hypertrendy tenten hebben allemaal zo hun eigen sfeer, muziek en publiek. Loop er gewoon eens een paar af en blijf hangen in etablissementen die je het meeste aanspreken. E-zone bijvoorbeeld heeft bijna alleen black-

light, stroboscopen en housemuziek, Carlos 'n Charlie's is meer tex-mex van sfeer. En ook de discotheken in Royal Plaza Shopping Mall (Mambo Jambo, Iguana Joe, Club 2000) hebben weer zo hun eigen kenmerken. Een bijzonder grote en erg mooie dancing is nog **Havana**, even buiten Oranjestad onder de rook van het vliegveld. Soms zijn er concerten van bekende Latijns- of Noord-Amerikaanse, Caribische of Nederlandse bands en artiesten. Havana staat langs een strandje waar in het weekend zo nu en dan barbecues georganiseerd worden.

Van alle bars op Aruba is **Charlie's Bar & Restaurant** waarschijnlijk de bekendste, te vinden in San Nicolas. Als je hier niet bent geweest, ben je eigenlijk niet echt op Aruba geweest. De bar bestaat al meer dan vijftig jaar en wordt van vader op zoon doorgegeven. Charlie Brouns was de oprichter; inmiddels staan de tweede en derde Brouns-generatie achter de toog. Het etablissement is tot de nok toe volgepropt met de meest uiteenlopende curiosa; het Waterlooplein is er niets bij.

ℹ️ CHARLIE'S BAR & RESTAURANT. Bernardstraat, San Nicolas, tel. 845086 (zo. gesloten).

Wil je echt eens uit je dak gaan, zorg dan dat je tijdens de carnavalsperiode op Aruba bent. Ook daarbuiten valt er overigens te genieten van Antilliaanse muziek, dans en cultuur. Veel grote hotels organiseren regelmatig carnavals-, muziek- en/of dansavonden, die ook door bezoekers van buiten bijgewoond kunnen worden. Let op de aankondigingen of informeer bij de toeristenbureaus.

BONAIRE – PARADIJS VOOR DE RUSTZOEKER

Bonaire is met een omvang van 288 km² het een na grootste eiland van de Nederlandse Antillen. Het heeft een beetje de

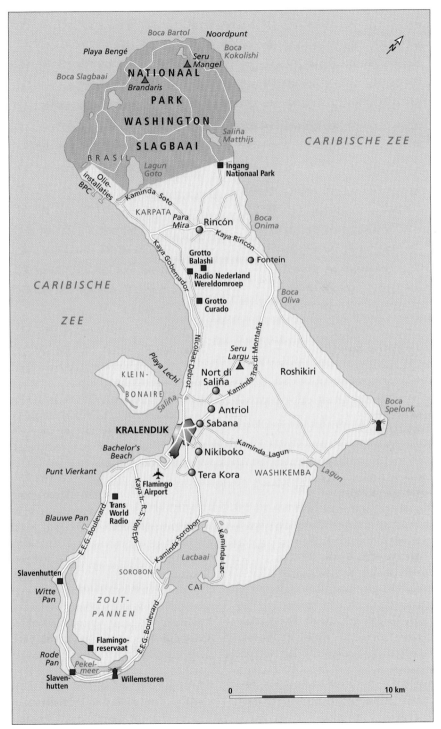

Bonaire

Kajakken op Bonaire

vorm van een boemerang. De noordwestelijke arm is heuvelachtig, terwijl de zuidelijke arm voornamelijk plat is. Eén stukje grondgebied ligt buitengaats: pal voor de hoofdstad Kralendijk ligt Klein Bonaire, een plat, door koraalriffen omgeven eilandje.

De inwoners van Bonaire wonen voornamelijk in Kralendijk, in de eraan geklonterde woondistricten Tera Kora, Nikiboko, Sabana, Antriol en Nort di Saliña en in het dorp Rincón. Het wat slaperige eiland heeft minder cultuur en minder fraaie stranden dan de westelijk gelegen zustereilanden. Het leven vindt er in een duidelijk lagere versnelling plaats. De belangrijkste toeristische troeven van Bonaire zijn dan ook de rust die het te bieden heeft en niet te vergeten de prachtige natuur. In het noordoosten ligt het interessante Nationaal Park Washington-Slagbaai, in het zuiden broedt een flink aantal Caribische flamingo's in een reservaat bij de zoutpannen.

Isla do Brasil

In de pre-Columbiaanse tijd werd Bonaire bewoond door Arawaks en Caiquetio-indianen, een aan de Arawaks verwante stam. Hun belangrijkste middel van bestaan was de visvangst en het verzamelen van schelpdieren. Daarnaast verbouwden ze wat maïs en maniok. Op verschillende plaatsen op het eiland komen nog indiaanse rotstekeningen voor. De betekenis van deze afbeeldingen is nooit met zekerheid vastgesteld. Men vermoedt dat ze een religieuze of mystieke betekenis hadden.

De Spanjaard Alonso de Ojeda staat te boek als de eerste Europeaan die Bonaire ontdekte. Hij deed dat tijdens zijn ontdekkingsreis in 1499, waarop hij, vergezeld door Amerigo Vespucci, ook Curaçao ontdekte. Op de eerste Spaanse kaart van het Caribisch gebied wordt Bonaire 'Isla do Brasil' (het Brasil-eiland) genoemd, vanwege de vele brazielbomen die het eiland rijk was. De huidige naam van het eiland kwam zo'n twintig jaar later in zwang en is afgeleid van de naam die de indianen eraan gaven.

Het brazielhout en de rijke zoutpannen in het zuiden van het eiland waren voor de Hollanders aanleiding Bonaire in 1636 vanaf Curaçao te veroveren. Na het einde van de Tachtigjarige Oorlog bleef Bonaire ondergeschikt aan buureiland Curaçao. Tijdens de Franse bezetting van de Lage Landen, aan het begin van de 19de eeuw, namen de Engelsen tweemaal het bestuur over en kapten in die periode het grootste deel van de braziel- en pokhoutbomen op Bonaire. Vanaf de vrede van Londen (1816) kwam het eiland definitief weer onder Nederlandse vlag.

De Eerste Wereldoorlog ging vrij ongemerkt aan Bonaire voorbij. In de Tweede Wereldoorlog was er een groot interneringskamp bij Kralendijk gevestigd, dat na de oorlog omgebouwd werd tot het eerste hotel op het eiland.

In 1954 kregen de Nederlandse Antillen – waaronder Bonaire – bestuurlijke autonomie binnen het Koninkrijk der Nederlanden.

Kralendijk

De hoofdplaats van Bonaire, Kralendijk, heeft een uitgesproken dorps karakter. Er is net genoeg te zien om er een genoeglijke ochtend of middag door te brengen. Kralendijk is aan het begin van de 19de eeuw ontstaan. De aanwezigheid van een natuurlijke haven en het eind 18de eeuw op deze plek gebouwde Fort Oranje was voor de ei-

landbestuurders aanleiding zich hier te vestigen. Hoewel het eiland in z'n geheel overheidsbezit was, trok het in de eerste decennia van de 19de eeuw toch steeds meer kolonisten, waarvan de meesten zich in de buurt van het fort vestigden. In 1840 kwam de naam Kralendijk in zwang. Het is een verbastering van 'koralendijk', want de plaats is gebouwd op een dijk van koraalsteen. Vanaf 1868 werd vrije vestiging op het eiland toegestaan en kon de nederzetting uitgroeien tot het stadje dat ze nu is.

Bezienswaardigheden

De kade langs de haven van Kralendijk heet bij de Zuidpier Kaya Charles E.B. Hellmund. Het eerste koloniale bouwwerk dat je vanaf de Zuidpier tegenkomt,

Bonaire, fort Kralendijk

Overstekende ezels

'Pas op! Overstekende ezels'. Dit verkeersbord kom je tegen langs de doorgaande weg naar het vliegveld. En het is inderdaad oppassen geblazen, vooral 's avonds. Bonaire heeft namelijk een groot probleem: ezels (en in mindere mate geiten). Zo aardig en lief deze viervoeters in de dierentuin of speeltuin zijn, zo'n ramp zijn ze voor het eiland. Tenminste als we de natuurliefhebbers moeten geloven. De loslopende ezels en geiten vreten de begroeiing kaal. Dankzij deze dieren is de vegetatie van het eiland gedurende al die tijd dat ze hier rondlopen – de Spanjaarden hebben ze meegebracht – volledig veranderd. Ooit moet Bonaire groen zijn geweest. Bonaire kan ook best weer groen worden, zo menen de natuurliefhebbers en biologen. Maar dan moeten met name de ezels achter slot en grendel, want de geiten hebben doorgaans wel een eigenaar en blijven vaker op het erf. Ezels – er zijn er ongeveer 600 op het eiland – zijn van niemand en daarom zijn ze een gevaar op de weg, komen ze zelfs bij je huis schuimen op zoek naar wat eetbaars (laat dus nooit eten buiten staan), gooien ze vuilnisbakken om en houden het groen weg. In het Nationaal Park Washington-Slagbaai zijn ze al verdreven. Er staat een groot hek rondom het park. Nu de rest van het eiland nog. Ten zuiden van het vliegveld is op particulier initiatief een ezelpark opgezet. Een goed initiatief van Marina Melis, het Donkey Sanctuary, om én de ezel een thuis te geven én het eiland te redden.

ⓘ DONKEY SANCTUARY. Geopend: dag. 10–16 uur, tel. 095607607.

is het kleine Fort Oranje uit het eind van de 18de eeuw. De commandant woonde er tot 1837, daarna werd het opslagplaats en gevangenis. In 1868 werd een houten vuurtoren binnen de fortmuren gebouwd, die in 1932 door een stenen exemplaar werd vervangen. Het niet lang geleden gerestaureerde fort heeft op de muren vier oude kanonnen. In de fortgebouwen zijn enkele kantoren van de havendienst gevestigd.

Om de hoek trekt het koloniale Gezaghebbershuis uit 1837 de aandacht, het stulpje dat de gouverneur betrok vanuit Fort Oranje. Het twee verdiepingen tellende gebouw (voor die tijd ongebruikelijk hoog) werd in 1972 volledig gerestaureerd en is nu kantoor voor het eilandbestuur.

Ertegenover ligt het Plasa Reina Wilhelmina (Wilhelminaplein), het hart van Kralendijk. Aan het plein staat de protestantse kerk, halverwege de 19de eeuw gebouwd. De obelisk in het plantsoen ervoor werd er in 1934 neergezet, ter herinnering aan driehonderd jaar Nederlands gezag. Het naoorlogse monument op het plein herinnert aan de 34 Bonairianen die in de Tweede Wereldoorlog gesneuveld zijn.

Bij de Noordpier gaat de Kaya Charles E.B. Hellmund over in de Kaya J.N.E. Craane. Voorbij deze pier ligt het piepkleine maar fotogenieke marktgebouwtje, waar dagelijks de groente-en-fruitmarkt en de vismarkt te vinden is. Het bouwwerk is eigenlijk meer een klassiek gestileerd afdak op ranke zuiltjes, dat een handjevol marktkooplieden uit Venezuela bescherming biedt tegen de hete zon. Langs dit deel van het havenfront bevinden zich verder enkele toeristische voorzieningen: wat restaurants, enkele kleinere hotels en Karel's Bar, een open bar op de kaderand met een terras en snackbar op een steiger in zee. Tussen Kaya J.N.E. Craane en de parallel lopende Kaya Grandi landinwaarts ligt een klein winkelcentrum (Harbourside Shopping Mall). Kaya Grandi zelf is de hoofdstraat van Kralendijk, met winkels, restaurants en andere nuttige voorzieningen.

Zuidelijk Bonaire

Zuidelijk Bonaire kun je gemakkelijk in een ochtend of middag per (huur)auto verkennen. Wil je onderweg een duik maken of luieren op een van de stranden, trek er dan wat meer tijd voor uit. Het eerste deel van de route over zuidelijk Bonaire loopt langs de westkust ten zuiden van Kralendijk. Allereerst kom je langs de kunstmatige lagune bij het Plaza Resort, waarna de weg vóór Flamingo

Airport langs recht naar de kust loopt. De kust bij het vliegveld is in handen van projectontwikkelaars. Er zijn hier vrolijk gekleurde appartementengebouwen en time-sharecomplexen verrezen. Bij Bachelor's Beach ligt links een zijweg met de welluidende naam Kaya Ir. Randolph Statius Van Eps; rechtdoor volgen de E.E.G. Boulevard én de zuidelijke route de hele kustlijn van Zuid-Bonaire. Iets meer dan 0,5 km na Bachelor's Beach splitst de boulevard zich. De korte, doodlopende rechterweg eindigt bij Punt Vierkant en de gelijknamige vuurtoren. Ook hier staan diverse luxueuze appartementengebouwen.

Zoutwinningsgebied

De zuidelijke route blijft hierna de E.E.G.-boulevard volgen. Voorbij de zendmasten en de studio van Trans World Radio verderop begint het uitgestrekte zoutwinningsgebied dat een groot deel van de zuidelijke poot van Bonaire beslaat. Zout was in het verleden de belangrijkste reden voor de West-Indische Compagnie om het eiland in bezit te

Ezels bij de zoutpannen op zuidelijk Bonaire

nemen. Het werd door verdamping van zeewater in de zoutpannen verkregen, waarbij slaven het ruwe zout uit de *saliñas* (zoutpannen) moesten scheppen. De winning werd na de afschaffing van de slavernij steeds minder rendabel. Uiteindelijk werd de exploitatie in de tweede helft van de vorige eeuw stopgezet. Pas in 1966 startte een Amerikaans bedrijf de activiteiten opnieuw op; later kreeg het Nederlandse bedrijf Akzo de concessie in handen, tegenwoordig zwaait het Amerikaanse Cargill de scepter over de zoutbekkens. De zoutwinning geschiedt op modernere wijze dan vroeger. Water wordt uit zee en uit het bremzoute Pekelmeer eerst in indampingsvijvers (*condensers*) gepompt. Na enige tijd pompt men het in kristallisatiebassins over, waarna de zoutkristallen ongeveer een jaar later kunnen worden gewonnen. Het zout wordt van verontreinigingen gezuiverd en vervolgens op grote bergen gedeponeerd. Via lopende banden vindt dan transport naar een laadpier in zee plaats, waar het zout in wachtende schepen wordt geladen.

Het deel van de kust bij de eerste kristallisatiebassins heet Blauwe Pan of Saliña Abou. Het platte, rechtlijnige landschap doet hier nogal surrealistisch aan, vooral door de merkwaardige kleurschakering. Rechts ligt de in vele blauw- en blauwgroentinten gekleurde zee, dan volgt het grijswitte stenenstrand met de rechte asfaltstreep van de boulevard erlangs. Aan de andere kant van de weg loopt een donker kanaal, waarachter de door het hoge zoutgehalte roze- tot lilagekleurde bassins met witte zoutkragen liggen. Vooral tegen zonsondergang zijn de kleuren zeer intens en lijken de bassins bijna te gloeien. Op andere momenten kunnen ze er een beetje dof en bruin bijliggen.

Halverwege de reeks zoutpannen bij Blauwe Pan loopt de transportband naar de laadpier over de weg. Links liggen de bergen zout op vervoer te wachten. Ze vormen zo'n beetje de enige oneffenheden in het platte zuidelijke deel van Bonaire. Het zout is zó wit dat je er zonder zonnebril niet al te lang naar kunt kijken. Net na de transportband staat een blauwe obelisk, waarnaar Blauwe Pan vernoemd is. De Hollanders hebben in 1837 vier van deze obelisken bij de zuidkust opgericht: een rode, witte, blauwe en oranje – de kleuren van de nationale driekleur en van het koningshuis. De stenen naalden dienden als baken voor de schepen die het zout kwamen halen. Op de zuidpunt van het eiland hees men een gekleurde vlag, waaraan de kapitein kon zien bij welke obelisk hij moest aanleggen om zout in te laden. Drie van de vier bakens staan er nog, het oranje exemplaar is in de loop van de tijd verdwenen.

Slavenhutjes en flamingo's

Voorbij de kristallisatiebassins van Blauwe Pan begint het langgerekte Pekelmeer met erachter de condensers. Het ondiepe meer was vroeger geheel afgesloten van de zee, zodat het een ideale broedplaats was voor de Caribische flamingo. Tegenwoordig zijn er aan de oostzijde twee ingangen voor zeewatertoevoer. Het zoutgehalte is daardoor wat minder hoog, wat ertoe heeft geleid dat de flamingo's nu in een tot reservaat bevorderd, 55 ha groot bassin achter het Pekelmeer broeden. De roze tot oranjerode vogel heet in het Papiamento *chogògo*, naar het geluid dat hij produceert. Door de toename van het luchtverkeer van en naar Bonaire – als gevolg van het ook hier gestaag groeiende toerisme – neemt de populatie Caribische flamingo's steeds meer af. Helaas, want Bonaire is een van de laatste eilanden in het Caribisch gebied waar ze nog

De *karkó*

Lac is leefgebied van de *karkó*, oftewel de grote kroonslak. Dit bovenmaatse schelpdier heeft een gemiddelde lengte van 30 cm en prijkt op de menukaart van menig Benedenwinds restaurant. De indianen hadden al ontdekt dat het weekdier een uitstekende eiwitbron is en het vormde dan ook een belangrijk bestanddeel van hun voedingspakket. Vroeger werden er zeer grote exemplaren gevangen, maar tegenwoordig krijgt de karkó door overbevanging niet meer de kans zo groot te worden.

Wel zijn ze beschermd, om te voorkomen dat ze helemaal van de aardbodem zullen verdwijnen.

Mondjesmaat worden de mooiste schelpen als souvenir verkocht. Daartoe worden ze opgehangen en bevestigt men een zwaar voorwerp aan het dier, zodat het na een lange doodsstrijd uiteindelijk uit zijn behuizing valt. In de schelpen van de karkó's die voor consumptie bestemd zijn (in restaurants staan ze in het Engels als *conch* op het menu), boort men gewoon een gat. Hierdoor wordt de spier doorgehakt en kan het dier er eenvoudig uitgehaald worden.

in redelijke aantallen voorkomen. Er zijn nog maar vier broedplaatsen in de regio, waarvan Bonaire er een is. Omdat flamingo's van rust houden, is het flamingoreservaat ten noorden van het Pekelmeer niet toegankelijk voor toeristen. De flamingo bouwt er zijn kegelvormige nesten op de drassige, zoute bodem. Voedsel vindt de watervogel in ondiep en stilstaand brak tot zout water. Hij leeft van kleine organismen, die hij met zijn snavel en met omgekeerde kop uit het water zeeft.

Bij Witte Pan (of Kabayé) staat naast een eenzaam huis de witte obelisk. Direct erachter bevindt zich de eerste van twee groepen historische slavenhutjes. De hutjes hier zijn wit, de andere groep bij de zuidpunt (Rode Pan) is okergeel geschilderd.

Doordeweeks boden de huisjes 's nachts onderdak aan de slaven die het zout moesten scheppen. Aan het begin van de week moesten ze vanuit hun woonplaats Rincón en later Antriol helemaal naar de zoutpannen lopen (vanuit Rincón een wandeling van zo'n zeven uur), aan het einde van de week wachtte hun de lange wandeling terug. Eerst overnachtten ze in lemen hutjes met van bladeren gemaakte daken. Halverwege de 19de eeuw werden de gammele onderkomens vervangen door de huidige stenen exemplaren. Elk slavenhutje bood beschutting aan twee slaven; meer dan alleen maar ligruimte was er niet.

Snorkelen in zoetwatergrotten

Het is een goed bewaard geheim op Bonaire en niemand wil de ligging verraden. We hebben het over grotten op het eiland met daarin warm en helder zoet water waarin je kunt snorkelen. Maar instructeurs van het Buddy Beach & Dive Resort organiseren voor speciale klanten af en toe een uitstapje naar deze geheimzinnige en maagdelijke grotten. De ingang ligt in de onherbergzame *kunuku* en heeft een hoog 'Indiana Jones-gehalte'. Je moet je een weg banen tussen de vele cactussen en doornstruiken tot je bij de betrekkelijk kleine grotingang komt. Nadat je je erdoorheen hebt gewrongen, kom je na een afdaling in het tweede en natte deel van de grot. Het voorste deel is gevuld met helder zoet water dat een temperatuur heeft van 29 °C. Hier kun je snorkelen, het achterste deel is dieper en voorbehouden voor grotduikers. Je vindt er een serene en onbeschadigde onderwaterwereld met stalactieten en stalagmieten. Gelukkig zijn de afgelegen positie en de ontoegankelijkheid van de grot tevens de beste bescherming, want het leven is ook onder de grond zeer kwetsbaar. Meer informatie bij Buddy Dive (zie infodeel).

Lac

Voorbij Rode Pan kan de vuurtorenliefhebber zijn hart ophalen aan de Willemstoren. De eenzame vuurtoren is de oudste vuurtoren van het eiland en waarschuwt sinds de verjaardag van koning Willem I in 1838 naderende schepen voor het rif.

Ongeveer 6 km naar het noorden verandert het landschap. Er komt weer meer begroeiing, en bij Sorobon bevinden zich een aardig strand (Sorobon Beach, alleen voor naturisten) en een drietal surfcentra.

De weg buigt bij Sorobon naar het westen en kromt vervolgens om het Lac heen. Het Lac is een groot, beschut binnenmeer met een diepte van gemiddeld 1 m. Een rifdrempel schermt vanaf Sorobon bijna de gehele ingang af tegen de golven van de Caribische Zee. Het hele noordelijke deel en een kleiner stuk in het zuiden bestaan uit fraaie mangrovebossen, terwijl het ruige gebied eromheen vooral met doornstruiken en zuilcactussen begroeid

is. Het ondiepe open water van het Lac, om en nabij 8 km² groot, is paaiplaats voor verschillende vissoorten en verblijfplaats voor vogelsoorten als de visarend, de bruine pelikaan, de fregatvogel, diverse reigersoorten en soms flamingo's. Mede ter bescherming van de flora en fauna is Lac kort geleden een officieel nationaal park geworden.

Cai

Het puntje van de landtong helemaal aan de andere kant van het Lac heet Cai. Hier bevindt zich al sinds de indiaanse tijd een schelpenkerkhof met grote stapels lege karkóschelpen. Er staan verder enkele uitspanningen waar snacks, bier en frisdranken verkrijgbaar zijn. Er is op het terrein tussen de zee en de mangroven voldoende parkeerruimte onder de bomen en er kan in de lagune gezwommen worden. Het mangrovegebied erachter is een prima kajakgebied.

Vooral in de weekends en op feestdagen is het gezellig bij Cai. Veel Bonairianen

Geveltjes met flamingo's

komen er dan de tijd doorbrengen met een pilsje en met luide Caribische en Latijns-Amerikaanse muziek.

Grotten

Wie niet opziet tegen een avontuurlijke rit, kan vanaf Washikemba de woeste kust naar het noorden volgen tot aan de vuurtoren van Spelonk. Ruim 1,5 km naar het oosten liggen ongeveer 1 km onder de noordkust de twee grotten van Spelonk. Op de plafonds van de vrij ruime grotten zijn vrij veel indiaanse tekeningen aangebracht. Ca. 2 km westelijk telt de Kueba di Roshikiri eveneens een aantal beter bewaard gebleven inscripties.

In het koraalgesteente waaruit Bonaire voor een groot deel bestaat, bevinden zich nog veel meer uitgebreide grottenstelsels, met hier en daar een ondergronds zoetwatermeer. Vroeger leefden er groepen Arawaks in deze grotten, maar door aardverschuivingen zijn de sporen van hun bewoning in de loop van de tijd grotendeels verdwenen. Op enke-

le plaatsen biedt een gat in de grond toegang tot delen van de grottenstelsels, maar het is alleen voor ervaren speleologen aan te raden ze te betreden.

Noordwestelijk Bonaire

Ook het noordwestelijke deel van Bonaire is in een halve of hele dag goed te verkennen. Boven Kralendijk liggen langs zee enkele bekende hotels, restaurants en duikcentra van Bonaire.

Na de hotels wordt het terrein steeds geaccidenteerder en de route steeds mooier. Soms rij je dicht langs een rotswand, dan weer zijn er tussen de vegetatie fraaie doorkijkjes naar de blauwe zee en de bekende duikstekken beneden. Na duikplek '1000 Steps' begint een lange strook kust met de naam Karpata. De naam is afkomstig van de voormalige plantagegronden die hier lagen. Vlak vóór de Kaminda Karpata, de zijweg naar Rincón, staat landhuis Karpata langs de weg. Het okergele plantagecomplex werd een aantal jaren geleden gerestaureerd en bestaat uit een centraal gebouw met twee zijpaviljoenen op een betegeld binnenterrein.

Aan weerszijden staan diverse bijgebouwen. Het complex is met zijn Hollandse zadel- en schilddaken en rode dakpannen vergelijkbaar met de oude landhuizen op Curaçao. Voor de entree bevindt zich nog een oude aloë-oven, want ook op Bonaire werd deze plant commercieel geëxploiteerd. Sinds het vertrek van het Ecological Centre – een onderzoekscentrum van het Bonaire Marine Centre – uit Karpata begint het landhuis er helaas wat verwaarloosd uit te zien.

Gotomeer en Rincón

Het zoute Gotomeer (Lagun Goto) is door een natuurlijke koraaldam afgesloten van zee. Vanaf de kust loopt eerst een smalle arm tussen de heuvels door. Daarna verbreedt het meer zich tot een grote waterplas, omgeven door begroeide hellingen. Het landschap hier behoort tot de mooiste van Bonaire. Op het punt waar het meer zich verbreedt, ligt naast de weg een observatieplek waarvandaan je goed zicht hebt op de omgeving. Het is ook een goed punt om de vogelstand te bestuderen; het Gotomeer is een van de plaatsen waar flamingo's van redelijk dichtbij te zien zijn.

Ga je vanaf het Gotomeer verder landinwaarts, dan kom je uit bij Rincón. Rincón is de oudste plaats op Bonaire. In het begin van de 16de eeuw vestigden de eerste Spanjaarden zich op deze plek, nu wonen er ongeveer 2000 mensen. Doordat toeristenvoorzieningen vrijwel afwezig zijn in het dorp, is het een van de meest authentieke plaatsen op de Benedenwindse Eilanden. Wie de karakteristieke Antilliaanse sfeer wil proeven, moet beslist eens een bezoek brengen aan Rincón.

Het markantste gebouw in het dorp is de Sint-Ludovicus Bertrandus-kerk, waarvoor de eerste steen in 1907 werd gelegd.

Nationaal Park Washington-Slagbaai

De gehele noordwestelijke kop van Bonaire wordt in beslag genomen door het Nationaal Park Washington-Slagbaai. Het natuurgebied is ruim 6000 ha groot en ligt op het grondgebied van drie voormalige plantages. De natuur kan er, na de instelling van het park eind jaren zestig, ongestoord haar gang gaan. Washington-Slagbaai vertoont daarmee een grote verscheidenheid aan landschappen. Nu eens wandel of rijd je door aloë- en cactusvelden of langs een modderige zoutvlakte (*saliña*), dan weer passeer je een fraaie heuvelrug of wacht je een schaduwrijke waterbron (*pos*) in het bos. Het geheel wordt omkranst door de grillige kust met haar azuurblauwe baaien, verscholen strandjes en prachtige koraalriffen.

Ten noordwesten van Rincón is de hoofdentree van het park. Je kunt er een kijkje nemen in een klein historisch museum. Hier zijn ook routebeschrijvingen en publicaties over het park verkrijgbaar. Naast de kassa zijn softdrinks, koffie en bier te koop.

Vanaf de parkentree zijn twee routes uitgezet, een lange gele en een iets kortere groene. Ze geven een goed beeld van de diversiteit in natuurschoon. Het is ook mogelijk delen van de routes te nemen. Je kunt bijvoorbeeld eerst de gele route volgen en vanaf Boca Slagbaai de groene verder nemen, of eerst de groene en vanaf hetzelfde punt de gele. Wandelaars kunnen ook kortere tochten maken. Aan de noordzijde van de Brandaris is bijvoorbeeld een klimroute naar de top (241 m) van deze heuvel uitgezet.

Markante punten in de gele en groene autoroutes door het park zijn onder meer Saliña Matthijs (een zoutpan met soms flamingo's erin), zee-inham Boca Chikitu, de bronnen Pos Mangel en Put Bronswinkel, de stranden Playa Bengé en Playa Funchi (tevens goede duikplekken) en Boca Slagbaai. Deze baai was vroeger de eerste haven van Bonaire. Er werden veel geiten geslacht en gezouten en vervolgens naar Curaçao verscheept. De naam Slagbaai is dan ook een verbastering van 'Slachtbaai'. Later werd vanuit de haven ook zout uit Saliña Slagbaai geëxporteerd. Langs de rand van het aangename zandstrand (een van de mooiere stranden op het eiland) staat een aantal gerestaureerde gebouwen uit de koloniale tijd: een zoutmagazijn, een opzichtershuis en een douanekantoor (in verband met de zoutexport). De gebouwen stammen alle drie uit 1868. Golfslag vanwege de orkaan Lenny heeft ze in 1999 flink beschadigd, maar ze worden gerestaureerd.

ℹ NATIONAAL PARK WASHINGTON-SLAG-BAAI. Geopend: dag. 8–17 uur. Entree: US$ 10, kinderen tot 15 jaar US$ 2.

Bonaire actief _

Mountainbiken en wandelen

Bonaire staat van oudsher bekend als het duikerseiland bij uitstek. Men probeert zich sinds enige tijd echter ook meer te profileren als algemeen adventure-eiland, om de afhankelijkheid van het duiktoerisme wat te verminderen. Onder de noemer 'Discover Bonaire' zijn allerlei programma's opgezet om bezoekers kennis te laten maken met de natuur. Er zijn bijvoorbeeld mountainbikeroutes door de kunuku, door Nationaal Park Washington-Slagbaai en langs de verlaten noordoostkust uitgezet. Ze zijn gemarkeerd met rode stenen met een fietsje erop.

Een andere activiteit die goed individueel te doen is, is wandelen. Je kunt zelf op pad langs de wilde noordoostkust of door de kunuku, en je kunt ook een van de wandelroutes door Nationaal Park Washington-Slagbaai volgen. Een aardige tocht is bijvoorbeeld de beklimming van de Brandaris, de hoogste berg van het eiland. De berg is in 1 à 1_ uur te beklimmen. Dit kan het beste vanaf het noorden, omdat hier een gemarkeerde klimroute loopt. Dat je bovenop een prachtig uitzicht hebt, behoeft geen betoog. Als het erg helder is, kun je zelfs Curaçao en Venezuela zien liggen. Start zo

vroeg mogelijk met de klim, om zo min mogelijk last van de hitte te hebben.

Watersporten

Kajakken neemt net als mountainbiken een hoge vlucht op het Benedenwindse Eiland. Verschillende touroperators organiseren leuke kajaktochten door het mangrovegebied bij Lac. Daarnaast wordt meer en meer op zee gekajakt, terwijl de hoge golven bij de zee-ingang van Lac Bay de ervaren zeekajakker fantastische mogelijkheden biedt voor brandingkajakken.

Op de golven wordt het ook ieder jaar drukker met windsurfers, want je kunt er eveneens uitstekend brandingsurfen. Op het rustiger wateroppervlak van het Lac zelf kunnen minder ervaren windsurfers terecht. De windsurfomstandigheden hier zijn ideaal: een constante wind in de richting van het land, altijd een prima temperatuur en water dat nergens dieper is dan 60 tot 80 cm. Niet voor niets geldt Bonaire voor het toonaangevende tijdschrift *Windsurfing* als een van de Caribische toplocaties.

Bij Lacbaai zijn twee trendy surfcentra langs het strand, The Place en Jibe City. Beide centra verhuren ook kajaks en hebben een leuke beach bar.

ℹ️ SURFCENTRA. The Place, tel. 7172288, fax 7175279, website www.rogerwindsurf.com, en Jibe City, tel. 7175233, fax 7174455, website www.bonairenet.com/jibecity.

Zeilen is een andere activiteit van belang op Bonaire. Aan de rustiger zuidwestzijde van het eiland zijn jachthavens en kan uitstekend gezeild worden, zonder al te hoge golven. Diverse aanbieders verhuren boten of organiseren tochten, al dan niet bij zonsondergang en al dan niet met maaltijd aan boord. Twee gereputeerde aanbieders zijn **Bonaire Boating**, een betrouwbare organisatie met een breed aanbod aan sunset-cruises, zeiltochten en ook kajaktochten en begeleide snorkeltrips (je kunt er zelfs terecht voor een mountainbike) en **Bonaire Tours**, de grootste touroperator op het eiland die sightseeing tours verzorgt voor cruisebootpassagiers, maar ook mountainbike-, snorkel-, zeil-, vis- en kajaktochten aanbiedt.

ℹ️ ZEILBOTENVERHUUR. Bonaire Boating, tel. 7175353. Bonaire Tours, tel. 7178778.

Uitgaan

Het uitgaansleven op Bonaire is niet echt spectaculair te noemen. Voor het après-duiken is wel een handvol goede restaurants en gezellige bars voorhanden. Hieronder een selectie.

Een populair en al lang bestaand restaurant in het hart van Kralendijk is **Rendez Vous**. Het restaurant won een Caribische culinaire prijs, zodat je ervan uit kunt gaan dat je hier wel goed zit. Men serveert goed geprepareerde maaltijden uit Caribische en Europese (vooral Franse) keukens. Visschotel 'Rendez Vous' is een aanrader.

ℹ️ RENDEZ VOUS. Kaya L.D. Gerharts 3, tel. 7178454 (zo. gesloten).

Een gezellig eetcafé iets verderop, met schaduwrijke tuin, is **De Tuin**. Je kunt er ook internetten.

ℹ️ DE TUIN. Kaya L.D. Gerharts 9, tel. 7172999 (ma. gesloten).

Schuin aan de overkant kun je voor een drankje of een aangename maaltijd terecht in **The Dome**. Dit zeer populaire café/eethuis is Amerikaans ingericht en heeft sportwedstrijden op een groot scherm (bijvoorbeeld voor als je de interlands van Oranje niet wilt missen).

ℹ️ THE DOME. Kaya L.D. Gerharts 7, tel. 7178003.

Ga je wat verder landinwaarts, dan kom je bij de kerk uit bij **Mi Poron**. Dit is een van de bekendste creoolse restaurants van Bonaire, ook populair bij de lokale bevolking. Hier kun je echt Antilliaans eten, zoals stoofpot met mals geitenvlees (*stoba di kabritu*).

ℹ️ MI PORON. Kaya Caracas 1, tel. 7175199 (ma. gesloten).

Wil je dineren met zonsondergang, zoek dan een restaurant aan zee uit. Een goede keuze is bijvoorbeeld **Zeezicht**, waar je eet met uitzicht over zee en Klein Bonaire.

ℹ️ ZEEZICHT. Kaya J. Craane 12, tel. 7178434.

Een andere eetgelegenheid in Kralendijk met uitzicht over zee is **Shamballa's**, het restaurant van Hotel Rochaline. Het is in vrolijke Caribische kleuren ingericht. Men heeft er allerlei grillgerechten, zee-vruchten en Caribische en Mexicaanse schotels op het menu, en je kunt er zelfs sushi's krijgen.

ℹ️ SHAMBALLA'S. Hotel Rochaline, Kaya J. Craane, tel. 7178286 (di. gesloten).

Indisch eten doe je bij **Bali**, boven in een nieuw winkelcentrum langs Kaya Grandi.

ℹ️ BALI. La Terraza Shopping Mall, Kaya Grandi, tel. 7174779 (ma. gesloten).

Old Inn, een populair restaurant tegenover het Plaza Resort zuidelijk van Kralendijk, heeft Nederlandse eigenaars en Indonesische gerechten. Daarnaast kun je er terecht voor de internationale keuken.

ℹ️ OLD INN. Abraham Boulevard z/n, tel. 7176666 (wo. gesloten).

Het Plaza Resort zelf heeft twee prima restaurants. In **Banana Tree** kun je in de zwoele tropenlucht naast het zwembad genieten van een lekkere maaltijd. De

Tipsy Seagull heeft een houten terras bij het strand en op de rotsen langs de zee; er is ook een binnengedeelte. 's Avonds is dit restaurant (internationale keuken) feestelijk verlicht.

ℹ️ BANANA TREE en TIPSY SEAGULL. Plaza Resort, tel. 7172500.

Richard's heeft de reputatie het beste vis-restaurant op Bonaire te zijn, maar je kunt er ook prima steaks krijgen. Het restaurant ligt direct aan zee ten zuiden van Kralendijk. Richard komt altijd persoonlijk langs bij de tafels en heeft iedere dag een nieuwe specialiteit.

ℹ️ RICHARD'S. J.A. Abraham Boulevard 60, tel. 7175263 (ma. gesloten).

Wil je echte couleur locale, ga dan op zoek naar **Maiky's Snack**, te vinden midden tussen de cactusvelden westelijk van Lac (let op de simpele houten wegwijzers). Je eet hier voor weinig geld een eenvoudige, maar voedzame Antilliaanse hap tussen de blaublau's (de blauwgroene hagedissensoort). Bij voorkeur neem je er een ijskoude amstel of polar bij.

ℹ️ MAIKY'S SNACK. Kaminda Nieuw Amsterdam 30, tel. 7170078 (do. gesloten).

En uiteindelijk komt iedereen op Bonaire bij **Karel's Bar** terecht, aan het water direct achter winkelcentrum Harbourside, hartje Kralendijk. De open bar heeft ook tafeltjes op de houten pier, waar je drankjes en eten kunt bestellen. Karel's Bar is bovendien een van de populairste plekken om te dansen. Vooral in het weekend, als er livemuziek is, blijft de bar tot in de kleine uurtjes open.

CURAÇAO – MONUMENTEN EN BLAUWE BAAIEN

Curaçao is het grootste eiland van de Nederlandse Antillen. Het klimaat is goed, er zijn talloze water- en andere sportmo-

De samenstelling van de bevolking is in het Caribisch gebied altijd sterk bepaald door de migratie.

gelijkheden en de hoofdstad Willemstad is een van de interessantste steden in het Caribisch gebied. Vele fraaie historische panden weerspiegelen er het rijke handelsverleden van het eiland en er is een ruime verzameling winkels. In en rond de stad en op het platteland (de *kunuku*) van het eiland staan tientallen al even fraaie landhuizen, waarin de vroegere plantage-eigenaren woonden. Het eiland bezit verder een nationaal park boven en onder water, druipsteengrotten, een woeste vlakte langs de noordoostkust, een internationale luchthaven en tal van uitgaansmogelijkheden. Langs de zuidwestkust ligt een hele reeks mooie baaien en inhammen, waar het goed zwemmen en zonnebaden is. Bezoekers hoeven zich dus geen moment te vervelen op *Korsou*, zoals de Curaçaoënaars hun eiland in het Papiamento noemen.

Voor de bewoners zelf is niet alles altijd even vrolijk en zonnig. Economisch gaat het de laatste jaren niet goed. Het eiland kent een hoge werkloosheid en veel Curaçaoënaars moeten zien rond te komen van de 'onderstand' – de zeer minimale bijstand. Er is een groot drugsprobleem, er is een criminaliteitsprobleem en bestuurlijk en politiek wil er ook nog wel eens wat misgaan. Toch lijken de meeste eilandbewoners redelijk tevreden met

hun bestaan, want de sfeer op het eiland is over het algemeen ongedwongen en ontspannen.

Slavenhandel en een joodse immigratie

Groepjes Arawak- en Caiquetio-indianen leidden een vreedzaam bestaan op Curaçao, tot een Spaans eskader onder leiding van Alonso de Ojeda het eiland in september 1499 ontdekte. In de 17de eeuw begonnen de Hollanders zich in de West te roeren. In de zomer van 1634 veroverde een vlooteskader van de West-Indische Compagnie onder leiding van Johannes van Walbeeck Curaçao. Bij de ingang van de Sint-Annabaai werd op De Punt (Punda) een klein fort gebouwd, dat later werd uitgebreid en vergroot tot Fort Amsterdam. Vanaf Curaçao voegden de Hollanders in 1635 het eilandje Klein Curaçao aan het koloniale bezit toe.

Na de beëindiging van de Tachtigjarige Oorlog ontwikkelde het eiland de handel in Afrikaanse slaven als belangrijkste economische activiteit, zeker nadat de Nederlanders in 1654 door de Portugezen uit Brazilië waren verdreven. Ook de handel in allerlei goederen groeide, zodat Curaçao een belangrijk handelscentrum werd. Van groot belang daarbij was de aanwezigheid van een omvangrijke joodse gemeenschap. De eerste Nederlandse jood op de Antillen was Samuel Cohenho, afstammeling van Iberische joden en in 1634 als tolk meegekomen met de expeditie van Van Walbeeck. In 1651 gaf WIC toestemming voor de vestiging van een groep van vijftig joden op Curaçao. Zij stichtten de joodse gemeente Mikvé Israël (Hoop van Israël) en kwamen ten noordoosten van het Schottegat terecht.

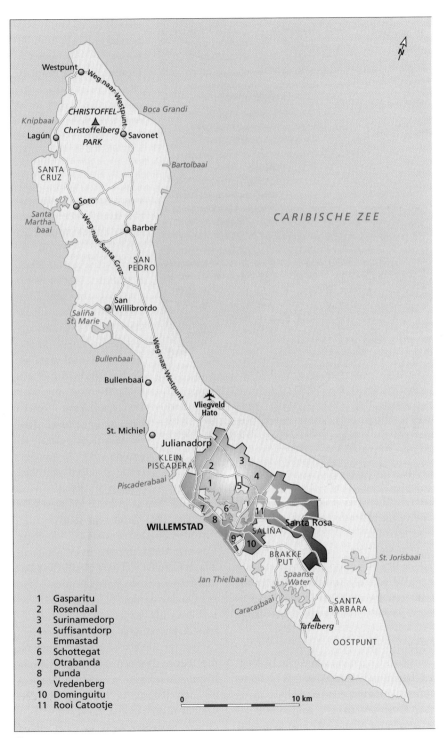

1 Gasparitu
2 Rosendaal
3 Surinamedorp
4 Suffisantdorp
5 Emmastad
6 Schottegat
7 Otrabanda
8 Punda
9 Vredenberg
10 Dominguitu
11 Rooi Catootje

0   10 km

Curaçao

Het centrum van Willemstad. Beneden Fort Amsterdam, er boven de Emmabrug tussen Punda en Otrobanda.

eiland) tot 14 km. De oppervlakte is 444 km². Tot het grondgebied van Curaçao wordt ook het platte eilandje Klein Curaçao gerekend, een kilometer of wat ten zuidoosten van het hoofdeiland. Dit geïsoleerde lapje grond meet 2,5 km bij 750 m.

Langs de rustige zuidwestkust van Curaçao ligt een aantal mooie baaien met dito stranden. Hier vind je de beste duik- en snorkelplekken. De gehele noordkust bestaat voornamelijk uit een ruige vlakte van koraalkalksteen, over een grote lengte tegen een opgetild plateau aan gelegen en slechts begroeid met een lage, doornige vegetatie. De Caribische golven beuken opgestuwd door de noordoostpassaat tegen de kust. Op verschillende plaatsen zijn hier grotten te vinden.

Later mochten zich meer joden op het eiland vestigen. Eind 18de eeuw was de gemeente op Curaçao op haar hoogtepunt: in 1790 was meer dan de helft van de blanke bevolking joods. Later nam hun aantal af, en tegenwoordig wonen er nog maar een paar honderd joden op Curaçao, zo'n 0,5 procent van de bevolking.

Eerste indruk

Curaçao is langgerekt van vorm. De lengteas begint in het noordwesten bij Westpunt en loopt met een zeer lichte buiging naar Oostpunt in het zuidoosten. De lengte van het eiland is 61 km, de breedte varieert van 5 km (in het midden van het

Het landschap is in het noordwestelijke deel van het eiland zeer heuvelachtig, met als hoogste top de Christoffelberg (375 m). Andere toppen in de nabijheid zijn de Ceru Gracia (297 m), de Ceru Batata (248 m) en de Sint-Hyronimus (230 m). Op de noordoostkop rond de Christoffelberg ligt het interessante Christoffelpark, het nationale park van Curaçao. De rest van het eiland is geaccidenteerd, met hier en daar een vlak stuk. Verspreid liggen enkele lagere heuvels. De Tafelberg bij Santa Barbara op het oostelijke deel van het eiland is 196 m hoog.

Op de oostelijke helft van het eiland woont verreweg het grootste deel van de bevolking, in hoofdstad Willemstad en voorsteden. Willemstad en de buitenwijken liggen rond een natuurlijk lagunestelsel dat uit de Sint-Annabaai, het Waaigat en het Schottegat bestaat. Hier heeft zich een van de belangrijkste havens van het Caribisch gebied ontwikkeld. De noordkant van het Schottegat wordt door industriële complexen (met name olie-industrie) beheerst.

Willemstad

De hoofdstad van Curaçao, waar in het centrum en in de buitenwijken ruim 120.000 mensen wonen, is niet alleen een van de grootste steden in het Caribisch gebied, het is ook een van de interessantste. Dat komt doordat het sinds 1634 een van de drie hoofdsteden van de Hollanders in de West was. Hierdoor puilt Willemstad bijna uit van de historische monumenten.

Een verordening uit 1817 bepaalde dat alle huizen en gebouwen niet wit mochten zijn, want dat was schadelijk voor de ogen. Gevolg was dat alle bouwwerken vrolijke kleuren kregen, wat het aanzien van Willemstad behoorlijk verlevendigde. Voeg daarbij de aantrekkelijke ligging rond enkele binnenwateren en aan zee, en Willemstads faam in het Caribisch gebied is verklaard.

Het historische hart wordt gevormd door de wijken Punda en Otrobanda. Ze liggen aan weerszijden van de Sint-Annabaai, de baai die toegang biedt tot de grote binnenlagune, het Schottegat. Dwars op de Sint-Annabaai bevindt zich nog het Waaigat. Dit binnenwater scheidt Punda van Scharloo, een andere historische centrumwijk. Stadsdeel Pietermaai completeert het centrum van Willemstad.

Fort Amsterdam

Het oude hart van Willemstad is de wijk Punda. Hier bevinden zich de meeste en oudste historische koopmanshuizen, diverse winkelstraten, twee historische forten en de oudste synagoge in de Nieuwe Wereld. Er zijn in Punda zoveel historische monumenten geconcentreerd dat de Unesco het stadshart op de Werelderfgoedlijst heeft gezet.

Vlak na de verovering van Curaçao in 1634 werd bij de ingang van de Sint-Annabaai Fort Amsterdam gebouwd. Eerst heette dit Het Kasteel, daarna Nieuw-Amsterdam en ten slotte Fort Amsterdam. Net als de Hollandse forten in Nieuw-Amsterdam (nu New York) en Mauritsstad (nu Recife) werd het als vijfhoekig verdedigingswerk ontworpen. Het fort in Willemstad heeft echter nooit zijn vijfde bastion gekregen, maar de vier wel gebouwde bastions zijn nog intact.

Het Gouvernementshuis aan de westkant van het fort is nog steeds het kantoor van de gouverneur van de Nederlandse Antillen. Het heeft door de eeuwen heen veel wijzigingen ondergaan en is recent nog gerestaureerd. Het grondplan en de positie boven de haveningang van het fort zijn echter hetzelfde gebleven. Het Gouvernementshuis heeft aan de binnenplaats een symmetrische dubbele trap omhoog. Tegen de buitenmuren van het fort zijn bij de ingang enkele herdenkingsplaquettes aangebracht, bijvoorbeeld een plakkaat uit 1933 ter gelegenheid van de vierhonderdste geboortedag van Willem van Oranje.

Het binnenterrein van het fort doet dienst als parkeerterrein voor overheidsdienaren. Langs de lange zijden van de binnenplaats bevinden zich verschillende overheidskantoren. De Fortkerk aan de noordwestzijde van het binnenterrein is de oudste protestantse kerk van het eiland. Het gebedshuis kreeg zijn huidige vorm tussen 1766 en 1769. In de kelder is een museum ondergebracht waarin de geschiedenis van de kerk uit de doeken wordt gedaan.

Benedenwindse stadsarchitectuur

De historische binnenstad van Willemstad is door de gebouwen uit het roemruchte handelsverleden een van de grootste toeristische trekpleisters van Curaçao. Omdat het eiland altijd nauwe betrekkingen met het moederland heeft onderhouden, is het niet verwonderlijk dat in de architectuur van de stad veel Nederlandse invloeden te herkennen zijn. Toch zijn er ook heel duidelijke, geheel eigen regionale invloeden te ontdekken.

De invloed van het moederland was direct na de kolonisatie uiteraard het grootst. Daarna was er sprake van een continue 'creolisatie' van de geïmporteerde bouwstijlen. Vanwege het klimaat (veel zon en wind), de beperkte beschikbaarheid van natuurlijke bouwmaterialen en een gebrek aan goed opgeleide arbeidskrachten werd de architectuur van het moederland versimpeld. Werd in Nederland de veelzijdige baksteen als bouwmateriaal gebruikt, op Curaçao moest veel met het poreuze koraalkalksteen gewerkt worden, dat vervolgens gepleisterd en geschilderd werd. Vervolgens beïnvloedde de handel met de diverse Spaanse, Engelse en Franse eilanden en het Zuid-Amerikaanse vasteland de plaatselijke architectuur in niet-geringe mate.

De synthese van al deze invloeden leidde tot de typische Benedenwindse architectuur die Willemstad zo uniek maakt. De grote koopmanshuizen in stadsdeel Punda, vooral uit de tweede helft van de 18de eeuw, zijn er een goed voorbeeld van. Rijke kooplieden bouwden hun huizen van steen, waarbij de onderste verdieping opslagplaats was. Erboven bevonden zich een of twee woonverdiepingen met door stenen of houten pilaren ondersteunde buitengalerijen. De panden werden overkapt met een steil zadeldak van dakpannen, met aan weerszijden gestileerde gevelspitsen. De open galerijen zorgden voor

Waterfort en de Boogjes

In 1635 begonnen de Hollanders op de uiterste hoek van de Sint-Annabaai met de bouw van een tweede fort, vóór Fort Amsterdam. In 1690 werd het uitgebreid, en in 1827 werd dit weer vervangen door een imposante kustbatterij met stevige muren langs de zeezijde en de ingang van de Sint-Annabaai. De muren hadden grote kantelen en schietgaten, om vijandelijke schepen met kanonnen te kunnen bestoken. Eronder bevonden zich gewelven die als opslagplaats, stal of ziekenboeg dienst deden.

In 1928 werd de kazerne van het fort afgebroken. In 1957 verrees achter de muren een hoge hoteltoren. In 1989 werd de hotelkolos aangekocht door het Nederlandse Van der Valk-concern, dat sindsdien ingrijpende renovaties laat uitvoeren en het hotel in 'Plaza Hotel' heeft omgedoopt. Het Plaza Hotel is vanwege de ligging pal naast de haveningang het enige hotel ter wereld dat tegen aanvaringen is verzekerd. De oostelijke muren van het Waterfort – achter de hoteltoren – staan vanwege de gebogen nissen en gewelven erin bekend als de Boogjes (ook wel: Waterfortboogjes). In de gewelven zijn restaurants en cafés gevestigd. Een aantal heeft aan de buitenzijde terrassen naast en boven de Caribische Zee. Vroeger waren de Boog-

De Handelskade, Punda

constante toevoer van frisse lucht naar de woonvertrekken. Eerst werden ze aan de buitenkant langs de huizen gebouwd, maar later kregen ze een woonfunctie en werden ze in de woning opgenomen doordat de buitengevel werd verlegd. Bij de meeste panden is de begane-grondverdieping de laatste eeuw flink gewijzigd om er moderne winkels van te kunnen maken.

jes een populair uitgaansgebied, een paar jaar geleden kwam de klad erin, maar nu beginnen ze weer op te krabbelen en vindt het publiek zijn weg er weer heen.

Breedestraat, Heerenstraat en Handelskade

De belangrijkste hoofdplaatsen die de West-Indische Compagnie (WIC) in de West stichtte, hadden alle drie hun eigen Breedestraat. Mauritsstad in Brazilië is Recife geworden; hier is de Breedestraat verdwenen. In Nieuw-Amsterdam, nu bekend als New York, is de Breedestraat terug te vinden als Broadway. Alleen in Willemstad is er nog altijd een Breede-straat. De straat loopt van oost naar west door Punda. Het is de belangrijkste straat van de historische stadskern. Erlangs liggen de betere winkels van het centrum. Haaks erop is de Heerenstraat een bijna even belangrijke historische straat. In deze winkelstraat mogen alleen voetgangers komen. In zowel de Heerenstraat als de Breedestraat staan nog enkele koopmanshuizen uit de 18de eeuw. Overigens, in Otrobanda loopt ook een Breedestraat – ook hier is het de belangrijkste historische straat.

De meest gefotografeerde gevels van Willemstad staan langs de Handelskade. Ze zijn zo'n beetje de mascotte van de stad

De drijvende markt in Willemstad

geworden. Het moet gezegd, ze staan er ook erg vrolijk gekleurd en fotogeniek bij, direct langs de Sint-Annabaai en parallel aan de Heerenstraat. Eerlijkheidshalve moet wel worden gezegd dat maar drie van de panden van vóór 1920 zijn. Bij de ernstige rellen in 1969 is een deel van de historische panden langs de Handelskade in vlammen opgegaan. Gelukkig bleef het Penha-huis, op de hoek met de Breedestraat, gespaard. Het is misschien wel het beroemdste en mooiste historische gebouw van de stad. Het werd er neergezet tussen 1708 en 1733. Oorspronkelijk was het een koopmanshuis, met beneden de opslag en boven het winkelgedeelte van twee verdiepingen hoog. Aan het einde van de eeuw bouwden de eigenaars een galerij langs de eerste verdieping, gestut door pilaren. Later werd de galerij dichtgemaakt en kwamen er de dwarse klokgevels en het rococostucwerk bij. Het monumentale pand staat er heden ten dage pico bello bij. Het doet dienst als winkel, waar je terechtkunt voor kleding en parfums.

Voorbij het Penha-huis is de Handelskade enige jaren geleden opgeknapt tot gezellige boulevard, met winkeltjes en terrassen.

Markten

Langs de Sha Caprileskade, net om de hoek van de Handelskade langs de ingang van het Waaigat, kun je slenteren langs deze kleurrijke markt. Die bestaat uit een rij Venezolaanse barkjes die beladen met groenten, fruit en vis over komen varen vanuit Venezuela. Aan de kade verkopen ze onder gespannen zeilen hun waar direct aan de klant. Erboven zweven fregatvogels en meeuwen, tuk op een maaltje visresten.

Verderop bij het Waaigat staat het grote ronde gebouw van de centrale markt van Willemstad. Binnen kun je leuk rondslenteren langs de koopwaar. Ernaast is het rechthoekige oude marktgebouw een van de leukste plekken om te lunchen. Je schuift er aan lange tafels aan, waar je direct vanaf de fornuizen je bord met eten krijgt. De verschillende uitbaters maken vooral echte Antilliaanse gerechten klaar. Bekendste uitbater is Zus, een vrouw van groot gewicht (letterlijk en figuurlijk) die al jaren de scepter zwaait over een uitgebreide kookploeg.

Synagoge en Joods Cultureel-Historisch Museum

Een opvallend historisch gebouw midden in Punda is de synagoge Mikvé Israël-Emanuel. Portugese joden, die in 1650 naar Curaçao waren gekomen, stichtten het joodse gebedshuis hier in 1684, waarmee de eerste synagoge op het westelijk halfrond een feit was. Het aantal joden op Curaçao groeide in deze periode snel en hun rol in de ontwikkeling van Willemstad als handelsstad werd steeds groter. In 1732 werd de eerste synagoge vervangen door de huidige, gemodelleerd naar de Portugese synagoge in Amsterdam.

Achter de synagoge vind je het Joods Cultureel-Historisch Museum, te bereiken via de binnenplaats van de synagoge. Binnen geven allerlei gebruiksvoorwerpen informatie over het vroegere profane en religieuze joodse leven op Curaçao. Je kunt er ook een *mikvah* – een joods ritueel bad – van zo'n driehonderd jaar oud aanschouwen.

ⓘ JOODS CULTUREEL-HISTORISCH MUSEUM. Geopend: ma.-vr. 9-11.45 en 14.30-16.45 uur.

Otrobanda

Een bezoek aan Willemstad is niet compleet als je niet ook een kijkje in Otrobanda hebt genomen. Het is de volkswijk tegenover Punda, de overzijde van de Sint-Annabaai. Vanaf 1700 kwamen hier arbeiderswoningen, maar ook enkele stadsvilla's te staan. Tegenwoordig is de wijk een mengelmoes van oud en nieuw, vervallen en gerestaureerd. Het bovendeel van Otrobanda, vooral het zogenaamde IJzerkwartier, is de laatste jaren volop in ontwikkeling. Er staan gerestaureerde herenhuizen, er zijn nieuwe uitgaansgelegenheden geopend en ook het Kurà Hulanda-project (zie onder) doet hier veel goed.

In het middendeel van de wijk, het deel aan weerszijden van de Breedestraat, kom je opgeknapte historische arbeiderswoningen tegen, maar ook vervallen straatjes waar de *chollars* (drugsverslaafden) vrij spel hebben. Interessant hier is de Consciëntiesteeg, de oudste steeg van Otrobanda.

Het zuidelijk deel van de wijk heeft de Pater Euwensweg, die vroeger, voor de landaanwinning, aan de kust lag. Een van de mooiste oude koopmanshuizen hier is Huize Stroomzicht op nr. 34. Binnen heeft het eind 18de-eeuwse pand een gedraaide trap die is ontworpen door de bekende Nederlandse stijlarchitect Gerrit Rietveld.

Helemaal aan het begin van de Pater Euwensweg, bij de ingang van de Sint-Annabaai, werd in 1828 het Riffort gebouwd. Het fort kreeg een identiek grondplan als het oudere Waterfort op de andere oever. Vanaf de twee forten konden de Hollanders de Sint-Annabaai en de zee ervoor met een hele reeks kanonnen bestrijken. In 1928 brak men de kazerne van het Riffort af, maar verder is het verdedigingswerk nog intact. Het biedt onderdak aan een politiebureau en een restaurant. Voor de toekomst is een verdere ontwikkeling als winkel- en horecagebied gepland.

Emmabrug

De oudste verbinding tussen Punda en Otrobanda is de Emmabrug. Het is een van de laatste permanente pontonbruggen ter wereld. De brug wordt in de volksmond ook wel 'Pontjesbrug' genoemd. De oeververbinding met de fees-

Willemstad krijgt een waterarena

In het hartje van Willemstad wordt gewerkt aan een unieke waterarena, waar het gehele jaar watersportactiviteiten georganiseerd zullen worden. De arena wordt gesitueerd in het Waaigat, een binnenwater in het centrum van de stad tussen de wijken Punda en Scharloo. De waterplas van 800 bij 100 m was de laatste jaren sterk verwaarloosd en vrijwel geheel dichtgeslibd. Een aantal zakenmensen op Curaçao heeft de handen ineengeslagen om het water om te toveren tot een levendig watersportcentrum. Ook de gammele brug over de ingang van het Waaigat wordt vervangen. Een brug uit Nederland zal naar Curaçao worden verscheept. In het Waaigat komt onder meer een jachthaven met aanlegsteigers voor passanten.

Curaçao is de laatste jaren in toenemende mate in trek bij zeezeilers uit het Caribisch gebied, die het eiland als thuishaven kiezen. Naast de vaste ligplaatsen moet het Waaigat vooral een ontmoetingsplaats worden voor mensen die elders op Curaçao een boot hebben liggen en gezellig naar de stad willen komen om te winkelen of uit te gaan. Op de wal komen restaurants, winkels, boetiekjes en enkele kleine uitgaansvoorzieningen. Op het overige deel van het water komt plaats voor allerlei evenementen zoals jetskiwedstrijden, schansspringen, races met handicaps voor kleine zeilboten, sailfish-races en wedstrijden voor modelboten. De weg rondom Waaigat wordt ook geschikt gemaakt voor sportactiviteiten, zoals een jaarlijkse marathon. Met de realisatie willen de initiatiefnemers het Waaigat en de stad toegankelijker maken voor de watersporters.

telijke lampenbogen stamt uit 1888. Tot 1934 moest er tol betaald worden voor de overtocht. Later, na de voltooiing van de Julianabrug, werd de Emmabrug een voetgangersbrug. Regelmatig wordt de brug opzij gevaren om schepen doorgang te verlenen naar de drukke haven in het Schottegat. Als de brug open is, varen iets verderop twee gratis ponten heen en weer.

Kurà Hulanda

Sinds kort heeft Willemstad er een indrukwekkend museum bij, het Museum Kurà Hulanda (Papiamento voor: Hollandse hof). In 1995 kocht de Nederlandse miljonair en zakenman Jacob Gelt Dekker in de Klipstraat in Otrobanda een oude villa. In de jaren erna liet hij de villa opknappen en met enkele panden en een vroeger slavenplein erbij uitbreiden tot museum. In 1999 werd dit museum geopend. Het is gewijd aan de geschiedenis van de slavernij en van de (West-)Afrikaanse rijken waar de slaven vandaan kwamen. Op deze manier heeft Gelt Dekker ook de zwarte Antillianen meer bewust gemaakt van hun eigen wortels.

Na binnenkomst is allereerst de Darwin-Leakey-kamer te bezichtigen. Hierin wordt een hommage gebracht aan Darwin, als geestelijk vader van de evolutietheorie, en aan het paleontologenechtpaar Leakey, dat aantoonde dat *homo sapiens* zich als eerste in Afrika ontwikkel-

de. Volgende museumdeel is de zaal gewijd aan de zogenoemde 'Zwarte Holo-
caust', oftewel de transatlantische slavenhandel. Je kunt hier onder meer via een
trap in het nagebouwde ruim van een
slavenschip afdalen, om er te zien onder
welke omstandigheden de slaven vervoerd werden. In de zalenreeks hierna is
een prachtige collectie Afrikaanse kunst-
en gebruiksvoorwerpen bijeengebracht.
Ook zijn er delen van Afrikaanse woningen en andere gebouwen nagebouwd. In
de tuinen aan de achterzijde van het
complex staan beeldhouwwerken van
hedendaagse Antilliaanse en Afrikaanse
kunstenaars. Alles bij elkaar is het een
magnifiek vormgegeven geheel, dat tot
de beste musea in het Caribisch gebied
gerekend kan worden. De eigenaar is in
de straten rond het museum inmiddels
bezig in het kader van zijn Kurà Hulanda-project een serie huisjes op te
knappen en nieuw te bouwen. Ze zullen
onderdeel zijn van een bijzonder stads-
hotel, waartoe ook een conferentiecen-
trum en horecagelegenheden gaan behoren.
ℹ KURÀ HULANDA. Geopend: dag. 10-17 uur.

Curaçao Museum

Het Curaçao Museum ligt op de grens
van Otrobanda en de wijk Mundo Nobo
in de Anthonie van Leeuwenhoekstraat.
Het museum is met Kurà Hulanda een
van de belangrijkste historische musea
van Curaçao. Drie van de vier hoofdza-
len op de eerste verdieping zijn stijlkamers, ingericht met antiek meubilair en
idem gebruiksvoorwerpen. Je kunt er
zien hoe men vroeger in de landhuizen
en koopmanshuizen van Curaçao leefde.
Op de bovengalerij en in de tussengang is
een verzameling geologische en archeo-
logische bodemvondsten geëxposeerd.
Verder heeft het museum onder meer
een historische Curaçaose keuken, een

prachtig Hollands klokkenspel met 45
bronzen klokken, een uitgebreide bibliotheek en een natuurwetenschappelijke
afdeling voor kinderen. In de museum-
tuin staan enkele standbeelden van belangrijke historische figuren.
ℹ CURAÇAO MUSEUM. Geopend: ma.-vr.
9-12 en 14-17 uur.

Overig Willemstad

Scharloo en Pietermaai

Scharloo is de 19de-eeuwse stadswijk ten
noorden van Punda en het Waaigat. Belangrijkste straat hier is de Scharlooweg.
In de tweede helft van de 19de en het begin van de 20ste eeuw bouwden welge-
stelden er prachtige neoclassicistische
villa's, vaak met rustieke patio's. Ook de
drukke Zuid-Amerikaanse vermicellistijl
was populair bij het aanbrengen van de
ornamentering. Een fraai voorbeeld
hiervan zie je op Scharlooweg 77, waar
het Centraal Historisch Archief is gehuisvest. Het pand heeft vanwege de fri-
vole decoraties de bijnaam 'Bolo di
bruid' (Bruidstaart). Dit oostelijke deel
van de Scharlooweg bezit trouwens de
meeste gerestaureerde villa's. Het westelijke deel, voorbij het viaduct waarop een
toegangsweg naar de Julianabrug ligt, is
vervallen en domein van drugsverslaafden en andere onduidelijke figuren. 's
Avonds laat begint het hier zo langzamerhand een 'no go-area' te worden.
Het stadsdeel Pietermaai grenst oostelijk
aan Punda en werd in de 18de en 19de
eeuw als uitbreidingswijk gebouwd. Er
staan enkele mooie oude gebouwen,
maar er zijn ook gebouwen die niet veel
meer dan een ruïne zijn en die dringend
op restauratie of sloop wachten. Mooi is
vooral Pietermaaiweg 4-4a, waarin het
ministerie van Financiën huist. Let op de
elegante toegangstrappen van het neoclassicistische pand.

Fort Nassau

Hoog op een heuvel ten noorden van Scharloo kijkt Fort Nassau uit over het Schottegat en over het raffinaderijcomplex van de Venezolaanse staatsoliemaatschappij ISLA. Het fort werd eind 18de eeuw gebouwd als extra verdediging voor het Schottegat en de Sint-Annabaai. Nog altijd ligt het er puik bij, ook als gevolg van een goed geslaagde restauratie. Het spreekt voor zich dat je vanaf het fort een formidabel uitzicht hebt. In een deel ervan is een restaurant gevestigd, naar verluidt het beste van Willemstad. Tijdens het diner en met een goed glas in de hand kun je hier vanaf je bord opkijken om de bedrijvigheid in de raffinaderij gade te slaan: *wine, dine & refine* in optima forma.

Landhuizen bij Willemstad

In de stedelijke agglomeratie rond het Schottegat bevinden zich nog her en der mooie oude landhuizen die vroegere plantage-eigenaren hier lieten bouwen. Een van de bekendste is *Chobolobo*, oostelijk van het Schottegat en gebouwd rond 1800. Het landhuis is voornamelijk bekend vanwege de likeurstokerij die er sinds 1948 in gevestigd is. Deze stokerij van de firma Senior & Co is in het bezit van het geheime recept van de enige echte Curaçaose sinaasappellikeur die talloze drankfabrikanten geïnspireerd heeft tot het maken van vergelijkbare Blue Curaçao-drankjes. Senior & Co heeft op basis van het geheime eigen recept ook varianten op de markt gebracht met andere smaakjes. Landhuis en stokerij kunnen bezichtigd worden en je kunt er likeur proeven en uiteraard ook kopen. Op vrijdagavond zijn er dansavonden met livemuziek in Chobolobo.
Een ander bekend landhuis, ten noordoosten van het Schottegat, is *Brievengat*. Overdag is dit landhuis uit de 18de eeuw

een klein museum. Het bevat meubilair en andere gebruiksvoorwerpen uit de 18de en 19de eeuw. Opmerkelijk aan het landhuis zijn de zware verdedigingstorens op de hoeken van het grote voorterras. Men was duidelijk ingesteld op gevaarlijke tijden. 's Avonds verandert Brievengat in een uitgaansgelegenheid. De dansavonden op vrijdag, met Indonesisch buffet vooraf, zijn nog altijd fameus op het eiland. Meestal treden er dan twee bands op, een op het voorterras en een aan de rechterachterzijde van het landhuis.

ℹ️ LANDHUIS BRIEVENGAT. Geopend: ma.-vr. 9.15-12.15 en 15-18 uur.

Twee andere landhuizen van naam, beide aan de oostzijde van het Schottegat, zijn *Groot Davelaar* en *Zeelandia*. Groot Davelaar verschilt in bouwstijl flink van de andere landhuizen. In de tweede helft van de 19de eeuw werd het namelijk in Curaçaose classicistische stijl met renaissance-elementen herbouwd. Opmerkelijk was de centrale, achthoekige woonruimte met binnengalerij en buitenveranda. In de kelder van het rode landhuis is het tegenwoordig goed eten in een van de betere restaurants van het eiland; op de verdieping erboven is een croissanterie gevestigd. De rest van het pand is niet toegankelijk voor publiek.
Zeelandia werd gebouwd in de tweede helft van de 18de eeuw en blikt vanaf een heuvel trots over de omgeving. Het werd eigenlijk meer als buitenverblijf dan als plantagehuis benut. In de 19de eeuw kreeg het twee zijvleugels en enkele bijgebouwen. In de jaren tachtig van de 20ste eeuw werd het gerestaureerd, waarna de Rotaryclub er bezit van nam.
Wil je nog meer landhuizen in de omgeving van Willemstad bekijken, dan zijn Rooi Catootje, Saliña Abao, Bloempot,

Het landhuis Groot Davelaar bij Willemstad

Groot Kwartier, Pos Cabai en Gaitu enkele van de interessantere. Sommige landhuizen bij Willemstad verkeren overigens in een deplorabele staat van onderhoud.

De kunuku

Baaien en stranden

De kunuku – het 'platteland' – van Curaçao is een oase van rust vergeleken bij Willemstad en omgeving. Vooral aan de kalme zuidelijke zijde van het eiland, zowel ten oosten als westen van Willemstad, is het goed toeven in een van de vele beschutte baaien met mooie, kleinere stranden erlangs.

Een van de mooiste baaien van Curaçao is zonder twijfel *Knipbaai*, even onder Westpunt. Langs de baai strekt zich een zandstrand uit, Playa Abao. Doordeweeks is het er heerlijk rustig, in het weekend komen er veel Antilliaanse families barbecuen en zwemmen. Onder Knipbaai is het kleine, schaduwrijke strand van *Kleine Knipbaai*, eveneens een favoriete plek voor een dagje aan zee. Bij

beide stranden zijn vaste parasols en snackgelegenheden.

Er liggen nog meer mooie baaien bij Westpunt. *Westpuntbaai* zelf is er zo een, met vissersbootjes op het strand en een hoge rots waarvanaf durfals in zee kunnen duiken. Bij *Playa Kalki*, het meest noordwestelijkste strand van het eiland, is onder water een mooie snorkelroute uitgezet. *Playa Piskado* en *Playa Forti* zijn twee andere baaien met (kiezel-)strand bij Westpunt.

Richting Willemstad volgen nog diverse baaien met stranden erlangs. Bij *Boca Santa Martha*, *Playa Chikitu*, *Porto Mariebaai*, *Daaibooibaai* en *Sint-Michielsbaai* liggen enkele van de mooiere stranden. Voor de stranden bij Boca Santa Martha en Porto Mariebaai moet je enkele guldens entree betalen.

De *Piscaderabaai* is de laatste baai vóór Willemstad. Deze lagune gaat vrij ver het land in en was ooit schuilplaats voor Hollandse piratenschepen. Piet Heyn ondernam vanaf hier bijvoorbeeld zijn rooftochten – ook de verovering van de Spaanse zilvervloot geschiedde vanaf

hier. Tegenwoordig tref je bij de Piscaderabaai de resten van een fort aan, een uitstekend lokaal visrestaurant, een jachthaven, twee grote hotels, een leguanenkwekerij en een bekende beach bar met mooi zandstrandje erbij. In de baai is het lekker zwemmen in glashelder water.

Ten oosten van Willemstad is het *Spaanse Water* een van de grootste binnenlagunes van Curaçao. Het staat bekend als goed zeilgebied en er zijn daarom ook diverse jachthavens. Rond het Spaanse Water liggen woonwijken voor de gegoede burgerij; kroonprins Willem-Alexander heeft op een eilandje ook een eigen optrekje.

Naast het natuurlijke toegangskanaal tot de binnenlagune ligt aan de ene kant de *Caracasbaai* langs zee. Een gecombineerd kiezel- en zandstrand leent zich voor zonnebaden en zwemmen, met uitzicht op de oliebunkerhaven en het voormalige quarantainehuis. Op het schiereiland tussen Caracasbaai en Spaanse Water bevinden zich ook de in redelijke staat verkerende resten van Fort Beekenburg. Aan de andere zijde van het toegangska-

naal tot het Spaanse Water strekt het lange zandstrand *Barbara Beach* zich uit (voor de entree moet je betalen). Vooral in het weekend kan het er druk zijn, als de jetset van Curaçao er plezier komt maken.

Langs de ruige en verlaten noordkust van Curaçao liggen nog enkele minder bekende baaien. De *Sint-Jorisbaai* is weer een wat grotere binnenlagune, *Boka Playa Kanoa* is een baai met strand en branding die vooral bodysurfers trekt. *Boka Tabla*, langs Noord-Curaçao, is een interessant natuurverschijnsel. Hier hebben de hoge golven aan de windzijde van het eiland een grot en een inham in de koraalstenen kliffen uitgeslepen. Je kunt de grot aan de landzijde in om naar het binnenstromende water te kijken. In de inham zijn op een lager niveau plateaus ontstaan waartegen de golven beuken. Als ze zich terugtrekken, stromen er gordijnen van water van de plateaus af. Boka Tabla is deel van een klein nieuw nationaal park bij dit deel van de kust. Er zijn bij de grot en inham een wandelroute en twee uitkijkplatforms aangelegd. Voor de

Curaçaose landhuizen

Een markant overblijfsel uit het plantageverleden van Curaçao zijn de talrijke landhuizen op het eiland. Nadat het agrarische programma van de West-Indische Compagnie keer op keer op een mislukking was uitgedraaid, werd de grond vanaf halverwege de 17de eeuw onder particulieren gedistribueerd. Die zetten er voor zichzelf fraaie landhuizen neer, meestal op een verhoogd terras en omringd door onderkomens voor personeel en slaven. Het gehele landgoed werd afgeschermd met lage muren van koraalsteen. De eerste landhuizen werden dicht bij het Schottegat gebouwd, later verrezen ze over het hele eiland. Op Curaçao zijn nog zo'n zestig van deze landhuizen in redelijke conditie over. Het typisch Curaçaose landhuis heeft een lange, centrale zitkamer met aan de korte zijden een kleinere ruimte en voor- en achterlangs een veranda. De keuken is gesitueerd in het deel dat van de wind af ligt, zodat de rook van het huis weggeblazen wordt. De slaapkamer ligt juist aan de andere kant, om te kunnen profiteren van de verkoelende werking van de passaatwind. Het huis is doorgaans overkapt met een zadeldak dat wordt geflankeerd door twee gevelspitsen. In het steile dak zit meestal een knik, om ruimte te bieden aan de veranda's. Soms zijn deze galerijen later in het huis opgenomen.
De slaven sliepen in hutten bij de landhuizen. Op rijkere plantages ontstonden daardoor soms hele slavendorpjes. Er waren drie soorten slaven: de huisslaven, de ambachtsslaven en de tuin- of plantageslaven. De huisslaven hadden de beste positie; zij mochten de *shon* (de meester) en zijn familie verzorgen en werden meer als bedienden dan als slaven behandeld. De plantageslaven stonden na de ambachtsslaven onder aan de sociale ladder en moesten het zwaarste werk verrichten. 's Morgens om vijf uur wekte de *bomba* (opzichter) ze met behulp van de slavenbel. Ze kregen een 'ontbijt' van suikerwater met wat anijs of citroensap (*warapa*) en moesten aan de slag. Tussen de middag werd het werk even onderbroken en deelde de opzichter het eten voor de rest van de dag uit: *funchi* (maïsbrij) met gezouten vlees of gedroogde vis. 's Avonds konden de slaven soms een klein lapje grond voor eigen gebruik bewerken.

parkeerplaats moet je een klein bedrag betalen.

Landhuizen in de kunuku
Enige tientallen monumentale landhuizen uit de koloniale periode getuigen van het plantageverleden op het platteland van Curaçao. Veel van deze architectonisch interessante landhuizen zijn de laatste jaren opgeknapt.
Een goed voorbeeld van Curaçaose land-

huisarchitectuur is *landhuis Dokterstuin* op westelijk Curaçao. Dit grote landhuis is niet lang geleden in oude luister hersteld en ingericht met Curaçaos antiek. Het huis werd in de 17de eeuw gebouwd en is daarmee een van de oudere landhuizen op het eiland. Later is de traditionele bouwstijl van dit soort plantagewoningen enigszins aangepast en is de open buitengalerij afgesloten en de knik uit het zadeldak verdwenen. Sinds de restauratie kun je in Dokterstuin terecht voor een goede maaltijd in het creoolse restaurant Komedor Kriollo.

Landhuis Ascención, niet ver van Dokterstuin, behoort ook tot de mooiere landhuizen in de kunuku. Dit landhuis uit het tweede deel van de 17de eeuw lag op een van de eerste plantages van de West-Indische Compagnie. Het werd vernoemd naar een indianendorpje dat hier in de Spaanse tijd lag. Het heeft een groot middendeel, waar de plantersfamilie vroeger leefde. Van de wind af was de keuken aan de ene kant ervan, aan de andere kant lagen de slaapvertrekken. Langs de voorzijde loopt een open galerij, beschut door het overstekende zadeldak. Net als Brievengat bij Willemstad heeft het twee vierkante hoektorens met tentdak naast het voorterras. Ascención is heden ten dage vormingscentrum van de marine. De zolder is geheel ingericht met Curaçaos antiek.
ⓘ LANDHUIS ASCENCIÓN. Geopend: elke 1ste zo. v.d. mnd. 10-14 uur. Toegang gratis.

Groot Santa Martha, bij Soto aan de zuidwestkust, werd eind 17de eeuw gebouwd. De bewoners van dit plantagehuis hielden zich vooral bezig met zoutwinning in het nabijgelegen zoutbekken. Anders dan de andere landhuizen op het eiland is dit huis in U-vorm gebouwd. Twee zijvleugels liggen aan weerszijden van een patio, die aan de open U-zijde een poort heeft gekregen. Langs de gehele achterzijde van het landhuis loopt een gesloten galerij met terras ervoor. Groot Santa Martha doet dienst als dagverblijf voor verstandelijk gehandicapten. Ze verkopen hun zelfgemaakte handwerkproducten aan bezoekers.
ⓘ GROOT SANTA MARTHA. Geopend: ma.-do. 9-15, vr. 9-12 uur.

Landhuis Knip, ook wel Kenepa genoemd, ligt niet ver van Westpunt op westelijk Curaçao. Het is een van de mooiste, zo niet het mooiste landhuis op Curaçao. Knip was ooit een van de welvarendste plantages, vandaar dat de toenmalige eigenaars een mooi landhuis konden laten bouwen. In 1795 was de plantage Knip ook het toneel van de grote slavenopstand onder Tula. Tegenwoordig doet het gerestaureerde landhuis dienst als museum. Het heeft een permanente tentoonstelling over de inwoners van het plantagegebied vanaf de prehistorische tijd, en het heeft een collectie antiek meubilair uit de koloniale periode. Qua bouwstijl is het landhuis een goed voorbeeld van de klassieke landhuizenbouw: een groot middendeel, aan weerszijden slaapvertrekken en de keuken, een open galerij, terrassen ervoor, een hoektoren ter bescherming en bijgebouwen ernaast.
ⓘ LANDHUIS KNIP. Geopend: ma.-vr. 9-16, zo. 10-16 uur.

Even na het punt waarop de weg naar Sint-Willebrordus bij de weg naar Westpunt uitkomt, staat het 17de-eeuwse *landhuis Daniël*. Het is een van de oudste landhuizen van het eiland. Het is niet geweldig groot, waarschijnlijk omdat het nooit als plantagehuis diende, maar als herberg voor mensen die te voet of te paard van Willemstad naar Westpunt reisden. Het staat ook niet op een heuvel, zoals de meeste landhuizen op het eiland. Daniël biedt onderdak aan een klein hotel met zwembad, restaurant en duikschool, en kan dus nog steeds als pleisterplaats aangedaan worden.

Het oudste landhuis van Curaçao, *landhuis Jan Kock* uit 1650, is helaas op last van de deurwaarder gesloten.

Christoffel Nationaal Park

Net als Aruba en Bonaire heeft Curaçao ook een nationaal park waarin de vegetatie en het dierenleven beschermd worden en waarin je kunt zien hoe het eiland eruit zou zien als de mensen er zouden wegtrekken. Het Christoffelpark ligt net onder de noordwestpunt van het eiland. Het omvat de voormalige plantagegronden van Savomet en Zorgvlied, Zevenbergen en Knip en enkele gronden eromheen. In totaal beslaat het park een kleine 2000 ha heuvelachtig natuurgebied. De Christoffelberg is met 375 m de hoogste berg van het park en tevens van Curaçao. Aan de ruige noordkust behoort ook zee-inham Boka Grandi ertoe. In het park leven enige tientallen Curaçaose hertjes, konijnen, twee slangensoorten, diverse hagedissensoorten, leguanen, West-Indische parkieten (*prikichi's*), witstaartbuizerds, *warawara's* (een roofvogelsoort) en nog een handvol andere diersoorten. Er groeien onder meer uiteenlopende bloeiende en stekelige boomsoorten, diverse cactussen, orchideeën, baardmossen en agaven. Acht wandelroutes en twee autoroutes staan ter beschikking om dit alles te ontdekken. Parkhoofdkwartier is landhuis Savonet, uit het begin van de 19de eeuw in kenmerkende Curaçaose landhuisstijl opgetrokken. Bij het landhuis is een klein natuurmuseum. Het landhuis zelf is gesloten voor publiek. Na orkaan Lenny, in 1999, raakte het flink beschadigd door waterstromen. Op een ommuurd terrein naast de parkeerplaats worden op gezette tijden roofvogel-, leguaan- en slangenpresentaties gehouden.

ⓘ CHRISTOFFEL NATIONAAL PARK. Geopend: ma.-za. 8-16, zo. 6-15 uur.

Seaquarium

In 1984 opende de eigenaar van het Lion's Dive Hotel op oostelijk Curaçao (even buiten Willemstad) de deuren van het Seaquarium. Sindsdien is dit zeeaquarium uitgegroeid tot een van de topattracties op het eiland. Het Seaquarium heeft een honingraatvormig grondplan. In zeshoekige paviljoens kun je in 63 aquaria kennismaken met een groot aantal bewoners van de Caribische Zee. Het Seaquarium heeft bijna 400 soorten vissen, anemonen, sponzen, schelp- en schaaldieren en andere zeebewoners verzameld. Kennismaken kan ook directer: er zijn binnen namelijk twee ondiepe bakken waarin je zeekomkommers, zeeegels, zeesterren en nog enkele ongevaarlijke dieren kunt aanraken.

Buiten is een deel van de zee ingedamd tot bassins voor grotere zeedieren. Onder begeleiding kun je in het grootste bassin duiken of snorkelen tussen de vissen. In het bassin ligt een onderwaterobservatorium – een boot met ramen en zitplaatsen onder water – vanwaaruit je de dieren kunt bekijken zonder nat te worden. Via openingen in een plexiglazen wand mogen de duikers en snorkelaars de haaien in het bassin ernaast voeren. Andere bassins bieden plaats aan zeeschildpadden, roggen en een zeeleeuw. Voor de duikers is er in het grote bassin verder een in beslag genomen cocaïnebootje afgezonken en ligt er het wrak van het ss *Oranje Nassau*, dat hier in 1906 op de klippen liep. In de nabije toekomst zullen hier dolfijnen gaan zwemmen.

Het Seaquarium heeft de bezoeker verder twee winkeltjes en een café-restaurant te bieden. Ernaast ligt een oude mijnenveger, die tot kantoor is omgebouwd.

ⓘ SEAQUARIUM. Geopend: dag. 8.30-17.30 uur.

Grotten van Hato

De kalksteenrotsen langs de gehele (wilde) noord-noordoostkust van Curaçao zijn behoorlijk poreus. Hierdoor zijn allerlei grotten ontstaan. Veel grotten zijn

Bij Westpunt kunnen durfals van de rotsen duiken.

route met verlichting. Het restaurant bij de ingang organiseert op zondags altijd feestelijke barbecues, met Antilliaanse folklore.

ⓘ GROTTEN VAN HATO. Geopend: ma.-zo. 10-16 uur. Elk uur is er een rondleiding.

Curaçao actief

Buiten de duikcentra heeft Curaçao minder andere sport- en avontuurlijke activiteiten te bieden dan Aruba of Bonaire. Er zijn op Curaçao gewoon minder organisaties die de toerist andere soorten vermaak dan duiken bieden. Het aanbod bestaat voornamelijk uit een aantal watersportmogelijkheden, uit wandelen en uit jeepsafari's.

Watersporten

Het watersportaanbod op Curaçao beperkt zich

nauwelijks bekend, in sommige grotten leeft een zeldzame vleermuissoort. Wel bekend zijn de Grotten van Hato, met een oppervlakte van 4900 m2 het grootste grottenstelsel op het eiland. Ze gaan tot maximaal 22 m diep en hebben mooie druipsteenformaties. Er kabbelen een paar ondergrondse beekjes. Onder een overhangende rotspartij hebben Arawak-indianen ooit rotstekeningen aangebracht, vergelijkbaar met die op Aruba en Bonaire. Ook hier weet niemand precies wat ze betekenen. In later eeuwen werden de grotten gebruikt voor voodoosessies van Afro-Antillianen.

Het grottenstelsel van Hato ligt vlak bij vliegveld Hato. Er worden rondleidingen in gegeven, over een aangelegde wandel-

vooral tot zeilen. In het Spaanse Water zijn enkele watersportcentra waar je boten kunt huren. Zo heeft Sail Curaçao kleinere boten te huur, voor tochtjes over het Spaanse Water en langs Barbara Beach.

Er zijn verder diverse aanbieders van georganiseerde boottochten op het eiland. Met zeilschip *Mermaid* kun je bijvoorbeeld tochten op zee maken, onder meer naar Klein Curaçao, het eenzame fosfaateilandje met vuurtoren dat bij Curaçao behoort.

De *Miss Ann* is een ander excursieschip voor dagtochten. Men biedt ook moonlighttrips, sportvissen en duikarrangementen aan; zelfs een overnachting op Klein Curaçao is mogelijk.

Zeilschip *Bounty* is een traditionele houten gaffelschoener van ruim 30 m lang. Het maakt vaste trips (op zondag bijvoorbeeld naar Klein Curaçao), maar kan ook gecharterd worden.

De *Insulinde* is een mooie tweemaster, die van maart tot en met december vaste trips maakt naar onder meer de oostpunt, Klein Curaçao en Bonaire. Het schip is eveneens te charteren.

Een andere watersportactiviteit op Curaçao is bodysurfen. Bij de baai van Playa Perla Kanoa, aan de noordkust van het eiland, rollen goede surfgolven binnen. Sinds kort is hier een kleine surfscene ontstaan.

ℹ MERMAID. Tel. 7375416. MISS ANN. Tel. 7671579. BOUNTY. Tel. 5601887. INSULINDE. Tel. 5601340.

Wandelen, mountainbiken en jeepsafari's

Naast de watersporten leent Curaçao zich goed voor stevige wandelingen door de natuur. Langs de wilde noordkust kun je lange, eenzame wandelingen maken met de passaatwind om je oren. In het Christoffelpark zijn verder acht wandelroutes uitgezet, van een eenvoudig tochtje van 20 min. tot een klimroute naar de top van de Christoffelberg, die ongeveer 3 uur duurt. Een bijzondere activiteit in het park is een georganiseerde hertenexcursie waarbij je het met uitsterven bedreigde Curaçaose hertje (*biná*) te zien krijgt. Onder begeleiding van een ervaren gids kun je dagelijks vanaf 16 uur op zoek gaan naar het schuwe dier. Informatie over wandelen in het Christoffelpark is bij het bezoekerscentrum bij Savaneta te krijgen.

Wil je wandelen met meer cultuur, dan is er iedere woensdagmiddag een historische wandeltocht door Otrobanda, Willemstad, vanaf de Emmabrug.

ℹ JOPI HART, tel. 7673798. Ook KUNUKU

TOURS (tel. 7470002) organiseert wandelingen door Otrobanda, voorafgegaan door folkloristische dansoptredens.

Mountainbikes worden verrassend genoeg nog nauwelijks verhuurd op Curaçao, terwijl het eiland zich toch uitstekend leent voor mountainbiketochten.

ℹ De enige gerenommeerde organisator van fietstochten en van enkele andere adventure-activiteiten is Dutch Dream Adventure (Ed Craane, tel. 5604007).

Een laatste, wat minder milieuvriendelijke activiteit op het eiland is een georganiseerde jeepsafari. In kittige Suzuki's cross je dan door de kunuku en langs de wilde kust. Onderweg stop je om te snorkelen (huur snorkelspullen bij prijs inbegrepen), te zwemmen en het lunchbuffet naar binnen te werken.

ℹ Een van de bekendste aanbieders is Curaçao Jeep Tour (tel. 4628833).

Uitgaan

Restaurants

Net als op Aruba kun je op Curaçao in een reeks goede tot uitstekende restaurants terecht voor het versterken van de inwendige mens. Een kleine selectie:

Een van de beste restaurants in Willemstad, zo niet het beste, is **Fort Nassau Restaurant**. Hoog boven het Schottegat en de raffinaderijcomplexen kun je in het oude fort stijlvol lunchen of dineren. Er is ook een bar bij, voor een aperitiefje met uitzicht op de Julianabrug en het centrum van de stad.

ℹ FORT NASSAU RESTAURANT. Fort Nassau, tel. 4613450.

In de Waterfortboogjes zitten diverse informelere eetgelegenheden naast elkaar. De meeste hebben aan de zeezijde een ter-

Niet alleen cocktails

Wie de Antillen bezoekt, zal zich ongetwijfeld wel eens te buiten gaan aan een heerlijke cocktail, bij voorkeur te nuttigen rond zonsondergang. De Antillianen zelf zul je niet zo snel met een *piña colada* in de hand zien zitten. De gewone Antilliaan is namelijk tuk op bier. In Willemstad staat de Amstelbrouwerij, waar men met ontzilt zeewater lokaal Amstelbier brouwt, liefst *friu* (ijskoud) te drinken. Heineken is op de Antillen importbier. Op Aruba staan sinds enige tijd twee brouwerijen. Het eiland heeft de eigen merken Rubano en Balashi, en er wordt ook Grolsch gebrouwen. Venezuela exporteert verder het nodige bier naar de Antillen: vooral Polar wordt veel gedronken.

Curaçao, Sint-Maarten en Saba hebben elk verder een eigen traditionele likeur. Op Curaçao is dat de bekende Curaçao-likeur van sinaasappelschillen, die elders in het blauw is nagemaakt. De authentieke Curaçao-likeur van de firma Senior is echter kleurloos. Op Sint-Maarten wordt van een gelijknamige bes de Guavaberry-likeur gestookt, terwijl veel Sabanen thuis hun op rum gebaseerde *Saba Spice* maken.

Wie geen alcohol wil, kan op de Antillen heerlijke geperste vruchtensappen van tropische vruchten krijgen en soms verse kokosmelk drinken. Erg lekker is *awa di sorsaka*, zuurzaksap met suiker, melk, ijsblokjes, kaneel en vanille.

ras boven zee, zodat je kunt dineren met de zonsondergang op de achtergrond. Een van de betere eetgelegenheden hier is de **Grillking**: spareribs boven zee.
❶ GRILLKING. Waterfortboogjes, tel. 4616870 (zo. gesloten).

Bistro Le Clochard is gevestigd in het Riffort, het oude fort aan de overzijde van de Sint-Annabaai. De chique bistro bevindt zich in de voormalige gevangenis en cisterne van het fort. Je hebt er uitzicht over het water. Op de menukaart prijken Franse en Zwitserse gerechten.
❶ BISTRO LE CLOCHARD. Riffort, Otrobanda, tel. 4625666.

Een van de bekendere en betere restaurants is ook **Bay Sight Terrace**, met een halfopen terras op de eerste verdieping van het Otrobanda Hotel. Het heeft Antilliaanse gerechten, goede vis en uitzicht

over het water op de Handelskade. Probeer ook eens een Keshi Yena, een gevuld Hollands kaasje.
❶ BAY SIGHT TERRACE. Otrobanda Hotel, Breedestraat, tel. 4627400.

Nog meer uitzicht heeft het uitstekende en stijlvolle restaurant **Le Tournesol** boven in het Plaza Hotel. Het gaat hier niet om een doorsnee Van der Valk-restaurant, maar om een klasse hoger.
❶ LE TOURNESOL. Plaza Hotel, Punda, tel. 4612500.

Op oostelijk Curaçao kun je goed terecht bij een van de twee restaurants in het Avila Beach Hotel. **Blues** heeft vooral visgerechten, **Belle Terrace** serveert uit de lokale en internationale keuken.
❶ BLUES EN BELLE TERRACE. Avila Beach Hotel, Penstraat 130, tel. 4614377.

Westelijk Curaçao heeft onder meer **Jaanchie's** bij Westpunt als een van de publiekstrekkers. In dit sfeervolle Antilliaanse restaurant fladderen de suikerdiefjes je om de oren. Op de kaart staan authentiek-Antilliaanse gerechten.

ℹ️ JAANCHIE'S. Westpunt z/n, tel. 8640126.

In het mooi gerestaureerde landhuis Dokterstuin kun je ook prima Antilliaans eten in restaurant **Komedor Krioyo**. Er is een grote picknicktuin met schaduw bij.

ℹ️ KOMEDOR KRIOYO. Landhuis Dokterstuin, Weg naar Westpunt z/n, tel. 8642701.

Een ander landhuis waar je kunt eten, is **Landhuis Brakkeput Mei Mei**. Het is een informeel grillrestaurant met tafels in de open lucht. Op donderdagavond is er kreeftavond.

ℹ️ BRAKKEPUT. Spaanse Water, tel. 7671500 (di. gesloten).

Curieus is restaurant **Zambezi**. Het is gevestigd bij de struisvogelfarm in de buurt van Hato. Dit betekent dat je er goede struisvogelbiefstuk kunt krijgen, op z'n Zuid-Afrikaans bijvoorbeeld.

ℹ️ ZAMBEZI. Noordkust, tel. 7472777 (di. gesloten).

Bars en dancings
In Willemstad kun je diverse leuke bars en dancings vinden. Club Façade (Lindberghweg 32) en The Jail (Keukenstraat 2-6) zijn de laatste tijd twee populairdere dancings. Informeer echter ook naar de andere dancings, want welke disco in is, wil nog wel eens veranderen.

Al jaren populair – ook bij de lokale bevolking – is in ieder geval de dansavond op vrijdag in landhuis Brievengat. De avond begint met een buffet op het grote voorterras, waarna tot diep in de nacht onder de sterrenhemel gedanst kan wor-

den. Er zijn dan twee podia voor liveoptredens.

Een 'special interest-bar' is Curaçao's Jazziest Sunset Blues in het Avila Beach Hotel, waar jazz en blues te beluisteren zijn. Elke donderdagavond is er een liveoptreden. De Mambo Beach Bar op het strand bij het Seaquarium vertoont elke dinsdagavond oude films, die je vanuit je strandstoel kunt bekijken.

Internetten kun je in Café Internet, Handelskade 3B.

ℹ️ DOES & CADUSHI organiseert elke zaterdag verder een disco- en kroegentocht door Willemstad; info tel. 4611626.

SABA, SINT-EUSTATIUS EN SINT-MAARTEN – DRIE GROENE JUWEELTJES

De Bovenwindse Eilanden Saba, Sint-Eustatius en Sint-Maarten liggen dicht bij elkaar, maar hebben een totaal verschillende sfeer. Wat ze gemeen hebben, is dat ze alledrie erg groen zijn, dat ze last hebben van dezelfde tropische orkanen en dat ze eigenlijk niet veel te maken willen hebben met de Antilliaanse regering op Curaçao.

Het opgeruimde Saba heeft geen stranden, maar wel schilderachtige dorpen, een spectaculair landschap en een wonderschone natuur, waaronder een stuk tropisch nevelwoud.

Sint-Eustatius is een gezapig eiland met een rijke historie en enkele aardige bezienswaardigheden.

Sint-Maarten is heuvelachtig en heeft een grillige kustlijn met bijzonder mooie stranden. Iets meer dan de helft van Sint-Maarten is Frans grondgebied en heet officieel Saint-Martin. Omdat het een overzees gebiedsdeel van Frankrijk is, geldt er de Franse wet. Het deel dat tot het Koninkrijk der Nederlanden behoort, is het belastingvrije winkelcentrum van het Caribisch gebied en telt talloze casino's. Het

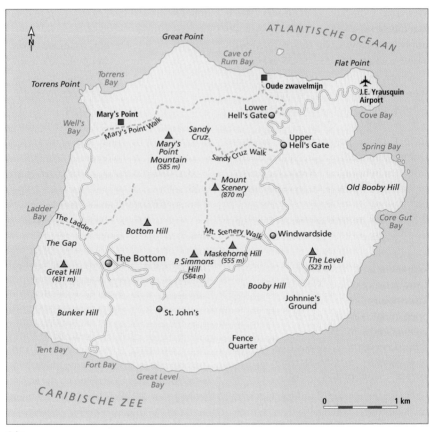

Saba

heeft ook de twijfelachtige reputatie een wildwesteiland te zijn, waar de cocaïnesmokkel welig tiert en het witwassen van drugsgeld tot kunst is verheven.

Als gevolg van de grote Engelse invloed in het heden en verleden in het gebied is Engels op de Bovenwindse Eilanden de voertaal. De officiële taal is nog steeds Nederlands, maar de kennis hiervan is uiterst gering.

Saba

Het merkwaardigste stukje Koninkrijk der Nederlanden is ongetwijfeld Saba. Als een grote, groene puist rijst dit Caribische buitenbeentje uit zee op. Het kleinste eiland van de Nederlandse Antil-

len (ongeveer 13 km²) is in feite een boven het water uitstekende, uitgedoofde vulkaan (Mount Scenery) met enkele lagere uitstulpingen eromheen. Vlakke delen kent het nagenoeg niet. De 870 m hoge top van Mount Scenery is tevens het hoogste punt in het Koninkrijk. Op de flanken bevindt zich het enige stukje tropisch nevelwoud dat de Nederlandse Antillen rijk zijn.

Mount Scenery, de lagere bergen en heuvels eromheen en de indrukwekkende vegetatie zorgen voor een gevarieerd landschap, dat tot de mooiste in de overzeese gebiedsdelen behoort. De hellingen storten zich als steile, donkere kliffen in zee, waardoor er geen stranden op Saba zijn. De aantrekkingskracht van het eiland schuilt niet in de gebruikelijke Caribische combinatie strand, zon en zee, maar eerder in de rust, het natuurschoon en de schilderachtige dorpen. De Sabanen zelf noemen hun eiland liefkozend 'The Unspoiled Queen' – en niet onterecht. De onbedorven koningin heeft ca. 1400 inwoners. Hiernaast verblijven er nog zo'n 200 studenten en docenten van de medische school op het eiland.

Zeeuwen en Britten
Saba is door de eeuwen heen verschillende keren in andere handen overgegaan, hoewel het eiland niet zo vaak van vlag veranderde als buureiland Sint-Eustatius. Het eiland werd in 1640 vanaf Sint-Eustatius uit naam van de West-Indische Compagnie door een groep Zeeuwen gekoloniseerd. Kort na de kolonisatie zetten ook groepen Britten en Ieren voet aan wal. De groepen leefden in goede harmonie met elkaar, en al spoedig werd het Engels de voornaamste taal op het eiland. In de 18de eeuw was Saba een redelijk welvarend eiland. Op alle bebouwbare stukjes eiland werd met behulp van slavenarbeid suikerriet, katoen en koffie verbouwd, voor de export en ten behoeve van de lokale industrie (suikerriet werd op bijna alle Caribische eilanden gebruikt om rum te stoken). Daarnaast werden er wat indigo en wat groenten en fruit voor eigen gebruik verbouwd. Overigens lagen er geen uitgestrekte plantages op Saba, want maar 17 procent van het oppervlak was geschikt voor bewerking. Wat er verbouwd werd, was genoeg om de paar honderd eilandbewoners een redelijk bestaan te garanderen. Behalve in de plantagebouw waren veel Sabanen in het verleden ook in de visserij en de scheepvaart werkzaam. Opvallend veel Sabanen hebben het bijvoorbeeld tot officier op de grotere zeeschepen geschopt.

Eerste indruk
De huidige inwoners van Saba wonen verdeeld over vier woonkernen: Hell's Gate, Windwardside, St. John's en The Bottom. In vergelijking met de andere Antillen wonen op Saba verhoudingsgewijs veel blanke autochtonen. Ongeveer de helft van de Sabanen is blank, de andere helft is zwart. De blanke eilandbewoners zijn afstammelingen van de voornamelijk Zeeuwse, Engelse, Schotse en Ierse kolonisten, die onverzettelijk genoeg waren om zich op het kleine en slecht toegankelijke eiland te kunnen handhaven. De meeste zwarte Sabanen stammen af van de vroegere slaven of kwamen later als arbeidskracht van andere Caribische eilanden. Windwardside is voornamelijk een 'witte' plaats, terwijl de zwarte inwoners vooral in The Bottom te vinden zijn.

Hell's Gate
De enige weg op Saba (The Road) kronkelt vanaf de luchthaven tegen de helling van Mount Scenery omhoog. Negentien met groen omzoomde bochten voeren naar Hell's Gate, een dorp met ongeveer 250 inwoners. De nederzetting bestaat uit twee delen. Op ca. 350 m hoogte ligt Lower Hell's Gate, op 400 m Upper Hell's Gate. Beide delen verschillen weinig van elkaar. Ze bestaan allebei uit een handvol huizen die verspreid als eekhoorntjesbrood tegen de steile helling aangeplakt liggen. Ertussen lopen verschillende voetpaden en trappen. In de omgeving van het dorp worden de laatste jaren steeds meer moderne vakantiehuizen gebouwd voor bemiddelde rustzoekers. Sommigen van de oorspronkelijke inwoners van Hell's Gate hebben zich toegelegd op het stoken van Saba Spice, een thuis gestookte, op rum gebaseerde kruidenlikeur waarvoor iedere familie zo haar eigen recept heeft. Vaste ingrediën-

'I survived the Saba landing'

Bezoekers die Saba niet per boot bezoeken, komen aan op Juan Enrique Yrausquin Airport, in 1963 geopend. Het vliegveld is naar een minister van Financiën van de Nederlandse Antillen genoemd die zich heeft ingezet voor de aanleg ervan. Het vliegveld ligt op het enige vlakke stukje Saba, Flat Point. Het is een 40 m boven zee uitstekende rots met platte bovenkant, aan de noordoostzijde van het eiland. De luchthaven bestaat uit één piepklein gebouwtje met ernaast een korte landingsstrip over de gehele lengte van de rots. De strip is met een lengte van 400 m de kortste landingsbaan ter wereld. Omdat er geen ruimte is voor een langere baan, kunnen er alleen vliegtuigen met maximaal twintig passagiersstoelen terecht. De landing zelf is een waar huzarenstukje. Bij het aanvliegen koerst het vliegtuig recht op een loodrechte rotswand aan. Vlak voordat het de wand raakt, maakt het toestel een scherpe draai naar links en duikt op de landingsbaan af. Daar moet de piloot onmiddellijk vol in de remmen, anders kiept het toestel onverbiddelijk in zee. Het best verkochte souvenir op Saba is een T-shirt met het opschrift 'I survived the Saba landing'. Er zijn overigens nog nooit ongelukken gebeurd.

ten zijn in ieder geval anijszaad, kaneel, nootmuskaat, kruidnagel, sinaasappelschillen en bruine suiker.

Bij Lower Hell's Gate is rechts een zijweg naar een uitzichtpunt, vanwaar je een mooi overzicht hebt over het vliegveld en de noordkust. De weg gaat kort erna over in een wandelpad. Een stevige wandeling van ongeveer een half uur leidt voorbij een heuvelrug naar de oude zwavelmijn, meer dan 250 m boven de zeespiegel. Gezichtsbepalend in Upper Hell's Gate is de rooms-katholieke Holy Rosary Church.

Het stenen gebedshuis werd er in 1962 neergezet. In dit bovenste deel van het dorp begint de Sandy Cruz Track, een wandelpad tegen de heuvel op. Achter de kerk is in de Saba Lace Boutique overigens Sabaans kantwerk verkrijgbaar, het bekendste handnijverheidsproduct van het eiland.

Windwardside

Als de weg na Hell's Gate de eerste helling genomen heeft, daalt de hoofdweg even en stijgt dan weer naar Windwardside.

Het dorp ligt op 400 m hoogte op een van Mount Scenery aflopende heuvelrug. Het is met ca. 400 inwoners de tweede plaats op het eiland en ziet er met de vrolijke witte *gingerbreadhouses* (suikerbroodhuizen) en bloementuinen heel schilderachtig uit. Windwardside heeft een veel dichter bebouwde kern dan Hell's Gate en is daardoor ook veel meer een echt dorp. De traditionele, lage huizen hebben vanwege het orkaangevaar doorgaans slechts één verdieping en bestaan grotendeels uit een houten opbouw op stenen fundamenten. De uitgebouwde keukens zijn uit veiligheidsoverwegingen meestal van steen. Veel huizen hebben verder een gedecoreerde topgevel en galerij of porch; de versieringen bestaan uit een uiteenlopend scala aan houtsnijwerkpatronen en typisch West-Indische gingerbread-motieven. Opvallend bij de Sabaanse woonhuizen zijn de watercisternen, want voor de drinkvoorziening is men grotendeels afhankelijk van regenwater. Hoteleigenaars zijn hun gasten dan ook erg dankbaar als ze spaarzaam met het schaarse water omspringen. Een ongewone bezigheid die verband houdt met de watervoorziening, is het voeren van de vissen die in veel cisternen zijn uitgezet om het water schoon te houden. De erven rond de huizen worden omgeven door frisse hekjes en stenen muurtjes en hebben keurig onderhouden bloementuintjes. Vaak liggen er familiegraven op, want de Sabanen hebben het recht om overledenen in de eigen tuin te begraven.

Huiseigenaren in de Sabaanse dorpen zijn verplicht hun buitenmuren eenmaal per jaar wit en hun houten daken rood te schilderen, want de sprookjesachtige dorpsgezichten vormen een belangrijke toeristische trekpleister van het eiland.

Mount Scenery

In de eerste bocht in de hoofdweg direct na Windwardside is rechts het startpunt van de wandelroute naar de top van Mount Scenery. Probeer als het even kan de klim te maken, want een bezoek aan Saba is niet compleet zonder de top van de vulkaan gezien te hebben. Het wandelpad de berg op telt om precies te zijn 1064 treden. De wandeling omhoog en weer naar beneden duurt alles bij elkaar twee tot drie uur.

Onderweg loop je eerst door secundair regenwoud. Links en rechts van het pad zijn orchideeën, bromelia's, begonia's, olifantsoren (*Philodendron giganteum*), gember, broodvruchtbomen, wilde bananenbomen, bergpalmen en tal van andere tropische boom- en plantensoorten te zien. Ruim vertegenwoordigd is ook de *black-eyed Susan*, de oranjegele nationale bloem van Saba met het donkere hart. Regelmatig schieten er hagedissen voor je voeten weg, waaronder de unieke gespikkelde hagedis van Saba, en soms ligt een van de ongevaarlijke racer-slangen langs het pad te zonnen.

Het laatste deel van het pad voert even onder de top door een prachtig, ongerept tropisch nevelwoud. De orkaan Lenny heeft in 1999 veel schade toegebracht aan de grote mahoniebomen, maar er staan er nog steeds veel, behangen met boomvarens en baardmossen. Dit nevelwoud is vaak in mistflarden gehuld, wat er een sprookjesachtige sfeer aan geeft. Het wordt niet voor niets 'Elfin Forest' (Elfenbos) genoemd.

Op de top van de berg – ontsierd door een roodwitte zendmast – is geen vulkaankrater meer te zien. Die werd eeuwen geleden al opgevuld door een enorme steenprop. Het pad loopt na de zendmast nog een klein eindje door naar een schuine rots. Heb je geluk en breekt de zon door, dan heb je vanaf hier een

Saba, tropisch nevelwoud

adembenemend uitzicht over Saba, de Caribische Zee en Saba's buureilanden.

The Bottom

Na Windwardside en het gehucht St. John's slingert de hoofdweg van Saba zich omlaag naar The Bottom, de hoofdplaats van het eiland. Het ca. 450 inwoners grote dorp dankt zijn naam aan de ligging in een dalkom, 220 m boven de zeespiegel. Het dal werd door de eerste Zeeuwse kolonisten 'botte' genoemd, wat in het vroegere Zeeuwse dialect 'kom' betekende. In het Engels werd dit tot 'bottom' verbasterd omdat men dacht dat de vallei de bodem van een uitgedoofde vulkaan was.

De beschutte ligging van The Bottom zorgt ervoor dat de temperatuur er meestal zo'n 5 °C hoger is dan in Windwardside en dat een verkoelende bries doorgaans ontbreekt.

Een van de eerste gebouwen die je bij binnenkomst in het dorp tegenkomt, is tevens het oudste bouwwerk: de meer dan 200 jaar geleden gebouwde angli-caanse Christ Church. Voorbij de kerk kom je bij een T-kruising. Links en vervolgens rechts loopt de hoofdstraat (Brouwerstraat) naar het centrum van The Bottom. Links en dan rechtdoor voert naar het Gouverneurshuis en het erachter gelegen Wilhelminapark, waarna de hoofdweg richting Fort Bay verdergaat.

In het centrum van The Bottom staan enkele overheidsgebouwen, zoals het bestuursgebouw en het erbij gelegen postkantoor.

In de Brouwerstraat is het Saba Artisan Foundation Complex gesitueerd. Het souvenirfabriekje werd in 1972 als gecombineerd project van de Verenigde Naties en de Nederlandse overheid opgezet om de Sabanen enige middelen van bestaan te geven. En met succes, want de T-shirts die men er bedrukt, worden inmiddels ook naar naburige eilanden geëxporteerd. Uiteraard wordt Saba's trots, Sabaans of Spaans kantwerk, ook in de werkplaats ontworpen, gemaakt en verkocht. Sabaanse vrouwen houden

The Road: een droom kwam uit

De vier dorpen op Saba worden met elkaar verbonden door de enige hoofdweg op het eiland, die zich vanaf het vliegveld tot aan Well's Bay en de haven in Fort Bay over de steile hellingen van het eiland slingert. Nederlandse ingenieurs hadden er in het verleden een hard hoofd in of er wel een weg op Saba aangelegd kon worden. Er werden zelfs Zwitserse wegenbouwers geconsulteerd, aangezien deze meer ervaring hebben met bergachtige terreinomstandigheden. Zij waren echter eveneens van mening dat het onmogelijk was een weg op het moeilijk begaanbare eiland aan te leggen. Een Sabaanse timmerman, Josephus Lambert Hassell (1906–1983), weigerde zich bij deze conclusie neer te leggen. Hij volgde een schriftelijke ingenieurscursus en begon in de tweede helft van de jaren veertig met een klein groepje eilandbewoners aan de vervulling van zijn droom: de dorpen op het eiland met elkaar verbinden door een verharde weg. Twintig jaar later kwam de 14,5 km lange verkeersader gereed en had Saba in weerwil van de voorspellingen een moderne infrastructuur. In later jaren is de weg verder uitgebreid en verbeterd, maar zonder Hassells vastberadenheid en doorzettingsvermogen zou Saba de weg niet gekregen hebben en er een stuk slechter voorgestaan hebben dan nu. Zijn inspanningen werden beloond met een gedenkplaat langs de weg, tussen Windwardside en St. John's. Zoals alles op Saba wordt ook deze weg, toepasselijk The Road geheten, keurig onderhouden; enkele malen per week wordt het wegdek zelfs geveegd.

zich al meer dan een eeuw met dit handwerk bezig. De kunst van het haken en borduren van kantpatronen werd lang geleden op het eiland geïntroduceerd door Gertrude Johnson, die het tijdens haar schooltijd weer leerde van nonnen in de Venezolaanse hoofdstad Caracas. Behalve T-shirts en kantwerk zijn in de winkel van het Saba Artisan Foundation Complex ook andere souvenirs verkrijgbaar, zoals boeken over het eiland en de lokale likeur Saba Spice.

Fort Bay, Ladder Bay en Well's Bay

Onder The Bottom gaat een spectaculaire weg steil en slingerend naar beneden naar Fort Bay. In deze baai ligt het minuscule haventje van Saba, met een kleine pier erbij. Hier kunnen de jachten ankeren die het eiland incidenteel aandoen.

Het is bovendien de plek om mooie zonsondergangen mee te maken. Als duiker kom je er met 100 procent zekerheid, want de duikcentra hebben hier hun boten liggen.

Langs de kade is een van de duikcentra op Saba (met restaurant) gevestigd. Erachter staan het enige benzinestation van Saba, een elektriciteitsfabriekje en de ontziltingsfabriek in aanbouw, die de Sabanen in de toekomst van vers drinkwater moet voorzien. Het grote aantal vliegen is te wijten aan de vuilnisbelt van het eiland. Oostwaarts loopt een wandelroute langs de kust, in de richting van Fence Quarter.

Voorbij The Bottom voert een weg langs twee andere baaien aan de zuidwestkust, Ladder Bay en Well's Bay. De weg gaat eerst door The Gap, een kloof met uitzichtspunt over zee. Erna is links van de weg het begin van The Ladder. The Ladder is de tegen de rotsen aangelegde trap naar Ladder Bay. Voordat het vliegveld van Saba werd aangelegd, kwamen alle mensen en goederen via Ladder Bay en Fort Bay het eiland op. Schepen ankerden in Ladder Bay en laadden hun passagiers en lading over op kleine bootjes om die aan land te brengen. Daarna moest alles The Ladder opgesjouwd worden, 524 treden hoog. Er bestaan nog mooie historische foto's waarop te zien is hoe zelfs ezels met takels opgehesen werden. Heden ten dage is The Ladder onderdeel van een mooie natuurwandelroute. Bij de baai is het goed picknicken.

Ook Well's Bay leent zich voor een picknick. De weg langs The Ladder loopt erna steil naar beneden, om bij Well's Bay te eindigen. Langs de baai lopen steile rotswanden. Eronder zorgen zeestromingen ervoor dat er soms een strandje van zwart vulkanisch zand ligt. Alleen voor zeer ervaren zwemmers is zwemmen hier aan te bevelen.

Saba actief
Saba heeft door zijn geografie eigenlijk heel wat mogelijkheden om een echt adventure-eiland te worden. The Road zou uitermate geschikt zijn voor montainbikers en zeer ervaren zeekajakkers zouden hun hart kunnen ophalen aan tochten langs de steile kliffen van het eiland. En de steile rotspartijen hoog boven zee zouden een Mekka voor rotsklimmers (al dan niet free style) kunnen zijn. Vooralsnog gebeurt dit alles niet of nauwelijks. Avontuurlijke ondernemers zouden een poging kunnen wagen dit soort adventure-activiteiten op te zetten.

Wat je op Saba in ieder geval wel kunt doen, is formidabel wandelen, bijvoorbeeld door het tropisch nevelwoud op Mount Scenery (zie boven). Op het eiland lopen echter ook diverse andere prachtige wandelroutes, die je van een half uurtje tot een halve dag bezighouden. Een van de mooiste routes is bijvoorbeeld de Sandy Cruz Track, over de ongerepte noordzijde van het eiland. De route (trek er een paar uur voor uit) begint bij Upper Hell's Gate. Door secundair regenwoud loop je vanaf hier helemaal naar Troy Hill, boven The Bottom. Een zijpad (de 'All Too Far Trail') voert naar de oude zwavelmijn plus warmwaterbronnen boven zee. De mijn is ook via een pad vanaf Lower Hell's Gate te bereiken.

Vanuit Windwardside loopt ook een aardige route naar The Bottom (de Crispeen Track), terwijl de Spring Bay Trail, vanaf Booby Hill naar de verlaten baai, vooral voor wandelaars met een goede conditie geschikt is.

Het toeristenbureau heeft een eenvoudige, maar informatieve gratis *Trail Guide*. Bij de Trail Shop, aan het begin van de Mount Scenery Trail, zijn boeken te koop en kun je een gids huren, bijvoorbeeld de befaamde *Crocodile James*. James begeleidt al jarenlang wandelaars over het eiland en kent iedere struik.

Uitgaan
Saba is te klein voor een uitbundig uitgaansleven. Wel zijn er enkele goede tot uitstekende eetgelegenheden waar je uiterst genoeglijk de avond door kunt brengen.

Het allerbeste restaurant is **Mango Royale**, het restaurant van het Queen's Gardens Resort boven The Bottom. Het heeft een prachtige terrastuin, uitzicht over het zwembad en The Bottom, schelp- en schaaldieren, vis, eend en nog veel meer. Terwijl je eet, hoor je de boomkikkers om je heen fluiten.

ℹ MANGO ROYALE. Queen's Gardens Resort, The Bottom, tel. 163494.

Zeer sfeervol is ook de **Brigadoon** in Windwardside. Op het menu staan Amerikaanse, Caribische en internationale gerechten. Kreeft ontbreekt niet. Heb je geluk, dan komt de flamboyante Amerikaanse gastvrouw je maaltijd opluisteren met een paar schuine bakken. Haar Libanese man zwaait de pollepel in de keuken.

ℹ️ BRIGADOON. The Road z/n, Windwardside. tel. 162380.

Niet slecht is ook **The Gate House** in Hell's Gate, waar het menu omschreven wordt als 'creatieve Caribische keuken'. Achter het fornuis staat een van de beste chefs op Saba, terwijl je hoog boven de oceaan eet in het Caribisch vormgegeven pand.

Hotel Willard's of Saba is het hoogstgelegen hotel in het koninkrijk.

ℹ️ THE GATE HOUSE. Hell's Gate z/n, tel. 162416 (wo. gesloten).

De 'local Italian' is **Guido's**, te vinden in Windwardside in de richting van Booby Hill. Hier kun je een Siciliaanse pizza bestellen, gegarandeerd zonder bloedwraak.

ℹ️ GUIDO'S. Windwardside z/n, tel. 162230 (zo. gesloten).

Wil je een maaltijd in de tuin van een van Saba's oudste hotels, dan moet je in **Cranston's** in The Bottom zijn. Men serveert er kreeft, vis, kip, steak en andere zaken. Reserveren aanbevolen.

ℹ️ CRANSTON'S. The Bottom z/n, tel. 163202.

Een goede plek voor een prima lunch, bijvoorbeeld als je Mount Scenery net beklommen hebt of juist wil gaan beklimmen, is **YIIK Grill & Bakery**. De eetgelegenheid is op de eerste verdieping achter het toeristenbureau in Windwardside te vinden, vlak bij het begin van de Mount Scenery Trail. Doe je te goed aan uitstekende burgers en frites en zeevruchten, ernaast zit de beste bakkerij op Saba (doe Zetty – Miss Saba 2000 – de groeten).

ℹ️ YIIK. Windwardside z/n, tel. 162539 (zo. gesloten).

Sint-Eustatius

Sint-Eustatius, in de volksmond meestal Statia genoemd, is een klein en overzich-

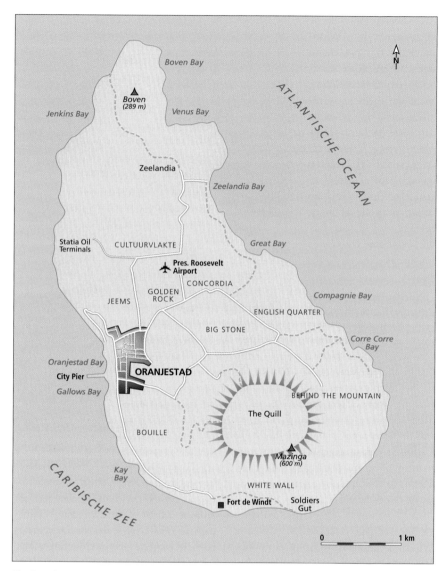

Sint-Eustatius

telijk eiland. In het zuiden piekt de 600 m hoge, uitgedoofde vulkaan The Quill omhoog, in het noorden liggen enkele vulkanische heuvels van rond de 200 m hoogte. Ertussenin bevindt zich een laagvlakte (de Cultuurvlakte) waar alle 2700 bewoners van het eiland wonen en het vliegveld ligt. Aan de westzijde van het eiland (de Caribische zijde) is de zee het rustigst, zodat hier de haven ligt en het wonen zich heeft geconcentreerd. De oostkant wordt belaagd door de hoge golven van de Atlantische Oceaan. Er is wel een strand, maar de zee is er te ruw om er veilig te kunnen zwemmen.

Gouden rots

Na de kolonisatie door de Zeeuwse WIC-kamer in 1636 was de landbouw het voornaamste middel van bestaan voor de kolonisten op Sint-Eustatius. In de 18de eeuw begon Sint-Eustatius zich geleidelijk aan ook meer met de handel bezig te houden. Het eiland was er ideaal voor gelokaliseerd. Het lag langs de drukbevaren route tussen Europa en de Nieuwe Wereld aan de rand van de Caribische Zee en was omringd door Engelse, Franse en Spaanse koloniën. Hoewel de moederlanden hun koloniën verboden handel te drijven met andere landen, werd dit verbod maar al te vaak omzeild.

Aan het einde van de 17de eeuw leverde Sint-Eustatius al illegaal slaven aan omliggende eilanden, en zo'n 50 jaar later was het een handelscentrum en overscheepstation van belang geworden. In 1746 bouwden kooplieden de eerste pakhuizen in het benedendeel van Oranjestad, in 1756 kreeg Sint-Eustatius de status van vrijhaven. Het ging hierna zo voorspoedig met het eiland, dat het de bijnaam 'Golden Rock' of 'Diamond Rock' kreeg. Jaarlijks gingen er tussen de 1800 en 2700 schepen bij Oranjestad voor anker, waar een groot aantal pakhuizen, woningen en een scheepswerf werden gebouwd.

Van groot economisch belang was vooral de handel in wapens, munitie en buskruit, zeker nadat de Noord-Amerikaanse koloniën vanaf april 1775 de onafhankelijkheidsstrijd aangingen met Engeland. De Engelsen verboden de levering van wapens aan de opstandelingen en blokkeerden de Noord-Amerikaanse kust. De Nederlandse Staten-Generaal namen het verbod over, maar in de praktijk kon Sint-Eustatius de belemmeringen makkelijk omzeilen, zodat de wapenleveranties het eiland een fortuin opleverden. De Engelsen noemden Statia in die tijd 'het grootste magazijn ter wereld'.

Vlagincident

Op 10 oktober 1776 vond bij Oranjestad het beroemde vlagincident plaats, een gebeurtenis die Sint-Eustatius nog altijd koestert als zijn belangrijkste historische feit. Op de rede van Oranjestad verscheen op die dag het Amerikaanse schip *Andrew Doria*. Kapitein Isaiah Robinson liet ten teken van groet de nieuwe vlag van de Amerikaanse republiek strijken. Commandeur Johannes de Graaff van Sint-Eustatius kende het dundoek nog niet, maar onder het motto 'handel is handel' liet hij het saluut toch beantwoorden. Het was de allereerste keer dat een buitenlandse mogendheid de Amerikaanse vlag groette, en dit werd opgevat als een feitelijke erkenning van de nieuwe staat.

Toen het nieuws Europa bereikte, lieten de Engelsen het er niet bij zitten. Begin 1781 veroverden ze het eiland, namen alle schepen die voor Oranjestad geankerd lagen in beslag en plunderden de pakhuizen en winkels. Saba en Sint-Maarten werden eveneens ingenomen.

Negen maanden na de verovering van Sint-Eustatius werden de Engelsen op hun beurt door een kleine Franse troepenmacht verrast. De Fransen namen Fort Oranje in en namen de Engelse bezittingen op het eiland in beslag. In 1784 gaven ze het eiland terug aan de Nederlanders. Met de grote welvaart was het hierna echter gedaan. Tot omstreeks 1795 wist de handel zich nog op de 'Golden Rock' te handhaven, maar de onafhankelijkheid van de Verenigde Staten en het teruglopen van de slavenhandel zorgden ervoor dat de handelaren het eiland langzaam aan begonnen te verlaten. In de 19de eeuw was het over met de bloeiperiode en was Sint-Eustatius een rustig Caribisch achterafeilandje geworden. En dat is het eigenlijk nog steeds.

Eerste indruk

Sint-Eustatius heeft in tegenstelling tot buureiland Saba enkele stranden. Het vulkaanzand is echter donker van kleur en dit strookt niet met het beeld dat de gemiddelde toerist van een Caribisch strand heeft. Statia probeert de toeristen daarom te lokken met zijn duikplekken en roemruchte verleden. Vooral de speciale band tussen Sint-Eustatius en de Verenigde Staten moet zorgen voor een groeiende toeristenstroom. Om deze reden hebben de Statianen hun eiland ook de bijnaam 'The Historical Gem' gegeven. Verwacht echter geen horden buitenlandse bezoekers op het historische juweel, want daarvoor is de toeristische infrastructuur toch te gebrekkig ontwikkeld en heeft het eigenlijk te weinig te bieden. Desalniettemin is er voor een bezoek van enkele dagen voldoende te beleven om er een aangename tijd door te kunnen brengen.

Oranjestad-benedenstad

Oranjestad, in de 18de eeuw het belangrijkste handelscentrum van de noordelijke Caribische Zee, bestaat uit een bovendeel en een benedendeel. De bovenstad ligt aan de rand van een 40 m hoge klif, de benedenstad ligt op zeeniveau. De twee delen worden verbonden door Bay Road, het oude slavenpad, en door de verkeersweg die het einde van de kliffen rondt (de Van Tonningenweg). In het verleden stonden in de benedenstad de tot de nok gevulde pakhuizen en woningen van de kooplieden, terwijl de bovenstad vooral het domein was van de bestuurders en het garnizoen. Na de verwoesting van Oranjestad door de Engelsen werd de benedenstad goeddeels verlaten en werd de bovenstad het belangrijkste woongebied.

Tegenwoordig zijn in het benedendeel van Oranjestad alleen nog twee hotels en de loods van het duikcentrum in gebruik. Voor de rest zijn er nog een paar vervallen oude gebouwen, enkele resten en fundamenten uit de vroegere hoogtijdagen van het eiland te vinden. De benedenstad was in die tijd breder dan nu: vlak voor de kust liggen onder de waterspiegel de resten van de dijk die de stad destijds beschermde. Tussen de stenen zitten veel kreeften; Statia bevoorraadt veel keukens van hotels op omliggende Caribische eilanden met kreeften.

De baai voor de benedenstad heet Gallows Bay (Galgenbaai), want vroeger werden de veroordeelden hier gehangen. Onder water liggen nog heel wat resten van vergane schepen en hun inhoud, en er worden regelmatig blauwe kralen opgedoken die de slaven als beloning kregen en die ze gebruikten als betaalmiddel.

Oranjestad-bovenstad

Gezichtsbepalend in de bovenstad van Oranjestad is het piekfijn gerestaureerde Fort Oranje, precies op de klif boven de benedenstad gelegen. Voor een klein eiland als Sint-Eustatius is het een buitengewoon groot verdedigingswerk, maar gezien de vroegere rijkdom was het destijds zeker op zijn plaats. Fort Oranje was het belangrijkste, maar zeker niet het enige verdedigingswerk op Statia. Sterker nog, in de jaren na de bouw van Fort Oranje werd langs de hele kust van het eiland een keten van forten en kustbatterijen aangelegd. Bijna al deze bouwwerken zijn op wat resten na verdwenen. Alleen de overblijfselen van Fort de Windt, aan de zuidkant van het eiland, zijn door een ingrijpende restauratie in 1982 naast Fort Oranje het aanzien waard. Het is overigens te hopen dat de restauratie van Fort Oranje niet vergeefs is geweest, want de kliffen waarop het ligt zijn aan behoorlijke erosie onderhevig.

Fort Oranje stamt oorspronkelijk uit

Sint-Eustatius, Fort De Windt

1636, toen Zeeuwse kolonisten het op de resten van een Frans bastion bouwden. In de jaren erna volgden diverse verbouwingen, tot het fort in de 18de eeuw zijn huidige uiterlijk kreeg. Het kwartcirkelvormige verdedigingswerk bestaat sindsdien uit drie bastions met forse wallen ertussen. Op de muren richten enkele in 1786 vervaardigde kanonnen hun vuurmonden naar zee. In het fort ligt een grote binnenplaats met diverse gebouwen erlangs. Aan de zeezijde staan vier gedenktekens gebroederlijk naast elkaar. Het oudste is de witte obelisk met de drie kanonnen uit 1907, er neergezet ter herinnering aan het bezoek dat de nationale zeeheld Michiel Adriaensz. de Ruyter tussen 11 en 17 mei 1666 aan Sint-Eustatius bracht – 18 jaar eerder was hij er trouwens al eens geweest. Een tweede monument met bronzen gedenkplaat werd op 12 december 1939 tijdens een plechtige ceremonie door de Amerikaanse president Franklin D. Roosevelt onthuld, een gebeurtenis die tevens het belangrijkste feit in de recente geschiedenis van het fort vormt. De gedenkplaat memoreert het beroemde vlagincident van 16 november 1776.

Het derde monument op de binnenplaats is er op 4 mei 1957 neergezet ter herdenking aan de gevallenen in de Tweede Wereldoorlog. De laatste herdenkingsplaquette is een cadeau van de Amerikaanse Maagdeneilanden. Het werd in 1976 aangeboden ter gelegenheid van het 200-jarig bestaan van de Verenigde Staten.

Tegenover het fort bevindt zich in een schaduwrijke tuin het voormalige *Gouvernementsgasthuis* (pasanggrahan). Het gebouw is naar alle waarschijnlijkheid in de 18de eeuw gebouwd. Men weet niet welke functie het destijds had, maar het moet toen al een belangrijk gebouw geweest zijn. De oude kelder en de beganegrondverdieping zijn namelijk van steen, een zeldzaamheid in de bovenstad. De eerste verdieping is van hout en wordt bekroond door een schilddak. Zeker is dat het gebouw in 1922 een bestemming kreeg als gouvernementsgasthuis. In 1992 werd het tezamen met de omliggende bebouwing geheel gerestaureerd. Schuin tegenover het gouvernementsgasthuis, aan de andere kant van het plantsoen aan de Wilhelminaweg, bevindt zich het *Simon Donckerhuis*. Het stenen huis is een van de oudste en mooiste panden in de bovenstad en was eigendom van de rijke koopman Simon Doncker en zijn familie. Onduidelijk is wanneer het precies gebouwd werd, maar op een plantagekaart uit 1775 komt het al voor. Het twee verdiepingen hoge deel met schilddak en kelder is er in ieder geval halverwege de 18de eeuw neergezet, de rest stamt uit het begin van deze eeuw. Na de Britse aanval in 1781 was het gebouw gedurende enige tijd hoofdkwartier van admiraal Rodney. In 1983 verhuisde het Sint-Eustatius Historical Foundation Museum naar het Simon Donckerhuis, dat daartoe volledig werd gerestaureerd. Het museum laat in het eerste deel aan de hand van interessante oude documenten, kaarten en prenten de historie van het eiland zien. Het tweede deel is in het oude gedeelte van het huis gehuisvest en toont hoe de rijkere planters- en koopmanfamilies in de 18de en 19de eeuw leefden. Een speciale stijlkamer is gewijd aan Simon Doncker, de vroegere eigenaar van het pand.

ⓘ SINT-EUSTATIUS MUSEUM. Geopend: ma.-vr. 9-17, za.-zo. 9-12 uur.

Zuidelijk van Fort Oranje staat de toren van de ruïne van de Hollandse Gereformeerde Kerk uit 1755 nog overeind. Je kunt erop klimmen. In de buurt van de kerk vind je de ruïne van de een na oudste synagoge van de Nieuwe Wereld, in 1739 gereedgekomen. Elders in het centrum van Oranjestad kun je nog mooie Caribische huisjes zien. Een deel ervan is recent gerestaureerd.

The Quill

Wie Sint-Eustatius bezoekt, moet beslist niet verzuimen een wandeling op The Quill te maken. De Engelse naam van de uitgedoofde vulkaan is een verbastering van het Nederlandse 'kuil', een toepasselijke naam voor de diepe krater die tussen de hoge kraterwanden ligt. Een tocht over de kraterrand behoort letterlijk en figuurlijk tot een van de hoogtepunten van een verblijf op het eiland. De vulkaan is begroeid met een weelderig tropisch bos, waarin onder meer slangen, landheremietkreeften, landkrabben en diverse vogelsoorten huizen. Het toeristenbureau heeft twaalf natuurwandelingen op Statia uitgezet, waarvan er acht op en rond de vulkaan lopen (volg de oranje markeringen).

Sint-Eustatius actief

Behalve het duiken zijn er op Sint-Eustatius geen faciliteiten voor georganiseerde sportieve activiteiten. Wel kun je er de wandelschoenen aantrekken en zelf op pad gaan om het eiland te voet te verkennen.

Het mooiste deel is zonder twijfel The Quill. Tegen de uitgedoofde vulkaan aan en over de kraterrand lopen diverse wandelroutes. De hoofdroute de berg op loopt vanaf Rosemary Lane; let op de wegwijzers. Trek voor de klim ca. 45 tot 60 min. uit. Boven op de kraterrand leidt de Crater Track de krater in (heen en terug ongeveer 50 min.). Het pad is steil en vaak nogal glibberig, maar het is de moeite waard om eens in de verstilde en rijk begroeide krater te staan.

Vanaf het eindpunt van de route naar de kraterrand starten ook twee wandelingen over de rand zelf. In beide zitten behoorlijk steile stukken, waar het soms ook glad kan zijn. De eerste is de Mazinga Track. Deze loopt over de zuidrand naar Mazinga, met 600 m het hoogste punt van de vulkaan en van het eiland (duur: ongeveer 2 x 45 min.). De tweede is de Panorama Track van 2 x 25 min. Deze wandeling gaat over de andere kant van de kraterrand en eindigt op een punt waar je tussen een paar kale bomen met baardmossen een prachtig uitzicht over Sint-Eustatius hebt. Verder gaan is geheel voor eigen risico, want het noordelijke deel van de vulkaanrand loopt langs gevaarlijke, zeer steile wanden. Twee wandelroutes lopen over de zuidhelling van The Quill; de lange Track Around The Mountain (2 x 90 min., begint aan het niet meer verharde einde van de Behind The Mountain Road) en de Soldier Gut Track (2 x 25 min., vanaf hetzelfde punt en met een mooi uitzicht op White Wall en Sugar Loaf). Aan de noordoostzijde van de vulkaan is de Corre Corre Bay Track uitgezet (2 x 40 min., start halverwege Behind The Mountain Road).

Van de overige vier officiële wandelroutes lopen er drie door de noordelijke heuvels naar de noordelijke baaien van het eiland. Ze zijn minder interessant dan de wandelingen op en rond The Quill, tenzij je hevig geïnteresseerd bent in het bestuderen van halfverwilderde geiten. De laatste wandeling is een kustwandeling vanaf het noordelijke einde van het strand bij Oranjestad. De route eindigt bij de steile Powder Hill; erachter liggen de olie-overslaginstallaties van een Amerikaans bedrijf, dat Sint-Eustatius in 1982 voor zijn activiteiten uitkoos omdat er minder beperkende milieuwetten zijn dan in de Verenigde Staten.

Het toeristenbureau in Fort Oranje heeft een informatiestencil over The Quill National Park en de wandelroutes op het eiland.

Nieuw is een eilandverkenningstocht per ezel. Glenn Faires van de duikbasis Golden Rock Dive Center biedt deze aan gecombineerd met een snorkelduik aan de Atlantische kant van het eiland.
ℹ️ GOLDEN ROCK DIVE CENTER. Tel. 182964.

Uitgaan

Op het slaperige Sint-Eustatius valt 's avonds weinig te beleven. Een handvol aardige restaurants, daar houdt het wel mee op. In het weekend zijn er soms muziekavonden in onduidelijke bars.

Het beste restaurant is dat van het **Old Gin House**, in Oranjestads benedenstad in een van de laatste historische gebouwen hier. Je kunt er goed eten tussen het antiek. Orkaan Lenny betekende helaas wel vooralsnog het einde voor het terras aan de zeezijde, dus dineren met uitzicht over het water is niet meer mogelijk. Dat kan nog wel bij het **Golden Era Restaurant** in het gelijknamige hotel even verderop in de benedenstad. Men heeft er West-Indische, creoolse en internationale gerechten, maar de eerlijkheid gebiedt te zeggen dat de hoge prijzen niet gerechtvaardigd worden door de kwaliteit.
ℹ️ OLD GIN HOUSE. Benedenstad, tel. 182319. GOLDEN ERA RESTAURANT. Benedenstad, tel. 182345.

Zonder pretenties, maar heel aardig is restaurant **Fruit Tree**. Het ligt dicht bij het centrum, biedt couleur locale en het eten is zeker niet slecht.
ℹ️ FRUIT TREE. Prinsesweg z/n, tel. 182584.

Ook niet onaardig en eenvoudig is **Ocean View Terrace**. Dit rustige familierestaurant vind je naast het Gouvernementsgebouw, met boven op het terras uitzicht over Fort Oranje.
ℹ️ OCEAN VIEW TERRACE. Centrum Oranjestad z/n, tel. 182934.

Mooi uitzicht over zee ten slotte heeft het goede **King's Well Restaurant**, in het King's Well Hotel op de heuvel boven het strand van Oranjestad. Het wordt gedreven door een vriendelijk Duits-Amerikaans echtpaar. Vergeet niet even een kijkje bij de leguanen te nemen.
ℹ️ KING'S WELL RESTAURANT. Bay Road z/n, tel. 182538.

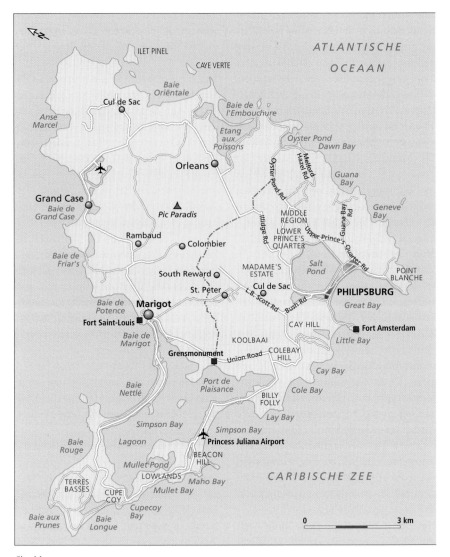

Sint-Maarten

Sint-Maarten/Saint-Martin

Het grootste Bovenwindse Eiland, Sint-Maarten, heeft een mooi groen heuvellandschap en fraaie stranden langs al even mooie baaien. Op het eiland is door immigratie vanaf andere eilanden een Creools-Caribische volkscultuur ontstaan die Sint-Maarten een onmiskenbaar Caribische sfeer heeft gegeven. En waar ter wereld kun je even de grens overwippen voor een croissantje en een café noir in een typisch Franse brasserie, om een kwartier later op Nederlands grondgebied onder een kokospalm op een parelwit strand te liggen en een duik te nemen in de helderblauwe zee?

Een tas vol rum

Bij de beëindiging van de Tachtigjarige Oorlog namen de Hollanders Sint-Maarten gedeeltelijk over van de Spanjaarden. Omdat ook de Fransen aanspraak maakten op het eiland, besloten de twee mogendheden het grondgebied onderling te verdelen. Op 23 maart 1648 werd op de top van de Concordiaberg een verdelingsverdrag getekend, waarbij het zuidelijk deel aan de Republiek der Zeven Verenigde Nederlanden toeviel en het noordelijk deel aan de Fransen. Volgens een mooi verhaal zou de verdeling hebben plaatsgevonden door een Franse en een Nederlandse vertegenwoordiger met de rug tegen elkaar te plaatsen en ze zo snel mogelijk in tegenovergestelde richting langs de kust van het eiland te laten lopen. Tussen het punt van vertrek en het punt waar ze elkaar weer zouden treffen, zou de grenslijn worden getrokken. De Fransen bedachten een list om zoveel mogelijk grondgebied te kunnen bemachtigen. Ze vulden de tas van de Nederlander met enkele flessen rum, waar deze tijdens zijn wandeling in de brandende zon zoveel van dronk dat het lopen hem steeds moeizamer viel. Hierdoor kregen de Fransen het grootste deel van het eiland in handen: 52 km² tegen 34 km² voor de Hollanders. Een nuchterder verklaring voor de ongelijke verdeling is dat er op het moment van verdeling meer Fransen op Sint-Maarten woonden en dat de Nederlanders alleen in de zoutpannen op het zuidelijk deel geïnteresseerd waren.

Na 1648 is Sint-Maarten zeker niet permanent Nederlands gebleven. Beurtelings Engelsen en Fransen vielen de anderhalve eeuw erna het eiland aan en namen het bestuur van de Nederlanders voor kortere of langere tijd over. In totaal wisselde Sint-Maarten zestien maal van eigenaar. Pas vanaf 1816, bij de vrede van Londen, kwam het zuidelijke deel van het eiland permanent onder Nederlandse hoede.

Eerste indruk

Veel bezienswaardigs heeft Sint-Maarten eerlijk gezegd niet te bieden. Op de hoofdplaatsen van het Nederlandse en het Franse deel na zijn er geen interessante nederzettingen. Daarbuiten zijn het vooral de mooie natuur en de belastingvrije status van Sint-Maarten die bezoekers trekken.

Hoofdstad van het Nederlandse deel van het eiland is Philipsburg. Wat Sint-Maarten aan cultureel-historische bezienswaardigheden te bieden heeft, is voornamelijk in en rond de langgerekte plaats te vinden. In Philipsburg kun je enkele aangename uurtjes doorbrengen, zeker wie van winkelen houdt. De belangrijkste historische intermezzo's vormen het Court House en het Sint-Maarten Museum.

Het gemotoriseerd bezichtigen van de rest van Sint-Maarten kan in principe in een halve dag, tenzij je onderweg ook wandelingen wilt maken of de verschillende stranden eens wilt uitproberen. Het Franse deel, Saint-Martin, is eveneens in een halve of hele dag goed te verkennen. Hoofdplaats Marigot heb je, net als Philipsburg, in een paar uur wel verkend.

Philipsburg

De hoofdstad van Sint-Maarten ligt op de 1,5 km lange zandbank die Great Bay van de Great Bay Salt Pond scheidt. De plaats is vernoemd naar zijn stichter, John Philips. Philips was een Schotse avonturier die als gouverneur in Nederlandse dienst werkte.

De hoofdstad is in de loop van de tijd uitgegroeid tot een rommelig allegaartje aan gebouwen en bouwstijlen. Naast de functionele en rechthoekige nieuwe kantoren en enkele als zuurstokken gekleurde hotels staat ook nog altijd een aantal oude woonhuizen, waarvan sommige versierd zijn met *shingles* (verticale sierlatjes) en andere nog *gingerbread*-orna-

Sint-Maarten: zonsondergang bij Simpson Bay Lagoon

ment van betekenis op Sint-Maarten. Het kwam in 1793 gereed als stadhuis en gerechtsgebouw. Het rechthoekige gebouw bestaat uit twee verdiepingen en een klokkentoren, die er in 1825 aan werd toegevoegd.

Het Pasanggrahan Hotel in het oostelijk deel van Front Street ademt nog de koloniale sferen van weleer, terwijl ook de methodistenkerk uit 1851, in het westelijk deel van de hoofdstraat, diverse tropische orkanen te boven is gekomen. Het Pasanggrahan Hotel stamt uit 1905. Het diende lange tijd als officieel gastenverblijf voor het gouvernement.

Schuin tegenover het Pasanggrahan Hotel vind je de befaamde Guavaberry Shop van Philipsburg. Erachter stookt de Guavaberry Factory likeur uit het gelijknamige besje (*Eugenia floribunda*) en uit rum. De guavaberry-likeur is de traditionele drank van Sint-Maarten. Al meer dan twee eeuwen trekken de inwoners van het eiland tegen Kerstmis de heuvels in om de rijpe bessen te plukken. Thuis worden ze dan gebruikt om het brouwsel te vervaardigen. Elke familie had er een eigen recept voor, dat voor anderen geheim werd gehouden. De likeur werd traditioneel met Kerstmis, bij huwelijken en andere officiële gebeurtenissen gedronken. Sinds een aantal jaren wordt de likeur op commerciële basis gestookt. De guavaberry-likeur is rood, smaakt bitterzoet en laat zich aardig mixen in lokale cocktails. In het winkeltje in Front Street

menteringen (of *fretwork*) langs de veranda hebben. Dit zijn Victoriaanse houtsnijwerkversieringen met bladerenstrengen, halve manen, zonnetjes et cetera, overgenomen van andere Caribische eilanden.

Ondanks de verscheidenheid aan bouwstijlen is Philipsburg een kleine en overzichtelijke plaats. Evenwijdig aan de baai lopen van buiten naar binnen de belangrijkste straten: Front Street, Back Street, C.A. Cannegieter Street en Walter Nisbet Road (ook Pondfill Road geheten). Centrum van de stad is Wathey Square, gelegen bij de Capt. Hodge Pier waar de pendelboten van en naar de cruiseschepen aanleggen. Aan de landzijde van het plein staat het Court House, het enige monu-

Simpson Bay Lagoon: het 27ste kiesdistrict

Het lage deel van Sint-Maarten en van Saint-Martin ligt om de grote binnenlagune Simpson Bay Lagoon heen geplooid. In de lagune ligt een grote verscheidenheid aan plezierjachten, wat het geheel een bonte aanblik geeft. Een groot aantal ervan heeft Simpson Bay Lagoon als thuishaven. Omdat er op veel van deze jachten daadwerkelijk gewoond wordt, is de lagune het 27ste, drijvende kiesdistrict van Sint-Maarten.

Aan de zuidkant steekt de start- en landingsbaan van Princess Juliana Airport een stukje de lagune in. De doorgaande weg wringt zich met moeite om het uiteinde van de startbaan heen. De baan is geschikt voor grote toestellen en is daarmee van eminent belang voor het toerisme op Sint-Maarten. Aan de andere zijde ligt het fraaie strandje van Maho Bay. Ernaast ligt een weg naar een resort, waarna direct de startbaan begint. Op het strand en in de beach bar erbij kun je de landende vliegtuigen bijna aanraken, zó dicht zit je bij de baan. Als er jumbo's opstijgen, is het beter je niet op de weg langs Maho Beach te bevinden. De kans bestaat dat je weggeblazen wordt. Vooral Air France heeft er een handje van de motoren vol open te zetten voor vertrek. Ze hebben daarmee al eens twee auto's en een Amerikaanse toeriste in zee geblazen, en ook het hek van het vliegveld moest er ooit aan geloven. Het laatste heeft de luchtvaartmaatschappij op Sint-Maarten de bijnaam 'Air Fence' opgeleverd.

kun je het drankje gratis proeven.

Een laatste bezienswaardigheid in Philipsburg is het zeker niet onaardige Sint-Maarten Museum op Front Street 7. De collectie geeft inzicht in de prekoloniale en koloniale geschiedenis van het eiland. Je kunt er ook video's bekijken van de orkanen die Sint-Maarten de laatste jaren hebben bezocht.

ⓘ SINT-MAARTEN MUSEUM. Geopend: ma.-za. 10-16 uur.

Marigot

De hoofdstad Marigot is kleiner dan Philipsburg, maar heeft een paar leuke bezienswaardigheden. Beslist de moeite waard is de kleurrijke Caribische markt, die iedere woensdag- en zaterdagochtend op het plein bij de haven (tevens centrum van de stad) plaatsvindt. Er worden vooral groenten, fruit, vis en kleding verhan-

deld. De toeristenmarkt ernaast is er iedere dag. In het lage marktgebouw zijn leuke bars en eethuisjes gevestigd langs de galerij aan de achterzijde.

Op de heuvel bij de baai torent Fort Saint-Louis boven de haven uit. Het piekfijn gerestaureerde fort beschermde de stad sinds 1786. Als je erheen klimt, wacht boven als beloning een prachtig uitzicht over de stad.

Even ten zuiden van het centrum is nog een klein museum ondergebracht waar je het een en ander kunt leren over de vroegste bewoners van het eiland, de Arawak-indianen.

Stranden

Strandliefhebbers komen op Sint-Maarten/Saint-Martin beslist aan hun trekken. Het groene en geaccidenteerde Bovenwindse Eiland biedt de zonzoeker een heel scala aan mooie Caribische stranden, meer dan dertig in totaal. Aan de oostzijde van het eiland is Dawn Beach de topper op het Nederlandse deel van het eiland, op de Franse helft is Orient Beach langs Baie Orientale de favoriet. Bij Dawn Beach stond een groot aantal fraaie kokospalmen, maar de orkaan Lenny heeft ze in november 1999 flink beschadigd. De orkaan Luís had in 1995 al korte metten gemaakt met het mooie Dawn Beach Resort. Toch kun je nog altijd heerlijk zonnen op het witte zand. Vóór het strand vind je een van de beste snorkelplekken van Sint-Maarten. Orient Beach is een breed en zeer lang zandstrand langs een rustige baai. Een deel is naturistenstrand, erlangs staan de gezellige strandtenten schouder aan schouder. In de baai kun je mooi snorkelen en zeilen, bijvoorbeeld in de richting van het kleine eiland Caye Verte.

Aan de andere, lage kant van het eiland heeft de Nederlandse helft drie heel verschillende stranden bij elkaar. Direct achter het vliegveld, precies aan het begin van de start- en landingsbaan, kun je op Maho Beach de onderkant van landende vliegtuigen bestuderen. Een baai verder heeft het vrij brede Mullet Beach alles wat een tropisch strand tot een tropisch strand maakt: palmen (hoewel ze wat gehavend zijn door Lenny), wit zand, blauw water en veel zon. Weer wat verder gaat de kust omhoog. Onder aan de kliffen ligt het kleine Cupecoy Beach. Door de beschutte ligging is hier naaktrecreatie mogelijk.

Het Franse deel heeft aan de westzijde van het eiland eveneens enkele mooie zandstranden, bijvoorbeeld bij Baie Longue, Baie aux Prunes en Baie Rouge. Ten noorden van Marigot is Friar's Beach langs Baie de Friar's een aanrader.

Sint-Maarten actief

Sint-Maarten heeft een aantal mogelijkheden om sportief bezig te zijn naast het duiken. Je kunt bijvoorbeeld een van de wandelpaden over de heuvels in het midden van het eiland verkennen, een rijpaard huren bij de Bayside Riding Club op Saint-Martin (bij Orient Beach) of een sportvistocht op zee ondernemen. Bovenal echter is Sint-Maarten een zeilerseiland. Er zijn verschillende jachthavens, waar je zelf een boot kunt huren of een georganiseerde tocht per catamaran kunt boeken. Zo zijn er leuke catamarantochten naar buureilanden als Anguilla of St. Barths te maken. Sommige watersportcentra hebben ook windsurfplanken te huur. Een van de mooiste plekken om deze sport te beoefenen, is Baie Orientale langs de oostkant van het Franse deel.

Een minder sportieve, maar daarom niet minder leuke activiteit waarvoor Sint-Maarten uitermate geschikt is, is *island hopping*. Het eiland is door zijn infrastructuur en vervoersaanbod namelijk een uit-

Baie Orientale leent zich prima voor zeiltochtjes.

stekend vertrekpunt voor bezoeken per boot of vliegtuig aan Caribische eilanden in de omgeving. Naar Anguilla gaat bijvoorbeeld een geregelde ferry, die overdag om het half uur vanuit de haven van Marigot vertrekt. Er zijn vanaf hier ook schepen naar Saint-Barthélemy (St. Barths), zoals de St. Barths Jet Ferry, die tussen Marigot en Gustavia (de hoofdstad van St. Barths) vaart. De *Voyager* vaart hiernaast geregeld naar Saba en St. Barths, zowel vanuit Marigot als vanuit Philipsburg (Bobby's Marina). The Edge Ferry Service heeft enkele malen per week ferry's vanaf Sint-Maarten (Pelican Marina) naar Saba en St. Barths.

Wil je met het vliegtuig, dan heeft Windward Islands Airlines (WIA of Winair) een uitgebreid vluchtschema. WIA vliegt met kleine toestellen naar behoorlijk wat eilanden in de regio, zoals Saba en Sint-Eustatius (beide meer vluchten per dag) en St. Kitts, Nevis en Tortola. Het maatschappijtje LIAT vliegt eveneens met kleine toestellen, naar bijvoorbeeld St. Croix, Antigua, St. Thomas en Dominica. Air Guadeloupe, de naam zegt het al, heeft vanaf Sint-Maarten vluchten naar Guadeloupe.

Uitgaan

Sint-Maarten biedt de bezoeker tal van uitgaansmogelijkheden. Er zijn casino's, nachtclubs, dancings, bars en veel goede restaurants, zeker ook op het Franse deel van het eiland. Hier wordt Grand Case wel de culinaire hoofdstad van het eiland genoemd, vanwege de grote hoeveelheid uitstekende eetgelegenheden. Hieronder een kleine selectie:

Antoine Restaurant is al 25 jaar lang een van de beste restaurants in Philipsburg. Je eet er bij kaarslicht zaken als kreeft, escargots, eend in kersenbrandewijn et cetera.

❶ ANTOINE RESTAURANT. Front Street 119, Philipsburg, tel. 22964.

Wil je avontuurlijk dineren (internationale keuken) tussen de papegaaien, apen, slangen en een alligator, bezoek dan het **Indiana Restaurant**. Het is een themarestaurant opgezet rond de filmfiguur Indiana Jones (gespeeld door Harrison Ford).

❶ INDIANA RESTAURANT. Atrium Resort, Simpson Bay, tel. 42616.

Wil je het eenvoudiger, dan is **Ric's Place** in Front Street, Philipsburg, een goede keuze. Dit is een informeel eetcafé met sportwedstrijden op een groot scherm. Je eet er grote Amerikaanse burgers, taco's, steaks, burrito's en dergelijke, weg te spoelen met een grote pul bier.

❶ RIC'S PLACE. Front Street 69, Philipsburg, tel. 26050.

Buiten Philipsburg is **Pelican Reef** een steakhouse van hoge kwaliteit. Neem voor de gevulde kreeft, de goede wijnen en de zonsondergangen wel je creditcard mee.

❶ PELICAN REEF. Pelican Resort Club, Simpson Bay, tel. tel. 42616.

Mai is een Vietnamees restaurant in Marigot, dat goede kritieken kreeg in onder meer *The New York Times* en *The Chicago Tribune*.

❶ MAI. 161 Rue de Hollande, Marigot, tel. 273038 (di. gesloten).

Een typisch creools restaurant tussen de bananenbomen, even buiten Marigot, is **Case a Nou**. Vooral de gevulde krab is er befaamd.

❶ CASE A NOU. Rue Nana Clarck, Quartier d'Agrément, tel. 877047 (zo. gesloten).

h.u.b.

![h.u.b. logo and Mares HUB diving equipment]

NOOIT EERDER HAD JE ALLES ZÓ GOED OPGEBORGEN!

HUB Avantgarde.
*Met geïntegreerd
MRS loodsysteem*

Als je duikt voor je plezier, dan heeft Mares het je wel héél makkelijk gema...
Met de HUB. Sluit je fles aan, hang het comfortabele en o-zo stabiele stabjack
en klaar ben je. Niets vergeten?

Hoezo niets vergeten! De HUB heeft alles <u>in</u> zich wat je nodig hebt, slim v...
gewerkt <u>in</u> de compacte unit en onmiddellijk binnen handbereik. Nooit m...
zoeken naar je automaat*, je octopus, je instrumenten** of de lekker in de ha...
liggende Airtrim inflator. En perfect trimmen met je intuïtie en de tw...
overmaatse knoppen, in welke stand je ook hangt.

Met de HUB duik je op de intelligentste manier. Een logischer en compac...
uitrusting is nog niet uitgevonden. Echt niet.

*Orbiter, een topautomaat!
**Manometer/dieptemeter of computerconsole.

mare
just
ade
water
www.mares.n

SERVICEKATERN

ALGEMEEN

REIZEN NAAR DE NEDERLANDSE ANTILLEN EN ARUBA

Vliegtuig

Lange tijd heeft KLM het monopolie voor vluchten vanuit Amsterdam naar de Antillen en Aruba gehad. Maar hier is op 1 april 2001 het getij gekeerd en vliegen er andere maatschappijen vanaf Schiphol (Dutch Caribbean Express, Martinair) naar de Antillen. Martinair vliegt meerdere keren per week van Amsterdam-Schiphol naar Aruba. Er zijn dagelijks vluchten naar Curaçao, Bonaire en Aruba, twee keer per week ook rechtstreeks naar Sint-Maarten. Je kunt ook met Dutch Caribbean Express van Curaçao doorvliegen naar de andere eilanden. Je kunt nu ook driemaal per dag met een directe vlucht van Aruba naar Bonaire met American Eagle. Sinds kort vliegt ook Air Jamaica van Montego Bay op Jamaica naar Bonaire. Dutch Caribbean Express vliegt net zoals haar voorganger ALM dagelijks vanaf Miami naar Curaçao. Een alternatief vormt het vliegen met TAP of Avianca naar Caracas en vervolgens overstappen op Dutch Caribbean Express.

Boot

Miljoenen toeristen bezoeken het Caribisch gebied en ook enkele Antillen jaarlijks tijdens een cruise. Ze vertrekken vanuit Miami, Fort Lauderdale, New Orleans of de Bahama's. Jamaica, de Dominicaanse Republiek, Cozumel, Sint-Maarten, Puerto Rico, Barbados en Bonaire zijn stops op dergelijke reizen. Enkele bekende rederijen die het Caribisch gebied aandoen zijn: Crown Cruise Line met de schepen *Crown Jewel* en *Crown Dynasty* (tel. 800-5286273), Holland America met de *Nieuw Amsterdam* (tel.

800-4260327) en Princess Cruises met de *Crown Princess* en *Regal Princess* (tel. 800-4210522).

Een cruise is niet de manier om echt kennis te maken met de natuur en de cultuur van het eiland. Die mogelijkheid hebben individuele reizigers per motor- of zeiljacht natuurlijk wel. De Benedenwindse Antillen en Sint-Maarten beschikken over goede jachthavens op alle eilanden.

Douane

Toeristen met de Nederlandse en Belgische nationaliteit hebben een paspoort nodig. Bij aankomst dient een immigratieformulier te worden ingevuld.

Iedere buitenlander zonder verblijfsvergunning moet de douane een geldig retourticket kunnen overleggen, en ook een bevestiging van de hotelboeking. Zakenmensen en journalisten moeten een werkvisum hebben.

Tips

- Bewaar de kopie van het immigratieformulier zorgvuldig voor de terugreis.
- Denk aan de luchthavenbelasting voor de terugreis.

REIZEN IN DE NEDERLANDSE ANTILLEN EN ARUBA

Vliegtuig

Vliegen in het Caribisch gebied is duur. Er zijn diverse regionale maatschappijen die dagelijks 'hoppen' tussen de eilanden, zoals Winair, LIAT, Air Jamaica, American Eagle en Dutch Caribbean Express.

Boot

Er vaart een ferry, de Chogogo, tussen Bonaire en Curaçao. Tweemaal per dag brengt de 22 m grote, comfortabele catamaran maximaal 170 personen van het ene eiland naar het andere. De reistijd bedraagt ongeveer 1:30 uur. De afvaarttijden zijn: Bonaire—Curaçao: 06.30 uur, Curaçao—Bonaire: 08.30 uur, Bonaire—Curaçao: 16.30 uur, Curaçao—Bonaire: 18.30 uur. Tickets kunnen zowel op Bonaire als op Curaçao tot 10 min. voor afvaart gekocht worden en gaan ongeveer f 100,- kosten. Een snorkel- of duikvakantie op Bonaire kun je nu gemakkelijk combineren met een dagtocht naar Nederlands koloniale verleden op Curaçao. Kaartverkoop en informatie: bonaire-pro@bonairelive.com.

Bus

Op Aruba heeft de lokale busmaatschappij *Arubus* een zestal lijnen vanuit Oranjestad naar de verschillende delen van het eiland. Curaçao heeft het *Autobus Bedrijf*; in Willemstad zijn twee busstations, een voor bussen naar westelijk Curaçao, een voor bussen naar oostelijk Curaçao. Eén lijn gaat om het Schottegat heen van Punda naar Otrobanda.

Op Bonaire rijden onregelmatig bussen van Kralendijk naar Rincón.

Op Sint-Maarten/Saint-Martin rijden alleen publieke bussen op het traject Philipsburg-Marigot-Grand Case.

Hiernaast rijden er onregelmatig particuliere personenbusjes naar woonwijken. De minibus is het vervoermiddel van de lagere inkomensgroepen op Curaçao, Aruba en Sint-Maarten. Dit betekent dat je met deze busjes in principe overal kunt komen en redelijk goedkoop. Maar het betekent ook meestal overvolle bussen en vaak lang wachten, zeker in de meer afgelegen gebieden. De busjes hebben vaste opstappunten, meestal een centraal punt in de plaats zoals de markt of aan de doorgaande weg. Er is geen dienstregeling. Ze vertrekken als ze vol zijn, en dan is vol echt vol. Je kunt minibusjes onderweg aanhouden, maar er is geen garantie dat er plaats is. Als er onderweg mensen uitstappen, nemen ze weer nieuwe passagiers mee. De bestemming staat voorop vermeld. De minibusjes wijken zelden af van de vaste routes.

Taxi's

Taxi's zijn vooral in toeristengebieden ruim voorhanden, maar niet altijd even betrouwbaar. Spreek de prijs van tevoren af of laat de meter aanzetten. Neem uitsluitend taxi's met een officiële vergunning (hangt bij de voorruit). De taxi-opstapplaatsen zijn meestal wel vertrouwd. Taxi's bij het vliegveld en bij de hotels zijn extra duur.

Huurauto

Reizen op eigen gelegenheid geeft de beste mogelijkheid om veel van de eilanden en de bewoners te zien. Sommige reisorganisaties organiseren fly & drive-reizen, waarbij de autohuur in de reissom is inbegrepen. Je kunt ook vrij eenvoudig zelf voor een deel van de vakantie een huurauto bespreken.

Verhuurbedrijven

Alle gerenommeerde internationale autoverhuurbedrijven bieden op de vier grotere eilanden hun diensten aan. Daarnaast zijn er verscheidene betrouwbare lokale verhuurbedrijven.

De meeste verhuurbedrijven hebben een kantoortje op de vliegvelden en anders wel in de centra van de hoofdplaatsen. Op verzoek wordt de auto naar het hotel gebracht.

Voorwaarden

Voor de chauffeur geldt op de Antillen een minimumleeftijd van 25 jaar. Vanzelfsprekend is tevens een geldig rijbewijs vereist; dat hoeft geen internationaal rijbewijs te zijn. Het afsluiten van een WA-verzekering is verplicht. Het eigen risico is ten dele af te kopen door een extra verzekering. Er blijft altijd een eigen risico, dat afhankelijk van het verhuurbedrijf varieert. Calculeer in ieder geval een bedrag van US$ 10–15 per dag extra in voor verzekeringen. Over het hele bedrag wordt nog eens 15 procent belasting in rekening gebracht.

De verhuurbedrijven vragen een fors bedrag als borg, minimaal US$ 500. Je kunt hier onderuit komen door met een creditcard te betalen. Er wordt dan een blanco *slip* gemaakt, die je moet onderteken. Deze geldt als borg. Als er niets is gebeurd, krijg je deze terug. Zorg te allen tijde dat deze blanco cheque aan het eind van de huurperiode vernietigd wordt. Hij kan ook eventueel gebruikt worden voor het afrekenen van het totale huurbedrag. Houd er rekening mee dat je met een gewone huurauto niet de natuurparken in mag. De verzekering geldt daar niet.

Verkeersregels

De verkeersborden zijn niet veel anders dan in Nederland en België. Op geen van de eilanden bestaan snelwegen. Op de enkele gewone vierbaanswegen die er zijn (Aruba, Curaçao) is de maximumsnelheid 80 of 90 km/uur (het laatste staat aangegeven). Op gewone tweebaanswegen is het maximum 60 km/uur (tenzij anders aangegeven), in de bebouwde kom 40 km/uur (tenzij anders aangegeven). Verkeer op een rotonde heeft voorrang.

Kijk uit voor onverhoedse bewegingen van medeweggebruikers. Vooral oudere auto's hebben defect licht of sturen beroerd.

Wegen

De hoofdwegen zijn over het algemeen goed onderhouden. Buiten deze hoofdwegen is het minder goed gesteld met de kwaliteit van het wegdek. Let goed op voor gaten. Gebruik bij bochtige wegen de claxon als de weg onoverzichtelijk is.

Tips

- Informeer van tevoren goed naar de tarieven en verzekeringsvoorwaarden.
- Controleer zorgvuldig of eventuele al aanwezige beschadigingen aan de auto op het huurcontract worden aangegeven.
- Controleer het reservewiel en de plaats van de krik.
- Vraag naar een 24-uurs telefoonnummer voor het geval je pech krijgt.
- Parkeer de auto voor de nacht uitsluitend op een terrein met toezicht, bij voorkeur bij het hotel.
- Sluit de auto altijd goed af.
- Leg geen waardevolle voorwerpen in het zicht in de auto.
- Haal bij een aanrijding altijd de politie erbij.
- Rij rustig!

Tweewielers

Wie zich in de directe omgeving van de toeristengebieden wil verplaatsen, kan volstaan met het huren van een motor, scooter of fiets. Op de grotere eilanden zijn meerdere verhuurders van tweewielers. Voor een motor (500 cc) – rijbewijs noodzakelijk! – betaal je ongeveer US$ 50 per dag, voor een kleiner kaliber (50 cc) of een scooter US$ 35, voor een fiets US$ 8. Er zijn speciale kortingen voor langere huurperiodes. Ook hier is een borg verplicht.

ACCOMMODATIE

De Nederlandse Antillen en Aruba hebben een grote keus aan accommodaties. Het merendeel van de buitenlandse vakantiegangers boekt zijn verblijf direct met de reis. Dat is vaak ook voordeliger dan wanneer je én zelfstandig een ticket koopt én op de bonnefooi hotelaccommodatie zoekt.

In de arrangementen die de Belgische en Nederlandse reisorganisaties aanbieden, is het hotel meestal inbegrepen.

Hotels en guesthouses

In deze reisgids zijn hotels en guesthouses ondergebracht in vier categorieën. De prijzen zijn gebaseerd op verblijf van twee personen in een tweepersoonskamer tijdens het laagseizoen (mei–dec.), tenzij anders vermeld. In het hoogseizoen kunnen de prijzen tot 20 procent hoger uitvallen.

Categorie 1 (>US$ 120)

Deze hotels zijn uiterst luxe. Ze zijn gevestigd in fraai gerestaureerde plantagehuizen, landhuizen of zijn nieuw gebouwd aan het strand. Ze zijn ingericht volgens de modernste standaard, met een ruime badkamer met alles erop en eraan, kamers met airco, zitje, tv, minibar, terras of balkon. Bij het hotel horen zwembaden, verscheidene restaurants van goede kwaliteit, bars, winkels, sportfaciliteiten en een balie voor excursies en reisinformatie.

All-inclusive hotels. De top in categorie 1 vormen de all-inclusive hotels. Dit zijn ware vakantieparadijzen op de mooiste locaties aan de kust, meestal met eigen strand. Het verblijf en alle bijkomende kosten zijn bij de prijs inbegrepen (belastingen, transfers, maaltijden, drankjes, evenals alle sportieve en ontspanningsactiviteiten).

Je kunt hier niet zomaar gaan eten of een drankje drinken. De meeste all-inclusives verstrekken een dagpas voor zo'n US$ 40–50 per persoon.

Een verblijf in een all-inclusive vakantieparadijs loopt uiteen van US$ 175–350 per persoon per nacht. De eerste all-inclusives waren uitsluitend gericht op echtparen, maar nu zijn er speciale vakantieparadijzen voor onder meer gezinnen met jonge kinderen en voor sportieve gasten.

Categorie 2 (US$ 80–120)

Deze hotels zijn ook nog luxe, met een eigen badkamer, televisie, airco, telefoon op de kamer, en dagelijks goede schoonmaak. Er is ook altijd minstens een goed restaurant, een zwembad, een souvenirshop en een balie voor excursies.

Categorie 3 (US$ 40–80)

In deze categorie vallen de kleinere hotels als de meeste guesthouses. De hotels vormen de middenklasse. Doorgaans is er niets mis mee: redelijk ruime kamers, met douche of bad, televisie, telefoon, en schoon. In deze categorie hotels zijn ook altijd een restaurant, een souvenirshop (al is het soms maar een hoekje), en een toeristenbalie. De guesthouses zijn meestal in fraaie huizen gevestigd, de kamers hebben een douche en soms een bad, telefoon is niet altijd aanwezig, de kamers zijn schoon, eten is inbegrepen in de prijs.

Categorie 4 (US$ 20–40)

Hier moet je het treffen. De kamers hebben meestal niet meer dan een bed, een kast en wat stoelen. Soms heb je er een eigen douche, maar meestal moet je de badkamer delen met andere gasten. Doorgaans wordt er goed schoongemaakt. Let vooral op of de ramen goed beveiligd zijn tegen ongewenste indringers: muskieten en dieven.

Vakantiehuizen en appartementen

Een aantrekkelijk alternatief voor verblijf met meerdere personen tegelijk en eventueel voor een langere periode is het huren van een vakantiehuis of een appartement. Ook op de Antillen en Aruba breiden de mogelijkheden hiervoor zich snel uit.

Tips

Vier tips voor verblijf in een (goedkoop of middenklasse) hotel en guesthouse.

1. Laat nooit waardevolle voorwerpen achter in de kamer.
2. Leg cheques en geld altijd in de kluis.
3. Zorg voor een adapter en verloopstekker.
4. Zorg bij een verblijf in een eenvoudig hotel (categorie 3 en 4) voor extra (bad)handdoeken.

Lijst hotels en guesthouses

De toeristenorganisaties van de eilanden publiceren jaarlijks een lijst met hotels en guesthouses die aan de gestelde voorwaarden voldoen. Daarin zijn de prijscategorie, faciliteiten en adressen (telefoon- en faxnummers) opgenomen (adres zie bij adressen en telefoonnummers). Zie verder onder de afzonderlijke landen in dit katern.

INFORMATIE OVER DE ANTILLEN

De Antillen op internet

Individuele reizigers, die meer informatie willen hebben over excursiemogelijkheden en bijvoorbeeld actieve vakanties of een volledige lijst van verblijfsmogelijkheden, kunnen het best kijken bij de websites van de diverse toerismebureaus. Steeds meer organisaties, particulier en van de overheid, bieden up-to-date informatie aan via internet. Nieuw is de informatie van enthousiaste reizigers op het net. Het is soms even zoeken, maar de verhalen en tips zijn soms heel nuttig.

Nederlandse en Belgische touroperators/reisbureaus

Verschillende touroperators in Nederland en België hebben zich de afgelopen jaren gespecialiseerd in reizen naar de Antillen en Aruba. Meestal zijn het volledig verzorgde strandvakanties met ex-

cursiemogelijkheden. Sommige hebben speciale programma's voor sportduikers.

Specialisten in duikreizen

De volgende reisbureaus zijn gespecialiseerd in reizen voor duikers en hebben al een ruime ervaring met duikvakanties in het Caribisch gebied.

- *ABC Travel*, tel. 0541-533177, fax 0541-532624, e-mail antillen@wxs.nl, website www.abc-travel.nl.
- *Bonaire Fun Travel*, Nieuwstraat 11, 3743 BK Baarn, tel. 035-5426071, fax 035-5426035, website www.bonaire-funtravel.nl.
- *Dimension*, Oranje Nassaustraat 3, 6311 LD Heerlen, tel. 045-5717777, fax 045-5714752, e-mail dimension@crombag.nl, website www.crombag.nl.
- *Diving Holidays*, Haarlemmerstraat 140, 1013 EZ Amsterdam, tel. 020-5218100, fax 020-5287969, e-mail info@divingholidays.nl.
- *Eigen-Wijze Duikreizen*, Ambachtstraat 8, 7609 RA Almelo, tel. 0546-454040, fax 0546-538598, e-mail ewdr@wxs.nl, website www.ewdr.com.
- *Elers Reisburo*, Bergerkampstraat 7, 3650 Dilsen-Stokkem, België, tel. 0032-89794241, e-mail elersreisburo@belgacom.net.
- *Roozo Diving Tours*, Kruizemunthof 3, 1115 DZ Duivendrecht, tel. 020-699 2212, fax 020-69988 37, e-mail roozo@xs4all.nl.
- *Scuba Travel/Volantis*, Holstraat 28, 8790 Waregem, België, tel. 0032-27580303, fax 0032-27580309, e-mail volantis@pi.be.
- *Van der Valk Vakanties*, Laan van Westroyen 10, 4003 AZ Tiel, tel. 0344-634635, fax 0344-632747, e-mail info@vandervalkvakanties.nl, website www.vandervalkvakanties.nl.

Of bij Dive Travel Centers:
- Toerkoop Reisburo Jo Land (Zwolle), tel. 038-4211118.
- Toerkoop Reisburo De Planeet (Nijmegen), tel. 024-3233644.
- Toerkoop Reisburo Bodegraven, tel. 0172-611777.
- Toerkoop Reisburo Zonvaart (Heerhugowaard), tel. 072-5716744.
- Reisburo van Gerwen (Vlijmen), tel. 073-5118181.
- Toerkoop Reisburo Poutsma (Rhoden), tel. 050-5019505.
- Toerkoop Reisburo Sypersma (Heerenveen), tel. 0513-625044.
- Toerkoop Reisburo van Asselt (Apeldoorn), tel. 055-5212767.
- Toerkoop Reisburo Columbus (Sint-Michielsgestel), tel. 073-5517265.

GELDZAKEN

Pinnen
Op vrijwel alle eilanden kun je pinnen met je bankpas uit Nederland. Kijk naar het Cirrus-logo op de pinautomaat. Alleen op Saba en Sint-Eustatius is dit nog toekomstmuziek. Daar moet je nog wisselen op de traditionele manier, bij de commerciële bank of in het hotel.
Dat kan overigens op de andere eilanden ook, maar waarom zou je met je pinpas. Houd er wel rekening mee dat de automaat in het weekend snel leeg is. Pin dus bij voorbaat op donderdag of vrijdagmorgen voor het hele weekend.

Betalen
De Nederlandse Antillen hebben de Antilliaanse gulden, Aruba de Arubaanse. Beide munten zijn gekoppeld aan de dollar. Dat kan de eilanden voor Nederlanders en Belgen relatief duur maken, tenzij de euro binnenkort z'n werk doet en zorgt voor een lagere dollarkoers.
Op alle eilanden accepteert men ook Amerikaanse dollars, op Aruba kun je zelfs veel beter met dollars dan met Arubaanse guldens terecht.

Prijzen
Het prijspeil in de winkels ligt over het algemeen hoger dan in Nederland en België. Alles moet worden ingevoerd; het fruit, het vlees en de groente uit Zuid- en Midden-Amerika; en al het andere uit de Verenigde Staten en Europa (Nederland met name). Maar de supermarkten hebben tegenwoordig wel een breed assortiment.

Creditcards
In de meeste restaurants, hotels en grotere winkels worden de bekende creditcards geaccepteerd: American Express, Euro/MasterCard en Visa. Het gebruik van een creditcard is aan te raden, omdat je dan niet met te veel contant geld hoeft rond te lopen. Dat is een extra risico en bovendien heb je kans dat je bij vertrek duur terug moet wisselen.

Openingstijden
Banken zijn open van ma.–do. 9–14 en vr. 9–15 uur; za. en zo. gesloten. In de grotere hotels kun je praktisch de gehele dag en ook in het weekend terecht om te wisselen.

Tips
- Zorg dat je wat losse Antilliaanse, Arubaanse guldens of dollars bij je hebt, voor de taxi en eventuele fooi.
- Neem zo weinig mogelijk cash dollars mee; travellercheques, creditcards en bankpasjes zijn veiliger.
- Draag zo weinig mogelijk geld bij je tijdens een wandeling, bij verblijf op het strand of in de disco.

Belastingen
Tijdens het verblijf word je geconfron-

teerd met verschillende belastingen voor toeristen. Reserveer een bedrag van US$ 20 (op de Bovenwinden US$ 15) per persoon voor de luchthavenbelasting op de terugreis. Dat bedrag moet worden betaald bij de incheckbalie. Alleen voor reizen van en naar Aruba hoef je deze belasting niet ter plaatse te betalen; die zit al inbegrepen bij de prijs van het ticket.

In het hotel of guesthouse komt over het bedrag voor verblijf en bijkomende kosten nog 12 procent *government tax* en 10 procent *service charge*. Staat de service charge niet op de rekening, bijvoorbeeld in een restaurant, dan wordt een fooi op prijs gesteld.

Toerisme is de melkkoe van de Antillen. Daarom hebben ze ook nog de logeerbelasting uitgevonden. Je betaalt per nacht nog eens 6 à 8 dollar per persoon extra, gewoon omdat je ergens moet slapen. Een betere illustratie van het financiële failliet en de willekeur van het overheidsbeleid op de Antillen is er niet.

Fooien

Een toeslag op de bediening van 15 à 20 procent is meestal in de prijs inbegrepen. Is dit niet het geval, dan bepaal je zelf de hoogte van de fooi (tussen de 10 en 20 procent is normaal).

GEZONDHEID

Neem als je medicijnen gebruikt altijd ruim voldoende mee en vraag je arts in dat geval om de naam in het Engels en het merk op te schrijven.

Diarree

De meest voorkomende kwaal waar buitenlanders mee worden geconfronteerd, is diarree. Vooral niet goed schoon gemaakte groente, fruit of vlees en besmet water zijn de grote boosdoeners. Sterk gekruide gerechten zullen bij de een sneller dan bij de ander hun sporen nalaten, en ook de hogere temperaturen met felle zon kunnen bijdragen aan de tijdelijke malaise. De belangrijkste raad is daarom: neem de tijd om te acclimatiseren en vermijd onbetrouwbaar voedsel en drinken. In de bar zijn mineraalwater, andere frisdranken en bier uit flesjes de beste garantie tegen buikloop. Behalve als het lot al heeft toegeslagen; drink dan geen bier, koolzuurhoudende drank en koffie, totdat de diarree voorbij is. Om het vochtverlies aan te vullen, kun je het beste mineraalwater zonder prik, slappe thee (goed gekookt water!) en geen vet eten nemen. Een droge boterham doet vaak wonderen om de honger te stillen.

Soms wordt aanbevolen om voor langdurige diarree zoutoplossingen (ORS) mee te nemen. Dat kan geen kwaad, maar op het moment dat inname daarvan echt nodig is, ben je allang bij een dokter geweest. Want als regel kun je hanteren: als de diarree langer dan twee dagen in z'n volle hevigheid aanhoudt, direct een dokter raadplegen.

Wel handig is het om enkele strips imodium mee te nemen. Gebruik deze alleen in hoge nood, want het is een zwaar medicijn, dat de natuurlijke afbraak van de bacteriën in het lichaam tenietdoet.

Drinkwater

Het drinkwater op de Nederlandse Antillen en Aruba is van uitstekende kwaliteit. Het wordt uit zeewater gedestilleerd door grote ontziltingsinstallaties waardoor een bijzonder verfrissend drinkwater ontstaat. Water is echter wel duurder dan men in Nederland en België gewend is, dus wordt er van bezoekers gevraagd er zuinig mee om te gaan.

Zon

De Nederlandse Antillen en Aruba hebben een tropisch klimaat. De zon is veel intenser dan bijvoorbeeld in Zuid-Euro-

pa. Ga af op je eigen ervaring met de gevoeligheid van je huid. Neem een goede zonnebrandcrème mee, liefst enkele factoren hoger dan je gewend bent. Zon, om alle risico's uit te bannen, nooit langer dan twee uur. Wees vooral de eerste dagen niet overmoedig. Van april tot oktober is het zonnen tussen 12 en 15 uur ronduit gevaarlijk. Zoek dan de schaduw op, net als de lokale bevolking.
Zorg bij lange wandelingen in de volle zon voor een hoofddeksel en eventueel lange mouwen.

Muggen
De kleinste en venijnigste bandieten in tropische gebieden zijn de muggen. Vooral in gebieden met veel groen en stilstaand water houden ze zich schuil om vervolgens 's avonds hun slag te slaan. Kijk in de hotelkamer of de ramen goed gescreend zijn, dus of er muskietengaas voor zit. Is dat niet het geval, dan kan een klamboe afdoende bescherming bieden. Vraag ernaar in het hotel.
Om helemaal alle narigheid te voorkomen, zou je insectenwerend middel mee kunnen nemen om op armen en gelaat te smeren.
Draag 's avonds, en vooral bij de schemering, lange mouwen en een lange broek. Mocht je toch last krijgen van muggenbeten en jeuk, dan zijn er tal van middeltjes die daar tegen helpen.

Geslachtsziekten
Onbeschermde seks is onverantwoord, ook op de Antillen en Aruba. Neem dus condooms mee vanuit Nederland of België als je denkt dat die nodig kunnen zijn.

Hulp in nood
In de toeristengebieden, zeker in de betere hotels, kan altijd snel een arts ter plekke zijn. Een behoorlijk ziekenhuis is daar ook niet ver weg.

Tip
De commerciële organisatie Tropenzorg BV uit Almere geeft informatie over allerlei aspecten van gezond reizen naar de tropen. Voor verschillende brochures, zoals *Eerste hulp op reis, Voorkom muggensteken*, bel tel. 036-5334711.

Vaccinatie
Voor de Nederlandse Antillen en Aruba zijn geen vaccinaties nodig.

VEILIGHEID EN CRIMINALITEIT
Tussen de bevolkingsgroepen op de Antillen bestaan grote verschillen in welvaart. Een groot deel van de bevolking heeft geen vast werk en inkomen. Toeristengebieden zijn voor deze mensen plekken waar wat te verdienen is. Verreweg de meesten doen dat op een legale manier; in de straathandel, als gids, in de horeca of in de taxi. Maar er zijn er ook, die van de gelegenheid gebruik maken en toeristen beroven.
Wanneer toeristen overvallen worden, dan gaat het in negen van de tien gevallen om gauwdieven, die niet verder komen dan zakkenrollen, een handtas, een fototoestel. Daar kun je dus de bovengenoemde voorzorgen tegen nemen. Slechts in een enkel geval is er sprake van een gewapende overval. De keren dat zoiets gebeurt, zijn op de vingers van een hand te tellen. En daar is weinig tegen te doen. In zulke gevallen geldt: probeer je nooit te verzetten! Zelden worden er toeristen gewond of gedood bij berovingen. De grootste kans daarop loop je door de bedreiging met pistool of mes te negeren. De meeste keren dat je met criminaliteit wordt geconfronteerd, is bij berovingen uit hotelkamers en auto's. Duikers en andere toeristen die een 'goedkoop' appartement of hotelletje zoeken, dat erg veraf is gelegen, lopen de kans om midden in de nacht in hun appartement of hotel

overvallen te worden door gewapende bendes. Daarom: betaal liever iets meer voor een gerenommeerd hotel of appartement aan de kust en in een toeristengebied dan ergens in de *kunuku*.

Hoe dan ook: het criminele geweld treft in eerste instantie de lokale bevolking zelf: leden van straatbendes, politiemensen en mensen die overvallen worden in hun huis.

Tips

- In de bekende toeristengebieden is het extra oppassen, vooral bij de bezienswaardigheden, op het strand en in uitgaansgebieden.
- Ga nooit zonder begeleiding van een lokaal goed bekend persoon de 'echte' volkswijken in. Dat is vragen om problemen.
- Maak ook 's nachts geen wandelingen buiten de drukkere uitgaansgebieden.
- Ga nooit zomaar mee met een onbekende die je het 'echte' leven wil laten zien.

Drugs

Ofschoon marihuana bij de cultuur van het Caribisch gebied is gaan horen, is het bezit ervan officieel nog steeds illegaal. Hetzelfde geldt voor cocaïne, crack en alle andere drugs. Bezoekers die op de Antillen worden gepakt met drugs, kunnen een fikse gevangenisstraf verwachten.

Tip

- Kies het zekere voor het onzekere: koop geen drugs.

DIVERSEN

Actieve vakantie

De Antillen en Aruba gaan mee met de trend. Actieve vakanties zijn in. Op de meeste eilanden kun je naast het duiken en snorkelen, mountainbiken, paardrij-

den, golfen, zeilen, windsurfen, parasailen, trektochten maken, diepzeevissen en kanoën.

Carnaval

Het jaarlijks terugkerende carnaval (jan.–feb. of feb.–mrt.) is de drukste tijd van het jaar en dan zijn er nauwelijks hotelkamers en vluchten te verkrijgen. Het is een van de opwindendste evenementen van het jaar. Het feest wordt op alle eilanden gevierd, onder andere op straat met dansparades in kleurrijke kostuums. Daarbij horen natuurlijk de wedstrijden voor de beste muzikanten, de beste zangers, de creatiefste carnavalskleding en de verkiezing van de carnavalskoningin. Het hoogtepunt is de grote parade, die op de zondag voor Aswoensdag 's middags om 12 uur begint. Het is traditie dat op Vastenavond, vlak voor middernacht, 'King Momo', symbool van het vlees, wordt verbrand tijdens de 'Old Mask Parade'. Net als in Nederland valt het carnaval op de Antillen elk jaar op een andere datum. Maar de verschillende toeristenbureaus geven je daar graag informatie over. Een voorproefje kun je in Nederland krijgen: elk jaar wordt er tijdens de zomermaanden in Rotterdam het Tropische Carnaval met een grote straatparade gevierd.

Elektriciteit

110–120 Volt, AC 60 Hz. Een verloopstekker naar Amerikaans model is noodzakelijk. De meeste bungalows/hotels een een 220 Volt airco-aansluiting en een speciale stekker.

Eten en drinken

De vermenging van bevolkingsgroepen en het tropische klimaat hebben gezorgd voor een gevarieerde Antilliaanse keuken. In de gerechten zul je Spaanse, Britse, Afrikaanse, Chinese en andere invloeden herkennen. Behalve kleurrijk zijn de gerechten vooral sterk gekruid. Basisingrediënten zijn ui, peper, knoflook, nootmuskaat, kerrie en allspice, een Jamaicaanse uitvinding. Antilliaanse gerechten staan daarom niet bekend vanwege de verfijnde smaak, maar de liefhebbers van sappig en pittig komen er volop aan hun trekken.

Kleding

De eilanden zijn warm en hebben een regelmatige temperatuur. Neem luchtige kleding mee, bij voorkeur katoen, maar voor de avond een sweater, zomerjasje of jack. Alleen op Saba kan het écht fris worden. Neem voor de Bovenwinden altijd een regenjack mee.

In de meeste restaurants en uitgaansgelegenheden is *casual*, een hemd en zomercolbert, voldoende. De exclusievere restaurants en hotels stellen *casual chique* op prijs, dat wil zeggen voor de mannen een stropdas of poloshirt, een net jasje en pantalon.

Overbodig om te zeggen misschien: vergeet je zwemkleding en eventueel sportkleding niet.

Een zonnebril is op de Antillen bijna een noodzaak.

Reistijd en klimaat

Het hele jaar is het goed toeven op de Nederlandse Antillen en Aruba. Er waait de verkoelende passaatwind die zorgt voor een zeer aangenaam klimaat. De temperatuur aan de kust schommelt overdag tussen de 27 en 34 °C. Het gemiddelde temperatuurverschil tussen dag en nacht, en zomer en winter is slechts 3,6 °C. In de bergen op de Bovenwindse Eilanden is het kouder.

De meest regenachtige maanden zijn mei–jun. en sept.–okt. De gemiddelde regenval is 500 mm per jaar en valt in korte buien.

In de zomerperiode (jun.–sept.) is het op de eilanden over het algemeen rustiger dan in de winter, als het officieel hoogseizoen in het hele Caribische gebied is. 's Zomers is het verblijf gemiddeld 20 procent goedkoper. Daar staat tegenover dat de verschillende vliegmaatschappijen de vliegprijzen flink opschroeven.

Aangezien Aruba, Bonaire en Curaçao benedenwinds liggen, heeft men hier geen last van orkanen. De watertemperatuur is er ongeveer 25 °C.

Taal

Nederlands is de officiële taal op de Benedenwindse Eilanden van de Nederlandse Antillen en Aruba. De voertaal is echter Papiamento, een unieke mengeling van Spaans, Nederlands en Portugees, gekruid met Afrikaanse, Engelse en Franse ingrediënten. Engels en Spaans worden overal op het eiland gesproken. Bij sommige hotels kun je ook met Duits terecht.

De voertaal op de Bovenwindse Eilanden (Saba, Sint-Eustatius en Sint-Maarten) is Engels.

Tijdverschil

In de winter is het op de Antillen vijf uur vroeger dan in Nederland en België, in de zomer zes uur.

Verder lezen

Sportduikersgids Caribisch gebied, door Marcel Bayer. Dominicus Adventure, Gottmer/Becht, Bloemendaal, 2000, ISBN 90 257 3140 6.

Duikgids voor het Caraïbische Gebied, door Kurt Amsler. Zuid Boekproducties, Lisse, 1996, ISBN 90 6248 896 X.

Tropical Shipwrecks, door Daniel en Denise Berg. Uitgeverij Aqua Explorers Inc. East Rockaway, NY, ISBN 0 9616167 2 5.

Tijdschift

Duiken, Internationaal Magazine van de

Onderwaterwereld, Uitgeverij VIP Media, Postbus 7164, 4800 GD Breda, tel. 076-5301721. Verschijnt elke maand, 12 x per jaar. Proefnummers op aanvraag of via de boekhandel.

Reisgidsen
Nederlandse Antillen en Aruba, door Guido Derksen. Uitgeverij J.H. Gottmer/ H.J.W. Becht BV, Bloemendaal, 2002, ISBN 90 257 3397 2. In het voorjaar verschijnt de volledig herziene derde druk.

Natuur en cultuur
Caraïbische Zee, door Kurt Amsler. Uitgeverij Zuid Boekprodukties, Lisse 1996, ISBN 90 6248 896 x.

Determinatieboeken
Koraalvissen van de wereld, door Ewald Lieske en Robert Myers. Uitgeverij VIP Media, Breda 1997, ISBN 90 70206 23 4.
'Gevaarlijke' zeedieren, door John Serton en Jos Groenen. Uitgeverij Plaza Ontwerpers BV, Eindhoven 2001, ISBN 90 74 009 14 x.
Reef Fish Identification Florida, Caribbean and Bahamas, door Paul Human. New World Publications Inc. Jacksonville, Florida 1994, ISBN 1 878348 07 8.
Fisch Führer Karibik, door Paul Human. Uitgeverij Jahr Verlag GmbH, Hamburg 1997, ISBN 3 86132 234 x.
Niedere Tiere Karibik, door Paul Human. Uitgeverij Jahr Verlag GmbH, Hamburg 1997, ISBN 3 86132 477 6.
Sharks & Rays, Elasmobranch Guide of the World, door Ralf M. Henneman. Uitgeverij IKAN, Frankfurt 2001, ISBN 3 925919 33 3.
Crustacea Guide of the World, door Helmut Debelius. Uitgeverij IKAN, Frankfurt 1999 (een determinatieboek over kreeftachtigen).
Cephalopods, A World Guide, door Mark Norman, Uitgeverij Conch Books, Hac-

kenheim 2000, ISBN 3 925919 32 5 (een determinatieboek over inktvissen).

Koralen
De wereld van het koraalrif, door Yossi Loya en Ramy Klein. Uitgeverij VIP Media, Breda 1999, ISBN 90 70206 44 7.
Duikgids voor de koraalriffen, door Angelo Mojetta. Uitgeverij Zuid Boekprodukties, Lisse 1996, ISBN 90 6248 870 6.

Onderwaterfotografie
Handboek voor de onderwaterfotografie, door Heinz-Gert de Couet en Andrew Green. Uitgeverij VIP Media, Breda 1997, ISBN 90 70206 30 7.
Kurts Fototips, Onderwaterfotografie in de praktijk, door Kurt Amsler. Uitgeverij VIP Media, Breda 1996, ISBN 90 70206 34 X.

LOKALE PRAKTISCHE INFORMATIE

ARUBA

Algemene informatie
Aruba werd in 1499 door de Spanjaarden ontdekt en in 1636 overgenomen door de Nederlanders. Tegenwoordig heeft Aruba een 'Status Aparte' binnen het Koninkrijk der Nederlanden en een van de hoogste levensstandaarden binnen het Caribisch gebied.

Toeristenbureau in Nederland
Meer informatie over Aruba kun je verkrijgen bij: Aruba Tourist Authority, R.J. Schimmelpenninckklaan 1, 2517 JN Den Haag, tel. 070-3566220, fax 070-3604877, e-mail ata.europe@toaruba.com, website www.aruba.com.

Toeristenbureau op Aruba
Aruba Tourist Authority (ATA), PO Box 1019, L.G. Smith Boulevard 172, Oranjestad, Aruba, tel. 823777, fax 843702, e-mail ata.aruba@toaruba.com, website

www.interknowledge.com/aruba.

Telefoonnummer
Het internationale toegangsnummer van Aruba is 00297.

Reizen naar Aruba
Dagelijks worden vanuit de hele wereld vluchten uitgevoerd op de internationale luchthaven Koningin Beatrix (Aeropuerto Internacional Reina Beatrix).
De KLM vliegt dagelijks non-stop vanaf Amsterdam-Schiphol naar Aruba en dagelijks naar Ecuador, waarbij een tussenlanding wordt gemaakt op Bonaire. Vanaf Bonaire kun je driemaal daags met een directe vlucht naar Aruba met American Eagle.
Een andere mogelijkheid is Amsterdam-Schiphol naar Miami, van waaruit je met Dutch Caribbean Express verder kunt vliegen. Martinair vliegt diverse malen per week van Amsterdam-Schiphol naar Aruba. Een alternatief vormt het vliegen met Avianca naar Caracas en vervolgens overstappen op Dutch Caribbean Express.

Luchthavenbelasting
Deze is tegenwoordig bij de ticketprijs inbegrepen.

Huisdieren
Honden en katten, mits deze niet uit Zuid- en Midden-Amerika worden meegebracht, zijn toegestaan, op voorwaarde dat je een gezondheidsverklaring en inentingspapieren tegen hondsdolheid kunt overleggen. In de hotels is je huisdier echter niet welkom.

Hoogseizoen
Het hoogseizoen op Aruba ligt tussen half december en half april, wanneer veel bezoekers het winterse weer in eigen land ontvluchten. In de zomer is de temperatuur weliswaar hoger, maar dan waait ook de verkoeling brengende wind.

Geldzaken
De Nederlandse Antillen hebben de Antilliaanse gulden, Aruba de Arubaanse gulden. Beide munten zijn gekoppeld aan de dollar. Dat kan de eilanden voor Nederlanders en Belgen relatief duur maken, tenzij de euro binnenkort z'n werk doet en zorgt voor een lagere dollarkoers. De meeste eilanden accepteren ook Amerikaanse dollars. In de meeste restaurants, hotels en grotere winkels worden de bekende creditcards geaccepteerd: American Express, Euro/MasterCard en Visa. Het gebruik van een creditcard is aan te raden, omdat je dan niet met te veel contant geld hoeft rond te lopen. Dat is een extra risico en bovendien heb je kans dat je bij vertrek duur terug moet wisselen.

Pinnen
Op Aruba kun je pinnen met je bankpas uit Nederland. Let op het Cirrus-logo op de pinautomaat. Houd er wel rekening mee dat de automaat in het weekend snel leeg is. Pin dus bij voorbaat donderdag of vrijdagmorgen voor het hele weekend.

Openingstijden banken
Banken zijn open van ma.–do. 9–14 en vr. 9–15 uur, za. en zo. gesloten. In de grotere hotels kun je praktisch de gehele dag en ook in het weekend terecht om te wisselen. Het filiaal van CMB op de luchthaven is geopend dag. 8–16 uur.

Winkeltijden
De meeste winkels zijn geopend op ma.–za. 8–12 en 14–18 uur. De winkelcentra van 9.30–18 uur.
Liggen er cruiseschepen in de haven aangemeerd, dan zijn sommige winkels ook op zon- en feestdagen geopend.

Openbaar vervoer en taxi's

Er is een goed netwerk van openbaar vervoer op Aruba. Er zijn dagelijkse busverbindingen tussen de hotelregio's en alle verschillende delen van het eiland. Voor nadere informatie over de aankomst- en vertrektijden kun je terecht bij je hotel. De taxi's (vanaf het vliegveld) zijn prijzig. De taxicentrale bevindt zich bij Pos Abou z/n, achter het Eagle Bowling Palace aan de Sasaki Road, tel. 822116 of 821604. In de taxi's is geen taximeter aanwezig omdat er voor ritten vaste prijzen gelden. Informeer daarom altijd vóór de rit naar de prijs. Het merendeel van de taxichauffeurs neemt deel aan het 'Tourism Awareness Program' van de overheid.

Autoverhuurbedrijven

Verreweg het beste is om een auto, scooter of fiets te huren. Wil je zelfstandig duiken en het eiland verkennen, dan is een eigen autootje onontbeerlijk. Vraag het reisbureau of een auto (jeep) niet in het arrangement kan worden meegenomen. Je betaalt er dan relatief minder voor (gemiddeld 500 gulden per week, excl. verzekering en benzine).

De grote Amerikaanse autoverhuurbedrijven hebben vestigingen op Aruba. De minimumleeftijd om een auto te kunnen huren, is 21 jaar. Tevens moet je ten minste 2 jaar geleden je rijbewijs hebben gehaald. Praktisch alle autoverhuurbedrijven zijn te vinden op het vliegveld.

Verkeersregels

De verkeersregels lijken sterk op de Nederlandse regels, maar doorgaande wegen hebben voorrang op de zijwegen. Dit wordt, in tegenstelling tot Nederland, niet met voorrangsborden aangegeven. Binnen de bebouwde kom geldt meestal een maximumsnelheid van 35 km per uur, buiten de stad is dat 60 km per uur, tenzij anders aangegeven.

Benzinestations

Vóór het tanken moet je opgeven hoe veel brandstof je wilt tanken en moet je betalen. Zodra eenmaal betaald is, zal de pomp automatisch afslaan.

Gezondheid

Het in 1976 geopende Dr. Horacio Oduber-ziekenhuis beschikt over alle moderne medische apparatuur. Ook voor alle hotels zijn er artsen beschikbaar. De tandheelkundige voorzieningen staan eveneens op een hoog peil. Voor verdere informatie kun je je wenden tot het ziekenhuis aan de L.G. Smith Boulevard, Oranjestad, tel. 847300.

Verder zijn er medische centra in San Nicolas: Centro Medico, tel. 848833, spreekuur ma.–vr. 8–12 en 15–17 uur. De eerstehulpdienst is dag en nacht bemand, tel. 848833.

De Posada Clinic Aruba is een privé-kliniek aan de L.G. Smith Boulevard 14, tel. 820840, fax 835664.

Zaktelefoons

Als je een zaktelefoon wilt huren, moet je je paspoort kunnen tonen en een borgsom van US$ 500 voldoen. Het is raadzaam hiervoor een creditcard te gebruiken. Meer informatie: Setar, Seroe Blanco z/n, tel. 820005.

Water- en jetskiën

Aan de zuid- en westkust van het eiland is de zee spiegelglad. Hier kun je zowel water- als jetskiën. Wel zijn er speciale gebieden voor aangewezen om aanvaringen met zwemmers en duikers te voorkomen.

Diepzeevissen

Op Aruba wordt gevist op gigantische vissen als tonijn, bonito, blauwe en witte marlijn, zeilvis, koningsvis en barracuda. Je kunt er natuurlijk zelf op uittrekken, maar je kunt ook een dagje meevaren op een sportvissersboot. Voor alles wordt gezorgd, van kapitein tot aas, het enige waar je zelf voor moet zorgen, is de vangst.

ⓘ DIEPZEEVISSEN, meer informatie bij de volgende boten: *Amira Darina*, tel. 834424; *Dorothy*, tel. 823375 en 821889; *Driftwood*, tel. 832512; *G- string*, 826101; *Kenny's Toy*, 825088; *La Tanga*, tel. 846825; *Macabi*, tel. 828834; *Mahi-Mahi*, tel. 836611; *Monsoon*, tel. 933311; *Queeny*, tel. 878399, *Sea Doll*, tel. 824478, *Sweet Mary*, tel. 827985.

Zeilen en windsurfen

Op Aruba heb je de keuze tussen het rustige water in het zuidwesten of de woeste golven in het noorden. De zwoele passaatwind waait elke dag met een gemiddelde kracht van 4 à 5 Beaufort. Aruba is daarmee een veel omcirkeld gebied voor zeilers en windsurfers. Elk jaar worden er spectaculaire windsurf- en zeilevenementen gehouden: in juni de Hi-winds Windsurfing en in november de Aruba Catamaran Regatta voor zeilboten.

Windsurfen: Divi Winds, tel. 824150; Happy Surfpool, tel. 866288; Pelican Watersports/Velasurf, tel. 863600; Red Sail Sports, tel. 861603; Roger's Windsurfing Palace, tel. 861918; Sailbord Vacation, tel. 862527; Unique Sports of Aruba, tel. 863900.

Zeilen: Andante, tel. 847718; Aruba Marine Services NV, tel. 839190; De Palm Tours, tel. 824545; Discovery Tours, tel. 875875; Mi Dushi & Tattoo, tel. 828919 en 823513; Octopus Sailing Cruises, tel. 833081; Pelican Watersports, tel. 831228 en 824739; Red Sail Sports, tel. 824500 en 861603; Tattoo, tel. 828919 en 823513; Tranquilo, tel. 831228; Van E&B Yacht Charters, tel. 837723; Wave Dancer, tel. 825520; Windfeather Charters NV, tel. 828919 en 823513.

Parasailing
Zweven door de heldere blauwe lucht boven Aruba. Probeer parasailen vanaf de Eagle- en Palm-stranden.

Parasailing: Aqua Exotic Parasail; Caribbean Parasail; Aruba Parasail; Aruba Watersports Center, tel. 866613.

Andere sporten
Je kunt op Aruba paardrijden, tennissen of golfen op de prachtige 18-holes baan bij Tierra del Sol die door Robert Trent Jones II werd ontworpen.

Glass Bottom Boat
Voor wie liever aan de oppervlakte blijft, is er de Glass Bottom Boat. Terwijl je heerlijk aan het zonnen bent, zie je beneden je de kleurrijke onderwaterwereld van de Caribische Zee aan je voorbij trekken.

ⓘ Meer informatie bij: De Palm Tours, tel. 824400; Pelican Watersports Aruba, tel. 831228; Watersports Center, tel. 866613; Splash Watersports, tel. 8873226.

Droog onderduiken op de koraalriffen
In de haven Seaport Marina ligt de onderzeeër *Atlantis IV* en de *Seaworld Explorer*. Deze duikboten nemen je droog en comfortabel mee naar de diepte van de Caribische Zee. Vanaf een comfortabele stoel zie je een uurlang de pracht en praal van de onderwaterwereld van Aruba aan je voorbijgaan. De toeristenduikboten duiken naar een diepte van 45 m en cruisen langs het Barcadera-rif (duiklocatie 9).

ⓘ Voor meer informatie: Atlantis Submarines, Schotlandstraat 49, Oranjestad, Aruba, tel. 837077 of 836090, fax: 837277, website www.goatlantis.com.

Broedseizoen van de schildpadden
In maart begint op Aruba het broedseizoen van de zeeschildpadden dat in september op zijn eind loopt als de babyschildpadjes in overvloed uit de eieren komen en hun weg naar zee trachten te vinden. Vrijwilligers zijn welkom om het uitkomen te bekijken en lokale wetenschappers te helpen met het documenteren van de resultaten.

Coral Spawning
Gedurende enkele korte nachten in september en oktober vindt het kuitschieten van het koraal (in het Engels aangeduid als *Coral Spawning* 🕮) plaats op alle duikplaatsen van het eiland.

Beste tijd van het jaar
In september en oktober is het zicht onder water het best op de westelijke duiklocaties, waaronder de *Antilla*, de *Pedernalis* en Bao Baranca.

Snuba
Snuba is een tussenvorm tussen snorkelen en perslucht (scuba) duiken. Bij Snuba draag je net als bij het echte duiken een duikbril, zwemvliezen en een loodgordel, maar de flessen met perslucht liggen op een drijvend vlot. Aan de flessen zit een 20 m lange luchtslang, waardoor je zonder de last van zware flessen op je rug gewoon de diepte in kunt gaan. Het vlot volgt waar je maar komt.

ⓘ Vertrek voor Snuba-duiken bij De Palm-pier achter het Aruba Grand Hotel, di-vr. en zo. 10-14 uur. Voor meer info bel met Snuba Tours, tel. 942999, 94499 of 945000.

Duiken
Het duiken op Aruba is goed georganiseerd, er zijn acht duikoperators die dagelijks uitvaren en duikers de mooiste plekken van Aruba laten zien. Veel duiken op Aruba worden vanaf boten gemaakt, maar er is ook een aantal dat vanaf het strand plaatsvindt.

Compressietank

Er is géén compressietank op het eiland beschikbaar. Slachtoffers van duikongevallen moeten naar Curaçao worden gevlogen.

Duikcentra

- *Red Sail Sports* is de grootste duikschool op het eiland. Men organiseert 5 à 6 verschillende duiken per dag (waaronder een duik naar de haaiengrot). De school heeft meer dan 12 gidsen in dienst. Vervoer wordt georganiseerd vanaf het hotel. Boten brengen je naar de duikstek. Handdoeken, consumpties en vers fruit zijn aan boord verkrijgbaar. Arrangementen via het Sonesta Resort, Stanffer Hotel, Hyatt Regency en het Bucuti. Opleidingen volgens PADI, SSI, IDEA en HSA; tel. 861603, fax 866657, e-mail info@redsail.com.
- *Pelican Watersports* is op een na de grootste duikschool van het eiland. Pelican Watersports biedt je een intensief en zeer divers duikprogramma aan. Transport is beschikbaar per auto en drie boten. Arrangementen via Holiday Inn, La Cabana en Wyndham. Opleidingen volgens PADI, NAUI en SSI; tel. 872302, fax 872315, e-mail pelican_aruba@setarnet.aw.
- *Unique Sports of Aruba* (USA) is een grote duikschool met 9 instructeurs in dienst. Ze bezoeken alle bekende duiklocaties. USA organiseert ook tal van andere watersporten en schikt zich naar de wensen van de klant en houdt de groepen klein. Transport naar de duiklocaties met auto's of twee boten van 13 m. Arrangementen via Aruba Palm Beach en The Mill resort. Opleidingen volgens PADI; tel. 860096, fax 860096.

- *S.E. Aruba Fly'n Dive* is een Nederlandse duikschool die zich meer richt op de duikstekken waar niet zoveel anderen komen. Zo wordt er bij goed weer gedoken op de beroemde 'haaiengrot'. Aan boord van zijn duikboot gaat alles heel relaxed, echt Europees, niet dat gehaaste Amerikaanse gedoe. Per vliegtuig gaan ze naar Baho (bij Venezuela), Curaçao en Bonaire. Transport naar de duiklocaties per auto, boot of vliegtuig. Opleidingen volgens IDD en HSA; tel. 838759, fax 838759.
- *Native Divers* is een duikschool die er al ruim twaalf jaar een geheel eigen aanpak op na houdt. Twaalf duiklocaties zijn haar specialiteit, terwijl andere op verzoek altijd mogelijk zijn. De groepen worden klein gehouden en de schema's zijn individueel aan te passen. Transport per auto of boot. Opleidingen volgens PADI en IDD; tel. 864763, fax 864763.
- *DAX Divers* beschikt over vier gidsen en organiseert duiken naar de beste plaatsen op het eiland, zowel van de kust als per boot. DAX Divers is gespecialiseerd in kleine groepen en werkt volgens flexibele schema's. Opleidingen volgens PDIC; tel. 851270, fax 851270.
- *Pro Dive* heeft gemiddeld slechts zes duikers per groep en bezoekt twee tot drie verschillende duiklocaties per dag. De duiklocaties verschillen per dag, waarbij de nadruk ligt op Baby Beach en de omliggende riffen. De groepen zijn klein en duiken op maat zijn altijd mogelijk. Transport is beschikbaar per auto en boot. Pro Dive organiseert duiken op zee en aan land. Arrangementen via: Costa Linda, Bucuti, Tamarijn/Divi,

Bushiri en Radisson. Opleidingen volgens PADI; tel. 825520, fax 877722.

- *Dive Aruba* is een kleine, maar snel groeiende duikschool die iedere ochtend duiklessen organiseert in het Bushiri-hotel. De klassen zijn nooit groter dan acht en kennen geen minimumaantal deelnemers. Bovendien organiseert men ochtend- en middagtrips naar de bekende duiklocaties. De groepen zijn klein en speciale arrangementen zijn verkrijgbaar. Transport naar de duiklocaties per boot. Arrangementen via Bushiri; opleidingen volgens PADI; tel: 827337, fax 821817, e-mail dbrand@centuryinter.net.

Accommodatie
Hotels
- *Allegro Aruba Beach Resort & Casino* is een all-inclusive hotel met 419 kamers, casino, zwembad met bar in het water en whirlpool, 2 tennisbanen, overdekte winkelpassage, 3 restaurants en live-entertainment, conferentieruimte en een groot strand. Hier is een basis van Red Sail Sports gevestigd. Tel. 864500, fax 863191, e-mail allegro@setarnet.aw.
- *Aruba Marriot Resort & Stellaris Casino* heeft 413 ruime kamers met zeezicht en balkon van 9 m2, een zwembad met geïntegreerde bar, fitnesscentrum, groot strand, casino, conferentieruimten, golffaciliteiten in de buurt van het hotel en een watersportcentrum; tel. 869000, fax 860649, e-mail marriot@setarnet.aw.
- *Amsterdam Manor Beach Resort* heeft 72 suites in Nederlandse stijl, zwembad, bar, restaurant, minisupermarkt, studio's en appartementen met één of twee slaapkamers, kitchenette of keuken met volledige uitrusting, balkon of terras met zeezicht, tv

met schotelantenne; tel. 871492, fax 871463, e-mail ambrmgt@mail.setarnet.aw.
- *Aruba Grand Beach Resort & Casino* heeft 172 ruime kamers, een groot strand, watersport, tennis, spa en fitnesscentrum, casino, live-entertainment, restaurants en conferentieruimten; tel. 863900, fax 861941, e-mail info@arubagrand.com.
- *Aruba Beach Club* is een kindvriendelijk timesharing-complex met 131 suites direct aan het strand, er zijn kookgelegenheid, allerlei activiteiten voor groot en klein, restaurants, winkels en minisupermarkt, vlak bij casino; tel. 823000 en 827000, fax 826557, e-mail leasure@setarnet.aw.
- *Aruba Sonesta Resort & Casino* heeft 300 kamers, tropische beachclub op privé-eiland van 4000 m2 (Sonesta-eiland), watersport, tennis, fitnesruimte, beachbar, 3 restaurants, theater, nachtclub, casino, meer dan 70 winkels, animatieprogramma's, conferentieruimten; tel. 836000, fax 825317, e-mail sonesta.aruba@setarnet.aw.
- *Aruba Sonesta Suites & Casino* heeft 250 suites met één slaapkamer, strand, twee zwembaden, tropische beachclub op privé-eiland (Sonesta-eiland), kinderprogramma, restaurants, casino, uitzicht over de zee, conferentieruimten, 50 boetieks en winkels, tel. 297-836000, fax 825317, e-mail sonesta.aruba@setarnet.aw.
- *Bushiri 'All-Inclusive' Beach Resort* heeft 155 kamers, 'All-Inn' hotel: maaltijden, drankjes, sport, entertainment, activiteiten, verplaatsingen, belastingen en fooien inbegrepen; privé-strand, zwembad, whirlpools, watersportcentrum, restaurants en bars; tel. 825216, fax 826789.
- *Best Western Manchebo Beach Resort*

heeft 71 kamers met minikoelkast, koffiezetapparaat, patio of balkon aan het grootste zandstrand van Aruba, vriendelijke en rustige, Europese ambiance, zoetwaterzwembad, **duikshop**, 3 restaurants, livemuziek met dansgelegenheid, vlak bij het Alhambra-casino en de Shopping Bazaar; tel. 823444, fax: 832446, e-mail manchebo@setarnet,aw.

- *Caribbean Palm Village* is een timesharing-complex met 114 luxe suites met keuken, de kamers liggen te midden van weelderige tropische tuinen, 1600 m van het Palm Beach, klassieke ambiance met veel privacy, twee zwembaden, whirlpools, tennisbaan, gourmetrestaurant, bars bij zwembad en restaurants, gratis lidmaatschap van de beachclub met watersportfaciliteiten; tel. 862700, fax 862380.

- *Bucuti Beach Resort* heeft 63 royaal bemeten kamers met balkon of terras, magnetron, minibar en koelkast, koffiezetapparaat, kluisje, strijkplank en -bout, gelegen aan het meest uitgestrekte en rustigste zandstrand van Aruba, restaurant en bar direct aan zee, fitnessruimte, zoetwaterzwembad, business centre, bibliotheek, minimarkt; tel. 831100, fax 825272, e-mail bucuti@setarnet.aw.

- *Costa Linda Beach Resort* is een timesharing-complex met 155 luxe suites met 2 of 3 slaapkamers, keuken met volledige uitrusting, balkon met zeezicht, tropisch zwembad, kinderzwembad en speeltuin, fitnesscentrum, tennisbanen, restaurants, bars, winkelgalerij, speelautomatenhal; tel. 838000, fax 836040 en 836199, e-mail astrid@costalinda.com.

- *Divi Aruba Resort* op het Palm Beach

is een all-inclusive hotel met 203 kamers met airco, tv en terras, zandstrand, twee zoetwaterzwembaden, tennisbanen, watersportfaciliteiten, restaurants, live-entertainment, vlak bij Alhambra-casino en de Shopping Bazaar, het Tamarijn Hotel is van dezelfde eigenaar. Ze liggen direct naast elkaar en gasten kunnen in beide hotels eten, drinken en van de faciliteiten gebruik maken. Hier is alles bij de prijs inbegrepen, het eten (keuze uit 4 restaurants, een pizzeria en verschillende bars), alle drankjes, er staat zelfs een softijsautomaat! Naast het duiken kun je heerlijk luieren op het lange, witte zandstrand en genieten van de weldaad die dit hotel biedt; tel. 823300, fax 834002, e-mail resdivitam@setarnet.aw.

- *La Cabana All-Suite Beach Resort & Casino* heeft 803 royale suites (waarvan 400 bestemd voor timesharing) met kitchenette, whirlpool, airco, tv, haardroger, balkon of patio, drie zoetwaterzwembaden, kinderzwembad en speeltuin, watersportfaciliteiten, diverse restaurants, fitnesscentrum, live-entertainment, grootste casino van het Caribisch gebied, overdekte winkelgalerij, dagelijks animatieprogramma en speciaal kinderprogramma; tel. 879000, fax 875474, e-mail lacabana@setarnet.aw.

- *Holiday Inn Aruba Beach Resort & Casino* is een kindvriendelijk complex met 600 kamers, groot palmenstrand, watersportfaciliteiten, tennisbanen, zwembad, speelkamers voor kinderen, casino, winkelgalerij, restaurants, bar. Een 'all-in-arrangement' behoort tot de mogelijkheden; tel. 863600, fax 865165 en 865870, e-mail holidayinn@setarnet.aw.

- *Playa Linda Beach Resort* is een timesharing-complex met 194 suites met keuken met volledige uitrusting, tv met schotelantenne, tropisch restaurant, groot strand, fitnesscentrum, zwembad met whirlpools, tennisbanen, strand- en lobbybar, winkels; tel. 861000, fax 863479 en 865499, e-mail plbr@setarnet.aw.

- *Hyatt Regenty Aruba Beach Resort & Casino* heeft 360 kamers, groot zwembadcomplex met drie niveaus en whirlpools, groot strand, casino, restaurant, salons, health- en fitnesscentrum, tennisbanen, **Red Sail Sports,** conferentieruimte; tel. 861234, fax 861682, e-mail sd.hyattaruba@setarnet.aw.
- *Radisson Grand* heeft 358 kamers en suites met balkon of patio, Executive Floor, groot strand, twee zwembaden, watersportfaciliteiten, tennisbanen, spa-fitnesscentrum, zes bars en restaurants, live-entertainment, overdekte winkelgalerij, conferentiefaciliteiten; tel. 866555, fax 863260.
- *Stauffer Hotel Aruba* heeft 100 comfortabele kamers met twee tweepersoonsbedden, telefoon, tv, airco, babysitservice en autoverhuur in het hotel, het hotel ligt dicht bij de stranden, winkelcentra, nachtclubs en casino's; tel. 860855, fax 860856.
- *The Mill Resort & Suites Aruba* heeft 200 kamers en suite in appartementenstijl (de suites zijn voorzien van een keuken met volledige uitrusting), weelderige tropische tuin, twee zwembaden, tennisbanen, sauna en fitnessruimte, restaurants, gratis lidmaatschap van de beachclub in het tegenoverliggende Palm Beach; tel. 867700, fax 867271, e-mail millzale@setarnet.aw.
- *Caribbean Town Beach Resort* heeft 63 kamers die de met palmbomen begroeide binnenplaats omzomen, twee zwembaden, een ontspannen,

internationale sfeer, persoonlijke service, privé-beachclub, gourmetrestaurant en Moonlight grill, watersportfaciliteiten; tel. 823380, fax 833208, e-mail cartownres@setarnet.aw.
- *Wyndham Aruba Beach Resort & Casino* heeft 444 ruime kamers met privé-balkon en zeezicht, groot strand, groot zwembad, watersportfaciliteiten, fitnesscentrum, casino, vijf restaurants, vier bars, dinnershow, faciliteiten voor conferenties tot 800 personen; tel. 864466, fax 868217, e-mail wyndhammis@setarnet.aw.
- *Tamarijn Aruba All Inclusive Beach Resort* is een 'all-in'-complex met 236 kamers met airco en privé-balkon of terras, strand, zoetwaterzwembad, tennis, windsurfen en watersportcentrum, vier restaurants en vier bars, live-entertainment, winkels en casino in de Alhambra Bazaar. Alle faciliteiten van het Divi Aruba Resort zijn door de gasten van het Tamarijn te gebruiken; tel. 824150, fax 834002.

Kleine hotels en appartementen
- *Arubiana Inn*, Bubali 74, Noord, tel. 877700, fax 871770, e-mail rod@setarnet.aw.
- *Cactus Apts.*, Matadera 5, tel. 822903, fax 820433, e-mail cactus.apts@setarnet.aw.
- *Nashville Suites*, Tanki Leendert 277d, tel. 879090, fax 879040.
- *Paradera Park Apts.*, Paradera 203, tel. 823289, fax 823261, e-mail paraderapark@setarnet.aw.
- *Pauline's Apts.*, Keito 22, tel. 823644, fax 823542.
- *Sasaki Apts.*, Bubali 143, tel. 877482, fax 878448, e-mail sasaki@setarnet.aw.
- *Sea Breeze Apts.*, Malohistraat 5, tel. 857657, fax 857657.

Kantduiken op Bonaire

De gele stenen langs de weg markeren de duikplekken op Bonaire. Karpata, 1000 steps, Alice in Wonderland, Angel City. Het zijn er 86 in getal. Waarvan de meeste, 51, kantduikplekken zijn. Parkeer je pick-up bij de gele steen en wandel het water in. Waar je wilt en wanneer je wilt.

Nationaal Marine Park Bonaire. Al het water tot 57 meter diep rond Bonaire is Nationaal Marine Park. Niet ankeren, niet speervissen: het lijkt alsof de vissen het weten, want dagelijks begroeten we meer dan 350 verschillende soorten. Of zou het te maken hebben met de golfstroom in de Caribische Zee die elke vis een keer in z'n leven langs Bonaire voert?

BONAIRE

Can you keep a little secret?

Bonaire Toeristenbureau, 023-5430704, www.infobonaire.com

- *The Vistalmar*, Bucutiweg 28, tel. 828579, fax 822200.
- *Turibana Plaza Apts.*, Noord 124, tel. 867292, fax 862658, e-mail turibana@mail.setarnet.aw.

Verder lezen
Nederlandse Antillen en Aruba, door Guido Derksen. Uitgeverij J.H. Gottmer /H.J.W. Becht BV, Bloemendaal, 2002, ISBN 90 257 3397 2. In het voorjaar van 2002 verschijnt hiervan de volledig herziene derde druk.

BONAIRE

Algemene informatie
Bonaire staat bekend als een van de mooiste duiklocaties ter wereld. Het glasheldere water heeft een aangename temperatuur van zo'n 28 °C, het onderwaterzicht is buitengewoon goed, de riffen met tientallen soorten koralen zijn spectaculair en de talrijke exotische vissen in alle kleuren van de regenboog maken het duikparadijs compleet. Bovendien leent Bonaire zich uitstekend voor kantduiken: de meeste duikspots zijn gewoon vanaf het strand te bereiken, zónder boot.

Toeristenbureau
Meer informatie over Bonaire kun je verkrijgen bij: Tourism Corporation Bonaire, European Office, Postbus 472, 2000 AL Haarlem, tel. 023-5430704, fax 023-543 07 30, e-mail europe@tourismbonaire.com, website www.infobonaire.com.

Toeristenbureau op Bonaire
Tourism Corporation Bonaire, Kaya Grandi 2, Kralendijk, Bonaire, Nederlandse Antillen, tel. 7178322, fax 7178408, e-mail tcb@bonairelive.com. De website geeft uitgebreide informatie en verwijst door naar hotels en duikcentra: www.bonaire.org.

Reizen naar Bonaire
Er zijn dagelijks KLM-nachtvluchten van Schiphol naar Bonaire-Quito (in Ecuador), maar ook via Curaçao of Aruba. Dutch Caribbean Express (de voormalige ALM en Air-ALM) vliegt driemaal per week (di., do. en zo.) vanaf Schiphol naar Curaçao en vandaar dagelijks meerdere malen naar Bonaire.
Je kunt nu ook driemaal per dag met een directe vlucht naar Aruba met American Eagle. Sinds kort vliegt ook Air Jamaica van Montego Bay naar Kralendijk.
Een alternatief vormt het vliegen met Avianca naar Caracas en vervolgens overstappen op Dutch Caribbean Express of met Martinair die meerdere keren per week van Amsterdam-Schiphol naar Aruba vliegt. Ook dan moet je overstappen op Dutch Caribbean Express naar Bonaire.

Herbevestiging terugvlucht
Het is aan te raden om je terugvlucht naar Nederland op Bonaire te herbevestigen. Je kunt dat telefonisch doen met de ticket office Flamingo Airport of met de KLM, tel. 7177447.

Luchthavenbelasting
Bij vertrek dien je op Flamingo Airport luchthavenbelasting te voldoen. Doe dit bij voorkeur voor het inchecken. Voor internationale vluchten (naar Nederland en Aruba bijvoorbeeld): US$ 20 of NAf 36. Voor vluchten naar andere eilanden binnen de Antillen US$ 5,75 of NAf 10,35. Houd dus altijd wat dollars of Antilliaanse guldens over voor op het vliegveld.

Tijdverschil
Op Bonaire kent men geen zomer- en wintertijd. Ten opzichte van West-Europa is het in de winter vijf uur vroeger. Van begin april tot eind september is het op Bonaire zes uur vroeger.

Klimaat

Het weer op Bonaire is saai voorspelbaar, maar o zo heerlijk: altijd rond de 30 °C overdag en zo'n 25 °C 's nachts, met een aangename passaatwind van 6 tot 8 m per seconde en een zeewatertemperatuur van ongeveer 28 °C.

De warmste periode is in juli–augustus. De natste periode in november tot en met januari (maar het regent maar heel weinig op Bonaire).

Telefoneren

Het internationale toegangsnummer van Bonaire is +599 717 (599 is voor de Antillen, 717 voor het eiland). Europese mobiele telefoons zijn niet bruikbaar. Op Bonaire gebruikt men het in Nederland onbekende TDMA-systeem (800 Mhz). Indien noodzakelijk kun je een mobiele telefoon huren bij Cellular One, tel. 717 8787. Directe telefoonverbindingen naar Europa zijn mogelijk vanuit de meeste hotels. Telbo is het lokale telefoonkantoor gevestigd aan de Kaya Libertador Simon Bolivar 8, tel: 7177000. Hier kun je telefoonkaarten kopen, maar je kunt het telefoongesprek ook direct met je creditcard afrekenen.

E-mail

E-mail is toegankelijk via lokale aanbieders. Publieke e-mail is onder andere te vinden bij enkele hotels, in internetcafé De Tuin en bij BonaireLive in het winkelcentrum Lourdes.

Geldzaken

De officiële munt van Bonaire is de Antilliaanse gulden. Deze staat in vaste verhouding tot de dollar; NAƒ 1,77 = US$ 1. In veel winkels kun je met dollars betalen, maar dan wordt een iets minder gunstige wisselkoers berekend (bijvoorbeeld NAƒ 1,80 = US$ 1). Geld opnemen kan met girobetaalkaarten bij het postkantoor, aan het einde van de Kaya Grandi. Vlak bij het postkantoor is een ABN AMRO-bank, waar je kunt pinnen. Creditcards worden op veel plaatsen geaccepteerd.

Noodgevallen

De politie is gevestigd aan de Kaya Liberator Simon Bolivar 4, Kralendijk, tel. 7178000. Let op: bij ongevallen met een huurauto mag je de auto niet verplaatsen. Neem direct contact op met de politie. Noteer tevens de naam van de agent die het proces-verbaal opgemaakt heeft (dit is bij veel verhuurbedrijven verplicht). Brandweer: tel. 7178580. Ambulance: 717114.

Gezondheid

Via je hotel kun je een arts raadplegen. Het San Francisco Hospitaal ligt aan de Kaya Zuster Bartola 2 in Kralendijk, tel. 7178900. Het ziekenhuis heeft 60 bedden en kan de eerste benodigde hulp verlenen. Bij gecompliceerde verwondingen of ziektes kan per helikopter worden uitgeweken naar Curaçao. Er zijn twee apotheken aanwezig op het eiland. Botika Bonaire aan de Kaya Grandi 27, tel. 7178905 en Botika Korona aan de Kaya Korona 180, tel. 7178000.

Dagelijks nieuws uit Nederland

De lokale radio-omroepen en televisie-uitzendingen zijn in de Nederlandse taal. Dagelijks is er een Nederlandstalige ochtendkrant, het *Algemeen Dagblad* en een Nederlandstalige avondkrant, *Amigoe*, op het eiland verkrijgbaar. Bovendien worden op tv dagelijks onder andere het Nederlandse acht-uurjournaal, het sportjournaal en *NOVA* uitgezonden. Krantennieuws op website www.adcaribbean.com of www.amigoe.com.

Bonaire op internet
www.bmp.org
www.infobonaire.com
www.duiken.nl

Winkeltijden
De meeste winkels zijn geopend ma.–za. 8–12 en 14–18 uur. De grote supermarkt Cultimara in de Kaya L.D. Gerharts is geopend ma.–za. 8–20 en zo. 11–14 uur. Enkele souvenirwinkels zijn ook op zondag geopend wanneer een cruiseschip in de haven ligt (op nog geen 5 min. van de binnenstad). De banken zijn geopend ma.–vr. 8–16 uur.

Verkeer
Op Bonaire is geen openbaar vervoer. De taxi's (vanaf het vliegveld) zijn prijzig. Verreweg het beste is om een auto, scooter of fiets te huren. Wil je zelfstandig duiken, dan is een eigen autootje onontbeerlijk. Vraag het reisbureau of een auto (jeep) niet in het arrangement kan worden meegenomen (minimale leeftijd 21 jaar). Je betaalt er dan relatief minder voor (gemiddeld 500 gulden per week, exclusief verzekering en brandstof). Voor een scooter heb je een bromfietscertificaat nodig. Het huren van een mountainbike is een absolute aanrader, al dien je voor het noordelijk gedeelte enigszins getraind te zijn. Bij Cycle Bonaire kun je fietsroutes verkrijgen of guided biketours boeken.
In Kralendijk is een aantal eenrichtingwegen, waaronder de Kaya Grandi (de winkelstraat in het centrum van Kralendijk). De verkeersregels lijken sterk op de Nederlandse regels, maar doorgaande wegen hebben voorrang op de zijwegen. Dit wordt, in tegenstelling tot Nederland, niet met voorrangsborden aangegeven. Binnen de bebouwde kom geldt meestal een maximumsnelheid van 35 km per uur en buiten de stad 60 km per uur, ten-

zij anders aangegeven. Er zijn op Bonaire geen stoplichten.

Openbaar vervoer en taxi's
Er rijden wel eens minibusjes, maar er is geen officiële dienstregeling. Taxi's rijden vanaf het vliegveld en andere plaatsen (tel. 7178100). Er zijn geen meters in de taxi's. Vastgestelde prijzen vind je onder andere op een bordje bij de luchthaven. Taxi's zijn herkenbaar aan de letters TX op de nummerplaten.

Autoverhuurbedrijven
Praktisch allemaal te vinden op het vliegveld, naast de grote hal; Avis tel. 7175182, Budget tel. 7178315, Flamingo tel. 7175588, Hertz tel. 7177221, Island tel. 7175111. Relatief voordelig zijn: AB Car Rental tel. 7178980, Everts Car Rental tel. 7178099, Netty's Car Rental tel. 7175120.

Fiets en scooterverhuur
Hot Shot Scooter and Cycle Rental, Kaya Bonaire 4, tel. 7177166; Avanti Rentals (alleen fietsen), Kaya Herman Pop 2, tel. 7175661; Cycle Bonaire, Kaya L.D. Gerharts 11D (naast Cultimara supermarkt), tel. 7177558.

Benzinestations
Zowel in Rincón als in Kralendijk zijn benzinestations aanwezig; centraal ligt Lisa Gas, aan de Kaya Industria en de Kaya Internashonal (naar het vliegveld). Vóór het tanken moet je opgeven én betalen voor de gewenste brandstof: Zodra eenmaal betaald is, zal de pomp automatisch afslaan.

Huisdieren
Honden en katten, mits deze niet uit Zuid- en Midden-Amerika worden meegebracht, zijn toegestaan, op voorwaarde dat je een gezondheidsverklaring en in-

Eat, Sleep, (Buddy) Dive

Experience Bonaire at its best at Buddy Dive Resort - a cozy resort known for its casual atmosphere, personable staff, spacious accommodations and a dive center that has it all - multilingual Dive Instruction, comfortable boats, our own rental trucks for shore diving, and a unique drive-thru air and nitrox fill station.

Buddy Dive offers many non-diving activities as well, including kayaking, mangrove tours and cave snorkeling. And after an active day, be sure to sample the local specialities offered at Buddy Dive's Dock of the Bay Restaurant and Pool Bar.

When it's shopping time, visit Buddy Dive Store, conveniently located on Kaya Grandi 38, where you'll find a wide selection of T-shirts, dive equipment and accessories, as well as that perfect souvenir.

Buddy Dive Resort and Buddy Dive Store. Stop by and let us show you hospitality the Buddy Dive Way.

BUDDY DIVE RESORT
Kaya Gob. N. Debrot 85
Phone: ++599-717-5080
Email: info@buddydive.com
Website: www.buddydive.com

BUDDY DIVE STORE
Kaya Grandi 38
Phone: ++599-717-7080
Open: 8:30 am - 12:30 pm &
2:30 pm - 6:30 pm

entingspapieren tegen hondsdolheid kunt overleggen. In de hotels is je huisdier echter niet welkom.

Compressietank
In het San Francisco Hospitaal aan de Kaya Zuster Bartola 2 in Kralendijk is een compressietank aanwezig. Het telefoonnummer van het ziekenhuis is 7178900.

Duikcentra
De duikcentra liggen vrijwel allemaal aan het water in en bij de hoofdplaats Kralendijk. Het duikprogramma komt voor een groot deel overeen: dagelijks bootduiken, PADI en NAUI-cursussen, vulstation en verhuur apparatuur, duikshop.
In de meeste gevallen zijn de duikcentra gevestigd bij een hotel, of bieden accommodatie in de buurt. Zie ook bij accommodatie.

- Black Durgon Inn, Kaya Gob. N. Debrot 145, tel. 7175736.
- Blue Divers, bij Palm Studios, Kaya Den Tera 2, tel. 7176860, fax 7176865, e-mail bluedivers@bonairenet.com.
- Bon Bini Divers Bonaire, bij het Lions Dive Resort, Kaya Gobernador N. Debrot 90, tel. 7175425, fax 7174425, e-mail Bonbinidiv@aol.com.
- Bruce Bowker's Carib Inn, P.O. Box 68, Bonaire, N.A., tel. 7178819, fax 7175295, e-mail bruce@caribinn.com.
- Buddy Dive, Buddy Beach & Dive Resort, Kaya Gobernador Debrot, tel. 7175080, 7178647, e-mail buddy-dive@ibm.net.
- Captain Don's Habitat, P.O. Box 88, Bonaire, N.A., tel. 7178290, fax 7178240 e-mail jack@habitatdiveresors.com.
- Dee Scarr's Touch the Sea, Kaya Gobernador Debrot 133, tel. 7178529.
- Dive Inn Bonaire, P.O. Box 362, Bonaire, N.A., tel. 7178761, fax 7178513, e-mail diveinn@bonairenet.com.

- Great Adventures Bonaire, bij Harbour Village Beach Resort, Kaya Gobernador N. Debrot 71, tel. 7177500, fax 7177507, harbourvillage@bonarielive.com.
- Peter Hughes Dive Bonaire, Divi Flamingo Beach Resort & Casino, J.A. Abraham Blvd., tel. 7178285, fax 7178238, e-mail george@bonairenet.com.
- Sand Dollar Dive & Photo, Sand Dollar Condominium Resort, Kaya Gobernador N. Debrot 79, tel. 7175252, fax 7178760, sand$dive@bonairenet.com.
- Toucan Diving, Plaza Resort Bonaire, Abraham Boulevard 80, tel. 7172500, fax 7177133, e-mail plaza@bonairenet.com en info@plazaresortbonaire.com.
- Wanna Dive, Eden Beach Resort en Hamlet Oasis Resort. Kantoor: Kaya Gob. N. Debrot, Hamlet Oasis Resort z/n, Kralendijk, tel. 7908880, e-mail info@wannadivebonaire.com, website www.wannadivebonaire.com.

Speciaal voor onderwaterfotografie (foto-video, cursussen en verhuur apparatuur):
- Photo Tours, bij Caribbean Court Bonaire en Plaza Resort Bonaire, J.A. Abraham Blvd, tel. 7175390, fax 7178060, e-mail info@bonphototours.com. Zie ook: www.bonphototours.com.

Sea Turtle Conservation Bonaire
STCB bestaat al tien jaar en heeft onder andere al voor elkaar gekregen dat het vangen en verkopen van schildpadden en hun eieren bij wet verboden is. Daarnaast heeft het onderzoek van de stichting geleid tot een beter inzicht in het leefgedrag van de dieren. Maar het belangrijkste is

wel dat STCB heeft aangetoond dat met een beetje moeite mensen en dieren in perfecte harmonie kunnen samenleven. Het levert een fascinerende onderwater-wereld op. Meer info: Sea Turtle Club Bonaire, PO Box 333, Bonaire, Neder-landse Antillen, tel. 8399, fax 8118.
In Nederland: Sea Turtle Club Bonaire, Madurastraat 126 hs, 1094 GW Amster-dam, tel. 020-6684782, fax 020-6795002, e-mail tvaneyck@bio.vu.nl.

Accommodatie

Bonaire biedt voor de grootte van het ei-land een ruim aanbod aan accommoda-ties. Echte low budget-hotels of apparte-menten zijn er niet, maar voor de rest kun je terecht in alle prijsklassen. Hier volgen de accommodaties, eerst de ho-tels, dan de appartementen, die specifiek op duikers zijn gericht. De prijzen zijn meestal per kamer of appartement per nacht. Op de 'kale' prijs komt meestal nog een 10 procent service charge en een logeerbelasting van US$ 6,50 per nacht per persoon. Voor een volledige lijst van appartementen (en huizen van particu-lieren) kun je de lijst van het Bonaire Tourist Office raadplegen.

- *Bel Air Apartments* aan de zee in het centrum van Kralendijk zijn voor een groep van meerdere personen (4) een uitstekende plek; centraal gelegen aan de Kaya L.D. Gerharts 22. Er zijn 7 appartementen met 2 slaapkamers (US$ 1100 per week); tel. 7172200; fax 7172211, e-mail baranka@bonairenet.com.
- *Bel Mar Oceanfront Hotel & Apartments* staan aan de zee in Belnem (ten zuiden van Flamingo Airport), E.E.G. Boulevard 88; er zijn appartementen met 2 en met 3 slaapkamers (US$ 140–275); tel. 7177878, fax 7177899, e-mail

info@belmar-bonaire.com.
- *Bonaire Beach Bungalows*, aan de E.E.G. Boulevard in Belnem, net voorbij het vliegveld, zijn een zeer betaalbaar alternatief. De apparte-menten hebben allemaal uitzicht op zee, een eigen pier, en twee slaapka-mers (US$ 700–900 per week); tel. 7178581/7174100, fax 7174100. Het laatste nieuws is dat deze apparte-menten in het voorjaar van 2000 worden afgebroken om plaats te maken voor een complex van een veertiental kleinere en luxe apparte-menten. Meer hierover in de volgen-de editie van deze gids en op de Dominicus website.
- *Bruce Bowker's Carib Inn*, is een Mekka voor duikers, kleinschalig en gemoedelijk, mede door Bruce Bowker zelf bewaakt. Juist omdat het zo gezellig is, is het al geruime tijd van tevoren volgeboekt. Toch het proberen waard; appartementen met 1-2 slaapkamers (US$ 90–140); tel. 7178819, fax 7175295, e-mail bruce@caribinn.com.
- *Buddy Dive Resort* is een van de favoriete hotels bij Nederlandse dui-kers op het eiland; het ligt aan de kustweg ten noorden van Kralendijk. De locatie, aan zee, recht tegenover Klein Bonaire, is perfect. Door de bouw hebben alle appartementen (68) een open uitzicht op het water. Er zijn hotelkamers en appartemen-ten met 1, 2 of 3 slaapkamers (US$ 110–300). Er is van alles te doen, ook op het land, en de sfeer is onge-dwongen (Nederlands manage-ment); tel. 7175080, fax 7178647, e-mail info@buddydive.com en meer informatie op eigen website www.buddydive.com.
- *Captains Don Habitat* is het duikres-ort van Captain Don, vanzelfspre-

kend helemaal toegerust voor de duiker. Dit resort ligt naast Buddy Dive. Je logeert in appartementen op loopafstand of zelfs met uitzicht op zee (US$ 145–440); tel. 7178290, fax 7178240, e-mail bonaire@habitatdiveresorts.com, website www.habitat-resorts.com.

- *Divi Flamingo Beach Resort & Casino*, in Kralendijk aan zee, is een topper. De kamers zijn niet groot, maar hebben alle het nodige comfort; er is een deel voor condo-bezitters en een deel echt hotel (US$ 100–225); met twee zwembaden, bars, restaurant, klein strandje en casino; op loopafstand van alle voorzieningen in de hoofdplaats; tel. 7178285, fax 7178238, e-mail charlesp@diviresorts.com.

- *Harbour Village Beach Resort* is het meest luxueuze (US$ 275–365). Dit hotelcomplex ligt aan het haventje ten noorden van Kralendijk. De kamers zijn luxe tot zeer luxe, de meeste met uitzicht op zee, eigen restaurants, gym, winkels en zwembaden; tel. 7177500, fax 7177507, e-mail reservations@harbourvillage.com.

- *Hotel Rochaline*, ligging optimaal in het centrum, aan de kade, komt het dichtst bij low-budget in de buurt (US$ 45–75); tel. 7178286, fax 7178258, e-mail hotelrochaline@bonairenet.com.

- *Lions Dive Hotel Bonaire*, aan de Kaya Gobernador N. Debrot 91, is relatief nieuw en gekomen naast het failliete Sunset Beach Hotel. Een prima locatie aan het strand, met een grote pier. Er zijn één- en twee-slaapkamerappartementen (US$ 120–250); tel. 7175580, fax 7175680, e-mail lionsdive@bonairenet.com.

- *Plaza Resort Bonaire*, bij de entree

van Kralendijk, tegenover Flamingo Airport is het Van der Valk-hotel op het eiland. De locatie is perfect, de accommodatie en bediening Hollands degelijk. Voor de duiklief-hebbers kan het misschien iets te groot en te massaal overkomen; tel. 7172500, fax 7177133, e-mail info@plazaresortbonaire.com en voor meer informatie op de website www.plazaresortbonaire.com.

- *Sand Dollar Condominium Resort* bevindt zich aan de Kaya Gobernador B. Debrot, naast Buddy Dive Resort. Ook gespecialiseerd op duiktoerisme, maar dan met name uit de Verenigde Staten. Veel faciliteiten, een uitstekende duikschool met activiteiten voor kinderen, snorkelaars en niet-duikende familieleden; een echt familieresort dus. Er zijn studio's en appartementen te huur (US$ 155–360 p.n.), tel. 7178738, fax 7178760, e-mail sanddollar@bonaire-net.com.

- *Sunset Inn*, een zevental kleine appartementen, naast de Dive Inn aan de Kaya C.E.B. Hellmund; simpel, goede ligging, niet duur (US$ 65–110); tel. 7178300, fax 7178118, e-mail bontours@bonairelive.com.

- *Sunset Villas*: onder meer heel royale (3 slaapkamers) appartementen bij Punt Vierkant en aan de Kaya Rotterdam (US$ 55–275); tel. 7178300, fax 7178118, e-mail bontours@bonairelive.com.

- *The Blue Iguana*, Kaya Prinses Marie in het centrum, zes kamers met gebruik van keuken (US$ 55–70); telefax 7176855.

- *The Great Escape*, aan de E.E.G. Boulevard 97, in de richting van Punt Vierkant, sobere inrichting, sfeervolle tuin (US$ 80–95 met ontbijt); tel. 7177488, fax 7177488.

Dan zijn er nog diverse kleine apparte-
mentencomplexen, zoals *Avanti Bungalows* en *Happy Holiday Homes/Marina
Ocean Front Bungalows*. Het zijn één- en
tweeslaapkamerappartementen (US$ 65–
100; de Marina Ocean Front Bungalows
zijn iets prijziger, US$ 135–155); tel 7178405,
fax 7178605, e-mail hhh@bonairelive.com.
● *Cyndany Lodge, Eagle's Nest
Townhouses, Leeward Inn* en *Millie's
Garden Apartments* zijn eveneens
één groep; het comfort en de prijzen
zijn vergelijkbaar (voor 2 personen
per nacht US$ 70–110); tel. 7175516,
fax 7175517.
● *Lagoen Hill Bungalows*, wat verder
weg van de duiklocaties, maar heel
schappelijk qua prijs en met alle
nodige comfort (US$ 48–120), kin-
deren jonger dan 12 jaar hebben gratis verblijf in de kamer van de
ouders; tel. 7172840, fax 7177440, e-
mail info@lagoenhill.com.

Verder lezen

Duikgidsen
Sportduikersgids Caribisch gebied, door
Marcel Bayer. Dominicus Adventure
reeks. Uitgeverij J.H. Gottmer/H.J.W.
Becht BV, Bloemendaal, 2000, ISBN 90
257 3140 6.
Aruba, Bonaire en Curaçao, duikgids door
Jack Jackson. Uitgeverij Van Reemst,
Houten, 2001, ISBN 90 410 2385 2
New Guide to the Bonaire Marine Park,
door Tom van 't Hof. Uitgegeven door
Harbour Village Beach Resort Bonaire,
1997, ISBN 99904 0 192 6.
Tauchreise Führer Bonaire, door Michael
Jung. Uitgeverij Stepanie Naglschmid,
Stuttgart, 1992, ISBN 3 927913 12 x.
Diving and Snorkeling Guide to Bonaire,
door Jerry Schnabel en Susan L. Swygert.
Uitgeverij Pices Books, Houston, Texas,
[1991], ISBN 1 55992 043 2.

Excursiegids
*Excursion Guide to the Washington-Slag-
baai National Park Bonaire*, door Peer
Reijns. Uitgegeven door STINAPA, 1984.

Algemeen reisboek
Nederlandse Antillen en Aruba, door Guido Derksen. Uitgeverij J.H. Gottmer/
H.J.W. Becht BV, Bloemendaal, 2002,
ISBN 90 257 3397 2. In het voorjaar van
2002 verschijnt de volledig herziene derde druk van deze gids.

Fotoboeken
Watercolours Bonaire, door Dos Winkel
et al. Uitgeverij Elmar Media Service
1995, ISBN 90 389 0366 9.
Islandcolours Bonaire, door Dos Winkel
et al. Uitgeverij Watercolours Bonaire
BV, Bonaire, 1998, ISBN 99904 0 248 5.

Biografieën en verhalen
Jagers op de zeebodem, door Hans Hass.
Uitgeverij Nederlandsche Keurboekerij
NV, Amsterdam, 1949 (alleen nog maar
antiquarisch verkrijgbaar, in dit boek wor-
den de avonturen van Hans Hass en zijn
gezellen op Bonaire en Curaçao verteld).
*Hans Hass, Ein Leben lang auf Expedition,
Ein Porträt*, door Michael Jung. Uitgever-
ij Stephanie Naglschmid Stuttgart, 1994,
ISBN 3 927913 63 4.
*Hans Hass. Aus der Pionierzeit des
Tauchens*, door Hans Hass. Uitgeverij
Jahr Verlag GmbH, Hamburg 1996, ISBN
3 86132 188 2.
De bastaard van Bonaire, door Wilko
A.G.M. Bergmans. Uitgeverij Wedrego
BV, Heerlen 1980, ISBN 90 6444 006 9.
Dit is een roman die op feitelijke gege-
vens is gebaseerd en een goed beeld geeft
van Bonaire voor, tijdens en na de Twee-
de Wereldoorlog.

Video
Hans Hass. Aus der Pionierzeit des

Tauchens, Pirsch Unter Wasser en *Men-schen unter Haien*. De video *Pirsch unter Wasser* is het verslag uit 1939–1940 in zwart-wit over de duikexpeditie van Hans Hass, Jörg Böhler en Alfred von Wurzian naar Curaçao en Bonaire. Uit-geverij Jahr Verlag GmbH, Hamburg (of via uitgeverij VIP Media in Breda).

CURAÇAO

Algemene informatie

Curaçao werd in 1499 door de Spanjaar-den ontdekt en in 1636 overgenomen door de Nederlanders. Curaçao is van oudsher de bestuurlijke 'hoofdstad' van de Nederlandse Antillen. Willemstad, de monumentale binnenstad en het haven-front van Curaçao, is door Unesco op de Werelderfgoedlijst geplaatst.

Toeristenbureau

Voor verdere informatie en brochures: Curaçao Toeristen Bureau Europa, Vaste-land 82-84, Postbus 23227, 3001 KE Rot-terdam, tel. 010-4142639, fax 010-4136834, e-mail ctbenl@wirehub.nl, website www.curacaoinfo.nl of www.curacao-tourism.com.
Tourism Corporation Bonaire, Kaya Grandi 2, Kralendijk, Bonaire, Neder-landse Antillen, tel. (559) 7178322, fax (559) 7178408, e-mail tcb@bonairelive.com.

Telefoonnummer

Het internationale toegangsnummer van Curaçao is 005999.

Reizen naar Curaçao

Dagelijks worden vanuit de hele wereld vluchten uitgevoerd op de internationa-le luchthaven Hato in Willemstad. De KLM vliegt dagelijks meerdere malen non-stop vanaf Amsterdam-Schiphol naar Curaçao.

Je kunt ook met KLM naar Aruba of Bo-naire. Hiervandaan moet je met Dutch Caribbean Express naar Curaçao. Een an-dere mogelijkheid is Amsterdam-Schip-hol naar Miami, van waaruit je met Dutch Caribbean Express (de voormalige ALM en Air-ALM) verder kunt vliegen.
Ook Dutch Caribbean Express vliegt driemaal per week direct van Schiphol naar Curaçao (op dinsdag, donderdag en zondag).
Een alternatief vormt het vliegen met TAP of Avianca naar Caracas en vervol-gens overstappen op Dutch Caribbean Express of met Martinair, die meerdere keren per week van Amsterdam-Schip-hol naar Aruba vliegt. Ook dan moet je overstappen op Dutch Caribbean Ex-press.

Luchthavenbelasting

Wanneer je van het eiland vertrekt, moet je bij het inchecken aan de vertrekbalie luchthavenbelasting betalen. Voor reizen binnen de Nederlandse Antillen be-draagt die US$ 6 of NAƒ 11. Vertrek bui-ten de Antillen en naar Aruba kost US$ 20 of NAƒ 36 per persoon. Kinderen jon-ger dan twee jaar betalen geen luchtha-venbelasting.

Herbevestiging terugvlucht

Het is aan te raden om je terugvlucht naar Nederland op Curaçao te herbeves-tigen. Je kunt dat telefonisch doen met KLM, tel. 8695533.

Tijdverschil

Op Curaçao kent men geen zomer- en wintertijd. Ten opzichte van West-Euro-pa is het in de winter vijf uur vroeger. Van begin april tot eind september is het op Curaçao zes uur vroeger.

Huisdieren

Honden en katten, mits deze niet uit

Zuid- en Midden-Amerika worden meegebracht, zijn toegestaan, op voorwaarde
dat je een gezondheidsverklaring en inentingspapieren tegen hondsdolheid
kunt overleggen. In de hotels is je huisdier echter niet welkom.

Hoogseizoen
Het hoogseizoen op Curaçao ligt tussen
half december en half april, wanneer veel
bezoekers het winterse weer in eigen land
ontvluchten. In de zomer is de temperatuur weliswaar hoger, maar dan waait
ook de verkoeling brengende wind.

Geldzaken
De geldende munt op Curaçao is de Antilliaanse gulden, ook wel florin genoemd, die verdeeld is in 100 centen. Er
zijn munten met een waarde van 5, 10, 25
en 20 cent en 1, 2_ en 5 gulden. Deze
munt is gekoppeld aan de dollar. Naast
de Antilliaanse gulden kan ook overal in
Amerikaanse dollars of Venezolaanse bolivar worden betaald.
In de meeste restaurants, hotels en grotere winkels worden de bekende creditcards geaccepteerd: American Express,
Euro/MasterCard en Visa. Pinnen met je
creditcard kan ook als de geldautomaat is
voorzien van het creditcardvignet.
Ook op Curaçao kun je pinnen met je
bankpas uit Nederland. Kijk naar het
Cirrus-logo op de pinautomaat, maar
houd er wel rekening mee dat de automaat in het weekend snel leeg is. Pin dus
bij voorbaat donderdag of vrijdagmorgen voor het hele weekend. Op de post-
kantoren kun je bij de loketten Giro-
dienst betaalkaarten inwisselen. Per
kaart kun je maximaal NAƒ 300 opnemen. Minder wisselen is niet toegestaan.
Ook kun je telefonisch geld laten over-
maken via de Postbankkantoren in Nederland. Tel. Postbank Amsterdan 020-
5847111, Postbank Den Haag tel. 070-

3824091, Postbank Arnhem tel. 026-
4457711. Het postkantoor is open: 8–16
uur.
Geld wisselen in het hotel is ook mogelijk, dit is echter een extra service waardoor het altijd minder voordelig is dan
bij de bank.
De prijzen op Curaçao worden vermeld
in Antilliaanse guldens afgekort Afl. of
NAƒ. Maar ook in US dollars ($). De
meeste prijzen zijn exclusief 5 procent
omzetbelasting (OB).

Dagelijks nieuws uit Nederland
De lokale radio-omroepen en televisie-
uitzendingen zijn in de Nederlandse taal.
Dagelijks is er een Nederlandstalige ochtendkrant, het *Algemeen Dagblad*, en een
Nederlandstalige avondkrant, *Amigoe*,
op het eiland verkrijgbaar.
Krantennieuws op internet: www.adca-
ribbean.com of www.amigoe.com.

Curaçao op internet
Op de volgende websites kun je informatie over Curaçao vinden:
● www.curacaoinfo.nl
● www.curacao-tourism.com
● www.cura.net
● www.city.net
● www.willemstad.net
● www.travelplaza.nl
● www.see-caribbean.com
● www.duiken.nl

Diefstal
Bij diefstal moet je persoonlijk aangifte
doen bij het recherchebureau aan de Ga-
ripitoweg, tel. (5999) 866 6362.

Winkeltijden
De meeste winkels zijn geopend ma.–za.
8–12 en 14–18 uur; winkelcentra 9.30–18
uur.
Liggen er cruiseschepen in de haven aangemeerd, dan zijn sommige winkels ook

op zon- en feestdagen geopend. De banken zijn geopend: ma.–vr. 8–12 en 13.30–16 uur. Een groot aantal banken is zelfs de gehele dag geopend.

Openbaar vervoer

Er is een goed netwerk van openbaar vervoer op Curaçao. Voor het gebruik van openbaar busvervoer over het hele eiland kun je het Autobus Bedrijf Curaçao bellen, tel. (5999) 868 4733. Informeer op Curaçao ook naar de diensten van de kleinere autobusjes (aangegeven op de nummerborden) die je voor weinig geld overal naar toe brengen. Het Autobus Bedrijf Curaçao heeft tegenwoordig een *Parandabus* te huur. Deze feestbus met muziek aan boord is te huur voor enkele uren en rijdt naargelang de wensen van haar klanten, het eiland al toeterend rond.

Taxi's

De taxi's (vanaf het vliegveld) zijn prijzig. Taxi's zijn gemakkelijk te herkennen aan hun bordjes en TX op hun kentekenplaten. Prijzen zijn voor één tot vier personen van 6–23 uur. Een vijfde persoon kost 25 procent meer. Na 23 uur wordt er ook een toeslag van 25 procent berekend. Passagiers behoren voor de rit een prijs af te spreken met de chauffeur. Taxistandplaatsen zijn te vinden bij de luchthaven, de hotels en de Sha Caprileskade in Punda. Het telefoonnummer van het hoofdkantoor van de Taxicentrales is 8690747 of 8690752. Voor klachten kun je terecht bij dezelfde nummers.

Autoverhuurbedrijven

Verreweg het beste is om een auto, scooter of fiets te huren. Wil je zelfstandig duiken en het eiland verkennen, dan is een eigen autootje onontbeerlijk. Vraag het reisbureau of een auto (jeep) niet in het arrangement kan worden meegenomen.

Je betaalt er dan relatief minder voor (gemiddeld 500 gulden per week, excl. verzekering en benzine). Zorg dat de auto goed verzekerd is.

De grote Amerikaanse autoverhuurbedrijven hebben vestigingen op Curaçao. De minimumleeftijd om een auto te kunnen huren, is 21 jaar. Tevens moet je ten minste twee jaar geleden je rijbewijs hebben gehaald. Praktisch alle autoverhuurbedrijven zijn te vinden op het vliegveld. Wegenkaarten zijn in Nederland verkrijgbaar bij de Geografische boekhandel in Amsterdam, tel. 020-6121901 en bij Interglobe in Utrecht, tel. 030-2340401. Op Curaçao kun je bij elke boekhandel een land- of wegenkaart kopen. Bij de pompstations, bijvoorbeeld Sta. Maria, staat een gigantische Curaçao-wegenkaart.

Verkeersregels

De verkeersregels lijken sterk op de Nederlandse regels, maar doorgaande wegen hebben voorrang op zijwegen. Dit wordt, in tegenstelling tot Nederland, niet met voorrangsborden aangegeven. Binnen de bebouwde kom geldt meestal een maximumsnelheid van 35 km per uur en buiten de stad 60 km per uur, tenzij anders aangegeven.

Rechtdoorgaande wegen hebben voorrang. Kom je dus op een T-kruising, dan heeft de doorgaande weg voorrang. Na een regenbui worden de wegen spiegelglad, matig dan je snelheid. De Curaçaoënaar is zeer vriendelijk, ook in zijn rijstijl. Hij heeft geen haast. Pas je Europese rijstijl daarop aan, dus haast je niet. Wees vriendelijk en geef elkaar de ruimte. Bij een aanrijding moet je je auto laten staan tot de politie er is.

Benzinestations

Vóór het tanken moet er opgegeven worden hoeveel en betaald worden voor de

Lions Dive & Beach Resort

The natural place to stay!

gewenste brandstof. Als je eenmaal betaald hebt, zal de pomp automatisch afslaan. Grote benzinestations liggen in Willemstad, bij het vliegveld en bij Barber.

Gezondheid

Via je hotel kun je een arts raadplegen. Tevens zijn er verder op het eiland diverse medische centra. Het Sint-Elizabeth Ziekenhuis is modern – het beste in de regio – en is vanuit elk punt van het eiland binnen 20 min. bereikbaar. Als je medicijnen gebruikt, is het raadzaam om ruim voldoende mee te nemen of je arts te vragen een recept mee te geven. Er zijn zeer goed uitgeruste apotheken op Curaçao.

Zonnen op Curaçao

365 dagen per jaar is het zomer op Curaçao. We hebben wel een advies: doe het voorzichtig aan. Het is en blijft een tropenzon. Gebruik een goede zonnebrandcrème met hoge beschermingsfactor. Let wel op: eerst zwemmen, daarna pas smeren. Ga de eerste keren niet langer dan 20 à 40 min. in de volle zon. Na een week heb je een mooie bruine kleur en dan is de zon minder gevaarlijk. Verder: blijf drinken en geniet tussendoor ook eens van de schaduw. Op de stranden zie je regelmatig Curaçaose strandwachten (Beach Patrol). Zij zijn opgeleid om toe te zien op de veiligheid van de toeristen. Je kunt ze herkennen aan de witte petten. Zij rijden in de duidelijk herkenbare Beach Patrol Jeeps.

Telefoneren

Wees erop bedacht dat de hotels op Curaçao, geheel volgens internationale gebruiken, elke tik met een factor vermenigvuldigen. Dit is beslist niet goedkoop. Ons advies is dan ook: schaf een telefoonkaart aan. Telefoonkaarten (NAƒ 5, 10 en 25) zijn te koop op het postkantoor. De telefoonkaarten zijn ook te koop bij pompstations van VANDDIS, Scatcdstore, Curool in Punda, Rock-A-Video en CuraNet. Ook bij het GNC-kantoor aan de Dr. Hugenholzweg 40 zijn ze te koop. Je kunt tegenwoordig ook voordelig pre-paid bellen. Voor meer informatie bel Global Networks Communications, tel. 4611201 of 4651312 of 4656700 of kijk op website www.gnc-curacao.com. Portable telefoons zijn te huur bij Speedy Cellular Rental Inc, tel. 7367455 of 5604455, fax 7367677 en bij Rent A Phone, tel. 4658855 en 5604444, fax 4652611.

Duikcentra

Op Curaçao wordt zowel vanaf de boot als vanaf de kant gedoken. De duikgebieden van het eiland liggen aan de windluwe zijde en zijn met de auto bereikbaar, of er wordt meteen vanaf het hotelstrand gedoken. De enige uitzonderingen vormen het slechts per boot bereikbare Klein Curaçao, dat al in de boeken van Hans Hass (□ pp. xxx) wordt genoemd, en de via de kust onbereikbare duiklocaties in het onderwaterpark. De boottocht naar Klein Curaçao is echter de moeite waard: niet alleen de stranden zijn er leeg, maar ook de duiklocaties worden duidelijk minder bezocht. Het in 1983 langs de oostkust ingestelde onderwaterpark van Curaçao is een ongeveer 20 km lang gebied, dat met deze grootte uniek is in het Caribisch gebied. Het is echter alleen vanaf Breezes Curaçao (het Princess Beach Resort), de Caracasbaai of het Barbara Beach bereikbaar. In totaal staan zo'n 79 duiklocaties ter beschikking, en de duikplanning is bijna alleen aan de duiker zelf voorbehouden. Individueler duiken is nauwelijks denkbaar. De onderwaterwereld van Curaçao onderscheidt zich door de typische Caribische sponzen, die voor een deel een indrukwekkende grootte bereiken. Tussen waaierkoralen dartelen kleine visscholen. Bovendien leven hier barracuda's, keizersvissen, murenen, tandbaarzen en Caribische schaaldieren, zoals de King's crab of langoesten. Niet alleen onderwaterfotografen zullen aan de flamingotongue of de eens duurste vis ter wereld, de paarsgele koningsgramma, plezier beleven. Op de verschillende wrakken kun je probleemloos duiken en als tussendoortje kun je er in het natuurpark snorkelen.

De van de wind af liggende zuidzijde van Curaçao wordt overigens in drie gebieden verdeeld: Banda Abao strekt zich van Wata Mula op de westpunt tot aan Vuurtoren uit, Onderwaterpark Curaçao Centraal van Bullenbaai tot Breezes Curaçao. En hier begint het Curaçao onderwaterpark, dat zich tot aan Awa di Oostpunt uitstrekt. Voor de heel ervaren duikers is, als de passaatwind is gaan liggen (meestal in september tot november), het enkele dagen per jaar mogelijk om aan de woeste noordkust te duiken. Hier liggen nog nauwelijks bedoken duiklocaties. De rest van het jaar is dit een zeer gevaarlijke onderneming.

Vrijwillige duikvergunning

Sinds 2000 wordt er een niet-verplichte bijdrage gevraagd van US$ 10 per duiker voor het onderhoud van de boeien en ankerlijnen buiten het park. Er is een fraaie aluminium 'penning' gemaakt, totaal anders dan op Bonaire. Ze stelt een duiker voor en kan tevens gebruikt worden als flesopener. De penning is verkrijgbaar bij alle duikbases.

Compressietank

In het Sint-Elizabeth Ziekenhuis in Willemstad staat een professionele meerpersoons compressietank met deskundig opgeleid medisch personeel 24 uur per dag klaar voor de bewaking van je optimale veiligheid.

Curaçao Diving Operators Association

Curaçao heeft een groot aantal goed georganiseerde duikbases. Bij vrijwel elk hotel vind je er wel een. De betere duikscholen en duikshops hebben zich verenigd in de Curaçao Diving Operators Association (CDOA). Zij hebben zich ten doel gesteld het onderwaterleven rondom het eilandengebied Curaçao te beschermen. Tevens stellen zij hoge normen ten aanzien van de verhuur van duikmateriaal, het vullen van duikflessen en veiligheidseisen. In alle aangesloten duikshops vind je een uitgebreide EHBO-koffer en een complete zuurstofset. Voor diegenen die de duiksport niet machtig zijn, is er de mogelijkheid een duikcursus te volgen naar moderne maatstaven van onder andere PADI, SSI, NAUI en IDD.

Duikbases

● *All West Diving & Apartments Curaçao*, West Point Beach, Curaçao N.A., tel. 8640102, fax 8640107, e-mail allwest@attglobal.net, website www.allwestcuracao.com. Slechts enkele minuten naar talrijke plaatsen, dagelijks boottochten, PADI-basis.

● *Animal Encounters*, Bapor Kibra z/n, tel. 4616666, fax 4613671, e-mail seaquarium@cura.net, website Curacao-sea-aquarium.com.

● *Aqua Diving Curacao*, Grote Berg/Martha Koosje 4, Weg van Westpunt, tel. 8649700, fax 8649288, e-mail dive@aquadiving.an, website www.aquadiving.an. Ligt niet ver van de mooiste duikgebieden van het eiland, hoofdzakelijk duiken vanaf het strand, PADI/NAUI/IDD.

● *Atlantis Diving*, Drielstraat 6, tel. 4658288/5603099, fax 4658288, e-mail diving@cura.net, website www.atlantisdiving.com. Boot- en strandduiken alsmede dagtochten naar Klein Curaçao, PADI/IDD.

- *Caribbean Sea Sports*, Marriott Beach Resort, Piscaderabaai, P.O. 6003, tel. 4622620, fax 4626933, e-mail css@cura.net, website www.caribseasports.com. De duiks-hop ligt direct op een groot strand met een prachtig huisrif. Duiklocaties als Vaersenbaai, Snakebay, St. Michelsbaai en de *Superior Producer* liggen op een steenworp afstand. PADI, IDD en CMAS duikschool.
- *Curaçao Seascape*, Curaçao Sheraton Hotel, tel. 4625905 (Dive Shop), fax 4625846, e-mail seascape@intern-eeds.net. Aantrekkelijke duiklocaties in de omgeving, dagelijks boottoch-ten, PADI.
- *Dive Center Scuba Do*, Jan Thiel Beach, tel. 7679300 of 5608456, fax 7679300, e-mail scubado@cura.net, website www.divecenterscubado.com. Ideaal voor kantduiken en snorkelen, dagelijks boottochten mogelijk, PADI.
- *Diving School Wederfoort*, Marine Beach Club, Bocaweg 93, St. Michiel Baai z/n, tel. 8884414, fax 8692062, e-mail duiweder@cura.net. Een van de oudste bases op het eiland, bootdui-ken na afspraak, PADI.
- *Dolphin Divers*, Las Palmas Beach, tel. 4628304 (Dive Shop), fax 8888180, e-mail dolphindivers@cur-info.an, website www.dolphindi-vers.an. Duikbasis onder Duitse lei-ding, in de buurt van het strand ligt het wrak van de *Superior Producer*, PADI/VIT/VDST.
- *Easy Divers Curaçao*, Sunset Waters Beach, Santa Martha Baai, tel./fax 8642822, e-mail easydivers@curinfo.an, website www.easydiverscuracao.com. Gelegen in het noordwesten van het

eiland, mooi huisrif, dagelijks boot-tochten, PADI.

- *Habitat Curaçao Dive Resort*, Rif St. Marie, tel. 8648800, fax 8648464, e-mail curacao@habitatdiveresort.com. Rustig gelegen op 20 km van Willemstad, mooi huisrif, 24 uur duiken per dag, PADI.
- *Holiday Beach Dive Center*, Holiday Beach Hotel, Pater Eeuwensweg, tel. 4628878, fax 4628878, e-mail hbhdi-ve@hotmail.com. Strand- en boot-duiken (ligt vlak bij de *Superior Producer*).
- *Kontiki Diving*, tel. 8647414, fax 8683668, e-mail kontiki-diving-cur-acao@planet.nl, website www.konti-ki-diving.com.
- *Limestone Diving and Apartments*, Spanish Water, tel./fax 7673007, e-mail limesto@cura.net.
- *Mangrove Diving Curaçao*, Palu di Mangel Resort, Piscaderaweg 51, tel./fax 4621321, e-mail mangrovedi-ving@curinfo.an, website www.cur-acao-mangrovediving.com. Slechts 3 km van Willemstad , 5 min. per auto naar de *Superior Producer*, dagtrips op di. en zo. naar Klein Curaçao. PADI-basis.
- *Masterdive Retail Shop*, Fokkerweg 13, tel. 4654312, fax 4658154, e-mail masdive@cura.net.
- *Ocean Encounters*, Lions Dive & Beach Resort, Bapor Kibra, tel. 4618131, fax 4657826, e-mail info@oceanencounters.com, website www.oceanencounters.com. Gelegen naast het zeeaquarium, strand- en bootduiken, wrak van de *Oranje Nassau* voor de basis, PADI.
- *Safe Diving*, Lagun Beach, tel./fax 8641652, e-mail safedive@hotmail.com. Duikbasis aan het mooie lagunestrand.

BON BINI
Welkom op Curaçao!

Willemstad, met zijn monumentale binnenstad en het havenfront van Curaçao, is door Unesco benoemd tot wereld erfgoed.

Curaçao heeft alles om je mooiste duiken uit je mooiste dromen te maken. Kant, boot, diep, stroom, wrak, nacht, nitrox, rebreather, duik wat je wilt! Starters hebben het hier elke duik gemakkelijk, geroutineerde kunnen hun verwende duikershart ophalen. Curaçao is niet alleen de mooiste duiklocatie in de Caribbean maar ook voor de niet-duikers is er van alles te doen. Je kunt snorkelen, zeilen, surfen, zwemmen of zonnen in een van de vele schilderachtige baaien. Maar ook winkelen in gezellig en vriendelijk Willemstad, genieten van architectuur, cultuur, musea, galeries, restaurants, café's en dancings. Kom de kleurige boulevards afslenteren, ontspannen golfen of bezoek een van de casino's. Zoek de natuur op met safari's door de natuurparken. Bezoek de koloniale landhuizen, de mysterieuze grotten van Hato, de geneeskrachtige kruidentuin. Of kom lekker luieren op het hagelwitte strand van jouw lagune met een watertemperatuur van 26 graden en zicht tot over de 30 meter.

U bent nergens zo welkom als op Curaçao!

Kijk alvast op *www.curacaoinfo.nl*
of bel 010-4142639 voor meer informatie.

CURAÇAO

Dagelijks bootduiken voor kleine groepen naar onder andere Mushroom Forest en avontuurlijke programma's. PADI duikbasis.

- *Silent Immersion*, Caracasbaaiweg, tel./fax 7677014, e-mail silent@cura.net. Dit is een TDI/PSA/PADI-duikcentrum, gespecialiseerd in recreatieve en technische duikopleidingen. De duikshop ligt midden op het eiland en er is een pick-upservice voor alle gasten. Alle technische duikopleidingen.
- *Toucan Diving*, Kontiki Beach , Bapor Kibra, tel. 5621927, fax 4652957, e-mail toucandiving@cura.net. Midden in Willemstad, dagtochten per boot, IDD-basis.

Snorkelroutes

In het natuurpark liggen diverse snorkelroutes, voor diegenen die op een relaxte manier kennis willen maken met dit onderdeel van de duiksport. Op deze snorkelroutes vind je onder water stenen wegwijzers met namen en uitleg over de flora en fauna die je er ziet. Bij de duikshops zijn geplastificeerde kaartjes te koop met de routebeschrijving. Maar vergeet niet om je in te smeren met een watervaste sunblocker en een T-shirt aan te trekken. De zon brandt ongenadig op je rug.

Schildpadseizoen

Elk jaar in juni, juli en augustus begint het nestseizoen van schildpadden op Curaçao. Grote vrouwtjes worden gedurende de dag al rustend op het rif waargenomen. 's Nachts maken ze zich klaar om aan land te komen om hun eieren, vaak zo'n honderd stuks, te leggen. Het zijn de soepschildpad en de echte karetschildpad die in dit gebied nestelen. De eieren komen in drie maanden onder het warme zand tot ontwikkeling, waarna de jonge schildpadjes hun weg naar boven graven en de run naar zee beginnen.

Coral spawning

Gedurende enkele korte nachten in september en oktober vindt het kuitschieten van het koraal (het zogenaamde *coral spawning*) plaats op alle duiklocaties van het eiland ($\Box$ pp. 159). In september en oktober gebeurt dit op de 5de, 6de en 7de dag na volle maan tussen 18 en 22 uur. Voor meer informatie moet je contact opnemen met het Seaqarium, tel. 4616666, of met de Stichting Reef Care Curaçao, Kaminda Yakima 14, tel. 7368120 (na 17 uur), e-mail reefcare@cura.net, website www.cura.net/reefcare. Reef alarm telefoon: 5756666.

Animal Encounters

Het Seaquarium is het mooiste en het grootste in het Caribisch gebied met ruim 75 aquaria met daarin meer dan 800 zeebewoners. In het Seaquarium kunnen duikers tegen betaling zogenaamde *Animal-Encounters* maken: haaien en roggen kun je hier uit de hand voeren. De citroenhaaien, verpleegsterhaaien en zeeschildpadden zitten veilig in een ander gedeelte van het bassin, gescheiden door gaas en plexiglas. Verder zijn er pijlstaartroggen die vrij rond zwemmen en niet schuw zijn. De duikers krijgen een plastic container met sardines mee om ze te voeren. Pas echter op dat ze met hun platte tanden niet in je vingers bijten, dat kan soms goed zeer doen. Meer informatie: tel. 4616670 of 4656940, fax 4613671, e-mail seaquarm@cura.net of aquapr@cura.net.

Seaworld Explorer

Hou je niet van duiken of snorkelen, maar ben je wel nieuwsgierig naar de prachtige onderwaterwereld van Curaçao, dan biedt Seaworld Explorer je de kans. Deze semi-onderzeeboot ligt bij het Curaçao Sheraton Resort en vertrekt eenmaal per dag om 10.30 uur voor een één uur durende tocht door de onderwaterwereld van Curaçao. De gids aan boord vertelt je alles over de kleurige tropische vissen en het prachtige koraal. Volwassenen betalen US$ 29, kinderen US$ 19. Voor meer informatie: tel. 4628986 of 4628833.

Duiksafari's
Behalve met de boot zijn veel duiklocaties op Curaçao ook te bereiken met de auto. Nieuw is de duiksafari. Je huurt daarvoor een jeep bij een autoverhuurbedrijf en duikflessen bij een erkende duikschool, en je gaat vervolgens zelf op ontdekkingsreis langs de kust van Curaçao.

Klein Curaçao
De duikoperators bieden regelmatig unieke en avontuurlijke dagtochten naar Klein Curaçao aan. Naast bootduiken kun je je hier ook per helikopter af laten zetten en 's avonds met de boot weer terug naar Curaçao varen.

Kanosafari
Met de zeewaardige en uiterst stabiele kano's zak je de indrukwekkende zuidkust van Banda Abou af. Vertrek is elke donderdag van 8–17 uur. De prijs bedraagt US$ 46. Voor meer informatie Dutch Dream Adventure, tel. 4653575.

Accommodatie

Hotels
- *Avila Beach Hotel* is een luxehotel in Willemstad en beschikt over een eigen strand. Adres: Penstraat 130-134, tel. 4614377, fax 4611493, e-mail info@avilahotel.com, website www.avilahotel.com.

- *Bon Bini Seaside Resort*, Bapor Kibra z/n, tel. 4618000, fax 4617500, e-mail bbresort@curinfo.an.
- *Breezes Curaçao* ligt op ca. 3 km van het centrum van Willemstad aan een eigen zandstrand en heeft een mooie tropische tuin. Het is een all-inclusive resort. Adres: Dr. M.L. King Boulevard, tel. 7367888, fax 4614131, e-mail pbrsales@cura.net, website www.superclubs.com.
- *Bulado Inn Hotel* ligt dicht bij het dorpje St. Michiel. Adres: Boca Sami, tel. 8695943, fax 8695487, e-mail bulado@attglobal.net, website www.iseeyou.com/buladoinn.
- *Chogogo Resort* is een luxe viersterrenbungalowpark in typisch Caribische stijl dicht bij het Jan Thiel Strand. Adres: t/o Jan Thiel Beach, tel. 7472844, fax 7472424, e-mail info@chogogo.com, website www.chogogo.com.
- *Curaçao Plaza Hotel & Casino* ligt in het centrum van Willemstad met uitzicht over de haven en de St. Annabaai. Adres: Plaza Piar, tel. 4612500, fax 4618347, e-mail info@plazahotelcuracao.com, website www.plazahotelcuracao.com.
- *Curaçao Marriot Beach Resort & Emerald Casino* is een luxehotel op ca. 3 km van Willemstad in Piscaderabaai. Het heeft een eigen strand. Adres: Piscaderabaai, tel. 7368800, fax 4627502, e-mail mar-res@cura.net, website www.marriot-hotels.com/curmc.
- *Curaçao Sheraton Resort* is onlangs volledig gerenoveerd en staat onder nieuw management. Het hotel ligt direct aan een eigen zandstrand op ongeveer 3 km van Willemstad. Adres: John F. Kennedy Boulevard, tel. 4625000, fax 4623401, e-mail reservations@curacaosheraton.com, web-

site www.curacaosheraton.com.

- *Floris Suite Hotel*, Piscaderabaai, tel. 4626111, fax 4626211, e-mail info@florissuitehotel.com, website www.florissuitehotel.com.
- *Habitat Hotel Curaçao* is een luxe hotelcomplex direct aan zee bij Rif St. Marie en heeft een klein eigen strand. Adres: Rif St. Marie, tel. 8648800, fax 8648464, website www.habitatdiveresorts.com.
- *Holiday Beach Hotel & Casino* is een familiehotel op ca. 1,5 km van Willemstad aan een eigen strand. Adres: Pater Euwensweg 31, tel. 4625400, fax 4625409, e-mail holbe-ach@cura.net.
- *Holland Hotel & Casino* ligt vlak bij het vliegveld. Adres: F.D, Rooseveltweg 524, tel. 8688044 of 8688014, fax 8688114, e-mail hotelhld@cura.net.
- *Hotel Club Seru Coral*, Koraal Partier 10 , tel. 7678499, fax 7678256, e-mail srucoral@cura.net.
- *Hotel Seru Coral/Santa Catharina Sport and Country Club* ligt ca. 10 min. rijden vanaf Willemstad en 5 min. rijden van Barbara Beach. Adres: Koraal Partier 10, tel. 7678499, fax 7678256, e-mail sruoral@cura.net.
- *Hotel Kura Hulanda* ligt nabij het centrum van Willemstad met zicht op de haven. Adres: De Rouvilleweg 47, tel. 4627878, fax 4627969, e-mail sales@kurahulanda.com, website www.kurahulanda.com.
- *Landhuis Daniël* is een geheel gerenoveerd landhuis waar je in een van de acht gezellige en betaalbare kamers kunt verblijven. Dit land-huis ligt midden op het eiland langs de Weg naar Westpunt. Tel./fax 8648400, e-mail danielh@cura.net.

- *Lions Dive & Beach Resort* ligt ca. 3 km van het centrum van Willemstad direct aan het Mambo Beach & Boulevard en het Seaquarium. Adres: Bapor Kibra z/n, tel. 4348888, fax 4348889, e-mail info@lionsdive.com, website www.lionsdive.com.
- *Otrobanda Hotel & Casino* ligt in het centrum van Willemstad (in Otrobanda) met zicht op de haven en de Handelskade. Adres: Breedestraat (0), tel. 4627400, fax 4627299, e-mail info@otrabandaho-tel.com, website www.otrabandaho-tel.com.
- *Palu di Mangel Resort (Mangroov)* ligt ca. 3 km van Willemstad. Adres: Piscaderaweg naast 51, tel. 4622077, fax 4621525, e-mail paludimangel@curinfo.an.
- *Papagayo Beach Resort* is een luxe resort aan Jan Thiel Baai. Adres: Jan Thiel Baai z/n, tel. 7474333, fax 7474322, e-mail info@papagayo-beach.com, website www.papagayo-beach.com. In Nederland: tel. 010-5904007, e-mail papagayo-beach@planet.nl.
- *Sunset Waters Beach Resort* is een all-inclusive resort, ligt aan de Santa Marta Baai en heeft een groot eigen strand en een uniek uitzicht over zee. Adres: Santa Marta, tel: 8641233, fax 8641237, e-mail info@sunsetwa-ters.com, website www.sunsetwa-ters.com.
- *Trupial Inn Hotel* ligt in een rustige wijk in het zakengedeelte van Willemstad. Adres: Groot Davelaarweg 5, tel. 7378200, fax 7371545, e-mail trupial@curinfo.an, website www.trupial.com.

Ontbijt
De hotels in Curaçao hanteren verschil-

lende ontbijtmogelijkheden, er is bijvoorbeeld al een Continental Breakfast vanaf US$ 6. Je kunt natuurlijk ook voor een American Breakfast kiezen, maar dat is uitgebreider en dus duurder.

Kleine hotels op Curaçao

Op Curaçao zijn diverse kleine hotels in de goedkope prijsklasse. Deze hotels vallen niet onder een sterrenkwalificatiesysteem. Je moet vooraf zeker weten dat de kwaliteit van hotel en kamer aan je eisen voldoet. Het Curaçao Toeristen Bureau zegt hierover: 'Eerst kijken en dan pas slapen.'

Appartementen en veiligheid

Bij het verblijf in een appartement op Curaçao dien je rekening te houden met de veiligheid. Beveiligde appartementen met eventuele bewaking genieten de voorkeur. Het is in het verleden al vaker gebeurd dat slapende toeristen beroofd werden.

CASHA is een vereniging van appartementen en kleine hotels die voldoen aan eigentijdse normen op Curaçao. Deze accommodaties staan garant voor een bepaalde mate van zekerheid omtrent kwaliteit en comfort. Ieder CASHA-lid heeft echter zijn eigen identiteit en geeft op eigen wijze invulling aan gastvrijheid. CASHA is erkend en wordt gesteund door het Curaçao Tourism Development Bureau. Een aantal appartementen op Curaçao is aangesloten bij CASHA. Bij het Curaçao Toeristen Bureau (tel. 010-414 2639) kun je de VASHA-folder aanvragen. Meer informatie: CASHA, Postbus 8243, Curaçao, Nederlandse Antillen. Website www.curacaoweb.com/casha.

Wandeltochten door historisch Curaçao

Een van de indrukwekkendste historische wijken van het Caribische gebied is het westelijke gedeelte van Oud-Willemstad: Otrobanda. In deze 18de- en 19de-eeuwse wijk tref je nog het oude Curaçao: romantische steegjes en gangetjes met oude verweerde monumenten uit een glorierijk verleden en de prachtige architectuur van de gerestaureerde wijken. Bezoekers kunnen nu van de rijke en gevarieerde geschiedenis van Otrobanda en Punta genieten. Onder leiding van enthousiaste, deskundige en getalenteerde Curaçaoënaars worden op diverse dagen rondleidingen georganiseerd.

- **Jopi Hart** (begeleidde koningin Beatrix een aantal malen tijdens haar bezoeken aan het eiland): tel. (5999) 7673798, vertrekt op woensdag om 17.15 uur. Verzamelen bij het standbeeld van Luids Brion op het Brionplein. Kosten NAƒ 10 per persoon.
- **Kunuku Tours**, tel. (5999) 6662514 of 5629199, e-mail kunukutours@interneeds.net. Tijdig reserveren is noodzakelijk.
- **Old City Tours**, Anko van der Woude, tel (5999) 4613554, fax (5999) 4612732. Elke donderdagmiddag om 17.15 uur, NAƒ 11 per persoon.

Verder lezen

Duikgidsen

D.I.P. Curaçao, *Take the Plunge, The official Island Dive Guide*, uitgegeven door het Curaçao Tourism Development Bureau, 1996. ISBN 99 904 0 1861
Complete Guide to landside diving and snorkeling locations in Curaçao, door Jeffrey Sybesma en Suzanne Koelega, Uitgegeven door de Lions Club Curaçao, 1990. ISBN 999 04 904 0 6.
Aruba, Bonaire en Curaçao, duikgids door Jack Jackson. Uitgeverij Van Reemst, Houten, 2001. ISBN 90 410 2385 2.

Algemene reisboeken

Curaçao, Officiële gids tot het eiland. Uitgegeven door het Curaçao Tourism Development Bureau, 1996. ISBN 999 04 0 186 6.

Nederlandse Antillen en Aruba, door Guido Derksen. Uitgeverij J.H. Gottmer/ H.J.W. Becht BV, Bloemendaal, 2002. ISBN 90 257 3397 2. In het voorjaar van 2002 verschijnt de volledig herziene derde druk van deze gids.

Fotoboeken
Naturecolours Curaçao, door Dos Winkel c.s. Uitgeverij Watercolours Bonaire BV, Bonaire, 1998. ISBN 90 389 0797 4.

Biografieën en verhalen
Jagers op de zeebodem, door Hans Hass. Uitgeverij Nederlandsche Keurboekerij NV, Amsterdam, 1949 (alleen nog maar antiquarisch verkrijgbaar). In dit boek worden de avonturen van Hans Hass en zijn gezellen op Bonaire en Curaçao verteld.

Hans Hass, Ein Leben lang auf Expedition, Ein Porträt, door Michael Jung. Uitgeverij Stephanie Naglschmid Stuttgart, 1994. ISBN 3 927913 63 4.

Hans Hass. Aus der Pionierzeit des Tauchens, door Hans Hass. Uitgeverij Jahr Verlag GmbH, Hamburg 1996. ISBN 3 86132 188 2.

Video
Hans Hass. Aus der Pionierzeit des Tauchens, Pirsch unter Wasser en *Menschen unter Haien*. De video *Pirsch unter Wasser* is het verslag uit 1939/1940 in zwart-wit over de duikexpeditie van Hans Hass, Jürg Böhler en Alfred von Wurzian naar Curaçao en Bonaire. Deze video is te koop bij Uitgeverij Jahr Verlag GmbH, Hamburg (of via uitgeverij VIP Media in Breda).

SABA

Algemene informatie
Saba Tourist Board op het eiland: Windwardside. Geopend: 8–12 en 13–17 uur, tel. 162231/32, fax 162350, e-mail iluvsaba@unspoiledqueen.com, website www.turq.com/saba.

Telefoonnummers
Het internationale toegangsnummer van Saba is 599 (Antillen) en 4 voor het eiland.

Reizen naar Saba
Vliegtuig
Alle reizen van en naar Saba lopen over Sint-Maarten. Daar vlieg je vanuit Europa naar toe met Air France, de KLM of Martinair, of vanuit Miami met bijvoorbeeld American Airlines. Dat zijn dagelijkse verbindingen. Vanaf Sint-Maarten reis je verder met het vliegtuig of de boot. Winair (Windward Islands Airways) vliegt dagelijks vijf keer op Juancho E. Yrausquin Airport, het vliegveld van Saba. Het retourtje vanaf Sint-Maarten kost zo'n US$ 75. Houd rekening met wachttijden. Ook sluit de vlucht naar Saba niet altijd goed aan op de intercontinentale vluchten naar Sint-Maarten. Telefonisch reserveren: 554237/54210. Website www.mrstm.com/winair.

Boot. Vanaf 'The Edge' in Simpson Bay gaat drie keer per week (wo., vr. en zo.) een boot naar Saba; vertrek 9 uur (reserveren tel. 542640). Voor een retourtje betaal je US$ 60, voor kinderen de helft. Deze boot vaart 's middags weer terug.

Luchthavenbelasting
Voor de andere Bovenwindse Eilanden US$ 5, internationale vluchten US$ 10.

Visa
Belgen en Nederlanders hebben voor

Saba een geldig paspoort en een retour-ticket nodig.

Gezondheid
De gezondheidszorg op Saba staat op een behoorlijk peil. Het A.M. Edwards Medical Center is het enige ziekenhuis op het eiland, met één dokter en één verpleegster; tel. 163239/ 163288 / 163289.
De Saba Marine Park Hyperbaric Facility, geschikt voor vier personen, tel. 63295, wordt bediend door vrijwilligers.

Geldzaken
De officiële munt van Saba is de Nederlands Antilliaanse gulden, NA*f*, die in een vaste verhouding staat ten opzichte van de dollar: NA*f* 1,80 = $1,00.
Je kunt op de meeste plaatsen met Amerikaanse dollars en je creditcard betalen. Pinnen met je Europese bankpas is niet mogelijk bij banken. Wel kun je bij de bank cash krijgen op je creditcard. De Barclay's Bank in Windwardside is open van 8.30–12.00 en van 13–16 uur.

Elektriciteit
110 volt.

Tijd
Op Saba is het 5 uur, met zomertijd 6 uur, vroeger dan in Nederland en België.

Winkeltijden
Openingstijden winkels: ma.–za. 8–12 en 14–18 uur. The *Saba Artisan's Foundation* in The Bottom en de *Island Craft Shop* in Windwardside zijn speciaal voor souvenirs.

Prijzen
Het prijspeil op Saba ligt iets gunstiger (lager) dan op Sint-Maarten. In het hotel komt er 10 à 15 procent service- en 5 procent kamerbelasting op de rekening.

Vervoer
Taxi's zijn de enige optie als openbaar vervoer. Ritjes zijn niet duur omdat het aantal kilometers weg op het eiland beperkt is, slechts 18!

Huurauto
Wil je toch een auto huren, dan kan dat bij Caralfan Rent A Car Saba.

Criminaliteit
De laatste jaren neemt diefstal van toeristen enigszins toe. Let op je spullen, sluit de auto goed af. Vraag bij de balie van het hotel welke andere voorzorgen je kunt nemen.
Alarmnummer politie, tel. 999.

Bijzondere feestdagen
30 april	Koninginnedag
1 mei	Labour Day
3de week juli	Saba Carnaval
1 december	Saba Day

Duikcentra
Saba heeft een drietal gerenommeerde duikcentra, die alle duikplekken rond het eiland in het programma hebben. In de meeste gevallen vertrekken de boten vanuit Fort Bay. Het duikpakket is meestal inclusief een pick-up bij je hotel of huisje.
Een standaardduikarrangement heeft twee duiken in de ochtend en rond het middaguur. De intervalperiode wordt op het land doorgebracht. Terugkomst bij de pier meestal tussen 12.30 en 13 uur.
De beste duikgids over Saba is geschreven door Tom van 't Hof, *Guide to the Saba Marine Park*, uitgegeven door de Saba Conservation Foundation, en te koop in de duikcentra.

Compressietank
De Saba Marine Park Hyperbaric Facility, geschikt voor vier personen, tel. 4-63295, wordt bediend door vrijwilligers.

Duikcentra Saba

- *Saba Deep*, in Fort Bay, bij de pier. Eigenaar Mike Myers is een duikpionier op Saba en weet veel te vertellen over de bijzondere plekken rond het eiland. Voor de cursussen maakt Saba Deep gebruik van het zwembad bij Captain's Quarters. Je kunt hier alle NAUI- en PADI-cursussen doen en dagelijks boeken op een duiktocht. Tijdens de intervallen komt de boot terug naar de pier. Boven de duikshop zit een voortreffelijk restaurant waar je de lunch kunt gebruiken of wat kunt drinken: 'On two deep'. De prijs voor twee duiken ligt rond de US$ 80, inclusief de parkbelasting. Vooral Amerikaanse en Engelse duikers. Tel. 163347, fax 163397, e-mail diving@sabadeep.com, website www.sabadeep.com.
- *Sea Saba Dive Centre*, in Windwardside, verzorgt PADI-duikcursussen, duik- en snorkeltochten en kleine cruises rond het eiland. De boten zijn luxe en nemen eventueel ook snorkelaars en zonaanbidders mee. De intervalperiode wordt doorgebracht in Well's Bay, waar het water kalm is, je kunt snorkelen en op het strandje kunt zitten (al is daar sinds Lenny weinig van over). Op donderdag is het erg druk, als er gasten van een grote cruiseboot duiken. Vooral Amerikaanse duikers. De prijs voor twee duiken ligt rond de US$ 80, inclusief parkbelasting; tel. 162246, fax 162362, e-mail seasaba@aol.com, website www.seasaba.com.
- *Saba Divers*, in Windwardside, is de jongste duikschool. Het duikcentrum vorm één geheel met Scout's Place, een hotel, restaurant en bar. De zaak wordt bestierd door Wolfgang Tooten en Barbara Schäfer.

Een echte duiksfeer, PADI en andere cursussen in het eigen zwembad. Vervoer naar de haven is ingecalculeerd. De intervalperiode wordt soms op zee in rustig water doorgebracht en anders op het land. De prijs voor twee duiken ligt rond de US$ 80, inclusief parkbelasting. Er zijn interessante duikpakketten met hotel en maaltijden. Tel. 162740, fax 162741, e-mail sabadivers@unspoiledqueen.com, website www.sabadivers.com.

Accommodatie

De keuze voor een klein eiland als Saba – met 'slechts' 100 kamers op het hele eiland – is beperkt. Er zijn geen grote resorthotels, en als het aan de ondernemers en het huidige bestuur ligt, blijft dat zo. Hier volgen enkele tips, eerst in Windwardside, daarna The Bottom.

In Windwardside

- *Captain's Quarters Resort* was het bekendste hotel totdat orkaan George in 1998 toesloeg. Sindsdien niet meer opgebouwd. Lenny bracht nog meer schade aan. Staat te koop.
- *El Momo Cottages*, even buiten Windwardside, het meest low budget-verblijf op het eiland, ideaal voor hikers en duikers, in een zeer groene omgeving, houten huisjes met eigen terras, gezamenlijke douche onder de bomen, schitterend uitzicht, porch met hangmat (US$ 40 per tweepersoonshuisje); tel. 162265, fax 162265, e-mail elmomo@unspoiledqueen.com, website www.elmomo.com (met filmpje!).
- *Scout's Place*, Juliana's, Windwardside, intiem hotel, ook twee volledig ingerichte appartementen met twee slaapkamers en een schitterend uitzicht, restaurant

en zwembad om de hoek (US$ 70–120); tel. 162269, fax 162389, e-mail julianas@megatropic.com, website www.julianas-hotel.com.

- *The Cottage Club*, Windwardside, tien huisjes tegen de berghelling, ook een bijzonder mooi uitzicht, alle comfort, met zwembad, kinderen jonger dan 12 gratis (US$ 85–115); tel. 162486/162386, fax 162476, e-mail cottageclub@megatropic.com.

- *Willard's of Saba*, het duurste maar ook de mooiste locatie, hoog in de bergen, op de punt van het eiland, 600 m boven de zee en met uitzicht op Statia en Saint Kitts. Verschillende heel ruime kamers met een eigen sfeer, gezamenlijke bar, groot zwembad en eigen tennisbaan (met daaronder de cisterne).

In The Bottom

- *Caribe Guesthouse*, The Bottom, degelijk, schoon en gezellig (US$ 65–75); tel. 163259, fax 163259.

- *Cranston Antique Inn*, The Bottom, heel aparte kamers in een oude herberg, met antieke meubels, mooie ligging, zwembad, bar, restaurant (US$ 65–160); tel. 163203.

- *Queen's Gardens Resort* is hier de absolute topper, en voor Saba een uniek hotel, in de heuvels, tussen het groen, stijlvol ingerichte suites en appartementen, de meest luxe met eigen jacuzzi, een gezamenlijk groot zwembad, met uitstekend restaurant, en dit alles met een uitzicht op The Bottom, de groene rotsen en de zee; tel. 163494, fax 163495.

- *The Gate House*, in Hells Gate, het paradijsje van een Amerikaanse kunstenaar, comfortabele kamers, uitstekende sfeer, uitzicht weergaloos (US$ 75–95); tel. 162416, fax 162550, e-mail SabaGate@aol.com.

- *The Saba Inn*, Cove Bay, vier appartementen met een slaapkamer, wat verder weg van Windwardside, maar een indrukwekkende wandeling (US$ 55, alles inbegrepen); telefax 162292, e-mail lock@sintmaarten.net.

Er zijn diverse andere particuliere huisjes of appartementen te huur. Informeer bij de Saba Tourist Board (zie website boven).

Verder lezen

Duikgids
Guide to the Saba Marine Park, door Tom van 't Hof, uitgegeven door de Saba Conservation Foundation, en te koop in de duikcentra.
Sportduikersgids Caribisch gebied, door Marcel Bayer. Dominicus Adventure Reeks. Uitgeverij J.H. Gottmer/H.J.W. Becht BV, Bloemendaal, 2000. ISBN 90 257 3140 6.

Fotoboek
The Nature of Saba, door Tom van 't Hof. Uitgeverij Saba Conservation Foundation, 1997. ISBN 99904 0 222 1.

Algemene reisgidsen
Nederlandse Antillen en Aruba, door Guido Derksen. Uitgeverij J.H. Gottmer/H.J.W. Becht BV, Bloemendaal, 2002. ISBN 90 257 3397 2. In het voorjaar van 2002 verschijnt een volledig herziene derde druk van deze gids.

SINT-EUSTATIUS (STATIA)

Algemene informatie
St. Eustatius Tourism Development Foundation op het eiland: Oranjestad, telefax 182433, website www.statiatourism.com. In Nederland: Interreps bv, tel. 070-3905159, e-mail: interreps@interreps.nl

Telefoonnummers

Het internationale toegangsnummer van Statia is 599 (Antillen) en 3 voor het eiland.
Alarmnummer politie, tel. 999

Reizen naar Statia

Vliegtuig

Alle reizen van en naar Statia lopen over Sint-Maarten. Daar vlieg je vanuit Europa naar toe met Air France, de KLM of Martinair, of vanuit Miami met bijvoorbeeld American Airlines. Dat zijn dagelijkse verbindingen. Vanaf Sint-Maarten reis je verder met het vliegtuig. Winair (Windward Islands Airways) vliegt dagelijks vijf keer op Franklin Delano Roosevelt Airport, het vliegveld van Statia. Het retourtje vanaf Sint-Maarten kost ca.US$ 75. De vluchten vanaf Sint-Maarten doen meestal eerst Saba aan. Houd rekening met wachttijden. Ook sluit de vlucht naar Statia niet altijd goed aan op de intercontinentale vluchten naar Sint-Maarten. Telefonisch reserveren: Winair 554237/52649. Website www.mrstm.com/winair of op Statia: Ideal Travel, tel. 182362; Killie Killie Travel, tel. 182303.

Luchthavenbelasting

Voor de andere Bovenwindse Eilanden US$ 5, internationale vluchten US$ 12.

Visa

Belgen en Nederlanders hebben voor Statia een geldig paspoort en een retourticket nodig.

Gezondheid

De gezondheidszorg op Statia staat op een behoorlijk peil. Het Queen Beatrix Hospital is het enige ziekenhuis op het eiland, met drie dokters, tel. 182371/ 182211.

Geldzaken

De officiële munt is de Nederlands Antilliaanse gulden, NAf, die in een vaste verhouding staat ten opzichte van de dollar: NAf 1,80 = $1,00.
Je kunt op de meeste plaatsen met Amerikaanse dollars en je creditcard betalen. Pinnen met je Europese bankpas is niet mogelijk bij banken. Wel kun je bij de bank cash krijgen op je creditcard. Het postkantoor is geopend van ma.–vr. 7.30–16 uur. Windward Island Bank van 8.30–12 en 13.30–15.30 uur.

Bijzondere feestdagen

30 april	Koninginnedag
1 mei	Labour Day
2de helft juli	Carnaval
21 oktober	Antillean Day
16 november	Statia Day

Duikcentra

De duiksport op Statia bevindt zich in de schaduw van Bonaire en Saba. 'The Golden Rock' is nog vrij onbekend als duikgebied. Als je daarover met de mensen van de duikcentra praat, hebben ze een ambivalente houding. Ze vinden het een zegen dat ze nog met kleine boten met twee tot vier duikers kunnen uitvaren, maar commercieel gezien zouden ze natuurlijk wel wat meer zaken willen doen. Eén ding is zeker: de duikgebieden van Statia zijn niet al te uitgestrekt en kwetsbaar. Dat maakt groei van het duiktoerisme een riskante aangelegenheid.

Momenteel zet men in op een combinatie van de twee Bovenwindse Eilanden in één duikpakket: de pinakels en vulkanische eigenschappen van Saba, de riffen en wrakken van Statia. Ze zijn prima te combineren tijdens een tiendaagse duikvakantie.

Dive Statia is het oudste duikcentrum en gevestigd in een loods aan de waterkant, tegenover de ruïnes van een 18de-eeuws pakhuis. Rudy en Rinda Hees uit de Verenigde Staten zijn hier in 1994 begonnen.

Ze hebben het historische gebouw intact gelaten. De winkel, het kantoor en omkleedruimte zijn binnen, de spoelruimte- en de plaats waar de briefing plaatsvindt liggen op de 'porch' aan de achterkant. Het kleine strandje achter de duikbasis heeft Rinda zelf emmer voor emmer aangelegd. Dive Statia is de enige duikbasis op Statia die nitrox levert. Rinda roemt de rust en variëteit van de onderwaterwereld. "Na zeven jaar vraag ik me af hoe het komt dat zo weinig mensen het gebied kennen. Het is hier fantastisch en wij bieden écht kennis over het rif". De Duikers bij Dive Statia zijn met name Amerikanen.

ⓘ DIVE STATIA. Tel. 182435, fax: 3182539, e-mail: info@divestatia.com, website: www.divestatia.com.

Waar duik je nog steevast met de eigenaar van het duikcentrum? Op Statia. De Amerikaan Glenn Faires heeft er zelfs z'n handelsmerk van gemaakt. Samen met zijn vrouw Michelle runt hij het **Golden Rock Dive Center**. Het in pasteltinten geschilderde duikcentrum staat aan de stenen pier bij de haven van Statia. Er wordt gedoken met kleine groepen van maximaal acht personen. Het leukste vind Glenn met één of twee duikers in de rubberen Zodiac speciale duiktochten maken: op de stroming, meerdere wrakken tegelijk of uitgebreid de drop-off verkennen. "We do what you want", roept hij. Het Golden Rock Dive Center heeft zich naast de Amerikaanse markt ook sterk op de Europese markt gericht. Er zijn altijd duikinstructeurs en gidsen aanwezig die meerdere (Europese) talen spreken. Zijn klanten zijn ook heel veel 'repeaters', duikers die regelmatig terugkomen naar Statia. En dat doe ze niet voor niets. Een andere toeristische service die het Golden Rock Dive Center biedt is per ezel het eiland verkennen. Samen met zijn duikgid-

sen heeft hij een aantal wilde ezels gevangen, ze getemd en aan een zadel gewend. Nu nemen de duikgidsen klanten mee voor een natuurtocht aan de Atlantische kant van het eiland en maken halverwege een snorkelduik in een lagune. Hier worden regelmatig haaien gezien door de enthousiaste snorkelaars.

ⓘ THE GOLDEN ROCK DIVE CENTER. Tel: 182964, e-mail: goldenrockdive@megatropic.com; internet: www.goldenrockdive.com.

De jongste van de drie duikcentra is **Scubaqua**. Het Franse stel Ronald Mettraux en Lawrence Stempfel begonnen een paar jaar geleden hun zaakje op het terrein van het Golden Era Hotel. De locatie is perfect, met zwembad en met uitzicht op de azuurblauwe baai. In korte tijd hebben de twee enthousiaste Fransen zich veel kennis over de duiklocaties eigen gemaakt. Onder de amandelboom bij het duikcentrum krijg je altijd eerst een uitvoerige briefing over de duikplek, aan de hand van zelfgemaakte kaarten. De begeleiding is net als bij de andere twee duikcentra heel persoonlijk. Olivier en Isabelle gaan vooral voor wat ze noemen 'Europese kwaliteit' van de service en voor veiligheid. Ze nemen met hun gasten geen enkel risico.

ⓘ Scubaqua, telefax 182345, e-mail dive@scubaqua.com, website www.scubaqua.com.

Accommodatie

Er zijn geen grote resorthotels, en als het aan de ondernemers en het huidige bestuur ligt, blijft dat zo.

Vrijwel alle accommodaties staan in Oranjestad. Voor duikers zijn de twee beste opties, omdat ze in de benedenstad staan en dus op loopafstand van de duikcentra:

● *Golden Era Hotel*, aan het water, met

zwembad, eenvoudig restaurant en duikcentrum Scubaqua op het erf. Ruime kamers met een eigen sfeer, tweepersoonskamer (ca. US$ 120); tel. 182345, fax 182445.

- *The Old Gin House*, een bijzonder sfeervol gerestaureerd 18de-eeuws guesthouse, schone, ruime kamers, met zwembad, tweepersoonskamer (ca. US$ 135); tel. 182319, fax 182135, e-mail: info@oldginhouse.com.

In de **bovenstad**, en wat meer in de sfeer van een ouderwets guesthouse, en iets goedkoper (US$ 50-80 voor een tweepersoonskamer):

- *King's Well*, met uitzicht op de baai, tel. 182538, fax 182538.
- *The Country Inn*, met een bijzonder mooi uitzicht over de Zeelandia Bay, groene omgeving, telefax 182484.

SINT-MAARTEN

Algemene informatie
St. Maarten Information Centre, 2de verd. Imperial Building (naast het politiebureau), W.J. Nisbeth Road 23, Philipsburg; tel. 22337/22868, fax 31159. In de aankomsthal van de luchthaven is ook een kiosk van het toeristenbureau, die tot na de laatste vlucht open blijft. Aan het Claude Wathey Square is eveneens een VVV-kantoortje te vinden (geopend: ma.–vr. 8–17 uur).

Telefoonnummers
Het internationale toegangsnummer van Sint-Maarten is 599 (Antillen) en 54 voor het eiland.

Alarmnummers
Politie: tel. 22222 (Saint Martin: tel. 875004)
Ambulance: tel. 22111/26001 (Saint Martin tel. 877414)

Brandweer: tel. 22222 (Saint Martin tel. 875008)
Ziekenhuis: tel. 31111 (Saint Martin tel. 875007)

Reizen naar Sint-Maarten
Sint-Maarten heeft een internationale luchthaven, Princess Juliana Airport. Er wordt onder meer op gevlogen door de KLM (tweemaal per week), American Airlines, Continental en Winair. De laatste maatschappij onderhoudt verbindingen met kleine eilanden in de omgeving, waaronder Saba en Sint-Eustatius. Een andere kleine maatschappij, Leeward Islands Air Traffic (LIAT), vliegt ook naar kleine eilanden in de omgeving, maar niet naar Saba en Sint-Eustatius. Alle maatschappijen hebben een kantoor op de luchthaven. KLM tel. 54240; Winair tel. 54230; LIAT tel. 54203. Voor algemene vluchtinformatie: tel. 52161/54211.

Luchthavenbelasting
Voor de andere Bovenwindse Eilanden US$ 5, internationale vluchten US$ 12.

Visa
Belgen en Nederlanders hebben voor Sint-Maarten een geldig paspoort en een retourticket nodig.

Gezondheid
De gezondheidszorg op Sint-Maarten staat op een behoorlijk peil. Er is één ziekenhuis op het eiland: St. Maarten Medical Centre, Cay Hill, tel. 31111. In Philipsburg is in de Cannegieter Street achter het kantoor van het toeristenbureau een apotheek aanwezig, evenals in Over The Pond (aan de noordzijde van Great Salt Pond) en in Cay Hill. Geopend: ma.–vr. 7.30–17 en za. 7.30–12 uur.

Geldzaken
De officiële munt is de Nederlands Antilliaanse gulden, NA*f*, die in een vaste verhouding staat ten opzichte van de dollar: NA*f* 1,80 = $1,00. Bijna geen Sint-Maartenaar zal je Antilliaanse gulden echter aannemen; de dollar is de maat der dingen op het eiland. Je kunt op de meeste plaatsen ook met je creditcard betalen.
Bankkantoren zijn voornamelijk in Philipsburg en op de luchthaven te vinden. Onder meer vertegenwoordigd zijn de ABN AMRO (Emmaplein), de Nederlandse Credietbank, Barclay's Bank (Front Street 19) en de Bank van de Nederlandse Antillen. Openingstijden: ma.–do. 8.30–15.30, vr. 8.30–13 en 16–17 uur.

Elektriciteit
110 V (60 hertz) op Sint-Maarten, 220 V (60 hertz) op Saint Martin.

Tijd
Op Sint-Maarten is het 5 uur – met zomertijd 6 uur – vroeger dan in Nederland en België.

Winkeltijden
De meeste winkels zijn geopend: ma.–za. 8–12 en 14–18 uur, maar op zondag gaan ze ook open als er cruiseschepen aanleggen.

Prijzen
Het prijspeil ligt vrij hoog. In het hotel en restaurant komt 10 tot 15 procent service en in het hotel 7 procent kamerbelasting op de rekening.

Vervoer
Huurauto
Autoverhuurbedrijven zijn ruim aanwezig op Sint-Maarten, uiteraard ook op en bij het vliegveld. Er zijn maar liefst 25 verschillende verhuurbedrijven. Voor het huren is een Nederlands of internationaal rijbewijs vereist. Enkele bekende autoverhuurders zijn: Avis, tel. 42316; Budget, tel. 54274; Carribean Auto Rentals, tel. 45211; Dollar Rent-a-car, tel. 22698; Hertz, tel. 54314.
Carter's Motorcycles, Scooter & Moped Rentals, Bush Road, Cul-de-Sac, verhuurt tweewielers (tel. 22612).
De maximumsnelheid is 40 km/uur in de bebouwde kom, 60 km/uur daarbuiten.

Bus
Tussen 6.30 en 20 uur rijden ieder uur kleine particuliere bussen tussen Philipsburg, Marigot en Grand Case. Officiële bushaltes zijn er niet, het is de bedoeling de bus (onder andere in Back Street) aan te houden. Ook tussen Mullet Bay, Simpson Bay, Cole Bay en Grand Case is ieder uur een busdienst, die ook langs het vliegveld komt. Enkele grote hotels hebben een eigen busservice.

Taxi
Tel. 22359 of 54317 (vliegveld). Er zijn door de overheid vastgestelde taxiprijzen op het eiland, taximeters zijn dus niet nodig. De prijzen zijn gebaseerd op maximaal twee passagiers. Voor elke extra passagier wordt $1 extra gerekend. Tussen 22 en 24 uur gaan de prijzen met 25 procent omhoog, tussen 24 en 6 uur met 50 procent.

Criminaliteit
De instroom van arme, illegale gelukzoekers vanaf andere Caribische eilanden heeft de criminaliteit op Sint-Maarten helaas doen stijgen. Let daarom altijd op je spullen en sluit je auto af.

Bijzondere feestdagen
april	Carnaval
30 april	Koninginnedag
1 mei	Dag van de Arbeid
21 oktober	Antillendag
11 november	Sint-Maartensdag

Duikcentra

Enkele duikcentra op Sint-Maarten zijn:

- *Dive Safaris* zit zowel in Bobby's Marina (Great Bay) als aan Simpson Bay, dus redelijk centraal als je in Philipsburg verblijft. Je kunt er duikcursussen doen en duiktochten per boot boeken. Op dinsdag, donderdag en zondag organiseren ze voor US$ 65 per persoon een sensationele haaienduik. Ze noemen dit een "Shark Awerness Dive". De duikers liggen op de bodem van dode koralen in een rij en de instructeur voert de haaien met vis aan het einde van een speer. Ook zwemmen hier regelmatig dolfijnen tussen de duikers door. Op de tocht naar de duikplaats worden in het seizoen met grote regelmaat walvissen gezien.

  🛈 DIVE SAFARIS. Bobby's Marina, Philipsburg, tel. 542 9001, fax: 542 8983, e-mail: keough@sintmaarten.net, internet: www.diveguideint.com/divesafaris of www.thescubashop.net

- *Dive Adventures* en *AquaMania Watersports*, La Palapa Marina, Simpson Bay, van dezelfde eigenaar, doen van alles op het water, dus ook duiken; vlak onder Pelican Resort, tel. 5453213, mobiel 5995 73436; e-mail gsteyn@sintmaarten.net.

- *Ocean Explorer Dive Center*, ook aan Simpson Bay, aan de doorgaande weg vanaf het vliegveld naar Philipsburg, echt alleen voor duikers; e-mail divesm@megatropic.com, website www.stmaartendiving.com.

Andere centra zijn Aquamania Watersports, Leeward Island Divers en Trade Winds Dive Centre.

Accommodatie

Accommodatie op Sint-Maarten is er te kust en te keur; in de lagere prijsklassen is het echter lastiger iets te vinden. Enkele vertrouwde adressen:

- *Holland House Beach Hotel*, een wat ouder hotel midden in Philipsburg, veel Nederlandse gasten, direct aan de baai gelegen, 43 Front Street (US$ 100–150); tel. 22572, fax 24673. Holland House biedt leuke combinaties aan met Divesafaris voor een haaienduik.

- *Horny Toad Guesthouse*, het guesthouse met de leukste naam van Sint-Maarten. Acht kamers, strand bij Simpson Bay in de buurt, Vlaun Drive 2, Simpson Bay (ca. US$ 50); tel. 54323, fax 53316.

- *La Vista* is een wat kleiner familieresort, met studio's en suites met zeezicht, Caribische bouwstijl, mooi zwembad, iets rustiger gelegen; Pelican Key (ca. US$ 150), tel. 43005, fax 43010.

- *Maho Beach Resort* is een gigantisch groot en duur hotelcomplex met 600 kamers, alles aanwezig, van restaurants, zwembaden en winkels tot eigen busjes op het terrein en 18-holes golfbaan, tel. 52115, fax 53180.

- *Mary's Boon Hotel*, een niet zo groot hotel (20 kamers), wel met airco, zwembad, strand nabij, en vriendelijk, Simpson Bay Road 117 (ca. US$ 150); tel. 54235, fax 53403.

REGISTER

SABA